FRANCE LORD
DANIEL LYTWYNUK

JOËLLE MORRISSETTE
ISABELLE PÉLADEAU

E R R A T A

Aux utilisateurs et utilisatrices de la collection *Cyclades*,

Une relecture attentive du guide pédagogique et des manuels d'enseignement nous a permis de relever quelques erreurs qui avaient échapper à notre attention au moment de la préparation de cet ensemble.

Vous trouverez donc ci-joint les pages corrigées que vous pourrez insérer dans votre reliure à anneaux aux endroits appropriés ou dans votre manuel d'enseignement.

Nous vous remercions de votre compréhension et vous souhaitons beaucoup de plaisir dans la découverte de *Cyclades* avec vos élèves.

L'éditeur

Centre éducatif de la Faculté d'éducation
Université d'Ottawa · University of Ottawa
Educational Centre of the Faculty of Education

ERRATA - Manuel d'enseignement A

Veuillez prendre note que l'étape d'intégration ci-dessous doit suivre l'étape de réalisation se terminant à la page 242 du *Manuel d'enseignement A* (thème 5, situation 4).

SITUATION 4   *suite*

Trente-six métiers

L'INTÉGRATION

Faire le bilan des connaissances acquises

Demander aux élèves d'inscrire dans leur cahier un ou deux éléments qu'ils ont appris sur les métiers et professions. Leur demander de réagir à l'activité.

Réfléchir à la démarche de recherche

Revoir les étapes qui ont permis aux élèves de mener à bien leur recherche. Identifier les difficultés et les façons d'y remédier. Comparer les outils de collecte des informations.

Utiliser les textes pour réinvestir des notions

Partir des textes écrits par les élèves pour travailler la notion de présent et l'accord au présent de l'indicatif. Modifier la formulation de certaines phrases et en cerner les groupes obligatoires (section *Connaissances et techniques*).

La dermatologie est une spécialisation de la médecine. En tant que dermatologue, tu t'occupes des maladies de la peau, que tu diagnostiques et que tu traites avec divers types de médicaments.

Dans certains cas, tu dois faire de la chirurgie ou envoyer tes patients en radiothérapie. Par exemple, tu traiteras un cancer de la peau mineur à l'aide d'une crème médicamenteuse ou tu feras l'ablation chirurgicale d'une masse de chair que tu juges suspecte ou qui a été diagnostiquée malsaine.

Comme les médecins spécialistes qui travaillent avec des patients, tu aimes établir des contacts personnels avec les gens.

DERMATOLOGUE

TRAVAILLEUR SOCIAL OU TRAVAILLEUSE SOCIALE

Le travail social consiste en gros à s'occuper des problèmes des gens, soit à les prévenir, soit à tenter de les régler. Il peut s'agir de problèmes personnels, familiaux ou sociaux : la solitude, l'inadaptation scolaire, la violence, la délinquance, la toxicomanie, etc.

Pour évaluer les problèmes, tu reçois les gens dans ton bureau, par exemple dans un CLSC ou à l'école, ou tu travailles dans la rue, chez des familles ou dans des institutions.

Tu fais ce travail parce que tu aimes aider les gens et que tu es capable de chercher des solutions en collaborant avec diverses personnes-ressources : policiers et policières, infirmiers et infirmières, fonctionnaires, médecins, psychologues, psychiatres, etc. Tu fais aussi preuve de patience et tu connais très bien le réseau des services sociaux et communautaires.

⟳ Réinvestissement

- Lire les fiches et relever les secteurs qui intéressent le plus les élèves de la classe.
- Interroger les adultes de son entourage sur leur métier.
- Monter un reportage photographique sur les métiers.
- Visiter différents milieux et interroger les gens qui y travaillent.

✎ Travaux personnels

- Relever une qualité nécessaire à l'exercice de trois des métiers et professions présentés dans le texte *Trente-six métiers*.
- Identifier dans le texte *Trente-six métiers* 10 verbes au présent et leur sujet.
- Conjuguer les verbes de la liste orthographique au présent de l'indicatif.
- Montrer la liste des secteurs d'activités et échanger avec ses parents pour trouver dans quels secteurs travaillent les membres et amis de la famille.
- Écrire un paragraphe sur ses projets d'avenir.
- Trouver un article de journal sur le thème des métiers.

L gen
don

FRANCE LORD
DANIEL LYTWYNUK

JOËLLE MORRISSETTE
ISABELLE PÉLADEAU

Avec la collaboration de

Zalfa Chelot, conseillère en art dramatique

Yolande Demers, conseillère en arts plastiques

AB

MODULO

Chargé de projet: André Payette

Infographie: Dominique Chabot, Carole Deslandes, Suzanne L'Heureux

Maquette de la couverture: Marguerite Gouin

Révision: André Payette, Dolène Schmidt, Monique Tanguay, Marie Théorêt

Correction d'épreuves: Johanne Hamel, Dolène Schmidt, Marie Théorêt

Illustrations: Julie Bruneau: p. 335, 347, 353, 427; Marc Delafontaine (couleur: Maryse Dubuc, encrage: Denis Grenier): p. 285-288, 295-297, 299-300, 306-307, 310-312, 314-317, 319-320, 326-327, 331-335, 338-339, 348-351, 360, 362-368, 376-377, 379-381, 384-386, 392-395, 403-405, 413, 417, 424-429; Ninon: p. 308

Nous reconnaissons l'aide financière du gouvernement du Canada par l'entremise du Programme d'Aide au Développement de l'Industrie de l'Édition (PADIÉ) pour nos activités d'édition.

Cyclades
Guide pédagogique AB
© Modulo Éditeur, 2004
233, av. Dunbar, bureau 300
Mont-Royal (Québec)
Canada   H3P 2H4
Téléphone: (514) 738-9818 / 1-888-738-9818
Télécopieur: (514) 738-5838 / 1-888-273-5247
Site Internet: www.modulo.ca

Dépôt légal — Bibliothèque nationale du Québec, 2004
Bibliothèque nationale du Canada, 2004
ISBN 2-89113-**914**-3

Imprimé au Canada
1 2 3 4 5 AM/10**O**2 08 07 06 05 04

Cyclades et le Programme de formation

Comme on le verra en consultant les tableaux qui suivent, la collection *Cyclades* touche, dans les 20 thèmes qu'elle propose, toutes les compétences transversales, tous les domaines généraux de formation et toutes les compétences disciplinaires des cinq programmes qu'elle intègre. Chaque projet devient ainsi un contexte d'apprentissage global axé sur le développement des compétences.

En participant à l'un des projets de la collection, les élèves développeront donc un large éventail de compétences disciplinaires en français. Ils seront aussi amenés à développer des compétences dans quatre autres disciplines, certains projets ayant une orientation plus scientifique, plus historique ou plus artistique.

En développant ces compétences disciplinaires, les élèves activeront tout naturellement un ensemble de compétences génériques, dites transversales, des compétences qui ont une portée plus large que les compétences disciplinaires, car elles débordent les frontières disciplinaires. Elles comprennent des compétences d'ordre intellectuel, méthodologique, personnel et social, et de communication.

Par ailleurs, dans notre matériel transdisciplinaire, le développement des compétences disciplinaires et transversales s'inscrit dans un ensemble de problématiques que les jeunes d'aujourd'hui doivent affronter. Ce sont les domaines généraux de formation. Comme le précise le Programme de formation de l'école québécoise, ils amènent les élèves à établir des liens entre les apprentissages scolaires et la vie quotidienne. Il y a cinq domaines généraux de formation : santé et bien-être, environnement et consommation, médias, vivre-ensemble et citoyenneté, et orientation et entrepreneuriat. Encore une fois, la nature particulière d'un projet donné mettra l'accent sur certains de ces domaines.

Bien conforme à l'esprit du Programme de formation, la collection *Cyclades* propose par sa démarche par projets thématiques et par son approche transdisciplinaire un environnement pédagogique que nous souhaitons des plus stimulants pour des élèves du troisième millénaire, un environnement bien plus large et bien plus global que l'ensemble des compétences qu'elle traite de façon explicite.

À la page 435 du présent guide, on trouvera des tableaux plus détaillés présentant tous les axes des domaines généraux de formation ainsi que toutes les composantes des compétences transversales et disciplinaires touchés dans *Cyclades*.

Thème 1
La justice

	Situation 1, Un univers injuste	Situation 2, La Corriveau	Situation 3, Un nouveau roi, de nouvelles...	Situation 4, Les animaux malades de...	Situation 5, Le principe du crâne fragile	Situation 6, À la Cour	Situation 7, La chanson du pharmacien	Situation 8, L'album des droits de l'enfant	Situation 9, Conseil de coopération	Situation 10, Pour gérer les apprentissages	Situation 11, La Charte des droits...
COMPÉTENCES TRANSVERSALES											
Exploiter l'information.			●			●					
Résoudre des problèmes.											
Exercer son jugement critique.	●	●		●	●		●		●		●
Mettre en œuvre sa pensée créatrice.	●							●		●	
Se donner des méthodes de travail efficaces.			●			●				●	
Exploiter les technologies de l'information et de la communication.			●								●
Structurer son identité.	●			●	●		●		●	●	●
Coopérer.			●				●	●	●		
Communiquer de façon appropriée.		●		●	●				●	●	●
DOMAINES GÉNÉRAUX DE FORMATION											
Santé et bien-être		●		●	●				●		
Environnement et consommation											
Médias											
Vivre-ensemble et citoyenneté	●	●	●	●	●	●	●	●	●		●
Orientation et entrepreneuriat						●	●	●		●	

Thème 2
Un monde imaginaire

COMPÉTENCES DISCIPLINAIRES	Situation 1, Planification du projet de défilé	Situation 2, Au royaume de Trikar	Situation 3, Dracula et Frankenstein	Situation 4, Ulysse	Situation 5, Du fantastique	Situation 6, Les bons et les méchants	Situation 7, Un défilé miniature	Situation 8, Personnages improvisés	Situation 9, Montage poétique	Situation 10, Créer une ambiance	Situation 11, Publiciser le défilé
Français											
Lire des textes variés.		●	●	●	●				●	●	
Écrire des textes variés.		●		●	●	●		●			
Communiquer oralement.	●		●		●	●					
Apprécier des œuvres littéraires.		●	●	●	●	●			●		
Géographie, histoire et éducation à la citoyenneté											
Lire l'organisation d'une société sur son territoire.											
Interpréter le changement dans une société et sur son territoire.											
S'ouvrir à la diversité des sociétés et de leur territoire.											
Science et technologie											
Proposer des explications ou des solutions à des problèmes d'ordre scientifique ou technologique.											
Mettre à profit les outils, objets et procédés de la science et de la technologie.											
Communiquer à l'aide des langages utilisés en science et technologie.											
Art dramatique											
Inventer des séquences dramatiques.								●		●	
Interpréter des séquences dramatiques.								●	●	●	
Apprécier des œuvres théâtrales, ses réalisations et celles de ses camarades.								●	●	●	
Arts plastiques											
Réaliser des créations plastiques personnelles.							●				
Réaliser des créations plastiques médiatiques.											●
Apprécier des œuvres d'art.							●				●

Thème 3
L'espace

	Situation 1, Planification du projet	Situation 2, Les minutes de poésie	Situation 3, Au milieu des étoiles	Situation 4, Construire une fusée	Situation 5, Des mots pour dire l'espace	Situation 6, La bédé de science-fiction	Situation 7, L'Univers	Situation 8, Venez visiter notre planète!	Situation 9, Poésie en images et sons	Situation 10, L'évolution d'une vie…	Situation 11, La vie extraterrestre
COMPÉTENCES TRANSVERSALES											
Exploiter l'information.							●	●		●	●
Résoudre des problèmes.			●					●		●	
Exercer son jugement critique.		●	●		●	●					
Mettre en œuvre sa pensée créatrice.					●			●	●	●	●
Se donner des méthodes de travail efficaces.	●			●			●	●		●	
Exploiter les technologies de l'information et de la communication.							●				
Structurer son identité.		●	●						●		
Coopérer.	●			●	●	●	●	●	●		
Communiquer de façon appropriée.	●							●		●	●
DOMAINES GÉNÉRAUX DE FORMATION											
Santé et bien-être		●	●		●						●
Environnement et consommation				●				●	●	●	●
Médias					●	●		●	●		
Vivre-ensemble et citoyenneté	●					●					
Orientation et entrepreneuriat	●						●		●		

Thème 4
La consommation

COMPÉTENCES DISCIPLINAIRES	S1. Planification du projet	S2. La consommation et moi	S3. L'argent de poche	S4. La cyberdépendance	S5. La consommation...	S6. Le père Noël selon le...	S7. Dans l'esprit de Noël	S8. Mise en scène : Dans...	S9. Des décorations	S10. Qu'est-ce que la publicité?	S11. Une consommation...	S12. Promouvoir la pièce de...
Français												
Lire des textes variés.		●		●	●		●			●		●
Écrire des textes variés.			●	●	●						●	●
Communiquer oralement.	●	●	●	●			●			●		●
Apprécier des œuvres littéraires.		●										
Géographie, histoire et éducation à la citoyenneté												
Lire l'organisation d'une société sur son territoire.						●						
Interpréter le changement dans une société et sur son territoire.												
S'ouvrir à la diversité des sociétés et de leur territoire.					●							
Science et technologie												
Proposer des explications ou des solutions à des problèmes d'ordre scientifique ou technologique.						●					●	
Mettre à profit les outils, objets et procédés de la science et de la technologie.											●	
Communiquer à l'aide des langages utilisés en science et technologie.						●					●	
Art dramatique												
Inventer des séquences dramatiques.												
Interpréter des séquences dramatiques.							●	●				
Apprécier des œuvres théâtrales, ses réalisations et celles de ses camarades.							●	●				
Arts plastiques												
Réaliser des créations plastiques personnelles.									●			
Réaliser des créations plastiques médiatiques.												
Apprécier des œuvres d'art.									●			

Thème 5
Trente-six métiers

	Situation 1, Planification des émissions...	Situation 2, Le monde du travail à...	Situation 3, Aller là où se trouve le travail	Situation 4, Trente-six métiers	Situation 5, Interviews	Situation 6, Jeux-questionnaires	Situation 7, Les jeunes scientifiques...	Situation 8, Chansons sur les métiers	Situation 9, Le Petit Prince	Situation 10, Histoires de métiers
COMPÉTENCES TRANSVERSALES										
Exploiter l'information.		●	●	●	●	●				
Résoudre des problèmes.							●			
Exercer son jugement critique.								●	●	●
Mettre en œuvre sa pensée créatrice.							●		●	
Se donner des méthodes de travail efficaces.	●	●					●			
Exploiter les technologies de l'information et de la communication.	●	●		●						
Structurer son identité.						●		●	●	●
Coopérer.	●		●		●	●	●		●	●
Communiquer de façon appropriée.	●	●	●		●	●				●
DOMAINES GÉNÉRAUX DE FORMATION										
Santé et bien-être										
Environnement et consommation		●	●	●			●	●		
Médias	●				●	●				
Vivre-ensemble et citoyenneté		●	●						●	
Orientation et entrepreneuriat	●			●	●	●	●	●	●	●

Thème 9
Bâtir

COMPÉTENCES DISCIPLINAIRES	Situation 1, Conférences de rédaction	Situation 2, Le bâtiment, miroir des...	Situation 3, Héritage du passé	Situation 4, Les bâtisseurs	Situation 5, Plus haut et plus loin	Situation 6, Décrire et illustrer le...	Situation 7, Histoire de lieux	Situation 8, Construire un poème	Situation 9, Montage poétique	Situation 10, Maisons et paysages
Français										
Lire des textes variés.		●	●		●		●	●	●	
Écrire des textes variés.		●		●	●	●	●	●		
Communiquer oralement.	●		●							
Apprécier des œuvres littéraires.							●	●	●	
Géographie, histoire et éducation à la citoyenneté										
Lire l'organisation d'une société sur son territoire.	●		●	●						
Interpréter le changement dans une société et sur son territoire.			●							
S'ouvrir à la diversité des sociétés et de leur territoire.										
Science et technologie										
Proposer des explications ou des solutions à des problèmes d'ordre scientifique ou technologique.					●					
Mettre à profit les outils, objets et procédés de la science et de la technologie.					●					
Communiquer à l'aide des langages utilisés en science et technologie.					●					
Art dramatique										
Inventer des séquences dramatiques.										
Interpréter des séquences dramatiques.									●	
Apprécier des œuvres théâtrales, ses réalisations et celles de ses camarades.									●	
Arts plastiques										
Réaliser des créations plastiques personnelles.										●
Réaliser des créations plastiques médiatiques.						●				
Apprécier des œuvres d'art.						●				●

Thème 10
La *commedia dell'arte*

	Situation 1, Le spectacle dans nos vies	Situation 2, À propos du théâtre	Situation 3, Moments de poésie	Situation 4, La commedia dell'arte	Situation 5, Écrire Les mères fantômes	Situation 6, Jouer Les mères fantômes	Situation 7, Chanter, danser, sauter	Situation 8, Un programme personnalisé
COMPÉTENCES TRANSVERSALES								
Exploiter l'information.		●		●				
Résoudre des problèmes.								
Exercer son jugement critique.	●		●			●	●	●
Mettre en œuvre sa pensée créatrice.			●	●	●		●	●
Se donner des méthodes de travail efficaces.						●		
Exploiter les technologies de l'information et de la communication.								
Structurer son identité.	●		●	●				
Coopérer.					●	●	●	●
Communiquer de façon appropriée.	●	●						●
DOMAINES GÉNÉRAUX DE FORMATION								
Santé et bien-être								
Environnement et consommation	●							
Médias	●				●		●	●
Vivre-ensemble et citoyenneté								
Orientation et entrepreneuriat	●	●	●	●	●	●	●	●

Thème 10
La *commedia dell'arte*

COMPÉTENCES DISCIPLINAIRES	Situation 1, Le spectacle dans nos vies	Situation 2, À propos du théâtre	Situation 3, Moments de poésie	Situation 4, La commedia dell'arte	Situation 5, Écrire Les mères fantômes	Situation 6, Jouer Les mères fantômes	Situation 7, Chanter, danser, sauter	Situation 8, Un programme personnalisé
Français								
Lire des textes variés.	●	●	●	●	●	●	●	
Écrire des textes variés.	●				●			●
Communiquer oralement.	●	●					●	
Apprécier des œuvres littéraires.				●			●	
Géographie, histoire et éducation à la citoyenneté								
Lire l'organisation d'une société sur son territoire.								
Interpréter le changement dans une société et sur son territoire.								
S'ouvrir à la diversité des sociétés et de leur territoire.								
Science et technologie								
Proposer des explications ou des solutions à des problèmes d'ordre scientifique ou technologique.								
Mettre à profit les outils, objets et procédés de la science et de la technologie.								
Communiquer à l'aide des langages utilisés en science et technologie.								
Art dramatique								
Inventer des séquences dramatiques.					●	●	●	
Interpréter des séquences dramatiques.						●		
Apprécier des œuvres théâtrales, ses réalisations et celles de ses camarades.					●		●	●
Arts plastiques								
Réaliser des créations plastiques personnelles.								
Réaliser des créations plastiques médiatiques.							●	●
Apprécier des œuvres d'art.							●	●

Démarche pédagogique type d'un thème

On trouve dans la page de présentation de chaque thème du manuel d'enseignement un court résumé du projet thématique ainsi qu'une table des matières énumérant chacune des situations d'apprentissage.

Bloc de texte résumant le projet.

Table des matières du thème avec énumération des situations d'apprentissage.

Des logos indiquent les disciplines qui s'ajoutent au programme de français.

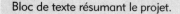 Science et technologie

Univers social

Arts plastiques

Art dramatique

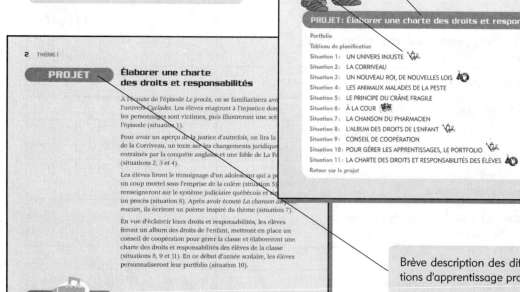

THÈME 1   LA JUSTICE

Le thème de la justice se prête bien à la mise en place du fonctionnement du groupe classe. Après avoir exploré différentes facettes de la justice d'hier et d'aujourd'hui, on mettra en place des structures qui permettront aux élèves d'exercer leurs droits et responsabilités. C'est en effet dans un esprit d'égalité que les élèves élaboreront une charte des droits et responsabilités à laquelle tous adhéreront parce qu'elle correspondra aux besoins individuels et aux besoins du groupe.

PROJET: Élaborer une charte des droits et responsabilités   2

Portfolio	2
Tableau de planification	3
Situation 1 : UN UNIVERS INJUSTE	4
Situation 2 : LA CORRIVEAU	8
Situation 3 : UN NOUVEAU ROI, DE NOUVELLES LOIS	14
Situation 4 : LES ANIMAUX MALADES DE LA PESTE	21
Situation 5 : LE PRINCIPE DU CRÂNE FRAGILE	24
Situation 6 : À LA COUR	29
Situation 7 : LA CHANSON DU PHARMACIEN	34
Situation 8 : L'ALBUM DES DROITS DE L'ENFANT	37
Situation 9 : CONSEIL DE COOPÉRATION	40
Situation 10 : POUR GÉRER LES APPRENTISSAGES, LE PORTFOLIO	43
Situation 11 : LA CHARTE DES DROITS ET RESPONSABILITÉS DES ÉLÈVES	45
Retour sur le projet	47

2   THÈME 1

PROJET

Élaborer une charte des droits et responsabilités

À l'écoute de l'épisode *Le procès*, on se familiarisera avec l'univers *Cyclades*. Les élèves réagiront à l'injustice dont les personnages sont victimes, puis illustreront une scène de l'épisode (situation 1).

Pour avoir un aperçu de la justice d'autrefois, on lira la de la Corriveau, un texte sur les changements juridiques entraînés par la conquête anglaise et une fable de La Fontaine (situations 2, 3 et 4).

Les élèves liront le témoignage d'un adolescent qui a porté un coup mortel sous l'emprise de la colère (situation 5), se renseigneront sur le système judiciaire québécois et assisteront à un procès (situation 6). Après avoir écouté *La chanson du pharmacien*, ils écriront un poème inspiré du thème (situation 7).

En vue d'éclaircir leurs droits et responsabilités, les élèves feront un album des droits de l'enfant, mettront en place un conseil de coopération pour gérer la classe et élaboreront une charte des droits et responsabilités des élèves de la classe (situations 8, 9 et 11). En ce début d'année scolaire, les élèves personnaliseront leur portfolio (situation 10).

La situation 10 amène à réfléchir à l'utilité et au contenu du portfolio. On présentera les éléments qui le composent, soit le cahier de français, le carnet d'arts plastiques, le cahier d'art dramatique, le journal d'histoire et de géographie, le journal scientifique et une section plus personnelle où les élèves insèreront des fiches de réflexion, leur perception du projet, etc.

Les éléments les plus importants ici seront le cahier de français, volet communication orale, le carnet d'arts plastiques et les réalisations plastiques ainsi que les écrits et productions de la situation 3 en géographie, histoire et éducation à la citoyenneté.

Évaluation en cours d'apprentissage

Au cours des situations 2 et 5, on pourra utiliser les fiches d'évaluation en cours d'apprentissage en français, communication orale. Les compétences en arts plastiques pourront être évaluées pendant les situations 1, 8 et 10, et la compétence 2 en géographie, histoire et éducation à la citoyenneté, pendant la situation 3.

Brève description des différentes situations d'apprentissage proposées.

Suggestions de documents à mettre au portfolio au cours du projet. Le portfolio est un instrument d'évaluation privilégié dans *Cyclades*.

Indication des fiches d'évaluation en cours d'apprentissage proposées pour le thème. Ces fiches se trouvent à la section *Évaluation* du guide pédagogique.

pour l'améliorer et le corriger. Ils s'assurent que les phrases sont complètes, ils vérifient l'orthographe à l'aide de documents de référence, ils font les accords nécessaires dans le groupe du nom et dans la phrase (accord sujet/verbe). Ainsi, ils s'initient graduellement aux règles de la langue écrite. Finalement, ils remettent leur brouillon à leur enseignante ou enseignant pour le faire vérifier avant de le transcrire au propre et de le diffuser, s'il y a lieu.

L'enseignement de la grammaire dans la collection *Cyclades*

Les connaissances grammaticales sont nombreuses à acquérir au troisième cycle. On prendra soin d'utiliser les termes appropriés du métalangage grammatical en évitant de recourir à des expressions imagées, faussement simples, qui ne correspondent qu'à une facette de la réalité grammaticale. Ainsi, on parlera du groupe du verbe et du verbe (et non d'un «mot d'action»), du nom et du groupe du nom, d'un adjectif (et non d'un «mot de qualité»), d'un déterminant (et non d'un «petit mot»). On fera en outre comprendre aux élèves que chacune des classes de mots répond à un ensemble de critères dont il importe de tenir compte. Ils doivent comprendre aussi que la phrase est constituée de groupes de mots et qu'elle obéit à des règles de formation générales. La terminologie utilisée dans *Cyclades* est celle que les élèves retrouveront au secondaire.

On continuera à élaborer une véritable grammaire de la phrase, ce qui n'est possible qu'à partir d'une situation réelle d'écriture. Cette approche consiste à étudier les concepts grammaticaux et lexicaux en fonction des besoins de la situation d'écriture. Par exemple, pour faire leur autoportrait, les élèves devront employer des adjectifs. On en profitera alors pour étudier cette notion. De même, pour écrire une notice de fabrication, les élèves auront besoin d'employer des verbes à l'impératif ou à l'infinitif, et des mots qui expriment l'ordre chronologique de façon précise (*d'abord, ensuite, finalement, après,* etc.). On profitera encore de la situation pour enseigner ces notions. Pour corriger l'orthographe grammaticale dans un texte, on se reportera au référentiel intitulé *Pour corriger ton texte,* à la fin de chaque manuel *Cyclades.*

On trouvera à la fin de ce référentiel une mise en garde concernant l'accord du participe passé avec l'auxiliaire *avoir.* C'est que nous croyons qu'après avoir appris la règle d'accord du participe passé avec l'auxiliaire *être* plusieurs élèves pourraient être tentés d'appliquer cette règle aux participes passés employés avec *avoir.* Cet avertissement a simplement pour but de les en dissuader. On prendra note que l'accord du participe passé employé avec l'auxiliaire *avoir* constitue un enrichissement par rapport au Programme de formation et ne doit en aucun cas faire l'objet d'évaluation.

Sur le plan de la grammaire du texte, on insistera dans les pages grammaticales et dans les sections *Connaissances et techniques* des manuels d'enseignement sur l'importance de regrouper les idées dans différents paragraphes et sur les différentes structures de textes : schéma du récit, éléments propres à la poésie, structures de textes descriptifs, comparatifs, explicatifs et argumentatifs. L'exploration de ces différents éléments outillera les élèves lorsqu'ils rédigeront des textes et elle les aidera à dégager l'essentiel des textes qu'ils liront.

Compétence 3 : Communiquer oralement

La compétence à communiquer oralement se développe non seulement en français, mais dans toutes les disciplines, exerçant du même coup la compétence transversale de l'ordre de la communication. C'est sur cette base que la collection *Cyclades* a créé un univers permettant aux élèves d'acquérir le sens des mots et des concepts dans différentes disciplines, de construire les compétences orales à partir de projets réels et de situations signifiantes, et de progresser dans la construction de ces compétences.

Des situations d'apprentissage axées sur les stratégies de communication orale

Les situations d'apprentissage de la collection *Cyclades* ont été élaborées en tenant compte des quatre stratégies de communication orale mises de l'avant dans le Programme de formation de l'école québécoise : les stratégies d'exploration, de partage, d'écoute et d'évaluation. Les élèves apprennent à s'exprimer de manière adaptée et efficace, à écouter les autres, à tenir compte des situations et des interlocuteurs, et à réfléchir à leur discours et à celui de leurs camarades. Le rôle de l'enseignante ou de l'enseignant est d'écouter, de reformuler les propos entendus et de questionner pour permettre aux élèves de se familiariser avec tous les types de discours.

Des situations d'apprentissage variées pour maîtriser des discours variés

Nous traitons abondamment le volet écoute dans la collection *Cyclades*. Les élèves écouteront les épisodes de l'univers *Cyclades* tout au long du cycle. Ces épisodes de science-fiction, qui évoquent les différents projets, amèneront les élèves à réfléchir à différentes problématiques et à des valeurs d'entraide, de coopération et d'ouverture à l'autre.

La collection *Cyclades* propose des situations qui amènent les élèves à réfléchir à un sujet, à exprimer leur point de vue et à prendre la parole dans des situations nombreuses et variées. Par exemple, la première situation de la plupart des projets propose une discussion pour planifier le projet. Cette activité permet aux élèves de faire valoir leurs idées sur les différentes situations d'apprentissage proposées, de les accepter, de les refuser ou d'en suggérer d'autres. Cet échange se fait la plupart du temps en équipes et selon différentes techniques.

En science et technologie, pour permettre aux élèves d'expliquer leurs découvertes, de commenter un schéma qu'ils ont réalisé, de débattre d'un sujet lié à l'une ou l'autre de ces disciplines, *Cyclades* propose d'organiser des rencontres scientifiques et technologiques à l'intérieur de la classe ou de l'école. Divers types d'interlocuteurs

Savoirs essentiels

Science et technologie	L'UNIVERS MATÉRIEL	LA TERRE ET L'ESPACE	L'UNIVERS VIVANT	CONNAISSANCES ET TECHNIQUES
Th. 3/Situation 4 Construire une fusée	**Matière :** Transformation de la matière sous forme de réaction chimique entre le vinaigre et le bicarbonate de sodium **Forces et mouvements :** Étude du principe de la propulsion **Énergie :** La réaction chimique comme source d'énergie	**Techniques et instrumentation :** Fabrication d'un prototype de fusée		Importance de la forme d'une fusée pour assurer son aérodynamisme et sa stabilité Étude de la troisième loi de Newton, la force de réaction, celle qui est en cause dans la propulsion des fusées
Th. 3/Situation 7 L'Univers		**Systèmes et interaction :** Exploration de phénomènes liés aux étoiles et aux galaxies **Langage :** Terminologie liée à l'Univers; élaboration d'un schéma pour cerner un phénomène relié à l'Univers		
Th. 3/Situation 8 Venez visiter notre planète !		**Matière :** Les propriétés et les caractéristiques de la matière terrestre (eau, air) et des autres planètes **Systèmes et interaction :** Le système solaire; les saisons et les systèmes météorologiques des planètes du système solaire **Langage :** Terminologie liée au système solaire; dessins et croquis		La différence entre les notions de masse et de poids Définition de la force gravitationnelle Réflexion sur les conditions de la vie Rotation des planètes autour du Soleil; L'origine des saisons
Th. 3/Situation 10 L'évolution d'une vie extraterrestre		**Matière :** Les propriétés et les caractéristiques de la matière terrestre (sol, eau, air)	**Matière :** Les caractéristiques du vivant, l'organisation du vivant L'évolution des êtres vivants **Systèmes et interaction :** L'interaction entre les organismes vivants et leur milieu	Scruter l'Univers pour trouver de l'intelligence Recréer le début de la vie sur Terre Définition de biotope et biocénose Charles Darwin et la théorie de l'évolution

Savoirs essentiels

Science et technologie	L'UNIVERS MATÉRIEL	LA TERRE ET L'ESPACE	L'UNIVERS VIVANT	CONNAISSANCES ET TECHNIQUES
Th. 3/Situation 11 La vie extraterrestre		**Matière:** Les propriétés et les caractéristiques de la matière terrestre (sol, eau, air)		L'horloge à pendule
Th. 4/Situation 6 Le Père Noël selon le North Pole Institute			**Techniques et instrumentation:** Simulation de tests scientifiques **Langage:** Utilisation de modèles mathématiques	Appréciation du caractère scientifique d'idées émises Des tests pour construire la contre-argumentation
Th. 4/Situation 11 Une consommation «nouvelle et améliorée»!	**Matière:** Les propriétés et les caractéristiques des produits de consommation **Techniques et instrumentation:** Utilisation d'instruments de mesure **Langage:** Utilisation de graphiques et de schémas		**Systèmes et interaction:** Les interactions entre les êtres vivants et leur milieu	Les produits testés: aliments, savons, produits de nettoyage Les conditions d'expérimentation Rédaction d'un rapport d'analyse Importance de répéter les expérimentations
Th. 5/Situation 7 Les jeunes scientifiques de l'eau	**Matière:** Les propriétés et caractéristiques de l'eau **Systèmes et interaction:** Fonctionnement d'une écluse ou d'un barrage hydroélectrique. **Techniques et instrumentation:** Élaboration d'un dispositif représentant une écluse ou un barrage hydroélectrique; fabrication d'un filtre pour l'eau usée ou polluée		**Systèmes et interaction:** Interaction entre les organismes vivants et leur milieu (présence de végétation empêchant l'érosion des berges); contamination des eaux par des organismes vivants; conditions de survie des crustacés selon différents milieux	La gestion de l'eau
Th. 6/Situation 12 Les machines au Moyen Âge	**Énergie:** L'énergie mécanique **Forces et mouvements:** Les effets d'une force sur la direction d'un objet **Systèmes et interaction:** Les machines: le fonctionnement du trébuchet **Techniques et instrumentation:** Conception d'un trébuchet en utilisant des outils simples: pinces, scie à métal, chignole			Fonctionnement du trébuchet Fonctionnement du levier et du pivot Maniement d'outils

Domaines généraux de formation Compétences transversales et disciplinaires

Vous trouverez dans les tableaux des pages suivantes tous les axes de développement des domaines généraux de formation ainsi que toutes les composantes des compétences transversales et disciplinaires touchés dans le matériel *Cyclades*, présentés par thème et pour chaque situation d'apprentissage.

Dans les tableaux de chacun des thèmes, chaque composante d'une compétence transversale ou disciplinaire est identifiée selon son numéro dans la liste correspondante des compétences (transversales ou disciplinaires) présentée ci-après. De même, chaque axe de développement est identifié selon le numéro qui lui correspond dans la liste des domaines généraux de formation présentée à la page suivante.

Compétences transversales

Exploiter l'information.
1. S'approprier l'information.
2. Reconnaître diverses sources d'information.
3. Tirer profit de l'information.

Résoudre des problèmes.
1. Analyser les éléments de la situation.
2. Imaginer des pistes de solution.
3. Mettre à l'essai des pistes de solution.
4. Adopter un fonctionnement souple.
5. Évaluer sa démarche.

Exercer son jugement critique.
1. Construire son opinion.
2. Exprimer son jugement.
3. Relativiser son jugement.

Mettre en œuvre sa pensée créatrice.
1. S'imprégner des éléments d'une situation.
2. Imaginer des façons de faire.
3. S'engager dans une réalisation.
4. Adopter un fonctionnement souple.

Se donner des méthodes de travail efficaces.
1. Analyser la tâche à accomplir.
2. S'engager dans la démarche.
3. Accomplir la tâche.
4. Analyser sa démarche.

Exploiter les technologies de l'information et de la communication.
1. S'approprier les technologies de l'information et de la communication.
2. Utiliser les technologies de l'information et de la communication pour effectuer une tâche.
3. Évaluer l'efficacité de l'utilisation de la technologie.

Structurer son identité.
1. S'ouvrir aux stimulations environnantes.
2. Prendre conscience de sa place parmi les autres.
3. Mettre à profit ses ressources personnelles.

Coopérer.
1. Interagir avec ouverture d'esprit dans différents contextes.
2. Contribuer au travail collectif.
3. Tirer profit du travail en coopération.

Communiquer de façon appropriée.
1. Établir l'intention de la communication.
2. Choisir le mode de communication.
3. Réaliser la communication.

Domaines généraux de formation

Santé et bien-être
1. Conscience de soi et de ses besoins fondamentaux
2. Conscience des conséquences sur sa santé et son bien-être de ses choix personnels
3. Mode de vie actif et conduite sécuritaire

Environnement et consommation
1. Présence à son milieu
2. Construction d'un environnement viable dans une perspective de développement durable
3. Stratégies de consommation et d'utilisation responsable de biens et de services
4. Conscience des aspects sociaux, économiques et éthiques du monde de la consommation

Médias
1. Conscience de la place et de l'influence des médias dans sa vie quotidienne et dans la société
2. Appréciation des représentations médiatiques de la réalité
3. Appropriation du matériel et des codes de communication médiatique
4. Connaissance et respect des droits et responsabilités individuels et collectifs relatifs aux médias

Vivre-ensemble et citoyenneté
1. Valorisation des règles de vie en société et des institutions démocratiques
2. Engagement dans l'action dans un esprit de coopération et de solidarité
3. Culture de la paix

Orientation et entrepreneuriat
1. Conscience de soi, de son potentiel et de ses modes d'actualisation
2. Appropriation des stratégies liées à un projet
3. Connaissance du monde du travail, des rôles sociaux, des métiers et des professions

Compétences disciplinaires

Français

Lire des textes variés.
1. Construire du sens à l'aide de son bagage de connaissances et d'expériences
2. Utiliser le contenu des textes à diverses fins
3. Réagir à une variété de textes lus
4. Utiliser les stratégies, les connaissances et les techniques requises par la situation de lecture
5. Évaluer sa démarche de lecture en vue de l'améliorer

Écrire des textes variés.
1. Recourir à son bagage de connaissances et d'expériences
2. Exploiter l'écriture à diverses fins
3. Explorer la variété des ressources de la langue écrite
4. Utiliser les stratégies, les connaissances et les techniques requises par la situation d'écriture
5. Évaluer sa démarche d'écriture en vue de l'améliorer

Communiquer oralement.
1. Explorer verbalement divers sujets avec autrui pour construire sa pensée
2. Partager ses propos durant une situation d'interaction
3. Réagir aux propos entendus au cours d'une situation de communication orale
4. Utiliser les stratégies et les connaissances requises par la situation de communication
5. Évaluer sa façon de s'exprimer et d'interagir en vue de les améliorer

Apprécier des œuvres littéraires.
1. Explorer des œuvres variées en prenant appui sur ses goûts, ses intérêts et ses connaissances
2. Recourir aux œuvres littéraires à diverses fins
3. Porter un jugement critique ou esthétique sur les œuvres explorées
4. Utiliser les stratégies et les connaissances requises par la situation d'appréciation
5. Comparer ses jugements et ses modes d'appréciation avec ceux d'autrui

Géographie, histoire et éducation à la citoyenneté

Lire l'organisation d'une société sur son territoire.
1. Situer la société et son territoire dans l'espace et dans le temps
2. Établir des liens entre des caractéristiques de la société et l'aménagement de son territoire
3. Établir des liens entre des atouts, des contraintes du territoire et l'organisation de la société
4. Préciser l'influence de personnages ou l'incidence d'événements sur l'organisation sociale et territoriale
5. Établir des liens de continuité avec le présent

Interpréter le changement dans une société et sur son territoire.
1. Situer une société et son territoire dans l'espace et dans le temps à deux moments
2. Relever les principaux changements survenus dans l'organisation d'une société et de son territoire

3. Préciser des causes et des conséquences des changements

4. Préciser l'influence de personnages ou l'incidence d'événements sur ces changements

5. Justifier son interprétation des changements

6. Dégager des traces de ces changements dans notre société et sur notre territoire

S'ouvrir à la diversité des sociétés et de leur territoire.

1. Situer les sociétés et leur territoire dans l'espace et dans le temps

2. Dégager les principales ressemblances et différences entre les sociétés et entre les territoires

3. Préciser des causes et des conséquences de ces différences

4. Prendre position face aux forces et aux faiblesses perçues des sociétés et de leur territoire

5. Justifier sa vision de la diversité des sociétés et de leur territoire

Science et technologie

Proposer des explications ou des solutions à des problèmes d'ordre scientifique ou technologique.

1. Identifier un problème ou cerner une problématique

2. Recourir à des stratégies d'exploration variées

3. Évaluer sa démarche

Mettre à profit les outils, objets et procédés de la science et de la technologie.

1. S'approprier les rôles et fonctions des outils, techniques, instruments et procédés de la science et de la technologie

2. Relier divers outils, objets ou procédés technologiques à leurs contextes et à leurs usages

3. Évaluer l'impact de divers outils, instruments ou procédés

Communiquer à l'aide des langages utilisés en science et technologie.

1. S'approprier des éléments du langage courant liés à la science et à la technologie

2. Utiliser des éléments du langage courant et du langage symbolique liés à la science et à la technologie

3. Exploiter les langages courant et symbolique pour formuler une question, expliquer un point de vue ou donner une explication

Art dramatique

Inventer des séquences dramatiques.

1. Exploiter des idées de création inspirées par une proposition

2. Exploiter des éléments du langage dramatique, de techniques de jeu, de techniques théâtrales ou de modes de théâtralisation

3. Organiser les éléments résultant de ses choix

4. Finaliser sa réalisation

5. Partager son expérience de création

Interpréter des séquences dramatiques.

1. S'approprier le contenu dramatique de la séquence

2. Appliquer des éléments du langage dramatique, de techniques de jeu, de techniques théâtrales et de modes de théâtralisation

3. Exploiter les éléments expressifs inhérents à la séquence dramatique

4. Appliquer les règles relatives au jeu d'ensemble

5. Partager son expérience d'interprétation

Apprécier des œuvres théâtrales, ses réalisations et celles de ses camarades.

1. Examiner un extrait d'œuvre théâtrale ou une réalisation dramatique au regard d'éléments de contenu

2. Examiner un extrait d'œuvre théâtrale au regard d'aspects socioculturels (2e et 3e cycles)

3. Établir des liens entre ce que l'on a ressenti et ce que l'on a examiné

4. Porter un jugement d'ordre critique ou esthétique

5. Partager son expérience d'appréciation

Arts plastiques

Réaliser des créations plastiques personnelles.

1. Exploiter des idées de création inspirées par une proposition

2. Exploiter des gestes transformateurs et des éléments du langage plastique

3. Organiser les éléments résultant de ses choix

4. Finaliser sa réalisation

5. Partager son expérience de création

Réaliser des créations plastiques médiatiques.

1. Exploiter des idées de création inspirées par une proposition de création médiatique

2. Exploiter des gestes transformateurs et des éléments du langage plastique selon le message (2e et 3e cycles) et le destinataire

3. Organiser les éléments résultant de ses choix selon le message (2e et 3e cycles) et le destinataire

4. Finaliser sa réalisation médiatique

5. Partager son expérience de création médiatique

Apprécier des œuvres d'art.

1. Examiner une œuvre d'art, un objet culturel du patrimoine artistique, une image médiatique ou une réalisation plastique personnelle ou médiatique au regard d'éléments de contenu

2. Examiner une œuvre d'art, un objet culturel du patrimoine artistique ou une image médiatique au regard d'aspects socioculturels (2e et 3e cycles)

3. Établir des liens entre ce que l'on a ressenti et ce que l'on a examiné

4. Porter un jugement d'ordre critique ou esthétique

5. Partager son expérience d'appréciation

Thème 1
La justice

COMPÉTENCES TRANSVERSALES

						SITUATIONS					
	1	2	3	4	5	6	7	8	9	10	11
Exploiter l'information.			1 2 3								
Résoudre des problèmes.						3					
Exercer son jugement critique.	1 2 3	1 2 3		1 2	1 2 3		1 2		1 2		1 2
Mettre en œuvre sa pensée créatrice.	1 2 3							1 2 3		1 2 3	
Se donner des méthodes de travail efficaces.			1 2 3 4			1 2 3 4				1 2 3	
Exploiter les technologies de l'information et de la communication.			1 2								2
Structurer son identité.	1 2 3			2 3	2 3		1 2		2 3	2 3	2 3
Coopérer.		2	2			2 3	2		1 2 3		
Communiquer de façon appropriée.		3		3	2 3			1 3	1 2 3		3

DOMAINES GÉNÉRAUX DE FORMATION

						SITUATIONS					
	1	2	3	4	5	6	7	8	9	10	11
Santé et bien-être		1 2		2	2 3						
Environnement et consommation											
Médias											
Vivre-ensemble et citoyenneté	1		1	1 2	1 3	1	1	1 2 3	1 2 3		1 2 3
Orientation et entrepreneuriat						2 3	2	1		2	

Thème 1
La justice

COMPÉTENCES DISCIPLINAIRES

	SITUATIONS										
	1	2	3	4	5	6	7	8	9	10	11
Français											
Lire des textes variés.	1 2 3 4	1 2 3 4	1 2 4	1 2 3 4	1 2 4	1 2 4	1 2 3 4	1 2 4	2 3		
Écrire des textes variés.			1 2 3 4			1 2 4	1 2 3 4		2 4		1 2 3 4
Communiquer oralement.		1 2 4 5			1 2 3 4 5				1 2 3 4	1 4	
Apprécier des œuvres littéraires.		1 2 4		1 2 3 4							
Géographie, histoire et éducation à la citoyenneté											
Lire l'organisation d'une société sur son territoire.											1 5
Interpréter le changement dans une société et sur son territoire.			1 2 3 4								
S'ouvrir à la diversité des sociétés et de leur territoire.											
Science et technologie											
Proposer des explications ou des solutions à des problèmes d'ordre scientifique ou technologique.											
Mettre à profit les outils, objets et procédés de la science et de la technologie.											
Communiquer à l'aide des langages utilisés en science et technologie.											
Art dramatique											
Inventer des séquences dramatiques.						1 2 3 4 5					
Interpréter des séquences dramatiques.						1 2 3 4 5					
Apprécier des œuvres théâtrales, ses réalisations et celles de ses camarades.						1 4					
Arts plastiques											
Réaliser des créations plastiques personnelles.	1 2 3 4 5									1 2 3 4 5	
Réaliser des créations plastiques médiatiques.								1 2			
Apprécier des œuvres d'art.	1 4 5							1 2 3 4 5		1 3 4 5	

Thème 2
Un monde imaginaire

COMPÉTENCES TRANSVERSALES

	SITUATIONS										
	1	2	3	4	5	6	7	8	9	10	11
Exploiter l'information.											
Résoudre des problèmes.											
Exercer son jugement critique.		1 2	1 2		1 2	1 2			1 2		
Mettre en œuvre sa pensée créatrice.				1 2 3			1 2 3	1 2 3 4	1 2 3 4		1 2 3
Se donner des méthodes de travail efficaces.	1 2 3 4										
Exploiter les technologies de l'information et de la communication.				1 2							
Structurer son identité.	2 3	1 2 3	1 2 3		1 2 3	1 2 3		1 2 3			
Coopérer.	2 3				2 3	1 2 3	2 3	2 3	2 3	2 3	2 3
Communiquer de façon appropriée.		3	3	3		3	3	3			

DOMAINES GÉNÉRAUX DE FORMATION

	SITUATIONS										
	1	2	3	4	5	6	7	8	9	10	11
Santé et bien-être											
Environnement et consommation											
Médias		3	1 2			2					3
Vivre-ensemble et citoyenneté	2			2	2		2	2	2		
Orientation et entrepreneuriat	1 2	3	2				1 2	1 2	1 2	1 2	1 2

Thème 2

Un monde imaginaire

COMPÉTENCES DISCIPLINAIRES

SITUATIONS

Français

	1	2	3	4	5	6	7	8	9	10	11
Lire des textes variés.		1 2 3 4 5	1 2 3 4	1 2 4	1 2 4 5				2 3 4	2	
Écrire des textes variés.		1 2 3 4		1 2 3 4 5	1 2	1 2 3 4		2 3 4 5			
Communiquer oralement.	2 3 4 5		1 2 3 4 5		4	1 4 5					
Apprécier des œuvres littéraires.		1 2 4 5	1 2 5	1 2 3 5	1 2 3 4 5	1 2 3 4 5			1 2 3 4 5		

Géographie, histoire et éducation à la citoyenneté

	1	2	3	4	5	6	7	8	9	10	11
Lire l'organisation d'une société sur son territoire.											
Interpréter le changement dans une société et sur son territoire.											
S'ouvrir à la diversité des sociétés et de leur territoire.											

Science et technologie

	1	2	3	4	5	6	7	8	9	10	11
Proposer des explications ou des solutions à des problèmes d'ordre scientifique ou technologique.											
Mettre à profit les outils, objets et procédés de la science et de la technologie.											
Communiquer à l'aide des langages utilisés en science et technologie.											

Art dramatique

	1	2	3	4	5	6	7	8	9	10	11
Inventer des séquences dramatiques.								1 2 3 4	1 2 3 4	1 2 3 4	
Interpréter des séquences dramatiques.								1 2 3 4	1 2 3 4 5	1 2 3 4	
Apprécier des œuvres théâtrales, ses réalisations et celles de ses camarades.								1 4	1 3 5	1 3 4 5	

Arts plastiques

	1	2	3	4	5	6	7	8	9	10	11
Réaliser des créations plastiques personnelles.							1 2 3 4				
Réaliser des créations plastiques médiatiques.											1 2 3 4 5
Apprécier des œuvres d'art.							1 4 5				1 2 3 4 5

Thème 3
L'espace

COMPÉTENCES TRANSVERSALES

	SITUATIONS										
	1	2	3	4	5	6	7	8	9	10	11
Exploiter l'information.								1 2 3		1 2 3	1 2 3
Résoudre des problèmes.				1 2 3 4				1 2 3 4 5		1 2 3	
Exercer son jugement critique.		1 2	1 2 3		1 2 3	1 2					
Mettre en œuvre sa pensée créatrice.					1			1 2 3	1 2 3		1 2 3
Se donner des méthodes de travail efficaces.	1 2 3 4			1 2 3				1 2 3 4		1 2 3	
Exploiter les technologies de l'information et de la communication.							1 2 3				
Structurer son identité.		1 2 3	1 2 3						1 3		
Coopérer.	2 3			2	2 3	2		2			
Communiquer de façon appropriée.	1 2 3							3	3	3	3

DOMAINES GÉNÉRAUX DE FORMATION

	SITUATIONS										
	1	2	3	4	5	6	7	8	9	10	11
Santé et bien-être											1
Environnement et consommation				1			1	1		1	1
Médias					2	2 3		4	3		
Vivre-ensemble et citoyenneté	2					2					
Orientation et entrepreneuriat	1 2	2	2				2		1		

Thème 3

L'espace

COMPÉTENCES DISCIPLINAIRES

	SITUATIONS										
	I	2	3	4	5	6	7	8	9	10	II
Français											
Lire des textes variés.		2 3 4	1 2 3 4	1 2	1 3 4	1 2 3 4	1 2 4 5	1 2 4		1 2	
Écrire des textes variés.	2 3 4 5			2	2		2	2		1 2 4 5	1 2 3 4 5
Communiquer oralement.		4	1 2 3 4			4					
Apprécier des œuvres littéraires.		1 2 3 4 5	1 3 4 5		1 3 4 5	1 2 3 4			1 2 4		1 2 3 4
Géographie, histoire et éducation à la citoyenneté											
Lire l'organisation d'une société sur son territoire.											
Interpréter le changement dans une société et sur son territoire.											
S'ouvrir à la diversité des sociétés et de leur territoire.											
Science et technologie											
Proposer des explications ou des solutions à des problèmes d'ordre scientifique ou technologique.				1 2			1 2 3	1 2 3		1 2 3	1 2
Mettre à profit les outils, objets et procédés de la science et de la technologie.				1 2 3							
Communiquer à l'aide des langages utilisés en science et technologie.							1 2 3	1 2 3		1 2 3	
Art dramatique											
Inventer des séquences dramatiques.											
Interpréter des séquences dramatiques.											
Apprécier des œuvres théâtrales, ses réalisations et celles de ses camarades.											
Arts plastiques											
Réaliser des créations plastiques personnelles.									1 2 4 5	1 2 3 4	
Réaliser des créations plastiques médiatiques.											
Apprécier des œuvres d'art.									1 3 4 5		

Thème 4
La consommation

COMPÉTENCES TRANSVERSALES

	\<SITUATIONS\> 1	2	3	4	5	6	7	8	9	10	11	12
Exploiter l'information.			1 3		1 2 3					1 2 3		
Résoudre des problèmes.						1 2 5					1 2 3 4 5	
Exercer son jugement critique.		1 2 3		1 2 3		1 2 3	1 2		1 2 3	1 2 3	1 2 3	
Mettre en œuvre sa pensée créatrice.						1 2 3 4		1 2 3 4				1 2 3 4
Se donner des méthodes de travail efficaces.	1 2 3 4		1 2 3 4					1 2 3 4			1 2 3 4	
Exploiter les technologies de l'information et de la communication.	1 2			1 2	1 2							1 2 3
Structurer son identité.		1 2 3		1 2 3			1 2 3		1 2 3	1 2 3		
Coopérer.	2 3	1 2 3	1 2 3		2 3	1 2 3	2 3	2 3			2	2 3
Communiquer de façon appropriée.	1 3	3	1 3	3	3	3	2 3	3		3		1 2 3

DOMAINES GÉNÉRAUX DE FORMATION

	\<SITUATIONS\> 1	2	3	4	5	6	7	8	9	10	11	12
Santé et bien-être												
Environnement et consommation		3 4	3 4	3 4	4	1			1	3 4	4	
Médias				1		2				1 2	1 2	1 2 3
Vivre-ensemble et citoyenneté	1 2 3				2		2	2	2			
Orientation et entrepreneuriat	2						1 2	1 2				2 3

Thème 4
La consommation

COMPÉTENCES DISCIPLINAIRES

	| SITUATIONS											
COMPÉTENCES DISCIPLINAIRES	1	2	3	4	5	6	7	8	9	10	11	12
Français												
Lire des textes variés.	1 2 3 4	1 2 4		1 2 4	1 2 4		1 2 4 5			1 2 3 4		
Écrire des textes variés.	1 2 3 4		1 2 3 4 5	1 3 4	1 2 3 4	1 2 3 4					1 2	
Communiquer oralement.	1 2 3 4	1 2 3 4 5	1 2 3 4	1 2 3 4 5			1 2 3 4			1 2 3 4		1 2 3 4 5
Apprécier des œuvres littéraires.		1 3 4										
Géographie, histoire et éducation à la citoyenneté												
Lire l'organisation d'une société sur son territoire.					1 2 3							
Interpréter le changement dans une société et sur son territoire.												
S'ouvrir à la diversité des sociétés et de leur territoire.					1 2 3							
Science et technologie												
Proposer des explications ou des solutions à des problèmes d'ordre scientifique ou technologique.						1 2 3					1 2 3	
Mettre à profit les outils, objets et procédés de la science et de la technologie.											1 2 3	
Communiquer à l'aide des langages utilisés en science et technologie.						1 2 3					1 2 3	
Art dramatique												
Inventer des séquences dramatiques.												
Interpréter des séquences dramatiques.							1 2 3 5	1 2 3 4 5				
Apprécier des œuvres théâtrales, ses réalisations et celles de ses camarades.							1 2 4 5	1 3 4 5				
Arts plastiques												
Réaliser des créations plastiques personnelles.									1 2 3 4 5			
Réaliser des créations plastiques médiatiques.												
Apprécier des œuvres d'art.									1 2 3 4 5			

Trente-six métiers

COMPÉTENCES TRANSVERSALES

	SITUATIONS 1	2	3	4	5	6	7	8	9	10
Exploiter l'information.		1 2 3	1 2 3	1 2 3	1 2 3	1 2 3				
Résoudre des problèmes.							1 2 3 5			
Exercer son jugement critique.								1 2	1 2	1 2
Mettre en œuvre sa pensée créatrice.							1 2 3		1 2 3	
Se donner des méthodes de travail efficaces.	1 2 3 4 5	1 2 3 4					1 2 3 4			
Exploiter les technologies de l'information et de la communication.		1 2		1 2						
Structurer son identité.				1 2 3				1 2 3	1 2 3	1 2 3
Coopérer.	2 3		2		2	2	2		2	2
Communiquer de façon appropriée.	3	3	3		2 3	3				2 3

DOMAINES GÉNÉRAUX DE FORMATION

	SITUATIONS 1	2	3	4	5	6	7	8	9	10
Santé et bien-être										
Environnement et consommation		2	2	1			1 2 3	1 3 4		
Médias	2 3				3	3				
Vivre-ensemble et citoyenneté		2	2						2 3	
Orientation et entrepreneuriat	2 3			1 3	3	3	3	3	3	3

Thème 5

Trente-six métiers

COMPÉTENCES DISCIPLINAIRES

SITUATIONS

COMPÉTENCES DISCIPLINAIRES	1	2	3	4	5	6	7	8	9	10
Français										
Lire des textes variés.		1 2 3 4	1 2 3 4	1 2 3 4				1 2 3 4	1 2 3 4	1 2 3 4 5
Écrire des textes variés.				1 2 3 4	1 2 3 4	1 2 3 4				
Communiquer oralement.	1 2 3 4 5	4	1		4	4				4
Apprécier des œuvres littéraires.								1 3 4	1 2 3 4	1 2
Géographie, histoire et éducation à la citoyenneté										
Lire l'organisation d'une société sur son territoire.		1 3	1 2 3 4							
Interpréter le changement dans une société et sur son territoire.		1 2 3 4								
S'ouvrir à la diversité des sociétés et de leur territoire.										
Science et technologie										
Proposer des explications ou des solutions à des problèmes d'ordre scientifique ou technologique.							1 2 3			
Mettre à profit les outils, objets et procédés de la science et de la technologie.							1 2 3			
Communiquer à l'aide des langages utilisés en science et technologie.							1 2 3			
Art dramatique										
Inventer des séquences dramatiques.										
Interpréter des séquences dramatiques.										
Apprécier des œuvres théâtrales, ses réalisations et celles de ses camarades.										
Arts plastiques										
Réaliser des créations plastiques personnelles.									1 2 3 4 5	
Réaliser des créations plastiques médiatiques.										
Apprécier des œuvres d'art.									1 2 3 4 5	

Thème 6
Le Moyen Âge

COMPÉTENCES TRANSVERSALES

							SITUATIONS					
	1	2	3	4	5	6	7	8	9	10	11	12
Exploiter l'information.	1 3											
Résoudre des problèmes.												1 2 3 5
Exercer son jugement critique.			1 2 3				1 2 3					1 2 3
Mettre en œuvre sa pensée créatrice.				1 2 3	1 2 3	1 2 3 4		1 2 3	1 2 3	1 2 3	1 2 3 4	1 2 3 4
Se donner des méthodes de travail efficaces.	1 2 4			1 2 3	1 2 3 4	1 2 3 4	1 2 3			1 2 3 4		1 2 3 4
Exploiter les technologies de l'information et de la communication.					2							
Structurer son identité.		1 3	1 2	1 2		1 3	1 2	1 3	1 2 3			
Coopérer.	1 2	1 2				1 2 3	1 2		1	1 3	1 2 3	1 2 3
Communiquer de façon appropriée.			1 2 3					1 3	1 2 3	1 2 3	1 3	

DOMAINES GÉNÉRAUX DE FORMATION

							SITUATIONS					
	1	2	3	4	5	6	7	8	9	10	11	12
Santé et bien-être		1 2										
Environnement et consommation			1 2									
Médias					3			2 3	2 3	2 3	2 3	
Vivre-ensemble et citoyenneté		2		2			2		2		2	
Orientation et entrepreneuriat	2			1 2	2 3	1 2			1	1	1 2	1

Thème 6

Le Moyen Âge

COMPÉTENCES DISCIPLINAIRES

							SITUATIONS					
	1	2	3	4	5	6	7	8	9	10	11	12
Français												
Lire des textes variés.	1 2 3	1 2 3 4 5	1 2 4		1 2 3 4	1 2 4	1 2 4	1 2 4	1 2 3	1 2		1 2
Écrire des textes variés.		4		4	1 2 3 4		4		1 2 3 5	1 2 4		
Communiquer oralement.	1 2 4		1 2 5	1 2 3 5								1 2 4
Apprécier des œuvres littéraires.						2 3 4	2 3 5		1 2 3			
Géographie, histoire et éducation à la citoyenneté												
Lire l'organisation d'une société sur son territoire.												
Interpréter le changement dans une société et sur son territoire.												
S'ouvrir à la diversité des sociétés et de leur territoire.												
Science et technologie												
Proposer des explications ou des solutions à des problèmes d'ordre scientifique ou technologique.												1 2 3
Mettre à profit les outils, objets et procédés de la science et de la technologie.												1 2 3
Communiquer à l'aide des langages utilisés en science et technologie.												
Art dramatique												
Inventer des séquences dramatiques.												
Interpréter des séquences dramatiques.												
Apprécier des œuvres théâtrales, ses réalisations et celles de ses camarades.												
Arts plastiques												
Réaliser des créations plastiques personnelles.										1 2 3 4		
Réaliser des créations plastiques médiatiques.								1 2 3 4			1 4 5	
Apprécier des œuvres d'art.								1 4 5		1 4 5		

Thème 7
Les catastrophes naturelles

COMPÉTENCES TRANSVERSALES

						SITUATIONS						
	1	2	3	4	5	6	7	8	9	10	11	12
Exploiter l'information.		1 3	1 2 3	1 2 3 4		1 2 3						
Résoudre des problèmes.			1 2 3	1 2 3 4 5								
Exercer son jugement critique.								1 2			1 2	
Mettre en œuvre sa pensée créatrice.							1 2 3		1 3	1 2 3		1 2 3
Se donner des méthodes de travail efficaces.	1 2 3		1 2 3	1 2 3	1 2 3	1 2 3					1 2 3 4	
Exploiter les technologies de l'information et de la communication.		1 2	2	1 2		2	2				2	1 1 2
Structurer son identité.	1							1 3			1 3	
Coopérer.	1 2	1 2			1 2	2 3	3		1 2 3	1 3		
Communiquer de façon appropriée.	1 3	1 3			1 3	1 3	1 3	1 3	1 3	1 3	1 3	1 3

DOMAINES GÉNÉRAUX DE FORMATION

						SITUATIONS						
	1	2	3	4	5	6	7	8	9	10	11	12
Santé et bien-être					1							
Environnement et consommation		1 4	1	1								
Médias	2 3		1 2		1 2		1 2				2	2
Vivre-ensemble et citoyenneté	2		2	2	1 2	2		1	1	1		
Orientation et entrepreneuriat		2			1	1 2	1 2	1	1	1	1	1

Thème 7

Les catastrophes naturelles

COMPÉTENCES DISCIPLINAIRES

SITUATIONS

	1	2	3	4	5	6	7	8	9	10	11	12
Français												
Lire des textes variés.		1 2 3			1 2 3 4	1 2 3 4		1 2 3 4				
Écrire des textes variés.		1 2 3			1 2 4 5	1 2 3			1 2 3 4 5	1 2 4	1 2 4 5	1 2 4
Communiquer oralement.	1 2 3 4 5		1 2 5	1 2 3	1 2 5	1 2					1 2 5	
Apprécier des œuvres littéraires.							1 2 3 4	1 2 3				
Géographie, histoire et éducation à la citoyenneté												
Lire l'organisation d'une société sur son territoire.						1 2 3						
Interpréter le changement dans une société et sur son territoire.												
S'ouvrir à la diversité des sociétés et de leur territoire.						1 2 3						
Science et technologie												
Proposer des explications ou des solutions à des problèmes d'ordre scientifique ou technologique.		1 2	1 2	1 2 3		1 2						
Mettre à profit les outils, objets et procédés de la science et de la technologie.				1 2 3								
Communiquer à l'aide des langages utilisés en science et technologie.		3	1 3			1 3						
Art dramatique												
Inventer des séquences dramatiques.												
Interpréter des séquences dramatiques.												
Apprécier des œuvres théâtrales, ses réalisations et celles de ses camarades.												
Arts plastiques												
Réaliser des créations plastiques personnelles.												
Réaliser des créations plastiques médiatiques.							1 2 4 5			1 2 3 4 5		1 3 4
Apprécier des œuvres d'art.							1 4			1 4		1 2 4

Thème 8
Le roman

COMPÉTENCES TRANSVERSALES

	SITUATIONS											
	1	2	3	4	5	6	7	8	9	10	11	12
Exploiter l'information.	1 3		1 3									
Résoudre des problèmes.												
Exercer son jugement critique.	1 2	1 2		1 2	1 2							
Mettre en œuvre sa pensée créatrice.						1 2 3	1 2 3	1 2	1 2 3	1 2 3	1 2 3	1 2 3
Se donner des méthodes de travail efficaces.								1 2 3 4				
Exploiter les technologies de l'information et de la communication.			1 2							2		
Structurer son identité.		1	1	1 3	1		1 3				1 3	
Coopérer.	1 2 3			1 2 3		1 2 3						
Communiquer de façon appropriée.	1 3	1 3	1 3	1 3	1 3	1 3	1 3	1 3	1 3	1 3	1 3	1 3

DOMAINES GÉNÉRAUX DE FORMATION

	SITUATIONS											
	1	2	3	4	5	6	7	8	9	10	11	12
Santé et bien-être												
Environnement et consommation		1										
Médias	2		2 3	1 2	1 2			2 3	2	1 2	1 2	
Vivre-ensemble et citoyenneté						2						
Orientation et entrepreneuriat			1	1 2	1	1	1	1 2	1	1	1	2

Thème 8
Le roman

COMPÉTENCES DISCIPLINAIRES

SITUATIONS

Français

Compétence	I	2	3	4	5	6	7	8	9	10	11	12
Lire des textes variés.	1 2 3 4	1 2 3 5	1 2 3 4	1 2 3 4	1 2 3 4	1 2 3	1 2 3			1 2 3 4		
Écrire des textes variés.			1 2 4				1 2 4	1 2 3 4 5	1 2 3 4 5	1 2 4		1 2 4
Communiquer oralement.	1 2 4 5		1 2 3	1 2 3 5		1 2 4 5		1 2 3				
Apprécier des œuvres littéraires.		1 2 3		1 2 3 5	1 2 3 4		1 2 3		1 2 3 5		1 2 3 4	

Géographie, histoire et éducation à la citoyenneté

Compétence	I	2	3	4	5	6	7	8	9	10	11	12
Lire l'organisation d'une société sur son territoire.												
Interpréter le changement dans une société et sur son territoire.												
S'ouvrir à la diversité des sociétés et de leur territoire.												

Science et technologie

Compétence	I	2	3	4	5	6	7	8	9	10	11	12
Proposer des explications ou des solutions à des problèmes d'ordre scientifique ou technologique.												
Mettre à profit les outils, objets et procédés de la science et de la technologie.												
Communiquer à l'aide des langages utilisés en science et technologie.												

Art dramatique

Compétence	I	2	3	4	5	6	7	8	9	10	11	12
Inventer des séquences dramatiques.						1 2 3 4 5						
Interpréter des séquences dramatiques.						1 2 3 4 5						
Apprécier des œuvres théâtrales, ses réalisations et celles de ses camarades.						1 4 5						

Arts plastiques

Compétence	I	2	3	4	5	6	7	8	9	10	11	12
Réaliser des créations plastiques personnelles.									1 2 3 4 5			
Réaliser des créations plastiques médiatiques.									1 2 3 4 5		1 2 3 4	1 2 3 4
Apprécier des œuvres d'art.									1 4		1 2 4	1 2 5

Thème 9
Bâtir

COMPÉTENCES TRANSVERSALES

	SITUATIONS									
	1	2	3	4	5	6	7	8	9	10
Exploiter l'information.		1 2 3	1 2 3 4	1 2 3	1 2 3					
Résoudre des problèmes.					1 2 3 5					
Exercer son jugement critique.	1 2		1 2						1 2	1 2
Mettre en œuvre sa pensée créatrice.					1 2 3	1 2 3	1 2 3	1 2 3	1 2 3	1 2 3
Se donner des méthodes de travail efficaces.	1 2 3 4									
Exploiter les technologies de l'information et de la communication.		1 2		2		1 2				
Structurer son identité.							1 3	1 3		1 3
Coopérer.	1 2 3		1 2 3		1 2 3	1 2 3			1 2 3	
Communiquer de façon appropriée.		1 2 3	1 3	1 2 3 4		1 3	1 3			

DOMAINES GÉNÉRAUX DE FORMATION

	SITUATIONS									
	1	2	3	4	5	6	7	8	9	10
Santé et bien-être										
Environnement et consommation	1 4	1	1 4	1	1 4		1			1
Médias										
Vivre-ensemble et citoyenneté		2	2	2					2	
Orientation et entrepreneuriat	2			2	1 2 3		1	1	1	1 2

Thème 9

Bâtir

COMPÉTENCES DISCIPLINAIRES

	\multicolumn{10}{c}{SITUATIONS}
	1	2	3	4	5	6	7	8	9	10
Français										
Lire des textes variés.		1 2 3 4	1 2 3 4		1 2 3		1 2 3 4	1 2 3	1 2 3 4	
Écrire des textes variés.		1 2 4		1 2 4	1 2 4	1 2 3	1 2 3 5	1 2 3 4 5		
Communiquer oralement.	1 2 3 4		1 2 3 4 5							
Apprécier des œuvres littéraires.							1 2 3			
Géographie, histoire et éducation à la citoyenneté										
Lire l'organisation d'une société sur son territoire.	1 2 5		1 2 3 5	1 2 3 4 5						
Interpréter le changement dans une société et sur son territoire.			1 2 3 4 5							
S'ouvrir à la diversité des sociétés et de leur territoire.										
Science et technologie										
Proposer des explications ou des solutions à des problèmes d'ordre scientifique ou technologique.					1 2 3					
Mettre à profit les outils, objets et procédés de la science et de la technologie.					1 2 3					
Communiquer à l'aide des langages utilisés en science et technologie.					1 2 3					
Art dramatique										
Inventer des séquences dramatiques.									1 2 3 4 5	
Interpréter des séquences dramatiques.										
Apprécier des œuvres théâtrales, ses réalisations et celles de ses camarades.									1 4 5	
Arts plastiques										
Réaliser des créations plastiques personnelles.										1 2 3 4 5
Réaliser des créations plastiques médiatiques.						1 2 3 4 5				
Apprécier des œuvres d'art.						1 2 3				1 3 4 5

Thème 10

La commedia dell'arte

COMPÉTENCES TRANSVERSALES

	SITUATIONS							
	1	2	3	4	5	6	7	8
Exploiter l'information.	1 2	1 2 3			1 3			
Résoudre des problèmes.								
Exercer son jugement critique.			1 2			1 2	1 2	1 2
Mettre en œuvre sa pensée créatrice.			1 2 3	1 2 3	1 2 3		1 2 3	1 2 3
Se donner des méthodes de travail efficaces.						1 2 3 4		
Exploiter les technologies de l'information et de la communication.								
Structurer son identité.	1 3		1 3	1 2 3				
Coopérer.				1 2 3	1 2 3	1 2 3	1 2 3	
Communiquer de façon appropriée.	1 3	1 3						1 3

DOMAINES GÉNÉRAUX DE FORMATION

	SITUATIONS							
	1	2	3	4	5	6	7	8
Santé et bien-être								
Environnement et consommation	1							
Médias	1				1 2		2	2
Vivre-ensemble et citoyenneté								
Orientation et entrepreneuriat	1	1 2 3	1	1 2	1	1 2 3	1	1

Thème 10

La commedia dell'arte

COMPÉTENCES DISCIPLINAIRES

COMPÉTENCES DISCIPLINAIRES	SITUATIONS							
	1	2	3	4	5	6	7	8
Français								
Lire des textes variés.	1 2 3 4	1 2 3	1 2 3 4	1 2	1 2 4	1 2 4	1 2 3 4	
Écrire des textes variés.	1 2 3 4				1 2 3 4			1 2 4 5
Communiquer oralement.	1 2 3 4	1 2 3 5					1 2 3	
Apprécier des œuvres littéraires.			1 2 3 4					
Géographie, histoire et éducation à la citoyenneté								
Lire l'organisation d'une société sur son territoire.								
Interpréter le changement dans une société et sur son territoire.								
S'ouvrir à la diversité des sociétés et de leur territoire.								
Science et technologie								
Proposer des explications ou des solutions à des problèmes d'ordre scientifique ou technologique.								
Mettre à profit les outils, objets et procédés de la science et de la technologie.								
Communiquer à l'aide des langages utilisés en science et technologie.								
Art dramatique								
Inventer des séquences dramatiques.				1 2 3 4 5	1 2 3 4	1 2 3 4 5	1 2 3 4	
Interpréter des séquences dramatiques.								
Apprécier des œuvres théâtrales, ses réalisations et celles de ses camarades.				1 4		1 4 5	1 4	
Arts plastiques								
Réaliser des créations plastiques personnelles.						1 2 4 5		1 2 3 4 5
Réaliser des créations plastiques médiatiques.								
Apprécier des œuvres d'art.						1 4 5		1 4 5

FRANCE LORD
DANIEL LYTWYNUK

JOËLLE MORRISSETTE
ISABELLE PÉLADEAU

Avec la collaboration de

Zalfa Chelot, conseillère en art dramatique

Yolande Demers, conseillère en arts plastiques

AB

MODULO

Autorisation conditionnelle de reproduction

L'Éditeur autorise, à des fins de développement des stratégies et des connaissances en lecture, la photo-copie de pages des manuels *Cyclades A* et *B*. Cette autorisation n'est accordée qu'aux classes qui ont adopté *Cyclades* comme matériel de base et qui ont acheté les deux manuels pour chaque élève.

Par ailleurs, il est interdit d'adapter ou de modifier de quelque façon que ce soit les pages reproduites ou de les intégrer, en tout ou en partie, à un autre matériel.

Chargé de projet: André Payette
Infographie: Dominique Chabot, Carole Deslandes, Suzanne L'Heureux
Maquette de la couverture: Marguerite Gouin
Révision: André Payette, Dolène Schmidt, Monique Tanguay, Marie Théorêt
Correction d'épreuves: Johanne Hamel, Dolène Schmidt, Marie Théorêt
Illustrations: Julie Bruneau: p. 335, 347, 353, 427; Marc Delafontaine (couleur: Maryse Dubuc, encrage: Denis Grenier): p. 285-288, 295-297, 299-300, 306-307, 310-312, 314-317, 319-320, 326-327, 331-335, 338-339, 348-351, 360, 362-368, 376-377, 379-381, 384-386, 392-395, 403-405, 413, 417, 424-429; Ninon: p. 308

Nous reconnaissons l'aide financière du gouvernement du Canada par l'entremise du Programme d'Aide au Développement de l'Industrie de l'Édition (PADIÉ) pour nos activités d'édition.

Cyclades
Guide pédagogique AB
© Modulo Éditeur, 2004
233, av. Dunbar, bureau 300
Mont-Royal (Québec)
Canada   H3P 2H4
Téléphone: (514) 738-9818 / 1-888-738-9818
Télécopieur: (514) 738-5838 / 1-888-273-5247
Site Internet: www.modulo.ca

Dépôt légal — Bibliothèque nationale du Québec, 2004
Bibliothèque nationale du Canada, 2004
ISBN 2-89113-**914**-3

Imprimé au Canada
1 2 3 4 5 AM/10**O**2 08 07 06 05 04

Table des matières

Présentation de l'ensemble pédagogique   1
Les composantes du matériel *Cyclades*   1
Quelques caractéristiques de l'approche pédagogique   4
Cyclades et le Programme de formation   11
Démarche pédagogique type d'un thème   32
Le traitement des disciplines dans *Cyclades*   39

Évaluation   101
Principes de l'évaluation dans *Cyclades*   101
Plan d'évaluation des compétences disciplinaires   109
Plan d'évaluation des compétences transversales   110
Grilles d'observation des compétences transversales   111
Évaluation en cours d'apprentissage   120

Section didactique   189
Faire de la science et de la technologie à l'école primaire   189
La démarche par projets   214
La gestion de classe participative   218
Le portfolio   223
L'exploitation de la littérature jeunesse en classe   232
L'apprentissage coopératif   235
La pédagogie différenciée   239
L'enseignement stratégique   247

Liste orthographique   267

Bibliographie   275

Annexes   285

Les composantes du matériel *Cyclades*

Les manuels A, B, C et D

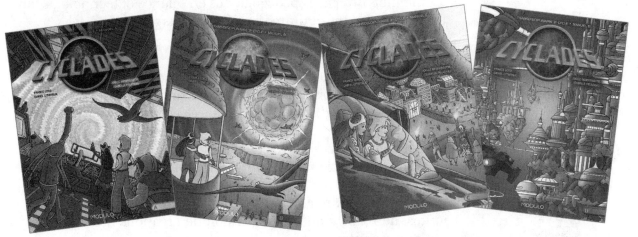

Les manuels *Cyclades* A, B, C et D présentent des textes destinés à répondre aux besoins de lecture courante et à approfondir chez les élèves le plaisir de lire. Les illustrations et les photos ont été choisies de façon à soutenir efficacement la lecture.

Chaque manuel comprend cinq thèmes. On y trouve une grande variété de textes qui touchent le français, la science et la technologie, l'univers social, l'art dramatique et les arts plastiques : des contes classiques et modernes, des textes informatifs, des expériences, des textes historiques, des pièces de théâtre, des poèmes, des chansons, etc.

Des manuels d'apprentissage

Par ailleurs, ces manuels ne sont pas de simples recueils de textes, mais de véritables manuels d'apprentissage. Ainsi, les textes présentent certains défis en lecture, des défis raisonnables qui feront progresser les élèves en les amenant au cours du cycle à travailler des stratégies de compréhension de plus en plus efficaces. Au début du cycle, certains textes qui touchent à l'univers social et à la science et à la technologie demanderont sans doute plus de soutien en lecture, les élèves ne possédant pas toujours les connaissances nécessaires pour les lire et les comprendre de façon autonome. Ces textes serviront souvent de déclencheurs aux situations d'apprentissage détaillées dans les manuels d'enseignement.

On trouvera dans les manuels d'enseignement des indications pédagogiques pour orienter la lecture de ces textes selon leur niveau de difficulté : lecture autonome, lecture guidée, lecture partagée, lecture commentée par l'enseignante ou l'enseignant, etc.

On trouve en outre dans chaque manuel des éléments qui facilitent la lecture et l'écriture : une table des matières détaillée, des titres courants, des intentions de lecture, des démarches types en lecture, en écriture et en correction de texte et, à la fin de chaque thème, des pages pédagogiques qui traitent de contenus grammaticaux en français. L'ensemble des pages pédagogiques en français des 20 thèmes constitue donc une excellente grammaire de base du 3e cycle du primaire. On trouvera aussi à la fin des thèmes des manuels des pages pédagogiques en science et technologie, en univers social, en art dramatique et en arts plastiques.

Un univers de personnages fascinants

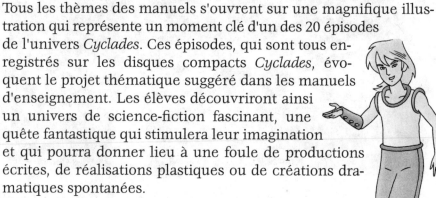

Tous les thèmes des manuels s'ouvrent sur une magnifique illustration qui représente un moment clé d'un des 20 épisodes de l'univers *Cyclades*. Ces épisodes, qui sont tous enregistrés sur les disques compacts *Cyclades*, évoquent le projet thématique suggéré dans les manuels d'enseignement. Les élèves découvriront ainsi un univers de science-fiction fascinant, une quête fantastique qui stimulera leur imagination et qui pourra donner lieu à une foule de productions écrites, de réalisations plastiques ou de créations dramatiques spontanées.

Par ailleurs, cet univers qui gravite autour de multiples personnages aux caractéristiques bien marquées se prête très bien à l'exploitation des styles d'apprentissage et des intelligences multiples. Au fil des épisodes, on découvrira par ailleurs comme pivot de cet univers des valeurs d'entraide, de coopération et de solidarité.

Le manuel d'univers social

Pour répondre à des demandes maintes fois formulées dans le monde de l'enseignement, nous avons réuni dans un même manuel à couverture rigide huit dossiers qui permettront aux élèves d'avoir accès à une source de documentation durable, sérieuse et accessible sur toutes les sociétés à l'étude dans le programme de géographie, histoire et éducation à la citoyenneté.

Ces dossiers, en plus des lectures déjà présentées dans les manuels A, B, C et D, permettront aux élèves de développer aisément les trois compétences du programme à travers une démarche de recherche et d'initiation aux techniques propres à l'histoire et à la géographie.

La table des matières et l'index des sujets présenté par sociétés les aideront à retrouver rapidement les informations qu'ils cherchent pour lire l'organisation d'une société sur son territoire, interpréter le changement dans une société et sur son territoire, et s'ouvrir à la diversité des sociétés et de leur territoire. Ce manuel sera indispensable pour mener les recherches. Ce sera aussi une source de découvertes fascinantes pour les élèves qui prendront plaisir à le feuilleter librement pour découvrir notre histoire.

Les 7 affiches stratégies

Quatre grandes affiches stratégies reprennent les pages des manuels consacrées aux démarches types en lecture et en écriture, et aux stratégies à utiliser pour corriger un texte.

Les trois autres affiches résument:
- la démarche de recherche en histoire et en géographie;
- la démarche en science et en technologie;
- la démarche de création en art.

Les chansons et textes d'écoute (disques compacts)

On trouvera dans les disques compacts A, B, C et D (quatre disques) les épisodes de l'univers *Cyclades*, ainsi que des chansons et des textes d'écoute reliés aux thèmes. Les chansons mettront l'élève en contact avec son patrimoine culturel en lui présentant nos grands auteurs. Parmi les textes d'écoute, on trouvera notamment tous les poèmes des manuels, récités par des artistes professionnels. Ces enregistrements permettront de traiter de façon bien vivante un volet souvent négligé de la communication orale et de varier les mises en situation. Mais, surtout, ils fourniront aux élèves de multiples occasions de s'abandonner aux rythmes et aux sonorités pour faire une expérience personnelle du langage poétique. Les textes d'écoute présentent aussi des fables, des interviews, des extraits de romans, etc.

Les guides pédagogiques AB et CD

Dans le présent guide pédagogique, on trouvera, entre autres documents de soutien pédagogique, les caractéristiques de l'approche pédagogique de *Cyclades* (p. 4), de l'information générale sur le Programme de formation (p. 11) et une brève présentation de la démarche type d'un thème (p. 32).

On trouvera ensuite une section portant sur l'évaluation des apprentissages: principes de l'évaluation dans *Cyclades* (p. 101), grilles d'observation des compétences transversales (p. 111) et documents d'évaluation en cours d'apprentissage des thèmes 1 à 10 (Guide AB, 1re année du cycle) ou 11 à 20 (Guide CD, 2e année du cycle).

Suit une section didactique qui regroupe plusieurs condensés didactiques des plus utiles: l'enseignement de la science et de la technologie, la démarche par projets, la gestion de classe participative, l'apprentissage coopératif, la pédagogie différenciée, l'enseignement stratégique, etc.

Après la liste orthographique et la bibliographie générale, une dernière section intitulée *Annexes* fournit divers outils très utiles pour l'exploitation de chaque thème: transcription de chacun des épisodes de *Cyclades*, fiches de soutien à reproduire, mots d'orthographe, lexique des mots difficiles des manuels, bibliographie commentée et sites Internet.

Les manuels d'enseignement A, B, C et D

Sont fournis avec les guides des manuels d'enseignement tout en couleurs qui présentent la démarche d'exploitation des thèmes 1 à 10 (manuels d'enseignement A et B, 1re année du cycle) et 11 à 20 (manuels d'enseignement C et D, 2e année du cycle). On trouvera dans ces manuels des plus attrayants une démarche d'exploitation très explicite, en trois étapes, pour toutes les situations d'apprentissage, ainsi que de substantiels encadrés qui permettent de traiter les connaissances et techniques des cinq disciplines touchées. Les manuels d'enseignement contiennent par ailleurs la reproduction de toutes les pages des manuels A, B, C et D.

Les guides — activités à reproduire

Chaque ensemble *Cyclades* AB (AR-A et AR-B) et *Cyclades* CD (AR-C et AR-D) présente plus de 150 fiches d'activités à reproduire qui permettront d'approfondir les connaissances en français (la conjugaison, les accords dans le groupe du nom, le temps des verbes, etc.). Ces fiches proposent généralement des tâches plus complexes qui amèneront les élèves à sélectionner des informations dans des textes de façon de plus en plus efficace, à réagir aux textes qui leur sont proposés ou à approfondir le schéma du récit.

Certaines fiches amèneront aussi les élèves à se familiariser avec les contenus du programme de géographie, histoire et éducation à la citoyenneté.

Le corrigé des activités AB et CD

On pourra se procurer un corrigé de l'ensemble des fiches d'activités décrites ci-dessus.

Quelques caractéristiques de l'approche pédagogique

Une démarche par cycle

La collection *Cyclades* est conçue pour un cycle. Développer des compétences exige en effet du temps et «un cycle d'apprentissage permet de constituer une étape unifiée dans le parcours scolaire de l'élève, cette étape n'est pas divisible en années et elle contient des objectifs d'apprentissage qui sont définis d'une manière spécifique en rapport avec la fin du cycle concerné[1]».

En recourant à l'organisation par cycles d'apprentissage, grâce aux 20 projets présentés, dont plusieurs permettent de réinvestir des compétences développées antérieurement en les élargissant, l'élève aura de multiples occasions de développer des compétences particulières. Chaque fois, il pourra mobiliser les acquis antérieurs

1. TARDIF, Jacques. «Les cycles d'apprentissage : une structure puissante, mais contraignante», *Vie pédagogique*, n° 114, février-mars 2000, p. 17-21.

et construire de nouvelles connaissances en poursuivant un développement progressif.

La pédagogie par projets proposée dans *Cyclades* permet beaucoup de souplesse sur le plan de l'organisation. On peut ainsi imaginer que certains élèves pourront former un groupe pour se lancer dans un projet avec une enseignante ou un enseignant du troisième cycle, pendant que d'autres élèves participeront à un autre projet ou à des activités de mise à jour avec une autre enseignante ou un autre enseignant.

Une démarche par projets thématiques

Cyclades propose une démarche par projets thématiques dans une perspective transdisciplinaire. Pour chaque thème à l'étude, on trouvera donc un projet intégrateur qui permettra de développer des compétences en touchant les diverses disciplines qui seront mises à contribution pour la réussite du projet. Les projets thématiques permettent également de développer les compétences transversales et rejoignent l'ensemble des domaines généraux de formation.

Au thème 4 de *Cyclades* A, par exemple, on propose comme projet thématique de présenter une pièce de théâtre sur le thème de la consommation. Pour mener à bien ce projet, les élèves toucheront plusieurs disciplines. Ils liront des textes qui les amèneront à réfléchir à leurs habitudes de consommation (français), habitudes qu'ils compareront avec celles des Canadiens des années 1820 (géographie et histoire). En utilisant une approche scientifique, ils se pencheront sur l'existence du père Noël en remettant en question des discours pseudo-scientifiques (science et technologie). Ils feront ensuite la mise en scène d'une pièce de théâtre sur le thème de Noël, une pièce qu'ils joueront (art dramatique) après avoir fabriqué les décors et accessoires nécessaires à la représentation (arts plastiques).

Afin que chacun des projets proposés dans *Cyclades* se révèle vraiment intégrateur de savoirs, nous rappelons constamment au fil de la démarche d'exploitation des situations d'apprentissage d'expliciter le lien entre ces situations et le projet global, afin que les élèves ne le perdent pas de vue. Nous suggérons fortement que l'aboutissement de chaque projet, quelle qu'en soit l'ampleur, soit souligné dans la mesure du possible par un temps fort afin que les élèves y trouvent un élément de motivation pour se lancer dans un prochain projet.

Comme on le verra, les projets que nous proposons aux élèves du troisième cycle sont extrêmement variés :
- élaborer une charte des droits et responsabilités ;
- préparer un défilé de personnages imaginaires ;
- mettre sur pied un musée de l'espace ;
- présenter une pièce de théâtre sur le thème de la consommation ;

- réaliser des émissions de télévision sur le thème des métiers;
- réaliser une maquette témoignant de la vie au Moyen Âge;
- réaliser des magazines sur le thème des catastrophes naturelles;
- écrire un mini-roman;
- élaborer un album sur le patrimoine;
- monter une *commedia dell'arte*;
- mettre sur pied une structure démocratique;
- organiser une fête pour les petits sur le thème de la peur;
- organiser un colloque sur la jeunesse;
- organiser une fête de Noël;
- créer un club de futurologues amateurs;
- rédiger un journal d'époque (vers 1900);
- organiser une expo-sciences;
- animer une galerie d'art;
- se qualifier pour obtenir un visa santé;
- concevoir un jeu-questionnaire sur les régions du monde.

En réalisant ces projets, les élèves toucheront plusieurs disciplines et développeront les habiletés reliées à l'ensemble des domaines généraux de formation et des compétences transversales.

Grâce à la démarche par projets, les élèves actualiseront les compétences disciplinaires dans un contexte réel et motivant. Ils développeront rapidement des compétences intellectuelles, méthodologiques, sociales et de l'ordre de la communication. Le travail de coopération leur permettra en outre de s'enrichir au contact des autres. Comme les apprentissages se feront en contexte, les élèves accroîtront leur autonomie et apprendront à transférer leurs apprentissages scolaires dans leur vie quotidienne.

Une perspective constructiviste

Les fondements pédagogiques sur lesquels s'appuie le matériel s'accordent tout à fait avec ceux qui sont proposés dans le cadre de la Réforme. Le modèle proposé s'inscrit ainsi dans une perspective constructiviste. Comme on l'a vu, le développement des compétences se fait dans le cadre de tâches complexes et signifiantes où les élèves, ayant de multiples défis à relever, doivent faire preuve d'abstraction, d'initiative et d'autonomie.

Les principales approches préconisées dans le matériel — la démarche par projets, l'enseignement stratégique et l'apprentissage coopératif — s'inscrivent en effet dans une gestion de classe participative qui favorise une pédagogie différenciée. L'apprenant se retrouve au cœur de ses apprentissages. L'ensemble de ces approches mise par ailleurs sur une construction personnelle des savoirs qui est très fortement marquée par les interactions sociales.

Le matériel s'articule autour de projets liés à des thématiques qui trouvent des points d'ancrage dans les textes des manuels. Ainsi, le matériel *Cyclades* ne s'intéresse pas seulement au développement des connaissances ou des compétences disciplinaires, car les différentes situations d'apprentissage visent la réalisation d'un projet commun au groupe classe, au groupe cycle et même à toute l'école. Participer à un ensemble de projets au cours d'un cycle d'apprentissage entraîne le développement d'un large éventail de compétences transversales et disciplinaires.

Une pédagogie centrée sur l'apprenant

Il découle de la perspective constructiviste que l'enseignante ou l'enseignant n'a plus comme tâche de transmettre des connaissances, ce que l'école ne peut faire que dans une bien faible mesure dans nos sociétés modernes, mais plutôt de créer un environnement favorable à l'apprentissage et au développement de compétences chez l'élève.

« L'enfant est sans cesse créateur et invente en bonne partie ses propres notions », observait Piaget en 1972. Le nouvel enseignement mis de l'avant dans le Programme de formation est une sorte de révolution copernicienne qui remet l'apprenant au centre des préoccupations pédagogiques. Dans ce nouveau contexte, l'élève ne doit plus simplement acquérir des connaissances, mais « apprendre à apprendre ». L'approche par compétences du Programme implique en effet que l'élève soit constamment perçu comme le premier agent de ses apprentissages, alors que l'enseignante ou l'enseignant est une médiatrice ou un médiateur entre l'élève et les savoirs à acquérir.

Quand elle sera bien comprise, cette conception de l'enseignement amènera dans le fonctionnement quotidien de la classe des changements bien plus importants qu'on pourrait le croire à première vue. Voyons quelques exemples.

Des tâches plus complexes et plus ouvertes Se donner comme projet de réaliser des magazines sur le thème des catastrophes naturelles, cela n'a rien à voir avec des pratiques traditionnelles comme lire des textes sur les volcans, on en conviendra. Le projet collectif, comme nous l'avons vu, implique un travail en équipe, fait appel à plusieurs disciplines et à des capacités et habiletés multiples et interreliées. Le tout débouche sur une création originale dont chaque élève peut tirer une grande fierté.

Le projet collectif reproduit à son échelle la complexité de la vie dans nos sociétés modernes. Pour le mener à bien, les élèves doivent mobiliser une foule de compétences, travailler dans des équipes de coopération, utiliser une démarche de résolution de problèmes et constamment s'adapter dans un processus évolutif de création. Mais, surtout, le projet amène un réel transfert des compétences développées dans d'autres situations scolaires ou parascolaires, ce qui n'était à peu près jamais le cas pour les activités disciplinaires traditionnelles.

Un plus grand respect des rythmes d'apprentissage Dans un enseignement centré sur l'apprenant, on ne parle guère «d'élèves en difficulté d'apprentissage» en se référant à un rendement moyen plus ou moins arbitraire en regard de certaines capacités ou habiletés. On accepte que chaque élève évolue à son propre rythme, on se sensibilise à ses caractéristiques propres comme apprenant et on se préoccupe davantage de ses atouts que de ses faiblesses sur le plan de l'apprentissage.

Un plus grand souci du processus d'apprentissage L'apprentissage par projets permet aux élèves de développer de multiples compétences dans un contexte signifiant. Aux divers stades de réalisation du projet, les élèves sont appelés à interagir avec leurs camarades pour résoudre des problèmes de tout ordre et pour réévaluer leurs stratégies. Le rôle de médiation de l'enseignante ou de l'enseignant que nous évoquions plus haut prend alors tout son sens. C'est pourquoi on trouvera constamment, au fil des situations d'apprentissage que nous proposons dans les manuels d'enseignement, des pistes de questionnement qui amèneront les élèves à réfléchir aux stratégies qu'ils ont utilisées, à en évaluer la pertinence, à les comparer avec celles de leurs camarades et à les modifier si elles n'ont pas permis d'atteindre les objectifs qu'ils s'étaient fixés.

Une évaluation intégrée Dans une démarche par projets, l'évaluation est constante et prend plusieurs formes. Très souvent, en circulant dans la classe, l'enseignante ou l'enseignant pousse les élèves à réfléchir aux stratégies qu'ils utilisent au cours du déroulement des situations d'apprentissage, individuellement ou en petits groupes.

Une fois les tâches réalisées, au cours de la phase d'intégration, on fait généralement un retour en grand groupe pour évaluer la démarche comme la réalisation des activités à la lumière des facteurs de réussite qui avaient été précisés avant la préparation. Ces interventions plus ou moins ponctuelles permettent de faire rapidement le point sur les apprentissages et sur l'état d'avancement du projet.

Par ailleurs, les élèves rempliront plusieurs grilles d'autoévaluation qu'on trouvera en annexe des guides pédagogiques : fiches de réflexion sur les apprentissages ou sur le travail en équipe, fiches d'appréciation personnelle d'une activité, fiches d'évaluation de la progression en communication orale, etc.

Cependant, le mode d'évaluation que nous allons privilégier tout au long du cycle est le portfolio, qui fait l'objet d'une courte chronique au début de chacun des thèmes des manuels d'enseignement, et dont nous traiterons de façon plus approfondie dans la section didactique de ce guide (p. 223 à 232).

Une démarche d'enseignement stratégique

Dans le domaine de l'enseignement et de l'apprentissage, on accorde de plus en plus d'importance au traitement de l'information. On s'intéresse à la construction du savoir, aux stratégies d'apprentissage et aux conditions de réutilisation des connaissances acquises. Ces principes de base de la psychologie cognitive ont guidé toute la démarche pédagogique préconisée dans *Cyclades*.

Nous nous préoccupons en effet de faire participer le plus possible les élèves à leur apprentissage en leur faisant prendre conscience des processus qui le sous-tendent et en accordant une grande importance au choix des exemples, des contre-exemples et des diverses activités.

Conscients du rôle essentiel que jouent les connaissances personnelles dans la construction du savoir, nous faisons en sorte d'en favoriser le rappel et l'activation afin que les élèves puissent les transférer à chaque nouvelle situation d'apprentissage.

Nous présentons avant chaque thème une vue d'ensemble qui précise les buts visés dans les situations d'apprentissage, cela à la fois pour motiver les élèves, pour leur fournir un cadre global de référence et pour les rendre bien conscients des objectifs qu'ils devront atteindre.

Une démarche d'apprentissage coopératif

La démarche pédagogique de *Cyclades* s'inspire largement de l'apprentissage coopératif, mode d'apprentissage qui s'accorde d'ailleurs parfaitement avec les principes de l'enseignement stratégique. Ce mode d'apprentissage s'appuie sur les principes suivants :

- le regroupement des élèves;
- l'interdépendance des membres du groupe pour réaliser une tâche;
- la responsabilité de chaque membre du groupe pour assurer le bon fonctionnement du travail;
- le développement d'habiletés cognitives et d'habiletés de coopération;
- l'évaluation non seulement du résultat de l'activité, mais aussi du fonctionnement du travail en groupe.

À divers moments de la séquence d'enseignement, on pourra faire appel à l'apprentissage coopératif. Ainsi, une fois que la démonstration d'une stratégie aura été faite avec l'ensemble du groupe, au moment des pratiques guidées, on fera appel à cette technique pour en développer l'acquisition. Non seulement l'apprentissage coopératif permet-il aux élèves de s'engager à fond dans chaque projet — on sait que la plupart des enfants adorent travailler ensemble —, mais les activités coopératives développent également l'estime de soi, donnent un sentiment de contrôle sur la tâche et favorisent l'esprit d'entraide plutôt que la compétition.

Discuter en petits groupes de coopération permet aussi aux élèves de mieux développer les stratégies cognitives, car le fait d'avoir à échanger avec des camarades les amène à identifier les processus cognitifs, à les mettre en application et à réorganiser leurs connaissances. Compte tenu de l'expertise que développe chaque membre de l'équipe, le groupe de coopération constitue un lieu privilégié pour développer des connaissances à partir de tâches communes.

Une large place accordée à la culture

Le rapport du Groupe de travail sur la réforme du curriculum (Gouvernement du Québec, *Réaffirmer l'école*, 1997) insistait beaucoup sur la nécessité de relever le contenu culturel des programmes d'étude, soulignant que la finalité culturelle des programmes d'enseignement avait trop longtemps été négligée au profit des finalités utilitaires et cognitives.

Nous sommes tout à fait d'accord avec cette remarque et nous avons fait en sorte de rehausser considérablement le contenu culturel de notre matériel par rapport aux contenus qui étaient traditionnellement présentés dans les anciennes générations de matériel pédagogique. Ainsi, on trouvera dans *Cyclades* :

- des thèmes entiers consacrés à la culture (*Le roman*, *Rites et cérémonies*, *Bâtir*, *La* commedia dell'arte, *L'art aujourd'hui*) ;
- dans la plupart des thèmes (manuels et matériel audio), des textes littéraires de grands auteurs francophones d'hier et d'aujourd'hui (Alphonse Daudet, Jean de La Fontaine, Charles d'Orléans, Saint-Exupéry, Paul Éluard, Yves Beauchemin, Dany Laferrière, Gilles Vigneault, Félix Leclerc, etc.) ;
- des adaptations de contes classiques (*La Mort pour marraine*, *Les roses de Noël*, *La légende de Notre-Dame*, etc.) ;
- des légendes et des mythes (*Le chaman Taligvak*, *Les monstres d'ailleurs*, *Le labyrinthe de Dédale*, etc.) ;
- des chansons d'hier et d'aujourd'hui ;
- des présentations de grands auteurs de littérature jeunesse (Michèle Marineau, François Gravel, Carmen Marois, Jasmine Dubé, Dominique Demers, Chrystine Brouillet, etc.) ;
- de courtes biographies de grands peintres et des reproductions d'œuvres d'art (François Boucher, Paul Cézanne, Edvard Munch, Jean-Paul Lemieux, Pierre Auguste Renoir, Marcelle Ferron, Alfred Pellan, Jean Dallaire, etc.) ;
- dans la section *Annexes* des guides, pour chaque thème, une bibliographie commentée d'albums de littérature jeunesse ;
- aussi dans la section *Annexes* des guides, de nombreux renvois à des sites Internet très riches sur le plan culturel (peinture, musique, poésie, etc.).

Cyclades et le Programme de formation

Comme on le verra en consultant les tableaux qui suivent, la collection *Cyclades* touche, dans les 20 thèmes qu'elle propose, toutes les compétences transversales, tous les domaines généraux de formation et toutes les compétences disciplinaires des cinq programmes qu'elle intègre. Chaque projet devient ainsi un contexte d'apprentissage global axé sur le développement des compétences.

En participant à l'un des projets de la collection, les élèves développeront donc un large éventail de compétences disciplinaires en français. Ils seront aussi amenés à développer des compétences dans quatre autres disciplines, certains projets ayant une orientation plus scientifique, plus historique ou plus artistique.

En développant ces compétences disciplinaires, les élèves activeront tout naturellement un ensemble de compétences génériques, dites transversales, des compétences qui ont une portée plus large que les compétences disciplinaires, car elles débordent les frontières disciplinaires. Elles comprennent des compétences d'ordre intellectuel, méthodologique, personnel et social, et de communication.

Par ailleurs, dans notre matériel transdisciplinaire, le développement des compétences disciplinaires et transversales s'inscrit dans un ensemble de problématiques que les jeunes d'aujourd'hui doivent affronter. Ce sont les domaines généraux de formation. Comme le précise le Programme de formation de l'école québécoise, ils amènent les élèves à établir des liens entre les apprentissages scolaires et la vie quotidienne. Il y a cinq domaines généraux de formation : santé et bien-être, environnement et consommation, médias, vivre-ensemble et citoyenneté, et orientation et entrepreneuriat. Encore une fois, la nature particulière d'un projet donné mettra l'accent sur certains de ces domaines.

Bien conforme à l'esprit du Programme de formation, la collection *Cyclades* propose par sa démarche par projets thématiques et par son approche transdisciplinaire un environnement pédagogique que nous souhaitons des plus stimulants pour des élèves du troisième millénaire, un environnement bien plus large et bien plus global que l'ensemble des compétences qu'elle traite de façon explicite.

Thème I
La justice

	Situation 1, Un univers injuste	Situation 2, La Corriveau	Situation 3, Un nouveau roi, de nouvelles...	Situation 4, Les animaux malades de...	Situation 5, Le principe du crâne fragile	Situation 6, À la Cour	Situation 7, La chanson du pharmacien	Situation 8, L'album des droits de l'enfant	Situation 9, Conseil de coopération	Situation 10, Pour gérer les apprentissages	Situation 11, La Charte des droits...
COMPÉTENCES TRANSVERSALES											
Exploiter l'information.			●			●					
Résoudre des problèmes.											
Exercer son jugement critique.	●	●		●	●		●		●		●
Mettre en œuvre sa pensée créatrice.	●							●		●	
Se donner des méthodes de travail efficaces.			●			●				●	
Exploiter les technologies de l'information et de la communication.			●								●
Structurer son identité.	●			●	●		●		●	●	●
Coopérer.			●				●	●		●	
Communiquer de façon appropriée.		●		●	●			●	●		●
DOMAINES GÉNÉRAUX DE FORMATION											
Santé et bien-être		●		●	●				●		
Environnement et consommation											
Médias											
Vivre-ensemble et citoyenneté	●	●	●	●	●	●	●	●	●		●
Orientation et entrepreneuriat						●	●	●		●	

Thème 1
La justice

COMPÉTENCES DISCIPLINAIRES	Situation 1, Un univers injuste	Situation 2, La Corriveau	Situation 3, Un nouveau roi, de nouvelles…	Situation 4, Les animaux malades de…	Situation 5, Le principe du crâne fragile	Situation 6, À la Cour	Situation 7, La chanson du pharmacien	Situation 8, L'album des droits de l'enfant	Situation 9, Conseil de coopération	Situation 10, Pour gérer les apprentissages	Situation 11, La Charte des droits…
Français											
Lire des textes variés.		●	●	●	●	●	●	●	●		
Écrire des textes variés.			●			●	●		●		●
Communiquer oralement.	●	●			●				●	●	
Apprécier des œuvres littéraires.			●		●		●				
Géographie, histoire et éducation à la citoyenneté											
Lire l'organisation d'une société sur son territoire.											●
Interpréter le changement dans une société et sur son territoire.			●								
S'ouvrir à la diversité des sociétés et de leur territoire.											
Science et technologie											
Proposer des explications ou des solutions à des problèmes d'ordre scientifique ou technologique.											
Mettre à profit les outils, objets et procédés de la science et de la technologie.											
Communiquer à l'aide des langages utilisés en science et technologie.											
Art dramatique											
Inventer des séquences dramatiques.						●					
Interpréter des séquences dramatiques.						●					
Apprécier des œuvres théâtrales, ses réalisations et celles de ses camarades.						●					
Arts plastiques											
Réaliser des créations plastiques personnelles.	●									●	
Réaliser des créations plastiques médiatiques.									●		
Apprécier des œuvres d'art.	●							●		●	

Thème 2
Un monde imaginaire

	Situation 1, Planification du projet de défilé	Situation 2, Au royaume de Trikar	Situation 3, Dracula et Frankenstein	Situation 4, Ulysse	Situation 5, Du fantastique	Situation 6, Les bons et les méchants	Situation 7, Un défilé miniature	Situation 8, Personnages improvisés	Situation 9, Montage poétique	Situation 10, Créer une ambiance	Situation 11, Publiciser le défilé
COMPÉTENCES TRANSVERSALES											
Exploiter l'information.											
Résoudre des problèmes.											
Exercer son jugement critique.		●	●		●	●			●		
Mettre en œuvre sa pensée créatrice.				●				●	●	●	●
Se donner des méthodes de travail efficaces.	●								●		
Exploiter les technologies de l'information et de la communication.				●							
Structurer son identité.	●	●	●		●	●		●			
Coopérer.	●					●	●	●	●	●	●
Communiquer de façon appropriée.	●	●	●	●		●	●	●			
DOMAINES GÉNÉRAUX DE FORMATION											
Santé et bien-être											
Environnement et consommation											
Médias		●	●	●	●	●					●
Vivre-ensemble et citoyenneté	●							●	●	●	
Orientation et entrepreneuriat	●	●	●					●	●	●	●

Thème 2
Un monde imaginaire

COMPÉTENCES DISCIPLINAIRES	Situation 1, Planification du projet de défilé	Situation 2, Au royaume de Trikar	Situation 3, Dracula et Frankenstein	Situation 4, Ulysse	Situation 5, Du fantastique	Situation 6, Les bons et les méchants	Situation 7, Un défilé miniature	Situation 8, Personnages improvisés	Situation 9, Montage poétique	Situation 10, Créer une ambiance	Situation 11, Publiciser le défilé
Français											
Lire des textes variés.		●	●	●	●		●		●	●	
Écrire des textes variés.		●		●	●	●		●			
Communiquer oralement.	●		●		●	●					
Apprécier des œuvres littéraires.		●	●	●	●	●			●		
Géographie, histoire et éducation à la citoyenneté											
Lire l'organisation d'une société sur son territoire.											
Interpréter le changement dans une société et sur son territoire.											
S'ouvrir à la diversité des sociétés et de leur territoire.											
Science et technologie											
Proposer des explications ou des solutions à des problèmes d'ordre scientifique ou technologique.											
Mettre à profit les outils, objets et procédés de la science et de la technologie.											
Communiquer à l'aide des langages utilisés en science et technologie.											
Art dramatique											
Inventer des séquences dramatiques.								●		●	
Interpréter des séquences dramatiques.								●	●	●	
Apprécier des œuvres théâtrales, ses réalisations et celles de ses camarades.								●	●	●	
Arts plastiques											
Réaliser des créations plastiques personnelles.							●				
Réaliser des créations plastiques médiatiques.											●
Apprécier des œuvres d'art.							●				●

Thème 3
L'espace

	Situation 1, Planification du projet	Situation 2, Les minutes de poésie	Situation 3, Au milieu des étoiles	Situation 4, Construire une fusée	Situation 5, Des mots pour dire l'espace	Situation 6, La bédé de science-fiction	Situation 7, L'Univers	Situation 8, Venez visiter notre planète!	Situation 9, Poésie en images et sons	Situation 10, L'évolution d'une vie...	Situation 11, La vie extraterrestre
COMPÉTENCES TRANSVERSALES											
Exploiter l'information.							●	●		●	●
Résoudre des problèmes.				●				●		●	
Exercer son jugement critique.		●	●		●	●					
Mettre en œuvre sa pensée créatrice.					●			●	●	●	●
Se donner des méthodes de travail efficaces.	●			●				●	●	●	
Exploiter les technologies de l'information et de la communication.							●				
Structurer son identité.		●	●						●		
Coopérer.	●			●	●	●	●	●	●		
Communiquer de façon appropriée.	●							●		●	●
DOMAINES GÉNÉRAUX DE FORMATION											
Santé et bien-être		●	●		●						●
Environnement et consommation				●				●	●	●	●
Médias					●	●			●	●	
Vivre-ensemble et citoyenneté	●					●					
Orientation et entrepreneuriat	●						●		●		

Thème 3
L'espace

COMPÉTENCES DISCIPLINAIRES

	Situation 1, Planification du projet	Situation 2, Les minutes de poésie	Situation 3, Au milieu des étoiles	Situation 4, Construire une fusée	Situation 5, Des mots pour dire l'espace	Situation 6, La bédé de science-fiction	Situation 7, L'Univers	Situation 8, Venez visiter notre planète!	Situation 9, Poésie en images et sons	Situation 10, L'évolution d'une vie...	Situation 11, La vie extraterrestre
Français											
Lire des textes variés.		●	●	●	●	●	●	●		●	
Écrire des textes variés.				●	●		●	●		●	●
Communiquer oralement.	●	●	●			●					
Apprécier des œuvres littéraires.		●	●		●	●			●		●
Géographie, histoire et éducation à la citoyenneté											
Lire l'organisation d'une société sur son territoire.											
Interpréter le changement dans une société et sur son territoire.											
S'ouvrir à la diversité des sociétés et de leur territoire.											
Science et technologie											
Proposer des explications ou des solutions à des problèmes d'ordre scientifique ou technologique.				●			●	●		●	●
Mettre à profit les outils, objets et procédés de la science et de la technologie.				●							
Communiquer à l'aide des langages utilisés en science et technologie.							●	●		●	
Art dramatique											
Inventer des séquences dramatiques.											
Interpréter des séquences dramatiques.											
Apprécier des œuvres théâtrales, ses réalisations et celles de ses camarades.											
Arts plastiques											
Réaliser des créations plastiques personnelles.										●	●
Réaliser des créations plastiques médiatiques.											
Apprécier des œuvres d'art.										●	

Thème 4
La consommation

	Situation 1, Planification du projet	Situation 2, La consommation et moi	Situation 3, L'argent de poche	Situation 4, La cyberdépendance	Situation 5, La consommation...	Situation 6, Le père Noël selon le...	Situation 7, Dans l'esprit de Noël	Situation 8, Mise en scène : Dans...	Situation 9, Des décorations	Situation 10, Qu'est-ce que la publicité?	Situation 11, Une consommation...	Situation 12, Promouvoir le pièce de...
COMPÉTENCES TRANSVERSALES												
Exploiter l'information.			●		●					●		
Résoudre des problèmes.						●					●	
Exercer son jugement critique.		●		●		●	●			●	●	
Mettre en œuvre sa pensée créatrice.						●			●	●		●
Se donner des méthodes de travail efficaces.	●		●					●			●	
Exploiter les technologies de l'information et de la communication.	●	●		●	●							●
Structurer son identité.		●		●			●			●		
Coopérer.	●		●		●	●	●	●	●		●	●
Communiquer de façon appropriée.	●	●	●	●	●	●		●		●		●
DOMAINES GÉNÉRAUX DE FORMATION												
Santé et bien-être												
Environnement et consommation		●	●	●	●	●				●	●	●
Médias			●		●					●	●	●
Vivre-ensemble et citoyenneté	●				●		●	●				
Orientation et entrepreneuriat	●						●	●	●			●

Thème 4
La consommation

COMPÉTENCES DISCIPLINAIRES	Situation 1, Planification du projet	Situation 2, La consommation et moi	Situation 3, L'argent de poche	Situation 4, La cyberdépendance	Situation 5, La consommation...	Situation 6, Le père Noël selon le...	Situation 7, Dans l'esprit de Noël	Situation 8, Mise en scène : *Dans...*	Situation 9, Des décorations	Situation 10, Qu'est-ce que la publicité?	Situation 11, Une consommation...	Situation 12, Promouvoir la pièce de...
Français												
Lire des textes variés.		●		●	●		●			●		●
Écrire des textes variés.			●	●	●	●					●	●
Communiquer oralement.	●	●	●	●			●			●		●
Apprécier des œuvres littéraires.		●										
Géographie, histoire et éducation à la citoyenneté												
Lire l'organisation d'une société sur son territoire.					●							
Interpréter le changement dans une société et sur son territoire.												
S'ouvrir à la diversité des sociétés et de leur territoire.					●							
Science et technologie												
Proposer des explications ou des solutions à des problèmes d'ordre scientifique ou technologique.							●				●	
Mettre à profit les outils, objets et procédés de la science et de la technologie.											●	
Communiquer à l'aide des langages utilisés en science et technologie.							●				●	
Art dramatique												
Inventer des séquences dramatiques.									●			
Interpréter des séquences dramatiques.								●	●			
Apprécier des œuvres théâtrales, ses réalisations et celles de ses camarades.								●	●			
Arts plastiques												
Réaliser des créations plastiques personnelles.										●		
Réaliser des créations plastiques médiatiques.												
Apprécier des œuvres d'art.										●		

Thème 5
Trente-six métiers

	Situation 1, Planification des émissions...	Situation 2, Le monde du travail à...	Situation 3, Aller là où se trouve le travail	Situation 4, Trente-six métiers	Situation 5, Interviews	Situation 6, Jeux-questionnaires	Situation 7, Les jeunes scientifiques...	Situation 8, Chansons sur les métiers	Situation 9, Le Petit Prince	Situation 10, Histoires de métiers
COMPÉTENCES TRANSVERSALES										
Exploiter l'information.		●	●	●	●	●				
Résoudre des problèmes.							●			
Exercer son jugement critique.								●	●	●
Mettre en œuvre sa pensée créatrice.							●		●	
Se donner des méthodes de travail efficaces.	●	●					●			
Exploiter les technologies de l'information et de la communication.	●	●		●						
Structurer son identité.						●		●	●	●
Coopérer.	●		●			●	●		●	●
Communiquer de façon appropriée.	●	●	●			●	●			●
DOMAINES GÉNÉRAUX DE FORMATION										
Santé et bien-être										
Environnement et consommation		●	●	●			●	●		
Médias	●				●	●				
Vivre-ensemble et citoyenneté		●	●						●	
Orientation et entrepreneuriat	●			●	●	●	●	●	●	●

Thème 5
Trente-six métiers

COMPÉTENCES DISCIPLINAIRES	Situation 1, Planification des émissions...	Situation 2, Le monde du travail à...	Situation 3, Aller là où se trouve le travail	Situation 4, Trente-six métiers	Situation 5, Interviews	Situation 6, Jeux-questionnaires	Situation 7, Les jeunes scientifiques...	Situation 8, Chansons sur les métiers	Situation 9, Le Petit Prince	Situation 10, Histoires de métiers
Français										
Lire des textes variés.		●	●	●				●	●	●
Écrire des textes variés.				●	●	●				
Communiquer oralement.	●	●	●		●	●				●
Apprécier des œuvres littéraires.								●	●	●
Géographie, histoire et éducation à la citoyenneté										
Lire l'organisation d'une société sur son territoire.		●	●							
Interpréter le changement dans une société et sur son territoire.		●								
S'ouvrir à la diversité des sociétés et de leur territoire.										
Science et technologie										
Proposer des explications ou des solutions à des problèmes d'ordre scientifique ou technologique.							●			
Mettre à profit les outils, objets et procédés de la science et de la technologie.							●			
Communiquer à l'aide des langages utilisés en science et technologie.							●			
Art dramatique										
Inventer des séquences dramatiques.										
Interpréter des séquences dramatiques.										
Apprécier des œuvres théâtrales, ses réalisations et celles de ses camarades.										
Arts plastiques										
Réaliser des créations plastiques personnelles.									●	
Réaliser des créations plastiques médiatiques.										
Apprécier des œuvres d'art.									●	

Thème 6
Le Moyen Âge

	Situation 1, Voyage dans le temps	Situation 2, La vie de château	Situation 3, Table ronde sur les croyances…	Situation 4, Planification du projet	Situation 5, Dans la peau d'un…	Situation 6, Romans de chevalerie	Situation 7, Une lecture feuilleton	Situation 8, Tapisseries médiévales	Situation 9, Pauvre Rutebeuf!	Situation 10, Univers partagé	Situation 11, La maquette médiévale	Situation 12, Les machines au Moyen Âge
COMPÉTENCES TRANSVERSALES												
Exploiter l'information.	●				●							
Résoudre des problèmes.												●
Exercer son jugement critique.			●				●	●				
Mettre en œuvre sa pensée créatrice.				●	●	●		●	●	●	●	●
Se donner des méthodes de travail efficaces.	●			●	●	●	●			●		●
Exploiter les technologies de l'information et de la communication.		●			●							
Structurer son identité.		●	●	●		●		●	●			
Coopérer.	●	●				●	●				●	●
Communiquer de façon appropriée.			●						●	●	●	●
DOMAINES GÉNÉRAUX DE FORMATION												
Santé et bien-être		●	●									
Environnement et consommation												
Médias				●				●		●	●	
Vivre-ensemble et citoyenneté		●		●		●			●		●	
Orientation et entrepreneuriat	●			●	●	●			●	●	●	●

Thème 6
Le Moyen Âge

COMPÉTENCES DISCIPLINAIRES	Situation 1, Voyage dans le temps	Situation 2, La vie de château	Situation 3, Table ronde sur les croyances...	Situation 4, Planification du projet	Situation 5, Dans la peau d'un...	Situation 6, Romans de chevalerie	Situation 7, Une lecture feuilleton	Situation 8, Tapisseries médiévales	Situation 9, Pauvre Rutebeuf!	Situation 10, Univers partagé	Situation 11, La maquette médiévale	Situation 12, Les machines au Moyen Âge
Français												
Lire des textes variés.	●	●	●		●	●		●	●	●	●	●
Écrire des textes variés.		●		●	●	●	●		●	●		
Communiquer oralement.	●		●	●		●						●
Apprécier des œuvres littéraires.						●	●	●	●			
Géographie, histoire et éducation à la citoyenneté												
Lire l'organisation d'une société sur son territoire.												
Interpréter le changement dans une société et sur son territoire.												
S'ouvrir à la diversité des sociétés et de leur territoire.												
Science et technologie												
Proposer des explications ou des solutions à des problèmes d'ordre scientifique ou technologique.												●
Mettre à profit les outils, objets et procédés de la science et de la technologie.												●
Communiquer à l'aide des langages utilisés en science et technologie.												
Art dramatique												
Inventer des séquences dramatiques.												
Interpréter des séquences dramatiques.						●						
Apprécier des œuvres théâtrales, ses réalisations et celles de ses camarades.						●						
Arts plastiques												
Réaliser des créations plastiques personnelles.										●		
Réaliser des créations plastiques médiatiques.								●			●	
Apprécier des œuvres d'art.								●		●	●	

Thème 7
Les catastrophes naturelles

	Situation 1, Planification du projet	Situation 2, Catastrophes tous azimuts	Situation 3, Catastrophes en direct	Situation 4, Prévoir le temps	Situation 5, Les catastrophes au Québec	Situation 6, Les catastrophes au Canada	Situation 7, Au feu! Au feu!	Situation 8, Récits de catastrophes	Situation 9, Une histoire catastrophique	Situation 10, Rire et catastrophes	Situation 11, Critique de livres	Situation 12, Page couverture
COMPÉTENCES TRANSVERSALES												
Exploiter l'information.		●	●	●		●						
Résoudre des problèmes.			●	●								
Exercer son jugement critique.									●		●	
Mettre en œuvre sa pensée créatrice.							●		●	●		●
Se donner des méthodes de travail efficaces.	●		●	●	●	●					●	
Exploiter les technologies de l'information et de la communication.		●	●	●				●			●	●
Structurer son identité.	●							●	●	●	●	
Coopérer.	●	●			●	●			●	●		
Communiquer de façon appropriée.	●	●			●	●	●	●	●	●	●	●
DOMAINES GÉNÉRAUX DE FORMATION												
Santé et bien-être					●							
Environnement et consommation		●	●	●								
Médias	●		●		●	●	●				●	●
Vivre-ensemble et citoyenneté	●		●	●	●							
Orientation et entrepreneuriat		●			●	●	●	●	●	●	●	●

Thème 7
Les catastrophes naturelles

COMPÉTENCES DISCIPLINAIRES	Situation 1, Planification du projet	Situation 2, Catastrophes tous azimuts	Situation 3, Catastrophes en direct	Situation 4, Prévoir le temps	Situation 5, Les catastrophes au Québec	Situation 6, Les catastrophes au Canada	Situation 7, Au feu! Au feu!	Situation 8, Récits de catastrophes	Situation 9, Une histoire catastrophique	Situation 10, Rire et catastrophes	Situation 11, Critique de livres	Situation 12, Page couverture
Français												
Lire des textes variés.		●			●	●		●				
Écrire des textes variés.		●		●	●	●				●	●	●
Communiquer oralement.	●		●	●	●			●			●	
Apprécier des œuvres littéraires.							●	●				
Géographie, histoire et éducation à la citoyenneté												
Lire l'organisation d'une société sur son territoire.						●						
Interpréter le changement dans une société et sur son territoire.												
S'ouvrir à la diversité des sociétés et de leur territoire.						●						
Science et technologie												
Proposer des explications ou des solutions à des problèmes d'ordre scientifique ou technologique.		●	●	●		●						
Mettre à profit les outils, objets et procédés de la science et de la technologie.				●								
Communiquer à l'aide des langages utilisés en science et technologie.		●	●	●		●						
Art dramatique												
Inventer des séquences dramatiques.												
Interpréter des séquences dramatiques.												
Apprécier des œuvres théâtrales, ses réalisations et celles de ses camarades.												
Arts plastiques												
Réaliser des créations plastiques personnelles.												
Réaliser des créations plastiques médiatiques.							●			●		●
Apprécier des œuvres d'art.							●			●		●

Thème 8
Le roman

	Situation 1, Romans à toutes les sauces!	Situation 2, Points de vue d'écrivains	Situation 3, Des auteurs à l'honneur	Situation 4, Un cercle sur les auteurs	Situation 5, Un rendez-vous manqué	Situation 6, Rendez-vous manqué en...	Situation 7, Le château de livres...	Situation 8, Écrire un mini-roman	Situation 9, En amorce des chapitres...	Situation 10, Une quatrième de couverture	Situation 11, Pour t'attirer dans mon...	Situation 12, Une invitation à lire
COMPÉTENCES TRANSVERSALES												
Exploiter l'information.	●		●									
Résoudre des problèmes.												
Exercer son jugement critique.	●	●		●	●							
Mettre en œuvre sa pensée créatrice.						●	●	●	●	●	●	●
Se donner des méthodes de travail efficaces.									●			
Exploiter les technologies de l'information et de la communication.			●								●	
Structurer son identité.		●	●	●	●		●				●	
Coopérer.	●			●		●						
Communiquer de façon appropriée.	●	●	●	●	●	●	●	●	●	●	●	●
DOMAINES GÉNÉRAUX DE FORMATION												
Santé et bien-être		●										
Environnement et consommation												
Médias	●		●	●					●	●	●	●
Vivre-ensemble et citoyenneté					●							
Orientation et entrepreneuriat			●	●	●	●	●	●	●	●	●	●

Thème 8
Le roman

COMPÉTENCES DISCIPLINAIRES

	Situation 1, Romans à toutes les sauces!	Situation 2, Points de vue d'écrivains	Situation 3, Des auteurs à l'honneur	Situation 4, Un cercle sur les auteurs	Situation 5, Un rendez-vous manqué	Situation 6, Rendez-vous manqué en...	Situation 7, Le château de livres...	Situation 8, Écrire un mini-roman	Situation 9, En amorce des chapitres...	Situation 10, Une quatrième de couverture	Situation 11, Pour t'attirer dans mon...	Situation 12, Une invitation à lire
Français												
Lire des textes variés.	●	●	●	●	●	●	●			●		
Écrire des textes variés.			●				●	●	●	●		●
Communiquer oralement.	●	●	●	●		●		●				
Apprécier des œuvres littéraires.		●		●	●		●		●		●	
Géographie, histoire et éducation à la citoyenneté												
Lire l'organisation d'une société sur son territoire.												
Interpréter le changement dans une société et sur son territoire.												
S'ouvrir à la diversité des sociétés et de leur territoire.												
Science et technologie												
Proposer des explications ou des solutions à des problèmes d'ordre scientifique ou technologique.												
Mettre à profit les outils, objets et procédés de la science et de la technologie.												
Communiquer à l'aide des langages utilisés en science et technologie.												
Art dramatique												
Inventer des séquences dramatiques.						●						
Interpréter des séquences dramatiques.						●						
Apprécier des œuvres théâtrales, ses réalisations et celles de ses camarades.						●						
Arts plastiques												
Réaliser des créations plastiques personnelles.										●		
Réaliser des créations plastiques médiatiques.										●	●	●
Apprécier des œuvres d'art.										●	●	●

Thème 9
Bâtir

	Situation 1, Conférences de rédaction	Situation 2, Le bâtiment, miroir des…	Situation 3, Héritage du passé	Situation 4, Les bâtisseurs	Situation 5, Plus haut et plus loin	Situation 6, Décrire et illustrer le…	Situation 7, Histoire de lieux	Situation 8, Construire un poème	Situation 9, Montage poétique	Situation 10, Maisons et paysages
COMPÉTENCES TRANSVERSALES										
Exploiter l'information.		●	●	●	●					
Résoudre des problèmes.						●				
Exercer son jugement critique.	●		●						●	●
Mettre en œuvre sa pensée créatrice.					●	●	●	●	●	●
Se donner des méthodes de travail efficaces.	●									
Exploiter les technologies de l'information et de la communication.		●		●		●				
Structurer son identité.							●	●		●
Coopérer.	●		●		●	●			●	
Communiquer de façon appropriée.		●	●	●		●	●			
DOMAINES GÉNÉRAUX DE FORMATION										
Santé et bien-être										
Environnement et consommation	●	●	●		●	●	●			●
Médias							●		●	
Vivre-ensemble et citoyenneté	●	●	●	●					●	
Orientation et entrepreneuriat	●				●	●	●	●	●	●

Thème 9
Bâtir

COMPÉTENCES DISCIPLINAIRES	Situation 1, Conférences de rédaction	Situation 2, Le bâtiment, miroir des...	Situation 3, Héritage du passé	Situation 4, Les bâtisseurs	Situation 5, Plus haut et plus loin	Situation 6, Décrire et illustrer le...	Situation 7, Histoire de lieux	Situation 8, Construire un poème	Situation 9, Montage poétique	Situation 10, Maisons et paysages
Français										
Lire des textes variés.		●	●		●		●	●	●	
Écrire des textes variés.		●		●	●	●	●	●		
Communiquer oralement.	●		●							
Apprécier des œuvres littéraires.								●	●	●
Géographie, histoire et éducation à la citoyenneté										
Lire l'organisation d'une société sur son territoire.	●		●	●						
Interpréter le changement dans une société et sur son territoire.			●							
S'ouvrir à la diversité des sociétés et de leur territoire.										
Science et technologie										
Proposer des explications ou des solutions à des problèmes d'ordre scientifique ou technologique.					●					
Mettre à profit les outils, objets et procédés de la science et de la technologie.					●					
Communiquer à l'aide des langages utilisés en science et technologie.					●					
Art dramatique										
Inventer des séquences dramatiques.										
Interpréter des séquences dramatiques.									●	
Apprécier des œuvres théâtrales, ses réalisations et celles de ses camarades.									●	
Arts plastiques										
Réaliser des créations plastiques personnelles.									●	●
Réaliser des créations plastiques médiatiques.						●				
Apprécier des œuvres d'art.						●			●	●

Thème 10
La *commedia dell'arte*

	Situation 1, Le spectacle dans nos vies	Situation 2, À propos du théâtre	Situation 3, Moments de poésie	Situation 4, La commedia dell'arte	Situation 5, Écrire Les mères fantômes	Situation 6, Jouer Les mères fantômes	Situation 7, Chanter, danser, sauter	Situation 8, Un programme personnalisé
COMPÉTENCES TRANSVERSALES								
Exploiter l'information.		●			●			
Résoudre des problèmes.								
Exercer son jugement critique.	●		●			●	●	●
Mettre en œuvre sa pensée créatrice.			●	●	●		●	●
Se donner des méthodes de travail efficaces.						●		
Exploiter les technologies de l'information et de la communication.								
Structurer son identité.	●			●	●			
Coopérer.					●	●	●	●
Communiquer de façon appropriée.	●	●						●
DOMAINES GÉNÉRAUX DE FORMATION								
Santé et bien-être								
Environnement et consommation	●							
Médias	●			●			●	●
Vivre-ensemble et citoyenneté								
Orientation et entrepreneuriat	●	●	●	●	●	●	●	●

Thème 10
La *commedia dell'arte*

	Situation 1, Le spectacle dans nos vies	Situation 2, À propos du théâtre	Situation 3, Moments de poésie	Situation 4, La *commedia dell'arte*	Situation 5, Écrire *Les mères fantômes*	Situation 6, Jouer *Les mères fantômes*	Situation 7, Chanter, danser, sauter	Situation 8, Un programme personnalisé
COMPÉTENCES DISCIPLINAIRES								
Français								
Lire des textes variés.	●	●	●	●	●	●	●	
Écrire des textes variés.	●			●				●
Communiquer oralement.	●	●					●	
Apprécier des œuvres littéraires.			●				●	
Géographie, histoire et éducation à la citoyenneté								
Lire l'organisation d'une société sur son territoire.								
Interpréter le changement dans une société et sur son territoire.								
S'ouvrir à la diversité des sociétés et de leur territoire.								
Science et technologie								
Proposer des explications ou des solutions à des problèmes d'ordre scientifique ou technologique.								
Mettre à profit les outils, objets et procédés de la science et de la technologie.								
Communiquer à l'aide des langages utilisés en science et technologie.								
Art dramatique								
Inventer des séquences dramatiques.				●	●			
Interpréter des séquences dramatiques.						●	●	
Apprécier des œuvres théâtrales, ses réalisations et celles de ses camarades.					●		●	●
Arts plastiques								
Réaliser des créations plastiques personnelles.								
Réaliser des créations plastiques médiatiques.							●	●
Apprécier des œuvres d'art.							●	●

Démarche pédagogique type d'un thème

On trouve dans la page de présentation de chaque thème du manuel d'enseignement un court résumé du projet thématique ainsi qu'une table des matières énumérant chacune des situations d'apprentissage.

Bloc de texte résumant le projet.

Table des matières du thème avec énumération des situations d'apprentissage.

Des logos indiquent les disciplines qui s'ajoutent au programme de français.

Science et technologie

Univers social

Arts plastiques

Art dramatique

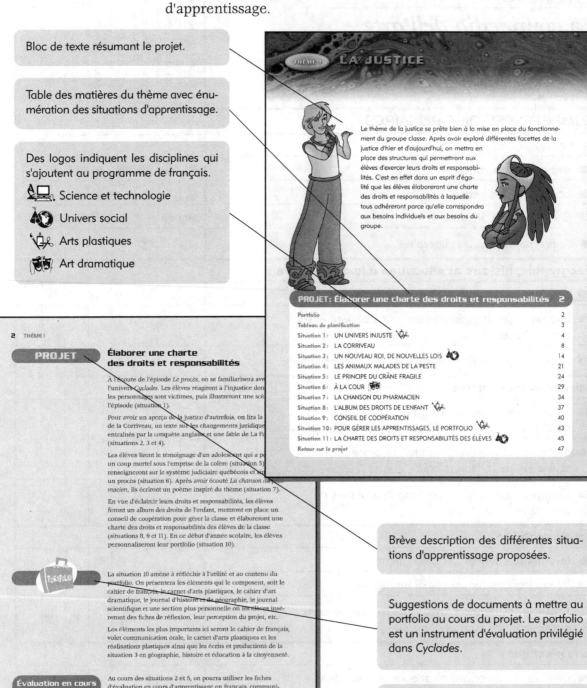

THÈME 1   LA JUSTICE

Le thème de la justice se prête bien à la mise en place du fonctionnement du groupe classe. Après avoir exploré différentes facettes de la justice d'hier et d'aujourd'hui, on mettra en place des structures qui permettront aux élèves d'exercer leurs droits et responsabilités. C'est en effet dans un esprit d'égalité que les élèves élaboreront une charte des droits et responsabilités à laquelle tous adhéreront parce qu'elle correspondra aux besoins individuels et aux besoins du groupe.

PROJET: Élaborer une charte des droits et responsabilités   2

Portfolio	2
Tableau de planification	3
Situation 1 : UN UNIVERS INJUSTE	4
Situation 2 : LA CORRIVEAU	8
Situation 3 : UN NOUVEAU ROI, DE NOUVELLES LOIS	14
Situation 4 : LES ANIMAUX MALADES DE LA PESTE	21
Situation 5 : LE PRINCIPE DU CRÂNE FRAGILE	24
Situation 6 : À LA COUR	29
Situation 7 : LA CHANSON DU PHARMACIEN	34
Situation 8 : L'ALBUM DES DROITS DE L'ENFANT	37
Situation 9 : CONSEIL DE COOPÉRATION	40
Situation 10 : POUR GÉRER LES APPRENTISSAGES, LE PORTFOLIO	43
Situation 11 : LA CHARTE DES DROITS ET RESPONSABILITÉS DES ÉLÈVES	45
Retour sur le projet	47

2   THÈME 1

PROJET

Élaborer une charte des droits et responsabilités

À l'écoute de l'épisode *Le procès*, on se familiarisera avec l'univers *Cyclades*. Les élèves réagiront à l'injustice dont les personnages sont victimes, puis illustreront une scène de l'épisode (situation 1).

Pour avoir un aperçu de la justice d'autrefois, on lira la légende de la Corriveau, un texte sur les changements juridiques entraînés par la conquête anglaise et une fable de La Fontaine (situations 2, 3 et 4).

Les élèves liront le témoignage d'un adolescent qui a porté un coup mortel sous l'emprise de la colère (situation 5), se renseigneront sur le système judiciaire québécois et simuleront un procès (situation 6). Après avoir écouté *La chanson du pharmacien*, ils écriront un poème inspiré du thème (situation 7).

En vue d'éclaircir leurs droits et responsabilités, les élèves feront un album des droits de l'enfant, mettront en place un conseil de coopération pour gérer la classe et élaboreront une charte des droits et responsabilités des élèves de la classe (situations 8, 9 et 11). En ce début d'année scolaire, les élèves personnaliseront leur portfolio (situation 10).

PORTFOLIO

La situation 10 amène à réfléchir à l'utilité et au contenu du portfolio. On présentera les éléments qui le composent, soit le cahier de français, le carnet d'arts plastiques, le cahier d'art dramatique, le journal d'histoire et de géographie, le journal scientifique et une section plus personnelle où les élèves inséreront des fiches de réflexion, leur perception du projet, etc.

Les éléments les plus importants ici seront le cahier de français, volet communication orale, le carnet d'arts plastiques et les réalisations plastiques ainsi que les écrits et productions de la situation 3 en géographie, histoire et éducation à la citoyenneté.

Évaluation en cours d'apprentissage

Au cours des situations 2 et 5, on pourra utiliser les fiches d'évaluation en cours d'apprentissage en français, communication orale. Les compétences en arts plastiques pourront être évaluées pendant les situations 1, 8 et 10, et la compétence 2 en géographie, histoire et éducation à la citoyenneté, pendant la situation 3.

Brève description des différentes situations d'apprentissage proposées.

Suggestions de documents à mettre au portfolio au cours du projet. Le portfolio est un instrument d'évaluation privilégié dans *Cyclades*.

Indication des fiches d'évaluation en cours d'apprentissage proposées pour le thème. Ces fiches se trouvent à la section *Évaluation* du guide pédagogique.

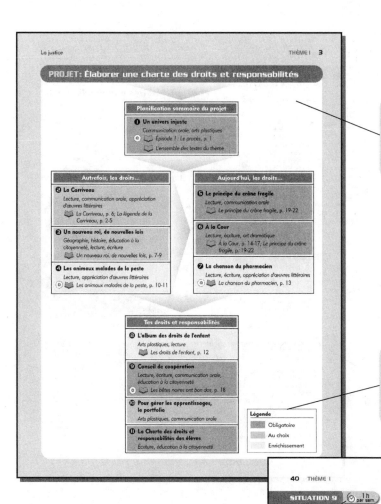

La justice · THÈME I · 3

PROJET : Élaborer une charte des droits et responsabilités

Planification sommaire du projet

❶ Un univers injuste
Communication orale, arts plastiques
Épisode 1 : Le procès, p. 1
L'ensemble des textes du thème

Autrefois, les droits...

❷ La Corriveau
Lecture, communication orale, appréciation d'œuvres littéraires
La Corriveau, p. 6 ; La légende de la Corriveau, p. 2-5

❸ Un nouveau roi, de nouvelles lois
Géographie, histoire, éducation à la citoyenneté, lecture, écriture
Un nouveau roi, de nouvelles lois, p. 7-9

❹ Les animaux malades de la peste
Lecture, appréciation d'œuvres littéraires
Les animaux malades de la peste, p. 10-11

Aujourd'hui, les droits...

❺ Le principe du crâne fragile
Lecture, communication orale
Le principe du crâne fragile, p. 19-22

❻ À la Cour
Lecture, écriture, art dramatique
À la Cour, p. 14-17 ; Le principe du crâne fragile, p. 19-22

❼ La chanson du pharmacien
Lecture, écriture, appréciation d'œuvres littéraires
La chanson du pharmacien, p. 13

Tes droits et responsabilités

❽ L'album des droits de l'enfant
Arts plastiques, lecture
Les droits de l'enfant, p. 12

❾ Conseil de coopération
Lecture, écriture, communication orale, éducation à la citoyenneté
Les bêtes noires ont bon dos, p. 18

❿ Pour gérer les apprentissages, le portfolio
Arts plastiques, communication orale

⓫ La Charte des droits et responsabilités des élèves
Écriture, éducation à la citoyenneté

Légende
Obligatoire
Au choix
Enrichissement

Pour chaque thème, une présentation schématique précisant les liens entre les situations d'apprentissage et la réalisation du projet.

Le tableau précise l'importance de chaque situation pour la réalisation du projet thématique : obligatoire, au choix, enrichissement.

Indication de la durée moyenne de chaque situation d'apprentissage.

Résumé de la situation d'apprentissage.

Énumération des compétences transversales, des domaines généraux de formation et des disciplines touchées dans chaque situation d'apprentissage.

Reproduction dans le manuel d'enseignement de toutes les pages des manuels A et B.

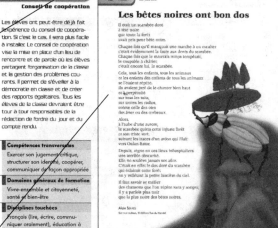

40 THÈME I · La justice

SITUATION 9 ⏱ 1 h par sem.
Conseil de coopération

Les élèves ont peut-être déjà fait l'expérience du conseil de coopération. Si c'est le cas, il sera plus facile à installer. Le conseil de coopération vise la mise en place d'un lieu de rencontre et de parole où les élèves partagent l'organisation de la classe et la gestion des problèmes courants. Il permet de s'éveiller à la démocratie en classe et de créer des rapports égalitaires. Tous les élèves de la classe devraient être tour à tour responsables de la rédaction de l'ordre du jour et du compte rendu.

Compétences transversales
Exercer son jugement critique, structurer son identité, coopérer, communiquer de façon appropriée

Domaines généraux de formation
Vivre-ensemble et citoyenneté, santé et bien-être

Disciplines touchées
Français (lire, écrire, communiquer oralement), éducation à la citoyenneté (repères culturels)

1B · Thème I · La justice

Les bêtes noires ont bon dos

Il était un scarabée doré
à tête noire
que toute la forêt
avait pris pour bête noire.

Chaque fois qu'il manquait une marche à un escalier
c'était évidemment la faute aux dents du scarabée.
Chaque fois que le mauvais temps tempêtait,
le coupable à châtier,
c'était encore lui, le scarabée.

Cela, tous les enfants, tous les animaux
et les enfants des enfants de tous les animaux
se l'étaient répété.
Ils avaient juré de le chanter bien haut
et de le perpétuer
aux tous les toits,
sur toutes les radios,
même celle des oies
des ânes ou des corbeaux.

Alors,
à l'aube d'une aurore,
le scarabée quitta cette injuste forêt
et son triste sort,
suivant les traces d'un avion qui filait
vers Oulan-Bator.

Depuis, règne en ces lieux inhospitaliers
une terrible obscurité.
Elle ne soulève jamais ses ailes.
C'était en effet le dos doré du scarabée
qui éclairait cette forêt ;
on y reflétait la petite lumière du ciel.

Il faut savoir se méfier
des chansons que l'on répète sans y songer ;
il y a parfois plus noir
que le plus noir des bêtes noires.

Alain Serres
Tiré d'un recueil, © Éditions Rue du Monde

Organisation matérielle
- Le manuel Cyclades A, Les bêtes noires ont bon dos, p. 18
- Le disque compact Cyclades A, Les bêtes noires ont bon dos
- Un journal mural (le coin d'un tableau d'affichage ou un grand carton sur lequel on épingle ou colle des bouts de papier)
- Un cahier à anneaux, des feuilles mobiles et des pochettes de polypropylène
- Exemple de compte rendu, annexe 1.4

Facteurs de réussite
Les élèves auront réussi la tâche :
- s'ils utilisent le journal mural pour inscrire des sujets de discussion, des félicitations ou des problèmes à régler ;
- s'ils dressent, à leur tour, un ordre du jour et un compte rendu des conseils ;
- s'ils participent au conseil en respectant le tour de parole ;
- s'ils cherchent des solutions aux problèmes ;
- s'ils respectent les décisions prises au moment du conseil.

LA PRÉPARATION

Écouter un poème
- Placer les élèves en cercle de façon que tous se voient. Lire le poème Les bêtes noires ont bon dos. Inviter les élèves à y réagir.
  - Pourquoi le scarabée est-il parti ? Était-il important pour les animaux de cette forêt ? Pensez-vous qu'ils ont bien fait de continuellement accuser le scarabée ? Les animaux réglaient-ils correctement leurs problèmes ? Ont-ils pris le temps d'écouter le scarabée ?

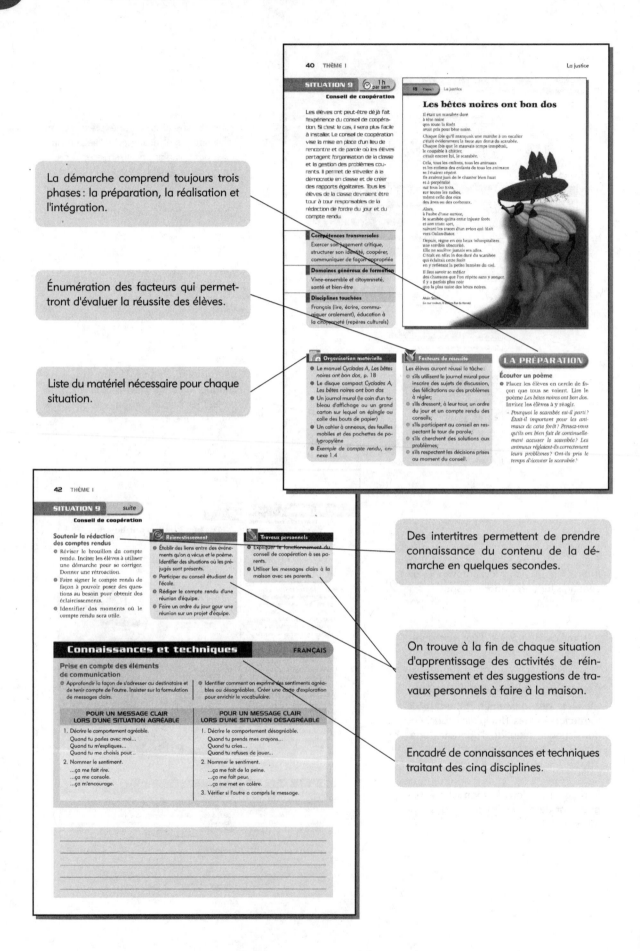

La démarche comprend toujours trois phases : la préparation, la réalisation et l'intégration.

Énumération des facteurs qui permettront d'évaluer la réussite des élèves.

Liste du matériel nécessaire pour chaque situation.

Des intertitres permettent de prendre connaissance du contenu de la démarche en quelques secondes.

On trouve à la fin de chaque situation d'apprentissage des activités de réinvestissement et des suggestions de travaux personnels à faire à la maison.

Encadré de connaissances et techniques traitant des cinq disciplines.

Nom :

Ce que je pense du projet

Remplis cette fiche de réflexion et réévalue tes idées au fil du projet.

Titre du projet :
Date :

Ce projet m'intéresse parce que…

Il ne m'intéresse pas parce que…

Ce qui m'intéresse le plus dans ce projet, c'est…

Ce qui m'intéresse le moins dans ce projet, c'est…

Mes interrogations par rapport à ce projet sont…

Je crois pouvoir bien participer à ce projet parce que…

Je crois avoir de la difficulté à participer à ce projet parce que…

Mes suggestions pour ce projet sont…

Je me rallie à ce projet.   Signature :

Nom :

Ma façon de lire

Réfléchis à ta façon de lire.

J'aime lire.

Je lis tous les jours à la maison.

Je pense que je suis un bon lecteur ou une bonne lectrice.

Je peux utiliser des stratégies pour comprendre un mot nouveau.

Je peux lire sans hésiter.

Je peux poser des questions sur un texte.

Je peux dire dans mes propres mots ce que je comprends d'un texte.

Je peux donner mon opinion sur un texte.

Je peux prévoir ce qui va arriver dans une histoire.

Je peux faire des hypothèses sur les informations contenues dans un texte.

Voici un aspect que j'aimerais améliorer en lecture

Dans les annexes du guide pédagogique, pour chaque thème, des fiches qu'on peut reproduire : grilles d'observation, fiches d'autoévaluation, fiches de réflexion, cartes à poèmes, etc.

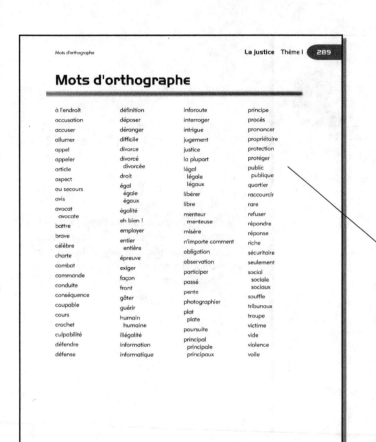

Mots d'orthographe

à l'endroit	définition	inforoute	principe
accusation	déposer	interroger	procès
accuser	déranger	intrigue	prononcer
allumer	difficile	jugement	propriétaire
appel	divorce	justice	protection
appeler	divorcé	la plupart	protéger
article	divorcée	légal	public
aspect	droit	légale	publique
au secours	égal	légaux	quartier
avis	égale	libérer	raccourcir
avocat	égaux	libre	rare
avocate	égalité	menteur	refuser
battre	eh bien !	menteuse	répondre
brave	employer	misère	réponse
célèbre	entier	n'importe comment	riche
charte	entière	obligation	sécuritaire
combat	épreuve	observation	seulement
commande	exiger	participer	social
conduite	façon	passé	sociale
conséquence	front	pente	sociaux
coupable	gâter	photographier	souffle
cours	guérir	plat	tribunaux
crochet	humain	plate	troupe
culpabilité	humaine	poursuite	victime
défendre	illégalité	principal	vide
défense	information	principale	violence
	informatique	principaux	voile

Dans les annexes du guide pédagogique, pour chaque thème, une liste de mots à orthographier. Pour consulter la liste complète des mots d'orthographe des thèmes 1 à 10, consulter les pages 267 à 274 du guide.

Lexique

Acquittement : renvoi d'un accusé reconnu non coupable. Ant. : condamnation.

Adresse (au jury) : expression des vœux d'une assemblée.

Archipel : ensemble d'îles.

Asphyxie : trouble qu'occasionne l'arrêt de la respiration.

Barre : lieu où comparaissent les témoins et où plaident les avocats.

Britannique : de Grande-Bretagne.

Capituler : se rendre à un ennemi.

Carcan : collier de fer fixé à un poteau pour exposer publiquement un criminel.

Concéder : donner.

Conviction (pièce à) : objet à la disposition de la justice pour fournir un élément de preuve dans un procès.

Crédible : que l'on peut croire.

Débrider : ôter la bride (la monture, le mors et les rênes) d'une bête.

Délibérer : discuter pour prendre une décision.

Dépouille : corps humain après sa mort.

Disculper : prouver l'innocence de quelqu'un.

Exhumé : ôté de la terre.

Impartial : qui n'a pas de parti pris, juste, neutre.

Infraction : violation d'une loi, délit.

Inhospitalier : où les conditions de vie sont difficiles, milieu peu accueillant.

Léguer : donner, transmettre par testament.

Mandat : pouvoir et devoir de faire quelque chose au nom d'une autre personne ou instance, ici la justice.

Perpétration : accomplissement.

Perpétuité (à) : pour toujours.

Plaidoirie : exposé oral qui défend une cause en justice.

Préliminaire : qui précède la matière principale, qui sert à éclaircir.

Présomption : supposition que l'on tient pour vraie jusqu'à preuve du contraire.

Primauté : caractère de qui est le premier, de ce qui prime.

Purgatoire : lieu où les âmes des morts vont le temps que leurs fautes ou péchés soient pardonnés dans la religion catholique.

Relique : partie d'un corps ou d'un objet gardée précieusement pour sa valeur symbolique, historique et plus souvent religieuse.

Seigneurie : domaine qui appartient à un seigneur, un maître, à l'époque de la Nouvelle-France.

Unanime : qui exprime un accord de tous.

Vague : flou, ni clair ni précis.

Verdict : jugement.

Voûté : courbé.

Lexique expliquant le sens de certains mots plus difficiles des textes des manuels.

Dans les annexes du guide pédagogique, pour chaque thème, une bibliographie commentée de documentaires et de littérature jeunesse. Chaque livre est coté selon son niveau de difficulté : f (facile), m (moyen), d (difficile).

Bibliographie

Documentaires

ALLEMAND-BAUSSIER, Sylvie. *Un copain pas comme les autres*, coll. Oxygène, ill. d'Olivier Tossan, Paris, De la Martinière jeunesse, 2000, 106 p. Une réflexion sur la supposée différence des personnes qui ont des attitudes bizarres ou un handicap. De la même auteure : *Les handicaps.*   Cote : m

BINET, Laurence. *Marie contre les mauvaises fées*, coll. J'accuse !, Paris, Syros jeunesse, 1999. Comment se soigner alors qu'on vit dans la rue et qu'on n'a pas accès à la salle d'attente d'un médecin ?   Cote : d

BONNET, Michel. *Des enfants et des lucioles*, Voisins-le-Bretonneux, Rue du Monde, 1999, 242 p. Un ouvrage qui nous rappelle que la majorité des enfants qui peuplent la terre souffrent de beaucoup de façons.   Cote : d

COMBRES, Elisabeth et Florence THINARD. *Mondes rebelles junior : encyclopédie des conflits de la planète*, Paris, Michalon jeunesse, 2001, 130 p. Un ouvrage très instructif. Avec la participation de Médecins du monde.   Cote : d

HOESTLAND, Joe, Zarina KHAN et Nathalie CAMIER. *Les droits des hommes et des enfants*, coll. Mégascope, Paris, Nathan, 2000, 64 p. De belles photos percutantes tirées de situations passées et actuelles navrantes. Un point de vue historique et social accessible. Cote : d

LABBÉ, Brigitte et Michel PUECH. *La justice et l'injustice*, coll. Les goûters philo, ill. de Jacques Azam, Toulouse, Milan, 2000, 40 p. Cette collection aborde des thèmes subjectifs par des mises en scène et des exemples simples qui favorisent la discussion. Dans la même collection : *Les chefs et les autres, Libre et pas libre, Ce qu'on sait et ce qu'on ne sait pas, Pour de vrai et pour de faux, Le bien et le mal.*   Cote : f

LA ROCHE SAINT-ANDRÉ, Anne de et Brigitte VENTRILLON. *Mon copain a volé : interdiction du vol*, coll. Autrement junior/Société, Paris, Autrement, 2001, 48 p. Dans la même collection : *J'ai été racketté, Pourquoi je vais à l'école ?*   Cote : m

O'CONNOR, Maureen. *L'égalité des droits*, coll. Les droits de l'homme, Bonneuil-les-Eaux, Gamma/Montréal, École active, 2000, 46 p. Dans la même collection : *La liberté de penser, La liberté d'expression, Les droits des travailleurs.*   Cote : m

SAINT-MARS, Dominique de. *Le petit livre pour dire non à la violence*, ill. de Serge Bloch, Paris, Bayard-Astrapi, 1998, 32 p. Sur les risques de la violence. Dans la même collection : *Le petit livre pour dire non à la maltraitance… à l'intolérance et au racisme.*   Cote : f

SERRES, Alain. *Le grand livre des droits de l'enfant*, ill. de Pef, Voisins-le-Bretonneux, Rue du Monde, 1999, 92 p. Un bilan de la situation des enfants dans le monde avec le texte intégral de la Convention des droits de l'enfant.

VIVET, Pascale. *Les enfants maltraités*, coll. Les essentiels Milan, Toulouse, Milan, 1998, 64 p. Pour réfléchir à ce sujet toujours d'actualité.   Cote : m

Fiction

ADLER, Carole S. *La sœur de mon frère*, Paris, Castor poche Flammarion, 1997, 220 p. L'arrivée d'une jeune Coréenne adoptée dans sa nouvelle famille.   Cote : m

---

Sites Internet

La justice, les procès, la Cour
www.tribunaux.qc.ca/c-quebec/index-cq.html
www.justice.gouv.qc.ca/francais/tribunaux/quebec/quebec.htm
www.justice.gouv.qc.ca/francais/tribunaux/quebec/civil.htm

La légende de la Corriveau
www.legrenierdebibiane.com/trouvailles/legendes/corriveau/page_titre.html

Les légendes du Québec
pages.infinit.net/paule11/recherche-1.htm
www.dromadaire.com/catsansun/legendesduquebec

La conquête de 1763 et ses suites
www.nlc-bnc.ca/2/18/h18-2002-f.html
www.iquebec.ifrance.com/canada1820/laconquete.htm
pages.infinit.net/histoire/quebech2-a.html
pages.infinit.net/historia/loyaliste.html
www.canadiana.org/citm/imagepopups/c002834_f.html
www.archiv.umontreal.ca/P0000/P0154.htm

Guerre de l'indépendance américaine
yansanmo.no-ip.org:8080/educatio/ecole/histoire/histoire3_2.htm
fr.encyclopedia.yahoo.com/articles/ni/ni_2330_p0.html

Les fables de La Fontaine
www.callisto.si.usherb.ca/~gisweb/gis/fables/cigalefourmi3/fable.htm
www.dogstory.net/fables.htm

Félix Leclerc
www.geocities.com/leclerc_felix/

Droits de l'enfant
www.droitsenfant.com/
www.mes-droits-enfant.com/
afides.org/RDE/73/droits-enfant.html

La bibliographie est suivie d'une liste de sites Internet en lien avec le thème.

Évaluation en cours d'apprentissage : thème I

Afin de soutenir le processus d'apprentissage de l'élève, nous suggérons d'évaluer une compétence du domaine des langues, *Communiquer oralement*, une compétence liée à l'univers social *Interpréter le changement dans une société et sur son territoire*, et les trois compétences en arts plastiques, soit *Réaliser des créations plastiques personnelles*, *Réaliser des créations plastiques médiatiques* et *Apprécier des œuvres d'art, des objets culturels du patrimoine artistique, des images médiatiques, ses réalisations et celles de ses camarades*. On pourra évaluer les compétences transversales *Exercer son jugement critique*, *Structurer son identité* et *Communiquer de façon appropriée*.

Outils d'évaluation

FRANÇAIS

Communiquer oralement

Bien qu'on ne présente ici que deux outils pour guider les observations, toutes les situations du thème 1 fournissent des occasions d'observer la compétence à communiquer oralement au cours des nombreuses discussions plus ou moins informelles entre les élèves.

● **Le cahier de français, section communication orale (situation 2)**
    Dans leur cahier, les élèves gardent des traces du développement de leur compétence à communiquer oralement. On les invitera à y inscrire des aspects à améliorer et on en fera un suivi afin de s'assurer de leur progression.

● **La fiche d'autoévaluation *Quand j'ai discuté en équipe*, annexe 1.2 (situation 5)**
    Cette fiche permet aux élèves de réfléchir à leurs comportements au cours des discussions, ce qui les amène à améliorer certaines d'entre elles. Ils se sensibilisent aux stratégies qu'ils emploient lorsqu'ils communiquent et à celles qu'ils doivent développer.

GÉOGRAPHIE, HISTOIRE ET ÉDUCATION À LA CITOYENNETÉ

Interpréter le changement dans une société et sur son territoire

La situation 3 permettra de recueillir des informations sur le développement de cette compétence.

● **Les cartes muettes remplies par les élèves**
    Certains élèves pourront comparer les limites territoriales et la répartition de la population de la société canadienne en 1745 avec celle de 1820 à l'aide des cartes muettes qu'on trouvera aux pages 78 à 81 du présent guide.

● **La ligne du temps**
    Dans cette situation, les élèves élaboreront une ligne du temps pour situer les principaux événements qui ont marqué l'histoire de la Nouvelle-France, puis celle de la province de Québec. Ils relèveront les moments clés qui ont marqué l'organisation sociale et territoriale de cette société après la conquête anglaise, notamment l'Acte de Québec de 1774.

Le guide contient une section *Évaluation*, p. 101 à 188. On y dresse la liste des outils nécessaires selon les compétences à évaluer pour chaque thème.

FRANÇAIS
Communiquer oralement

Composantes	Comportements observés chez l'élève	Jugement global
Explorer verbalement divers sujets avec autrui pour construire sa pensée.		
Discussions en classe	● Discute d'un concept (justice) ou d'un sujet (réaction à un texte d'écoute ou à un écrit). ● Participe à une discussion sur la violence. ● Contribue à élaborer les règles de vie en classe. ● Pendant un conseil de classe, joue le rôle qui lui a été attribué.	
Partager ses propos durant une situation d'interaction.		
Discussions en classe	● Exprime son désaccord ou son accord. ● Donne son opinion sur un sujet. ● Respecte le point de vue des autres. ● Encourage les autres à s'exprimer. ● S'exprime en utilisant un vocabulaire clair et précis.	
Réagir aux propos entendus au cours d'une situation de communication orale.		
Discussions en classe	● Attend son tour pour parler. ● Demande des éclaircissements.	
Utiliser les stratégies et les connaissances requises par la situation de communication.		
Quand j'ai discuté en équipe, annexe 1.2	● Utilise des stratégies d'écoute : attitude ouverte, posture attentive, interprétation du langage non verbal, vérification de sa compréhension. ● Compare les points de vue exprimés. ● Vérifie si son interlocuteur ou interlocutrice a compris son message.	
Évaluer sa façon de s'exprimer et d'interagir en vue de s'améliorer.		
Cahier de français Quand j'ai discuté en équipe, annexe 1.2	● Identifie un point à améliorer lors de sa participation à une discussion.	

(Nom de l'élève)

Cotes. 1. Se développe aisément, sans vraiment nécessiter de soutien.   2. Se développe assez bien avec peu de soutien.   3. En bonne voie de se développer, mais nécessite un soutien occasionnel.   4. Se développe difficilement et nécessite un soutien constant.

Pour chaque thème, des grilles permettent d'observer le développement des compétences dans les cinq disciplines traitées.

Le traitement des disciplines dans *Cyclades*

Français

Présentation du domaine des langues

Apprendre des langues doit occuper une place centrale dans la formation des élèves, car la langue est essentielle à l'apprentissage de toutes les disciplines. Par elle, l'élève structure sa pensée et apprend à communiquer avec efficacité dans différents contextes. Porte d'entrée sur le monde et le savoir, elle ouvre à l'élève divers horizons qui lui permettront de créer, d'analyser, de décrire, d'exprimer ses idées et ses émotions. La langue contribue à élargir sa vision du monde en l'amenant à nommer son espace intérieur et son environnement. En maîtrisant une ou plusieurs langues, l'élève découvre le plaisir et l'importance de communiquer pour comprendre et échanger de façon de plus en plus approfondie avec d'autres. Par la lecture d'œuvres littéraires, l'élève rencontrera d'autres univers et découvrira la richesse et la diversité de l'être humain. La langue est un outil privilégié d'accession à la culture.

Présentation de la discipline *Français, langue d'enseignement*

Dans le matériel *Cyclades*, le français est abordé dans la grande majorité des situations d'apprentissage. Les compétences développées en lecture, en écriture et en communication orale servent ainsi d'assises à l'apprentissage des autres disciplines. Tout au long du primaire, l'élève se familiarise avec la lecture et l'écriture, et en découvre les subtilités au contact de textes qui traitent l'ensemble des disciplines au programme.

Au cours du troisième cycle, les élèves continueront à développer les stratégies qui ont été abordées aux cycles précédents. Ils approfondieront les règles d'accord des mots et maîtriseront les principes de la conjugaison. Ils utiliseront divers outils de référence, comme des dictionnaires ou des tableaux de conjugaison, et ils se serviront de l'ordinateur pour faire des recherches et écrire des textes. Ils continueront aussi à s'approprier la terminologie grammaticale en participant à diverses activités liées à la connaissance de la langue.

La métacognition est essentielle au progrès des élèves en français. Ce retour réflexif porte sur les attitudes, la démarche, les stratégies, les ressources et les concepts employés. Il vise une prise de conscience des ressources qui doivent être mobilisées au moment de lire, d'écrire, de communiquer et d'apprécier des œuvres littéraires. Les élèves, en vivant une variété de situations d'apprentissage en français, prendront plaisir à utiliser une langue de qualité dont ils maîtrisent de mieux en mieux le code.

Comme les élèves ont besoin d'un environnement culturel riche pour développer leurs compétences en français, nous suggérons qu'ils soient régulièrement mis en contact avec des livres de littérature jeunesse. C'est pourquoi plusieurs situations proposent la mise sur pied de cercles de lecture ou d'unités littéraires. Pour chacun des thèmes, on trouvera une bibliographie commentée qui pourra être très utile pour le choix des livres. Nous pensons que les textes du manuel doivent servir d'éléments déclencheurs qui favorisent la consultation de plusieurs autres ouvrages, qu'on lira autant pour le plaisir que pour les besoins d'une recherche. La lecture permet des prolongements divers : l'écriture, la discussion, la recherche, la critique, le questionnement et la transposition dans un autre langage, comme le langage plastique ou dramatique.

Les compétences disciplinaires en français

Les quatre compétences en français doivent être travaillées en interrelation les unes avec les autres. La majorité des situations d'apprentissage en français du matériel *Cyclades* mettent en jeu plus d'une compétence. Une communication orale peut en effet servir d'amorce à une situation d'écriture, déboucher sur l'appréciation d'une œuvre littéraire ou susciter la lecture d'un texte. Dans bien des cas, l'élève s'inspirera d'une lecture pour écrire un texte. Pour apprécier des œuvres littéraires, l'élève devra lire ces œuvres, puis les commenter par écrit ou oralement pour les faire découvrir à d'autres lecteurs.

Les compétences en français sont par ailleurs associées à d'autres disciplines dans plusieurs situations d'apprentissage. C'est que le français est une discipline transversale qui donne accès aux savoirs, connaissances et stratégies des autres disciplines traitées.

Compétence 1 : Lire des textes variés

L'enseignement de la lecture dans *Cyclades* s'inspire du modèle constructiviste et de l'enseignement stratégique selon lequel «les enfants doivent apprendre à lire comme ils ont appris à parler en étant soumis à des tâches de lecture authentiques[1]». L'ensemble des textes qui servent à travailler la lecture sont des textes signifiants. La variété et le niveau littéraire des textes favorisent l'utilisation de différentes stratégies, mettent l'élève en contact avec des textes de différentes structures, avec des constructions de phrases variées et un vocabulaire riche, précis ou évocateur selon les contextes.

Nous adhérons aussi dans *Cyclades* au modèle transactionnel préconisé par Giasson (1995): «l'élève interagit avec le texte; il construit activement la signification du texte et réagit à ce dernier[2]».

---

1. GIASSON, Jocelyne. *La lecture de la théorie à la pratique*, Boucherville, Gaëtan Morin Éditeur, 1995, p. 21.

2. *Idem*, p. 23.

L'élève construit ses connaissances en interagissant avec des lecteurs plus habiles. Son enseignante ou son enseignant et ses pairs lui servent de médiateurs dans ses apprentissages. L'enseignante ou l'enseignant offre un soutien adapté à l'élève et diminue graduellement son aide dans le cadre de situations entières et signifiantes où l'élève lit pour s'informer ou pour se divertir.

Rappelons que l'enseignement stratégique tient une place importante dans le matériel. Nous partageons l'opinion que plusieurs enfants ne découvrent pas spontanément de bonnes stratégies de lecture et qu'il est par conséquent important de rendre transparents les processus cognitifs qui sont en cause dans cet apprentissage essentiel. Dans *Cyclades*, les élèves apprennent les stratégies en contexte, au moment où ils en ont un réel besoin. Et ils apprennent très vite à combiner un ensemble de stratégies pour devenir de bons lecteurs ou de bonnes lectrices, car « toutes les stratégies requises pour lire doivent être proposées aux élèves, et ce, dès les premiers instants d'apprentissage[3] ».

Il nous semble également important de les montrer simultanément, à partir de difficultés réelles survenues en cours de lecture, afin que les élèves puissent sélectionner les stratégies les plus pertinentes en fonction de leur intention de lecture et du type de texte à lire. L'ensemble des stratégies qui devraient être enseignées explicitement est détaillé dans la section didactique du présent guide (p. 251 à 264).

Le questionnement de l'enseignante ou de l'enseignant est primordial pour rendre les élèves conscients des moments où ils perdent le sens du texte. Le même type de questionnement leur permet de trouver des solutions pour résoudre leurs difficultés et de poursuivre leur lecture en y réagissant ou en traitant l'information qu'ils y trouvent. On retrouve ce questionnement tout au long de la situation de lecture, aux phases de préparation, de réalisation et d'intégration. À la fin du troisième cycle, les élèves pourront déceler eux-mêmes leurs pertes de sens, en expliquer les raisons et y remédier en recourant à l'autoquestionnement et à la métacognition.

Les projets thématiques exigent que tous les élèves lisent dans différents contextes. On lit pour s'informer et se renseigner sur un sujet, pour réfléchir davantage à un projet, pour s'identifier à un personnage et à son vécu, pour échanger avec des camarades, etc. Et on lit non seulement dans les manuels de la collection, mais dans une foule de documents variés, allant du livre documentaire au recueil de poésie, en passant par le site Internet, l'encyclopédie ou le didacticiel. Les multiples occasions de lire permettent autant de pratiques de lecture. Par des lectures diversifiées, les

---

3. *Idem*, p. 30.

élèves découvriront le plaisir de lire, prendront de l'aisance et auront de plus en plus recours à la lecture pour répondre à leurs besoins scolaires et sociaux.

Les textes présentés aux élèves font appel à diverses intentions de lecture. Il est important que les élèves développent le goût de faire des lectures personnelles « dont le premier élément concerne la satisfaction de ses besoins individuels en fonction de la découverte de ses propres goûts et de ses propres questionnements; dont l'efficacité dépend de la capacité à comprendre, à s'identifier aux personnages, à se projeter dans l'histoire, à coopérer, en tant que lecteur, au sens du livre[4] ». Nous souhaitons que les projets, les lectures suggérées, les périodes d'échanges au sujet des livres motivent les élèves à lire de façon de plus en plus autonome.

L'élément clé : la démarche type en lecture

Le référentiel *Ma démarche en lecture*, dans les pages de garde des manuels, est un aide-mémoire qui vient soutenir les élèves tout au long de leurs apprentissages en lecture. Il a été élaboré à partir du modèle d'enseignement stratégique et du modèle intégré. Cet outil étant le pivot sur lequel reposent l'enseignement et l'apprentissage de la lecture, on s'y référera donc constamment au cours du cycle. En voici les grandes lignes.

Avant de lire On présente ici trois aspects importants dont il faut tenir compte avant la lecture : l'intention, la stratégie de prédiction et le recours aux connaissances antérieures. Ces trois stratégies sont toujours utilisées avant les lectures.

Pendant que tu lis On résume les stratégies à utiliser en cours de lecture, soit les stratégies d'identification des mots et celles de la gestion de la compréhension : s'assurer de bien comprendre, dégager l'idée importante dans un paragraphe, prédire la suite d'un récit, se rappeler la tâche à effectuer, faire des liens entre les phrases du texte et à l'intérieur des phrases.

Après avoir lu Cette dernière partie du référentiel comprend le rappel du récit dans le cas d'un texte narratif, le retour sur l'intention de lecture et la tâche à réaliser après la lecture d'un texte d'information. Ce retour permet aux élèves de fixer dans leur mémoire la réflexion suscitée par le texte et les connaissances acquises, s'il y a lieu.

---

4. POSLANIEC, Christian et Christine HOUYEL. *Activités de lecture à partir de la littérature de jeunesse*, coll. Pédagogie pratique à l'école, Paris, Hachette Éducation, 2000, 352 p.

Compétence 2 : Écrire des textes variés

Au fil du temps, nous sommes devenus de plus en plus conscients du rôle capital que joue le processus rédactionnel dans l'apprentissage de l'écriture. C'est ainsi qu'on accorde aujourd'hui beaucoup d'importance à l'intention d'écriture, aux destinataires et au processus rédactionnel lui-même, sans négliger pour autant la qualité structurelle et grammaticale de la langue écrite.

Dans la démarche que nous proposons, l'apprentissage de l'écriture se fait parallèlement à celui de la lecture, les connaissances et habiletés de ces deux modes de communication se répondant et se renforçant. Par ailleurs, les intentions d'écriture sont nombreuses et variées : expliquer une façon de faire, consigner des notes d'observation, présenter une recherche, divertir, raconter, amuser, inviter, etc. Tout au long des situations d'écriture, les élèves bénéficient du soutien constant de leur enseignante ou enseignant qui les motive, les aide et leur fournit différents outils pour les acheminer vers des réussites. Les élèves apprennent à coordonner un ensemble d'opérations, de la phase de planification jusqu'à la diffusion. Ils peuvent alors montrer avec fierté leurs réalisations à leurs parents, à leurs camarades ou à d'autres destinataires.

Dans de nombreuses situations, nous suggérons l'utilisation d'un traitement de texte ou d'un logiciel de mise en pages. Cela permet aux élèves de réaliser des mises en pages soignées, d'intégrer des illustrations tirées de banques d'images ou d'en créer eux-mêmes, et de s'initier à certaines règles typographiques. Toutefois, ils continueront pendant tout le cycle à utiliser l'écriture script et l'écriture cursive.

L'élément clé : la démarche type en écriture

L'acte d'écrire, on le sait, est une activité extrêmement difficile qui exige l'intégration de plusieurs processus cognitifs et linguistiques, et dont la maîtrise ne s'atteint qu'après de longues années d'apprentissage et de pratique. Pour faire face à la complexité de cette tâche, *Cyclades* propose aux élèves un référentiel en écriture, *Ma démarche en écriture*, que l'on consultera régulièrement pendant le cycle. Ce référentiel comprend les trois grands types d'opérations propres au processus d'écriture : la planification, la mise en texte et la révision. Pour produire un texte de qualité, tout élève doit suivre les trois étapes de cette démarche. Précisons par ailleurs que celles-ci ne se déroulent pas de façon linéaire, car elles se chevauchent souvent à l'intérieur du processus d'écriture. Ainsi, même à l'étape de la mise en mots, les élèves peuvent planifier un nouvel élément et l'ajouter à leur texte. De même, l'étape de la révision ne se fait pas nécessairement à la fin, puisque les élèves relisent leurs phrases au fur et à mesure qu'ils rédigent le texte.

Réfléchis et prépare l'écriture de ton texte C'est l'étape de planification. Après avoir précisé aux élèves la tâche et les facteurs de réussite, on les invite à réfléchir à leur intention d'écriture, aux destinataires, au type de texte qu'ils souhaitent écrire, puis à rassembler les idées qu'ils ont en tête. Pour les aider, on propose souvent d'élaborer avec eux une fiche qu'on placera bien en vue dans la classe pour rappeler les principaux éléments de la tâche : *À qui écrit-on ? Pourquoi ? Quels sont les enjeux de la situation d'écriture ? Quelles en sont les contraintes ?*, etc. De même, on créera une banque de mots en lien avec le sujet en réalisant des cartes d'exploration ou des diagrammes représentant la structure du texte à écrire.

Mets tes idées en mots, écris le brouillon de ton texte C'est l'étape de la mise en texte. Les élèves forment des phrases pour exprimer leurs idées, en n'oubliant pas de les délimiter par une majuscule initiale et un point final. Ils ordonnent leurs idées en les organisant en paragraphes. Ils mettent à profit leurs connaissances sur le texte d'information, le schéma du récit ou la structure d'un poème, selon le genre de texte qu'ils ont à écrire. Ils cherchent s'il y a lieu des mots plus précis, ils s'efforcent d'employer des marqueurs de relation pour rendre leur texte plus facile à lire et à comprendre.

On sait que les élèves ne voient pas toujours la nécessité de se relire, de retoucher ou d'améliorer leurs textes. C'est pourquoi nous proposons d'accorder une grande place à la révision et de montrer aux élèves que pour bien écrire il faut faire des essais, des changements, des retours et toujours s'efforcer de préciser sa pensée. On leur démontre qu'il est possible d'améliorer les phrases et de trouver des mots plus justes. On les aide à mobiliser plusieurs stratégies pour trouver l'orthographe des mots. À l'occasion, on écrira des textes collectivement pour assurer la prise de conscience des nombreuses étapes et de l'aller-retour constant entre le scripteur et le texte. Il serait intéressant d'inviter des auteurs qui parleront aux élèves de leur démarche et qui leur feront comprendre que réviser, c'est une règle d'or en écriture, et que même les grands auteurs la respectent.

On constate aussi que les élèves ont beaucoup de difficulté à prendre du recul vis-à-vis de leurs textes. C'est pourquoi on les invite souvent à relire leur texte à un autre moment de la journée ou le lendemain. Fréquemment, on fera intervenir un ou une camarade qui jouera le rôle de critique et de conseiller ou conseillère. C'est un processus dynamique dans lequel l'échange avec les pairs a toute sa place, car il aide à vérifier si ce qui est écrit a du sens. Cela amène très souvent à réorganiser les idées, à restructurer les phrases et à corriger l'orthographe lexicale et grammaticale.

Revise, corrige et diffuse ton texte C'est l'étape des dernières révisions et de la correction, une étape à laquelle on attache une grande importance. Les élèves revoient l'ensemble de leur texte pour l'améliorer et le corriger. Ils s'assurent que les phrases sont complètes, ils vérifient l'orthographe à l'aide de documents de référence, ils font les accords nécessaires dans le groupe du nom et dans la phrase (accord sujet/verbe). Ainsi, ils s'initient graduellement aux règles de la langue écrite. Finalement, ils remettent leur brouillon à leur enseignante ou enseignant pour le faire vérifier avant de le transcrire au propre et de le diffuser, s'il y a lieu.

L'enseignement de la grammaire dans la collection *Cyclades*

Les connaissances grammaticales sont nombreuses à acquérir au troisième cycle. On prendra soin d'utiliser les termes appropriés du métalangage grammatical en évitant de recourir à des expressions imagées, faussement simples, qui ne correspondent qu'à une facette de la réalité grammaticale. Ainsi, on parlera du groupe du verbe et du verbe (et non d'un «mot d'action»), du nom et du groupe du nom, d'un adjectif (et non d'un «mot de qualité»), d'un déterminant (et non d'un «petit mot»). On fera en outre comprendre aux élèves que chacune des classes de mots répond à un ensemble de critères dont il importe de tenir compte. Ils doivent comprendre aussi que la phrase est constituée de groupes de mots et qu'elle obéit à des règles de formation générales. La terminologie utilisée dans *Cyclades* est celle que les élèves retrouveront au secondaire.

On continuera à élaborer une véritable grammaire de la phrase, ce qui n'est possible qu'à partir d'une situation réelle d'écriture. Cette approche consiste à étudier les concepts grammaticaux et lexicaux en fonction des besoins de la situation d'écriture. Par exemple, pour faire leur autoportrait, les élèves devront employer des adjectifs. On en profitera alors pour étudier cette notion. De même, pour écrire une notice de fabrication, les élèves auront besoin d'employer des verbes à l'impératif ou à l'infinitif, et des mots qui expriment l'ordre chronologique de façon précise (*d'abord, ensuite, finalement, après*, etc.). On profitera encore de la situation pour enseigner ces notions. Pour corriger l'orthographe grammaticale dans un texte, on se reportera au référentiel intitulé *Pour corriger ton texte*, à la fin de chaque manuel *Cyclades*. Ce référentiel est conçu pour servir de guide de correction dans une situation d'écriture.

Sur le plan de la grammaire du texte, on insistera dans les pages grammaticales et dans les sections *Connaissances et techniques* des manuels d'enseignement sur l'importance de regrouper les idées dans différents paragraphes et sur les différentes structures de textes : schéma du récit, éléments propres à la poésie, structures de textes descriptifs, comparatifs, explicatifs et argumentatifs. L'exploration de ces différents éléments outillera les élèves lorsqu'ils rédigeront des textes et elle les aidera à dégager l'essentiel des textes qu'ils liront.

Compétence 3 : Communiquer oralement

La compétence à communiquer oralement se développe non seulement en français, mais dans toutes les disciplines, exerçant du même coup la compétence transversale de l'ordre de la communication. C'est sur cette base que la collection *Cyclades* a créé un univers permettant aux élèves d'acquérir le sens des mots et des concepts dans différentes disciplines, de construire les compétences orales à partir de projets réels et de situations signifiantes, et de progresser dans la construction de ces compétences.

Des situations d'apprentissage axées sur les stratégies de communication orale

Les situations d'apprentissage de la collection *Cyclades* ont été élaborées en tenant compte des quatre stratégies de communication orale mises de l'avant dans le Programme de formation de l'école québécoise : les stratégies d'exploration, de partage, d'écoute et d'évaluation. Les élèves apprennent à s'exprimer de manière adaptée et efficace, à écouter les autres, à tenir compte des situations et des interlocuteurs, et à réfléchir à leur discours et à celui de leurs camarades. Le rôle de l'enseignante ou de l'enseignant est d'écouter, de reformuler les propos entendus et de questionner pour permettre aux élèves de se familiariser avec tous les types de discours.

Des situations d'apprentissage variées pour maîtriser des discours variés

Nous traitons abondamment le volet écoute dans la collection *Cyclades*. Les élèves écouteront les épisodes de l'univers *Cyclades* tout au long du cycle. Ces épisodes de science-fiction, qui évoquent les différents projets, amèneront les élèves à réfléchir à différentes problématiques et à des valeurs d'entraide, de coopération et d'ouverture à l'autre.

La collection *Cyclades* propose des situations qui amènent les élèves à réfléchir à un sujet, à exprimer leur point de vue et à prendre la parole dans des situations nombreuses et variées. Par exemple, la première situation de la plupart des projets propose une discussion pour planifier le projet. Cette activité permet aux élèves de faire valoir leurs idées sur les différentes situations d'apprentissage proposées, de les accepter, de les refuser ou d'en suggérer d'autres. Cet échange se fait la plupart du temps en équipes et selon différentes techniques.

En science et technologie, pour permettre aux élèves d'expliquer leurs découvertes, de commenter un schéma qu'ils ont réalisé, de débattre d'un sujet lié à l'une ou l'autre de ces disciplines, *Cyclades* propose d'organiser des rencontres scientifiques et technologiques à l'intérieur de la classe ou de l'école. Divers types d'interlocuteurs peuvent être invités à prendre part à ces rencontres. On encourage aussi les élèves à émettre des hypothèses dans les domaines de la science et de la technologie ainsi que de l'univers social. Les productions réalisées dans ces disciplines conduisent souvent à des échanges entre pairs et à des présentations orales des travaux de recherche.

Les lieux traditionnels de la pratique orale, comme la récitation de poèmes, la lecture oralisée présentée sous forme de théâtre de lecteurs, la transmission orale de contes et de légendes et la présentation de pièces de théâtre en art dramatique occupent une grande place dans la collection. Ces activités permettent aux élèves d'appréhender le sens de la langue orale, de reconstituer la logique de la légende ou du conte, de développer leur mémoire et de prendre la parole devant un public avec un style qui leur est propre.

Compétence 4 : Apprécier des œuvres littéraires

Comme nous l'avons souligné plus haut, la culture littéraire est largement traitée dans le matériel : poèmes, contes traditionnels et modernes, légendes de diverses origines, chansons, pièces de théâtre, extraits de romans tirés de la littérature jeunesse, etc. Tout cela fournit un environnement propice à l'appréciation d'œuvres littéraires de qualité.

Dans tous les projets, on incite les élèves à lire des œuvres du répertoire de littérature jeunesse. À de nombreuses occasions, on forme des cercles de lecture ou des unités littéraires où les élèves vont pouvoir discuter librement des expériences culturelles et explorer diverses ressources documentaires (bibliothèques, cédéroms, Internet). On aide aussi les élèves à affirmer leurs goûts littéraires en présentant leurs livres et leurs auteurs préférés. La section didactique du présent guide portant sur l'exploitation de la littérature jeunesse fournit par ailleurs un cadre général de référence et donne de nombreux exemples d'exploitation du livre en classe. Ces diverses activités permettront aux élèves de connaître quelques œuvres marquantes du patrimoine littéraire. Ils pourront ensuite s'en inspirer lorsqu'ils écriront ou communiqueront oralement en réinvestissant les structures de textes, les tournures de phrases et le vocabulaire.

À notre avis, la langue doit, dans ses multiples manifestations, être source de plaisir et d'échanges. La littérature permet aux élèves d'alimenter leur imaginaire et de s'amuser avec le monde des mots et des images. Ainsi, dans les situations qui touchent plus directement l'univers littéraire, l'accent est plutôt mis sur le plaisir de la découverte et de l'émotion partagées que sur la tâche scolaire, si formatrice soit-elle au demeurant.

Apprécier des œuvres littéraires, c'est viser le développement de la lecture littéraire. Selon Catherine Tauvernon, « Un texte littéraire étant un texte où tout élément fait signe, le lire littérairement c'est adopter un comportement de lecture tel qu'on s'attende à ce que tout élément fasse signe, c'est se mettre en état d'alerte, se préparer à accomplir un travail d'interprétation, c'est-à-dire combler les manques, rétablir un ordre, faire des rapprochements non signalés entre les mots du texte, les faits du texte, le texte et d'autres textes, le texte et sa propre expérience[5]. »

Apprentis lecteurs, les élèves ne maîtrisent pas les éléments mis en place par l'écrivain dans une œuvre pour produire un effet. C'est pourquoi il faut développer chez eux une lecture interprétative, une lecture qui est à la base de l'appréciation. Les activités d'appréciation devraient permettre aux élèves de dégager les règles des genres littéraires de façon à pouvoir comparer les œuvres entre elles, et à en dégager les particularités et l'originalité. Ainsi, on sensibilisera les élèves au point de vue du narrateur, aux thèmes abordés, aux interactions entre les personnages, au lieu et à l'époque du récit, aux variations de l'intensité dramatique et aux divers genres littéraires. En effet, «l'appréciation de la littérature n'est pas fondée sur le seul plaisir de lire; elle dépend également de la connaissance de l'art de l'auteur, des moyens littéraires qu'il privilégie[6] ».

| **Un outil de consignation : Le cahier de français** | Pour permettre aux élèves d'approfondir leur compréhension en lecture, de noter leurs réflexions sur l'écriture ou l'écoute de textes ou de rédiger des commentaires sur des œuvres littéraires, nous suggérons d'utiliser un cahier qu'on divisera en quatre sections correspondant aux quatre compétences. |

En lecture, nous demandons régulièrement aux élèves de noter leurs prédictions, questions et observations sur les textes. À plusieurs reprises, nous les invitons à partager leurs réflexions avec des camarades dans le cadre de cercles de lecture ou d'unités littéraires. Il arrivera aussi qu'on leur demande de confectionner un carnet de lecture spécifique dans certaines situations de lectures longues.

En écriture, les élèves pourront réfléchir à leur texte, inscrire des règles de grammaire, jouer avec la langue et retenir différentes versions d'un même texte. En communication orale, ils noteront leurs commentaires sur les épisodes et inséreront des grilles d'observation de leurs discussions ou présentations. Sut le plan de l'appréciation d'œuvres littéraires, ils conserveront des critiques et des réflexions littéraires de toutes sortes et ils garderont des traces de leurs lectures.

---

5. TAUVERNON, Catherine. *Lire des textes littéraires au cycle 111*, CRDP d'Auvergne, Clermont-Ferrand, 1998, p. 62.
6. GIASSON, Jocelyne. *Les textes littéraires à l'école*, Montréal, Gaëtan Morin Éditeur, 2000, p. 115.

L'arrimage avec les compétences transversales

Les quatre compétences en français permettent de développer l'ensemble des compétences transversales. Par exemple, la lecture et l'écriture amènent constamment les élèves à *exploiter de l'information*. Et analyser les éléments de la situation d'apprentissage, trouver des pistes de solutions et témoigner de sa démarche, c'est en quelque sorte *résoudre des problèmes*.

En lisant, en écrivant, en communiquant oralement et en appréciant des œuvres littéraires, les élèves doivent *mettre en œuvre leur pensée créatrice*. Apprécier des œuvres littéraires, c'est aussi, bien sûr, *exercer son jugement critique*, un jugement critique qui s'affinera graduellement grâce à la confrontation avec celui de ses camarades.

On ne peut par ailleurs écrire sans *se donner des méthodes de travail efficaces*, car la démarche d'écriture est un processus complexe qui comprend de multiples étapes : planification, rédaction, révision, correction. Dans plusieurs situations, on demande aux élèves de faire des recherches dans Internet, d'écrire un texte avec un traitement de texte ou de faire une mise en pages à l'ordinateur, autant d'occasions d'*exploiter les technologies de l'information et de la communication*. Et comme on l'a vu, le développement des quatre compétences en français amène constamment les élèves à *communiquer de façon appropriée*.

Enfin, dans presque toutes les situations d'apprentissage en français, les élèves doivent *coopérer* avec leurs camarades pour lire un texte, pour le commenter ou pour l'apprécier, pour corriger une production écrite, pour évaluer une communication orale, etc. Et par la lecture, l'écriture, la communication orale et l'appréciation d'œuvres littéraires, les élèves ont autant d'occasions de *structurer leur identité*.

Les savoirs essentiels

En plus des stratégies exploitées dans les situations d'apprentissage, on trouvera dans les manuels d'enseignement, sous les sections *Connaissances et techniques*, des exposés sur des connaissances liées au texte ou à la phrase et sur des techniques concernant les manuels de référence ou les outils informatiques. Le tableau suivant regroupe l'ensemble des connaissances et techniques traitées dans la première année du cycle, selon le thème et les situations où elles sont abordées.

Français	CONNAISSANCES		TECHNIQUES
	liées au texte	liées à la phrase	
Th. 1/Situation 1 Un univers injuste	Prise en compte du destinataire	Mots variés, corrects, précis, évocateurs liés aux thèmes abordés en français et dans les autres disciplines	
Th. 1/Situation 2 La Corriveau	Exploration et utilisation d'éléments caractéristiques de la légende Relations sentiments/attitudes	Groupes qui constituent la phrase	
Th. 1/Situation 3 Un nouveau roi, de nouvelles lois	Thème et sous-thèmes Un sujet central subdivisé en différents aspects Regroupement en paragraphes Alternance ou opposition d'éléments Marqueurs de relation (comparaison)		Utilisation de manuels de référence et d'outils informatiques
Th. 1/Situation 4 Les animaux malades de la peste	Exploration et utilisation d'éléments caractéristiques de la fable		
Th. 1/Situation 5 Le principe du crâne fragile		Le nom (nom commun, nom propre) Le groupe du nom	
Th. 1/Situation 6 À la Cour		Orthographe conforme à l'usage Mots variés, corrects, précis, évocateurs liés aux thèmes abordés en français et dans les autres disciplines	
Th. 1/Situation 7 La chanson du pharmacien	Exploration et utilisation d'éléments caractéristiques du poème ou de la chanson (vers et strophes) Rimes Répétitions Sonorités	Le groupe du nom	
Th. 1/Situation 8 L'album des droits de l'enfant		Mots variés, corrects, précis, évocateurs liés aux thèmes abordés en français et dans les autres disciplines	
Th. 1/Situation 9 Conseil de coopération	Prise en compte du destinataire		
Th. 1/Situation 10 Pour gérer les apprentissages, le portfolio		Mots variés, corrects, précis, évocateurs liés aux thèmes abordés en français et dans les autres disciplines	

Français	CONNAISSANCES		TECHNIQUES
	liées au texte	liées à la phrase	
Th. 1/Situation 11 La Charte des droits et responsabilités des élèves		Accords dans le groupe du nom Groupes qui constituent la phrase Majuscule aux noms propres Les classes de mots	
Th. 2/Situation 1 Planification du projet de défilé		Mots variés, corrects, précis, évocateurs liés aux thèmes abordés en français et dans les autres disciplines	
Th. 2/Situation 2 Au royaume de Trikar	Récit en cinq temps Reprise de l'information en utilisant des mots substituts Valeurs et stéréotypes Personnages Point de vue du narrateur	Mots variés, corrects, précis, évocateurs liés aux thèmes abordés en français et dans les autres disciplines	
Th. 2/Situation 3 Dracula et Frankenstein	Récit en cinq temps Temps et lieux du récit	Mots variés, corrects, précis, évocateurs liés aux thèmes abordés en français et dans les autres disciplines	
Th. 2 /Situation 4 Ulysse	Personnages Point de vue du narrateur Récit en cinq temps	Mots variés, corrects, précis, évocateurs liés aux thèmes abordés en français et dans les autres disciplines Le déterminant Accords dans le groupe du nom	Utilisation d'un logiciel de traitement de texte Utilisation du dictionnaire
Th. 2/Situation 5 Du fantastique	Exploration et utilisation d'éléments caractéristiques du récit fantastique Point de vue du narrateur		
Th. 2/Situation 6 Les bons et les méchants	Personnages Valeurs et stéréotypes	L'adjectif Accords dans le groupe du nom Mots variés, corrects, précis, évocateurs liés aux thèmes abordés en français et dans les autres disciplines	
Th. 2/Situation 7 Un défilé miniature		Mots variés, corrects, précis, évocateurs liés aux thèmes abordés en français et dans les autres disciplines	
Th. 2/Situation 8 Personnages improvisés	Prise en compte du destinataire		
Th. 2/Situation 9 Montage poétique	Exploration et utilisation d'éléments caractéristiques du poème Métaphores	Mots variés, corrects, précis, évocateurs liés aux thèmes abordés en français et dans les autres disciplines	
Th. 2/Situation 10 Créer une ambiance		L'adjectif	

Français	CONNAISSANCES		TECHNIQUES
	liées au texte	liées à la phrase	
Th. 2/Situation 11 Publiciser le défilé	Prise en compte de l'intention et du destinataire	Mots variés, corrects, précis, évocateurs liés aux thèmes abordés en français et dans les autres disciplines	
Th. 3/Situation 1 Planification du projet	Prise en compte de l'intention et du destinataire		
Th. 3/Situation 2 Les minutes de poésie	Exploration et utilisation d'éléments caractéristiques du poème Métaphores Sonorités	Familles de mots	
Th. 3/Situation 3 Au milieu des étoiles	Exploration et utilisation d'éléments caractéristiques du récit de science-fiction Temps du récit Séquence des événements (retour en arrière) Récit en cinq temps Marqueurs de relation (séquence)	Familles de mots Le groupe du verbe (verbe conjugué)	
Th. 3/Situation 4 Construire une fusée		Accords dans le groupe du nom	Utilisation d'outils informatiques
Th. 3/Situation 5 Les mots pour dire l'espace	Exploration et utilisation d'éléments caractéristiques du poème Sonorités	Verbe à l'infinitif et verbe conjugué Le groupe du verbe : complément de verbe (direct et indirect)	
Th. 3/Situation 6 La bédé de science-fiction	Exploration et utilisation d'éléments caractéristiques de la bédé de science-fiction Valeurs et stéréotypes Personnages		
Th. 3/Situation 7 L'Univers	Idée principale Un sujet central divisé en différents aspects Exploration et utilisation d'éléments caractéristiques de la notice d'information		Utilisation de manuels de référence et d'outils informatiques
Th. 3/Situation 8 Venez visiter notre planète !	Exploration et utilisation d'éléments caractéristiques du dépliant publicitaire	Le groupe du verbe • complément de verbe (direct et indirect) Familles de mots	Utilisation de manuels de référence et d'outils informatiques
Th. 3/Situation 9 Poésie en images et sons	Exploration et utilisation d'éléments caractéristiques du poème Rimes	Le groupe du nom • complément du nom	

Français	CONNAISSANCES		TECHNIQUES
	liées au texte	liées à la phrase	
Th. 3/Situation 11 La vie extraterrestre	Exploration et utilisation d'éléments caractéristiques du texte descriptif Introduction, développement et conclusion Idées rattachées au sujet Pertinence et suffisance des idées Regroupement par paragraphes Un sujet central divisé en différents aspects	Mots variés, corrects, précis, évocateurs liés aux thèmes abordés en français et dans les autres disciplines Accords dans le groupe du nom Accords dans le groupe du verbe Présent de l'indicatif Orthographe conforme à l'usage	
Th. 4/Situation 1 Planification du projet	Prise en compte du destinataire et du registre de langue (les anglicismes) Exploration et utilisation d'éléments caractéristiques de la lettre d'invitation	Accords dans la phrase (sujet/verbe)	
Th. 4/Situation 2 La consommation et moi		Groupe sujet, groupe du verbe Type déclaratif Point à la fin des phrases	
Th. 4/Situation 3 L'argent de poche	Configuration de schémas, tableaux ou encarts	Types interrogatif, exclamatif et impératif	
Th. 4/Situation 4 La cyberdépendance	Reprise de l'information en utilisant des mots substituts (les pronoms)	Exploration et utilisation du vocabulaire en contexte Groupes qui constituent la phrase Groupe sujet, groupe du verbe, complément de phrase Pronoms personnels	
Th, 4/Situation 5 La consommation autrefois	Configuration de schémas, tableaux ou encarts Reprise de l'information en utilisant des mots substituts (les pronoms)	Le pronom Termes utilisés pour consulter des outils de référence Familles de mots	Utilisation de manuels de référence et d'outils informatiques Recours à des mots clés et à des moteurs de recherche
Th. 4/Situation 6 Le père Noël selon le North Pole Institute	Exploration et utilisation d'éléments caractéristiques de l'article scientifique Alternance ou opposition d'éléments	Groupes qui constituent la phrase	
Th. 4/Situation 7 Dans l'esprit de Noël	Marques du dialogue Exploration et utilisation d'éléments caractéristiques de la pièce de théâtre Valeurs et stéréotypes Personnages	Familles de mots	

Français	CONNAISSANCES		TECHNIQUES
	liées au texte	liées à la phrase	
Th. 4/Situation 8 Mise en scène : *Dans l'esprit de Noël*	Exploration et utilisation d'éléments caractéristiques de la fable	Types déclaratif, interrogatif, exclamatif et impératif Groupe sujet, groupe du verbe Complément de phrase	
Th. 4/Situation 9 Des décorations		Mots variés, corrects, précis, évocateurs liés aux thèmes abordés en français et dans les autres disciplines	
Th. 4/Situation 10 Qu'est-ce que la publicité ?		Reconnaissance et utilisation des fonctions syntaxiques (le sujet) Orthographe conforme à l'usage	
Th. 4/Situation 11 Une consommation «nouvelle et améliorée»!		Groupes qui constituent la phrase	
Th. 4/Situation 12 Promouvoir la pièce de théâtre	Exploration et utilisation d'éléments caractéristiques du message publicitaire Un sujet central divisé en différents aspects Séquence des événements Déroulement chronologique Marqueurs de relation Reprise de l'information en utilisant des mots substituts	Orthographe conforme à l'usage	
Th. 5/Situation 1 Planification des émissions de télévision	Prise en compte du registre de langue	Exploration et utilisation du vocabulaire en contexte	
Th. 5/Situation 2 Le monde du travail à la fin du 19e siècle	Les marqueurs de relation (temps)	Utilisation du vocabulaire en contexte Termes utilisés pour consulter des outils de référence	Utilisation de manuels de référence et d'outils informatiques
Th. 5/Situation 3 Aller là où se trouve le travail	Relations causes/conséquences	Mots variés, corrects, précis, évocateurs liés aux thèmes abordés en français et dans les autres disciplines	Utilisation de manuels de référence
Th. 5/Situation 4 Trente-six métiers		Groupes qui constituent la phrase Termes utilisés pour consulter des outils de référence Présent de l'indicatif Formation des temps de verbes (radical + terminaison)	Utilisation de manuels de référence et d'outils informatiques Utilisation d'un logiciel de traitement de texte Recours à des mots clés et à des moteurs de recherche

Français	CONNAISSANCES		TECHNIQUES
	liées au texte	liées à la phrase	
Th. 5/Situation 5 Interviews	Exploration et utilisation d'éléments caractéristiques de l'entrevue Prise en compte du registre de langue		
Th. 5/Situation 6 Jeux-questionnaires		Types déclaratif, interrogatif, exclamatif et impératif Formes positive et négative	
Th. 5/Situation 8 Chansons sur les métiers	Rimes Prise en compte du registre de langue		
Th. 5/Situation 9 Le Petit Prince	Temps et lieux du récit	Verbe à l'infinitif et verbe conjugué La virgule dans la phrase Mots variés, corrects, précis, évocateurs liés aux thèmes abordés en français et dans les autres disciplines	
Th. 5/Situation 10 Histoires de métiers	Personnages Reprise de l'information en utilisant des mots substituts	Formation des temps de verbes (radical + terminaison)	
Th. 6/Situation 1 Voyage dans le temps	Titres et intertitres	Type interrogatif Orthographe conforme à l'usage	
Th. 6/Situation 2 La vie de château	Idée principale et idées secondaires Reprise de l'information en utilisant des mots substituts	Mots variés, corrects, précis, évocateurs liés aux thèmes abordés en français Conditionnel présent Pronoms personnels	
Th. 6/Situation 3 Table ronde sur les croyances et superstitions		Mots variés, corrects, précis, évocateurs liés aux thèmes abordés en français Imparfait de l'indicatif	
Th. 6/Situation 4 Planification du projet	Exploration et utilisation d'éléments caractéristiques de la table ronde	Accords dans le groupe du nom	
Th. 6/Situation 5 Dans la peau d'un personnage médiéval	Personnages Regroupement par paragraphes Pertinence et suffisance des informations Emploi des temps verbaux : les temps du passé Intertitres Reprise de l'information en utilisant des mots substituts	Mots variés, corrects, précis, évocateurs liés aux thèmes abordés en français	Utilisation de manuels de référence et d'outils informatiques

Français	CONNAISSANCES		TECHNIQUES
	liées au texte	liées à la phrase	
Th. 6/Situation 6 Romans de chevalerie	Exploration et utilisation d'éléments caractéristiques du roman de chevalerie Personnages Valeurs et stéréotypes	Futur simple Mots variés, corrects, précis, évocateurs liés aux thèmes abordés en français	
Th. 6/Situation 7 Une lecture feuilleton	Personnages Temps et lieux du récit Relations sentiments/attitudes	Mots variés, corrects, précis, évocateurs liés aux thèmes abordés en français	
Th. 6/Situation 8 Tapisseries médiévales	Personnages Temps et lieux du récit Relations sentiments/attitudes Valeurs et stéréotypes Déroulement chronologique Séquence des événements (retour en arrière) Récit en cinq temps	Mots variés, corrects, précis, évocateurs liés aux thèmes abordés en français et dans les autres disciplines	
Th. 6/Situation 9 Pauvre Rutebeuf !	Exploration et utilisation d'éléments caractéristiques de la poésie courtoise Métaphores Comparaisons Rimes Assonances	Mots variés, corrects, précis, évocateurs liés aux thèmes abordés en français Accords dans la phrase	Utilisation d'un logiciel de traitement de texte
Th. 6/Situation 10 Univers partagé	Regroupement par paragraphes Temps et lieux du récit Personnages Organisateurs textuels Marqueurs de relation Récit en cinq temps Déroulement chronologique Reprise de l'information en utilisant des mots substituts	Accords dans le groupe du nom Accords dans la phrase (sujet/verbe) Mots variés, corrects, précis, évocateurs liés aux thèmes abordés en français et dans les autres disciplines	
Th. 6/Situation 11 La maquette médiévale	Relations causes/conséquences Idée principale	Mots variés, corrects, précis, évocateurs liés aux thèmes abordés en français et dans les autres disciplines	
Th. 6/Situation 12 Les machines au Moyen Âge		Mots variés, corrects, précis, évocateurs liés aux thèmes abordés en français	Utilisation de manuels de référence et d'outils informatiques
Th. 7/Situation 1 Planification du projet	Exploration et utilisation d'éléments caractéristiques du magazine Configuration de tableaux	Mots variés, corrects, précis, évocateurs liés aux thèmes abordés en français	

Français	CONNAISSANCES		TECHNIQUES
	liées au texte	liées à la phrase	
Th. 7/Situation 2 Catastrophes tous azimuts	Exploration et utilisation d'éléments caractéristiques de l'article de magazine Organisateurs textuels Marqueurs de relation Un sujet central subdivisé en différents aspects Relations causes/conséquences	Mots variés, corrects, précis, évocateurs liés aux thèmes abordés en français Orthographe conforme à l'usage	Utilisation de manuels de référence (encyclopédies) et d'outils informatiques
Th. 7/Situation 4 Prévoir le temps	Configuration de tableaux, de schémas	Mots variés, corrects, précis, évocateurs liés aux thèmes abordés en français et dans les autres disciplines	Utilisation de manuels de référence et d'outils informatiques
Th. 7/Situation 5 Les catastrophes au Québec	Exploration et utilisation d'éléments caractéristiques de l'entrevue Registre de langue standard	Mots variés, corrects, précis, évocateurs liés aux thèmes abordés en français Type interrogatif Emploi de la virgule Orthographe conforme à l'usage Familles de mots Temps (de verbes) simples et composés	
Th. 7/Situation 6 Les catastrophes au Canada	Regroupement par paragraphes Titres et intertitres Relations causes/conséquences Configuration de schémas Organisateurs textuels Marqueurs de relation	Verbe **avoir** Orthographe conforme à l'usage	
Th. 7/Situation 7 Au feu! Au feu!	Exploration et utilisation d'éléments caractéristiques du poème Répétitions Inversions Répétitions avec ajout cumulé de nouveaux éléments Configuration d'encadrés	Mots variés, corrects, précis, évocateurs liés aux thèmes abordés en français et dans d'autres disciplines	
Th. 7/Situation 8 Récits de catastrophes	Lieux et temps du récit Marqueurs de relation Personnages Point de vue du narrateur	Orthographe conforme à l'usage	
Th. 7/Situation 9 Une histoire catastrophique	Récit en cinq temps Temps et lieux du récit Personnages Point de vue du narrateur Marqueurs de relation	Verbe **être** Orthographe conforme à l'usage Accords dans le groupe du nom Accords dans la phrase (sujet/verbe) Emploi de la virgule	Utilisation du dictionnaire

Français	CONNAISSANCES		TECHNIQUES
	liées au texte	liées à la phrase	
Th. 7/Situation 10 Rire et catastrophes	Exploration et utilisation d'éléments caractéristiques de la bande dessinée Exploration et utilisation d'éléments caractéristiques du poème Rimes Répétitions Onomatopées Séquence des événements Personnages	Mots variés, corrects, précis, évocateurs liés aux thèmes abordés en français et dans d'autres disciplines	
Th. 7/Situation 11 Critique de livres	Exploration et utilisation d'éléments caractéristiques de la critique Reprise de l'information en utilisant des mots substituts (pronoms, synonymes et génériques)		Vérification à l'aide d'un correcteur intégré dans un logiciel de traitement de texte
Th. 7/Situation 12 Page couverture			Vérification à l'aide d'un correcteur intégré dans un logiciel de traitement de texte
Th. 8/Situation 1 Romans à toutes les sauces !	Exploration et utilisation d'éléments caractéristiques du roman Prise en compte du contexte (les registres de langue) Reprise de l'information par des mots substituts Marqueurs de relation	Utilisation du vocabulaire en contexte	
Th. 8/Situation 2 Points de vue d'écrivains	Registres standard et familier Marques du dialogue	Formation du féminin des noms et adjectifs (doubler la consonne finale)	
Th. 8/Situation 3 Des auteurs à l'honneur	Reprise de l'information par des mots substituts (pronoms)		Recours à des mots clés et à des moteurs de recherche Hyperliens, hypertexte
Th. 8/Situation 4 Un cercle sur les auteurs	Exploration et utilisation d'éléments caractéristiques du roman de science-fiction Personnages Allusions	Mots variés, corrects, précis, évocateurs	
Th. 8/Situation 5 Un rendez-vous manqué	Temps et lieux du récit Personnages Structure du récit (retours en arrière et alternance des péripéties selon les personnages) Marques du dialogue		

Français	CONNAISSANCES		TECHNIQUES
	liées au texte	**liées à la phrase**	
Th. 8/Situation 7 Le château de livres : la suite	Point de vue du narrateur Personnages	Verbes modèles **aimer** et **finir**	Utilisation d'un tableau de conjugaison, d'une grammaire
Th. 8/Situation 8 Écrire un mini-roman	Exploration et utilisation d'éléments caractéristiques du roman Marques du dialogue Personnages Point de vue du narrateur Déroulement logique et chronologique Marqueurs de relation Valeurs Emploi des temps verbaux	Passé composé Accords dans le groupe du nom Accords dans le groupe du verbe Mots variés, corrects, précis, évocateurs Formes positive et négative Orthographe conforme à l'usage Familles de mots	
Th. 8/Situation 9 En amorce des chapitres…	Exploration et utilisation d'éléments caractéristiques du poème (acrostiche, haïku) Comparaisons	Accords dans la phrase (sujet/verbe) Orthographe conforme à l'usage	
Th. 8/Situation 10 Une quatrième de couverture	Récit en cinq temps Pertinence des informations		Distinction des icônes informatiques pour effectuer des opérations simples Utilisation d'un logiciel de traitement de texte
Th. 8/Situation 11 Pour t'attirer dans mon univers…		Mots variés, corrects, précis, évocateurs liés aux thèmes abordés en français et dans d'autres disciplines	
Th. 8/Situation 12 Une invitation à lire	Exploration et utilisation d'éléments caractéristiques de l'affiche publicitaire Allusions et sous-entendus Prise en compte du destinataire		
Th. 9/Situation 1 Conférences de rédaction	Exploration et utilisation d'éléments caractéristiques de l'album documentaire	Mots variés, corrects, précis, évocateurs liés aux thèmes abordés en français et dans d'autres disciplines Vocabulaire lié au monde du livre	
Th. 9/Situation 2 Le bâtiment, miroir des civilisations	Marqueurs de relation Marqueurs de temps Déroulement chronologique Exploration et utilisation d'éléments caractéristiques du texte descriptif Métaphores		Utilisation d'un logiciel de traitement de texte Vérification à l'aide d'un correcteur intégré dans un logiciel de traitement

Français	CONNAISSANCES		TECHNIQUES
	liées au texte	liées à la phrase	
Th. 9/Situation 3 Héritage du passé		Mots variés, corrects, précis, évocateurs liés aux thèmes abordés en français et dans d'autres disciplines Le passé composé	
Th. 9/Situation 4 Les bâtisseurs			Utilisation de manuels de référence et d'outils informatiques
Th. 9/Situation 5 Plus haut et plus loin		L'impératif présent	
Th. 9/Situation 6 Décrire et illustrer le patrimoine		Orthographe conforme à l'usage Accords dans le groupe du nom Accord dans le groupe du verbe Verbes **aller** et **faire**	Utilisation de manuels de référence et d'outils informatiques Utilisation d'un logiciel de traitement de texte Vérification à l'aide d'un correcteur intégré dans un logiciel de traitement de texte Utilisation d'un tableau de conjugaison
Th. 9/Situation 7 Histoire de lieux	Marqueurs de relation	La formation du féminin Mots variés, corrects, précis, évocateurs liés aux thèmes abordés en français et dans d'autres disciplines Orthographe conforme à l'usage Groupes qui constituent la phrase Groupe du nom Groupe du verbe	
Th. 9/Situation 8 Construire un poème	Exploration et utilisation d'éléments caractéristiques du poème Métaphores Sonorités Rimes Rythme	Orthographe conforme à l'usage Accords dans la groupe du nom Accords dans le groupe du verbe Synonymes	
Th. 9/Situation 9 Montage poétique	Exploration et utilisation d'éléments caractéristiques du poème et de la chanson	Mots variés, corrects, précis, évocateurs liés aux thèmes abordés en français et dans d'autres disciplines	

Français	CONNAISSANCES		TECHNIQUES
	liées au texte	liées à la phrase	
Th. 10/Situation 1 Le spectacle dans nos vies		Sens propre et sens figuré Types de phrases Point à la fin des phrases Emploi de la virgule Orthographe conforme à l'usage	
Th. 10/Situation 2 À propos du théâtre		Anglicismes	Recours à des mots clés et à des moteurs de recherche
Th. 10/Situation 3 Moments de poésie	Exploration et utilisation d'éléments caractéristiques du poème Rythme Sonorités Répétitions		
Th. 10/Situation 4 La *commedia dell'arte*		Confusions homophoniques et classes de mots	
Th. 10/Situation 5 Écrire *Les mères fantômes*	Marqueurs de relation	Pluriel en x des noms et adjectifs Formation du féminin des noms et adjectifs : cas spéciaux Confusions homophoniques et classes de mots Ponctuation du dialogue	
Th. 10/Situation 7 Chanter, danser, sauter	Exploration et utilisation d'éléments caractéristiques du poème et de la chanson Répétitions Rythme Sonorités Rimes	Confusions homophoniques et classes de mots	
Th. 10/Situation 8 Un programme personnalisé		Accord du participe passé et des adjectifs participes Temps de verbes Confusions homophoniques et classes de mots	

Science et technologie

Présentation du domaine de la mathématique, de la science et de la technologie

Le domaine de la mathématique, de la science et de la technologie est l'un des cinq domaines d'apprentissage qui composent le Programme de formation. La mathématique, la science et la technologie ont permis l'essor de nos sociétés modernes. Il est donc essentiel que les élèves se familiarisent rapidement avec ces disciplines et qu'ils puissent dans une certaine mesure replacer leur développement dans leur contexte historique, social, économique et culturel.

L'objectif général du domaine est de «donner accès à un ensemble spécifique de savoirs qui empruntent aux méthodes, aux champs conceptuels et au langage propre à chacune des disciplines qui définissent le domaine» (Programme de formation, p. 122). En donnant une culture scientifique aux élèves, on développera leur esprit critique, mais également leur sens éthique. Ils pourront ainsi réfléchir aux grandes visées de la science et de la technologie contemporaines, prendre conscience de leur omniprésence dans notre vie quotidienne, apprécier leur apport à l'évolution de la société, mais aussi prendre une certaine distance critique pour évaluer leurs impacts positifs et négatifs.

Présentation de la discipline *Science et technologie*

Dans bien des cas, la science et la technologie s'interpénètrent à un point tel qu'il est difficile de les distinguer. Toutefois, quoique intimement liés, les deux domaines ont leurs caractéristiques propres. Ainsi, on peut dire en gros que la science vise la connaissance du monde, alors que la technologie a pour principal but l'action efficace.

Au primaire, on initie les élèves à l'activité scientifique et technologique en cherchant à développer des démarches fondées sur «le questionnement, l'observation méthodique, le tâtonnement, la vérification expérimentale, l'étude des besoins et contraintes, la réalisation de prototypes» (Programme de formation, p. 144). Par ces démarches, en explorant des problématiques issues de son environnement, l'élève développera les modes de raisonnement propres à l'activité scientifique et technologique en s'appropriant graduellement leur nature et leur langage spécifiques.

Les compétences disciplinaires en science et en technologie

Dans le Programme de formation, on trouve aux 2ᵉ et 3ᵉ cycles du primaire trois compétences rattachées à la science et à la technologie. Elles correspondent à des aspects distincts, mais complémentaires : l'appropriation des modes de raisonnement pour aborder des problèmes d'ordre scientifique ou technologique, la compréhension des outils, objets et procédés relevant de la science et de la technologie, et la communication à l'aide de langages appropriés. Les trois compétences se développent bien sûr en interrelation les unes avec les autres et prennent appui sur des repères culturels que l'on s'efforcera de faire ressortir dans les diverses situations d'apprentissage.

Compétence 1 : Proposer des explications ou des solutions à des problèmes d'ordre scientifique ou technologique

Pour proposer ces explications ou solutions, la science et la technologie s'appuient sur l'observation, la mesure, l'interprétation de données et leur vérification. Tout cela permet de mieux comprendre le monde. Les questions portent sur des situations de la vie courante et débouchent sur des problèmes qui peuvent aller du plus simple au plus complexe, selon le contexte dans lequel elles s'inscrivent. L'habileté à poser des questions ainsi qu'à identifier et à circonscrire des problématiques pertinentes suppose un long apprentissage qui débute au 2e cycle du primaire et qui se poursuit jusqu'à la fin du secondaire. L'élève apprendra à explorer les aspects posés par la problématique en utilisant des stratégies appropriées, en recueillant les données avec toute la rigueur possible et en les analysant pour proposer des explications ou des solutions.

Compétence 2 : Mettre à profit des outils, objets et procédés de la science et de la technologie

Une foule de techniques, d'instruments et de procédés sont mis en œuvre pour étudier scientifiquement l'univers matériel, la Terre et l'Espace et l'univers vivant, les trois principaux champs d'étude du Programme. Parmi ces outils, objets et procédés, on trouve des outils matériels (règles, microscopes, loupes, thermomètres, etc.) et des représentations mentales (symboles, schémas, représentation d'une longueur, d'un volume, d'une masse, etc.). Les procédés vont du simple (mesurer une longueur) au complexe (calculer un volume), du concret (fixer un mécanisme) à l'abstrait (imaginer un prototype).

La connaissance de ces outils, objets et procédés viendra élargir la culture scientifique de l'élève qui en saisira les différents usages et leurs répercussions dans l'activité humaine. La compétence se développera à travers une série d'actions concrètes (tracer des plans, dessiner des maquettes, réaliser des prototypes, mesurer, observer des objets) à l'aide d'outils, de procédés et d'instruments relativement simples et concrets eux aussi.

Compétence 3 : Communiquer à l'aide des langages utilisés en science et en technologie

Toute communauté scientifique et technologique a besoin de communiquer pour présenter clairement des résultats et confronter des idées. Comme on le sait, ces communications se font en utilisant un langage propre à la science et à la technologie, un langage qui s'est développé à l'origine, qui n'a cessé d'évoluer depuis et qui est devenu universel. Les élèves devront développer leur capacité à interpréter et à émettre des messages en s'appropriant graduellement des éléments de ce langage.

L'arrimage avec les compétences transversales

Pour développer les trois compétences en science et technologie, on touchera toutes les compétences transversales. On aura constamment à *résoudre des problèmes*. Pour ce faire, on devra *exploiter de l'information* pour répondre à des questions ou pour trouver des éléments qui permettront de résoudre les problèmes. On aura l'occasion de *mettre en œuvre sa pensée créatrice* pour trouver des solutions pertinentes et pour imaginer des façons originales de communiquer les résultats des recherches et des expérimentations. En se construisant une opinion sur les visées de la science et de la technologie à l'aide de repères logiques ou éthiques, on sera amené à *exercer un jugement critique*.

Pour étudier des phénomènes ou élaborer des objets technologiques, les élèves devront en outre *se donner des méthodes de travail efficaces*. Comme on aura souvent recours à l'informatique pour tracer un plan, construire un graphique ou un schéma, chercher de l'information ou faire des calculs, les élèves devront donc régulièrement *exploiter les technologies de l'information et de la communication*. Enfin, au sein de la communauté scientifique et technologique qu'ils formeront entre eux, les élèves devront *coopérer* pour réaliser des expériences et, à toutes les étapes de la démarche, ils auront l'occasion de *communiquer de façon appropriée* leurs réflexions, interrogations et résultats pour proposer des explications et des solutions à différents problèmes, comme le font tous les scientifiques et technologues du monde. En science et en technologie, la communication est d'ailleurs si importante qu'elle fait l'objet d'une compétence disciplinaire.

Le traitement de la science et de la technologie dans *Cyclades*

Dans les manuels d'enseignement A, B, C et D, on trouvera une trentaine de situations liées à la science et à la technologie. Si la très grande majorité de ces situations fait appel au développement des trois compétences, certaines toucheront davantage aux repères culturels ou à des réflexions critiques et éthiques sur le monde de la science et de la technologie.

Au cours du cycle, les élèves utiliseront un journal (que nous appelons journal scientifique) pour noter leurs interrogations, hypothèses, pistes de solutions, croquis, schémas, observations, informations provenant de divers documents, etc. Ce journal témoignera du cheminement des élèves et du développement de l'ensemble de leurs compétences en science et technologie.

Plusieurs textes des manuels *Cyclades* A, B, C et D servent de déclencheurs ou de compléments d'informations aux diverses situations d'apprentissage proposées dans les manuels d'enseignement. Ainsi, on propose régulièrement aux élèves de résoudre des problèmes, d'explorer une situation, d'observer des phénomènes. On leur permet aussi de formuler leurs propres questions ou hypothèses, et on les invite à élaborer des outils de consignation pour noter leurs observations.

Dans les manuels d'enseignement, plusieurs projets concernent spécifiquement la science et la technologie :

- Thème 3 : *L'espace* (mettre sur pied un musée de l'espace);
- Thème 7 : *Les catastrophes naturelles* (réaliser un magazine sur le thème des catastrophes naturelles);
- Thème 15 : *Le futur* (créer un club de futurologues amateurs);
- Thème 17 : *Expo-sciences* (oganiser une expo-sciences);
- Thème 19 : *C'est la vie !* (se qualifier pour obtenir un visa santé).

La démarche en science et technologie

La démarche proposée en science et technologie comprend cinq étapes. Comme le montre bien l'affiche, l'élève peut à chaque étape échanger avec les camarades de sa communauté scientifique. Toutes ces étapes sont présentées et abondamment commentées dans la section *Faire de la science et de la technologie à l'école primaire* du présent guide (p. 189).

Le matériel

La plupart des commissions scolaires font des recommandations pour l'achat de matériel de laboratoire en science et technologie. On s'informera auprès de la direction de la disponibilité de ce matériel à l'école. Si les achats ont été faits, on pourra facilement réaliser les expériences prévues dans les manuels d'enseignement. Si l'école n'a pas acheté de matériel, voici en gros ce dont vous aurez besoin pour faire l'ensemble des expériences que nous proposons pour les deux années du cycle.

Des instruments de mesure Des balances à plateaux, des règles, des compte-gouttes, divers types de thermomètres, des chronomètres, des rubans à mesurer, des cylindres gradués, des tasses à mesurer.

Des instruments d'observation Des microscopes (des lames, des lamelles, des lames porte-objets), des microscopes binoculaires, des loupes, un ensemble optique (lentilles convexes et concaves, miroir concave, miroir plat).

Des outils Un vilebrequin, des mèches, un établi portatif, des couteaux, des couteaux à lame rétractable, des limes, une chignole, des forets, des pinces, des serres, un pistolet à colle chaude, des petites pelles.

Un peu de quincaillerie   Des tuyaux flexibles, des rondelles de caoutchouc, du papier émeri n° 80, des œillets, des crochets, du fil de fer, des vis, des punaises à tête plate, du fil de nylon, des pince-notes.

Du matériel de bricolage d'utilisation courante   De la colle, du ruban adhésif, du papier, du carton ondulé, de la pâte à modeler, de la pâte à modeler insoluble, des trombones, de la ficelle, de la corde, du papier d'aluminium, des bâtonnets à café, de la styro-mousse, des bouchons de liège, des élastiques, du carton, des sacs de papier, des ballons de baudruche, des ciseaux, du fil de couture, des pailles, des cure-pipes, de la pellicule plastique, de la gouache, des gommettes.

Divers types de contenants   Des bacs, des bouteilles de plastique, des contenants transparents, des pots avec leur couvercle, des sacs de plastique à fermeture étanche, des assiettes de plastique et d'aluminium, des verres, des bols, des seaux, des contenants de glace, des pots de verre à large ouverture, des égouttoirs à pâte, des tamis, des contenants de yogourt.

Des produits alimentaires d'utilisation courante   De l'huile, du sel de table, du sel de mer, du riz, des pois secs, de la farine, de la fécule de maïs, du colorant alimentaire.

Du matériel de récupération   Des échantillons de tissu, du gravier, des rondelles d'acier, des boîtes de carton, des boutons, des cintres en métal, des briques, des boîtes de conserve vides, des baguettes de bois, des échantillons de matériaux (tapis, tuiles, pré-lart, bois).

Les savoirs essentiels

Comme on l'a vu plus haut, en science et technologie, les savoirs essentiels s'organisent dans trois principaux champs : l'univers matériel, la Terre et l'Espace et l'univers vivant. Au cours du cycle, on étudiera les trois domaines.

Les concepts à aborder s'articulent autour de six noyaux unificateurs : la matière, l'énergie, les forces et mouvements, les systèmes et leur interaction, les techniques et l'instrumentation et le langage utilisé en science et en technologie. Le tableau suivant permettra de voir le ou les domaines et le ou les noyaux unificateurs touchés dans chacune des situations.

Savoirs essentiels

Science et technologie	L'UNIVERS MATÉRIEL	LA TERRE ET L'ESPACE	L'UNIVERS VIVANT	CONNAISSANCES ET TECHNIQUES
Th. 3/Situation 4 Construire une fusée	**Matière :** Transformation de la matière sous forme de réaction chimique entre le vinaigre et le bicarbonate de sodium **Forces et mouvements :** Étude du principe de la propulsion **Énergie :** La réaction chimique comme source d'énergie	**Techniques et instrumentation :** Fabrication d'un prototype de fusée		Importance de la forme d'une fusée pour assurer son aérodynamisme et sa stabilité Étude de la troisième loi de Newton, la force de réaction, celle qui est en cause dans la propulsion des fusées
Th. 3/Situation 7 L'Univers		**Systèmes et interaction :** Exploration de phénomènes liés aux étoiles et aux galaxies **Langage :** Terminologie liée à l'Univers ; élaboration d'un schéma pour cerner un phénomène relié à l'Univers		
Th. 3/Situation 8 Venez visiter notre planète !		**Matière :** Les propriétés et les caractéristiques de la matière terrestre (eau, air) et des autres planètes **Systèmes et interaction :** Le système solaire ; les saisons et les systèmes météorologiques des planètes du système solaire **Langage :** Terminologie liée au système solaire ; dessins et croquis		La différence entre les notions de masse et de poids Définition de la force gravitationnelle Réflexion sur les conditions de la vie Rotation des planètes autour du Soleil ; L'origine des saisons
Th. 3/Situation 10 L'évolution d'une vie extraterrestre	**Matière :** Les caractéristiques du vivant, l'organisation du vivant **Systèmes et interaction :** L'évolution des êtres vivants L'interaction entre les organismes vivants et leur milieu	**Matière :** Les propriétés et les caractéristiques de la matière terrestre (sol, eau, air)		Scruter l'Univers pour trouver de l'intelligence Recréer le début de la vie sur Terre Définition de biotope et biocénose Charles Darwin et la théorie de l'évolution

Savoirs essentiels

Science et technologie	L'UNIVERS MATÉRIEL	LA TERRE ET L'ESPACE	L'UNIVERS VIVANT	CONNAISSANCES ET TECHNIQUES
Th. 3/Situation 11 La vie extraterrestre		**Matière :** Les propriétés et les caractéristiques de la matière terrestre (sol, eau, air)		L'horloge à pendule
Th. 4/Situation 6 Le Père Noël selon le North Pole Institute			**Techniques et instrumentation :** Simulation de tests scientifiques **Langage :** Utilisation de modèles mathématiques	Appréciation du caractère scientifique d'idées émises Des tests pour construire la contre-argumentation
Th. 4/Situation 11 Une consommation «nouvelle et améliorée»!	**Matière :** Les propriétés et les caractéristiques des produits de consommation **Techniques et instrumentation :** Utilisation d'instruments de mesure **Langage :** Utilisation de graphiques et de schémas		**Systèmes et interaction :** Les interactions entre les êtres vivants et leur milieu	Les produits testés : aliments, savons, produits de nettoyage Les conditions d'expérimentation Rédaction d'un rapport d'analyse Importance de répéter les expérimentations
Th. 5/Situation 7 Les jeunes scientifiques de l'eau	**Matière :** Les propriétés et caractéristiques de l'eau **Systèmes et interaction :** Fonctionnement d'une écluse ou d'un barrage hydroélectrique. **Techniques et instrumentation :** Élaboration d'un dispositif représentant une écluse ou un barrage hydroélectrique; fabrication d'un filtre pour l'eau usée ou polluée		**Systèmes et interaction :** Interaction entre les organismes vivants et leur milieu (présence de végétation empêchant l'érosion des berges); contamination des eaux par des organismes vivants; conditions de survie des crustacés selon différents milieux	La gestion de l'eau
Th. 6/Situation 12 Les machines au Moyen Âge	**Énergie :** L'énergie mécanique **Forces et mouvements :** Les effets d'une force sur la direction d'un objet **Systèmes et interaction :** Les machines : le fonctionnement du trébuchet **Techniques et instrumentation :** Conception d'un trébuchet en utilisant des outils simples : pinces, scie à métal, chignole			Fonctionnement du trébuchet Fonctionnement du levier et du pivot Maniement d'outils

Savoirs essentiels

Science et technologie

	L'UNIVERS MATÉRIEL	LA TERRE ET L'ESPACE	L'UNIVERS VIVANT	CONNAISSANCES ET TECHNIQUES
Th. 7/Situation 2 Catastrophes tous azimuts		**Matière :** La structure de la Terre (volcans, plaques tectoniques, érosion); les phénomènes naturels (tremblements de terre, éruptions volcaniques, cyclones…) **Systèmes et interaction :** Les systèmes météorologiques (étude des vents et de la température) **Langage :** Concepts liés à la compréhension des phénomènes naturels; utilisation d'une balance		La salinité La flottaison Définition de l'eau potable
Th. 7/Situation 3 Catastrophes en direct		**Matière :** Localisation et impact des phénomènes naturels dans le monde **Systèmes et interaction :** Impact des systèmes météorologiques dans le monde. **Langage :** Utilisation de dessins, graphiques et schémas pour communiquer ses découvertes		
Th. 7/Situation 4 Prévoir le temps		**Systèmes et interaction :** Les prévisions météorologiques **Techniques et instrumentation :** Utilisation d'instruments de mesure simples : thermomètre, baromètre, pluviomètre, anémomètre… **Langage :** Terminologie liée à la météorologie; utilisation de graphiques, diagrammes, histogrammes pour présenter des résultats		Évaluer l'exactitude des prévisions météorologiques Organiser ses données à des fins de communication
Th. 7/Situation 6 Les catastrophes au Canada		**Matière :** Les phénomènes naturels au Canada **Systèmes et interaction :** Les systèmes météorologiques, les climats **Langage :** Utilisation de schémas et de cartes		

Savoirs essentiels

Science et technologie

	L'UNIVERS MATÉRIEL	LA TERRE ET L'ESPACE	L'UNIVERS VIVANT	CONNAISSANCES ET TECHNIQUES
Th. 9/Situation 5 Plus haut et plus loin	**Matière :** Les propriétés de la matière : solidité et résistance **Forces et mouvements :** L'effet de plusieurs forces sur un objet **Systèmes et interaction :** le fonctionnement d'objets fabriqués : pylônes et ponts. **Techniques et instrumentation :** Construction d'un modèle de pylône et de pont **Langage :** Représentation par des plans, des dessins et des croquis			Principes de construction de structures en hauteur et en longueur Règles de construction d'un pylône et d'un pont Le facteur de résistance d'un pont

Univers social

Présentation du domaine de l'univers social

L'univers social est l'un des cinq domaines d'apprentissage qui composent le Programme de formation. Il est constitué des diverses réalités liées à l'existence de communautés humaines dont la notion de société est le pivot. Ce domaine d'apprentissage a pour objectif de permettre à l'élève de «construire sa conscience sociale pour agir en citoyen responsable et éclairé» (Programme de formation, p. 165). L'univers social fournit donc à l'élève les repères nécessaires pour comprendre des sociétés. Cette appropriation de réalités sociales se fait par l'intermédiaire de deux disciplines, soit l'histoire et la géographie, et par l'éducation à la citoyenneté, une visée éducative qui doit transparaître dans l'ensemble des disciplines du Programme.

Présentation des disciplines *Géographie, histoire et éducation à la citoyenneté*

L'histoire et la géographie nous amènent à poser un regard sur le réel : elles examinent les réalités des communautés humaines dans leurs rapports au temps et à l'espace. Grâce à ces disciplines, l'élève apprend à établir des liens entre les valeurs d'une société à un moment de son histoire. L'histoire et la géographie permettent également de comparer des sociétés à une même époque, ce qui ouvre à l'élève des horizons sur la diversité et l'amène à construire ses propres interprétations de réalités sociales et territoriales.

L'apport plus particulier de l'histoire au domaine de l'univers social consiste à lui donner une dimension temporelle, mais en regard de l'organisation des sociétés. En effet, l'histoire nous permet d'étudier le fonctionnement d'une société, à une période donnée et sur un territoire donné. Loin de devoir mémoriser des données factuelles, l'élève est plutôt amené à établir des liens entre les réalités sociales du passé et des réalités sociales actuelles, et à se construire ainsi un bagage de connaissances historiques dans une perspective de continuité. L'élève apprend aussi à mettre en perspective les événements les uns par rapport aux autres selon l'époque et la société où ils se déroulent, ce qui lui permet de construire sa vision du monde en structurant son identité et en s'ouvrant à la diversité.

De même, la géographie ne se limite pas à l'étude de l'espace, mais se préoccupe plutôt de l'espace social, car la géographie moderne cherche d'abord à établir des liens entre des sociétés et leur territoire. Elle amène donc l'élève à constater que des sociétés installées sur des territoires différents évoluent de façon différente, étant en quelque sorte façonnées par les caractéristiques particulières du milieu. Grâce à la géographie, l'élève prend conscience de la diversité du monde physique, social et culturel, et apprend à donner un sens à l'espace.

En faisant de l'histoire et de la géographie, l'élève situe des événements dans une perspective spatio-temporelle pour appréhender un monde en constante évolution. Prenant conscience de la diversité des sociétés, il développe peu à peu des attitudes de tolérance, de coopération et d'ouverture à la différence. Quant à l'éducation à la citoyenneté, elle constitue un apprentissage complexe au terme duquel l'élève pourra s'intégrer harmonieusement à la société en se préparant à y jouer un rôle actif.

Les compétences disciplinaires en géographie, histoire et éducation à la citoyenneté

Au 3e cycle du primaire, les trois compétences rattachées à la géographie, à l'histoire et à l'éducation à la citoyenneté contribuent à faire comprendre des sociétés et leurs territoires, mais selon des perspectives différentes, puisqu'elles traitent l'organisation de sociétés, leur évolution et leur diversité.

Compétence 1 : Lire l'organisation d'une société sur son territoire

C'est sur cette compétence essentielle que s'appuieront les compétences à interpréter des changements (compétence 2) et à comparer des organisations de sociétés entre elles (compétence 3). C'est la capacité d'expliquer les liens entre une société et l'aménagement de son territoire. Il faut d'abord localiser une société dans le temps et dans l'espace, puis dégager les modes d'adaptation d'une communauté humaine à un espace qui comporte des caractéristiques influant sur son organisation.

Au 3e cycle du primaire, l'élève devra analyser l'organisation de la société canadienne vers 1820, et de la société québécoise vers 1905 et vers 1980. Dans les manuels d'enseignement A, B, C et D, on trouvera 17 situations touchant le développement de cette compétence. En plongeant dans le passé, de l'époque du régime britannique jusqu'à la société québécoise des années 1980, les élèves se sensibiliseront aux origines du développement de leur société actuelle et découvriront la richesse de leur patrimoine. Ils établiront des liens entre les caractéristiques de cette société et l'aménagement de son territoire et préciseront l'influence d'événements ou de personnages qui ont eu une influence marquante sur cette société.

Compétence 2 : Interpréter le changement dans une société et sur son territoire

C'est la capacité de tracer le portrait d'une société et de son territoire à deux moments différents de son histoire et d'expliquer les transformations observées en les inscrivant dans une perspective historique. On dégage les causes et les conséquences de ces transformations en établissant des liens entre ces changements et en étudiant des personnages ou des événements qui les ont favorisés. Cette compétence demande à l'élève de justifier son interprétation des changements en s'appuyant sur des faits historiques.

Au cours du cycle, les élèves s'intéresseront plus particulièrement aux changements qui se sont produits dans la société canadienne puis québécoise de 1745 à 1980. Dans les manuels d'enseignement A, B, C et D, sept situations permetteront de travailler cette compétence. Dans leurs productions, les élèves mettront ces changements dans leurs contextes géographiques et historiques, et ils dégageront des causes et conséquences de ces changements.

Compétence 3 : S'ouvrir à la diversité des sociétés et de leur territoire

En dégageant les caractéristiques de deux sociétés distinctes à une même époque, l'élève prendra conscience que des communautés très différentes peuvent coexister, et que ces différences s'expliquent en partie par le territoire qu'elles occupent. La comparaison de deux sociétés sur le plan de la culture, du mode de vie, de la religion et de l'organisation territoriale permet de faire ressortir ces différences et d'en expliquer les causes et les conséquences.

Au 3e cycle, les élèves devront comparer la société québécoise avec la société canadienne des Prairies, puis comparer la société canadienne des Prairies avec la société canadienne de la Côte Ouest vers 1905. Le société québécoise vers 1980 sera en outre comparée aux sociétés inuite et micmaque et à des sociétés non démocratiques de la même époque. Dix situations permettent d'approfondir cette compétence dans les manuels d'enseignement *Cyclades*.

Les élèves y présenteront leur vision de la diversité des sociétés et de leur territoire à l'aide de différents outils. Ils relèveront des différences dans les contextes géographiques et historiques des sociétés qu'ils étudieront et s'interrogeront sur les forces et les faiblesses de leur organisation.

L'arrimage avec les compétences transversales

Les situations d'apprentissage dans *Cyclades* touchant le domaine de l'univers social ont des liens très étroits avec les compétences transversales, car le matériel propose une démarche systématique de recherche qui amène l'élève à s'engager activement dans la construction d'une conscience historique.

La démarche de recherche sollicite plus particulièrement les compétences d'ordre intellectuel (*exploiter l'information* et *exercer son jugement critique*) et d'ordre méthodologique (*se donner des méthodes de travail efficaces*). Les situations d'apprentissage sont souvent amorcées par des questions que se pose l'élève sur des réalités sociales ou par des problèmes qui l'interpellent. Pour répondre à ces questions, l'élève doit chercher de l'information pertinente et l'exploiter. Cette démarche de recherche doit être systématique et rigoureuse, et l'élève doit donc adopter des méthodes de travail efficaces.

Une autre compétence d'ordre intellectuel, *exercer son jugement critique*, est aussi largement exploitée dans la démarche de recherche. L'élève exercera son jugement critique pour s'assurer de la validité et de la pertinence des informations recueillies, en apprenant notamment à distinguer un fait d'une opinion. En interprétant le changement dans une société et sur son territoire ou en comparant deux sociétés entre elles, l'élève sera aussi amené à exercer un jugement critique.

La compétence d'ordre méthodologique *exploiter les technologies de l'information et de la communication* est souvent sollicitée soit pour trouver des informations à travers le réseau Internet, soit pour communiquer les résultats par l'utilisation du traitement de texte ou d'un logiciel graphique. Par ailleurs, les conceptions psychopédagogiques qui sous-tendent la Réforme prônent une démarche pédagogique constructiviste qui amène constamment l'élève à *communiquer de façon appropriée* en mettant l'accent sur le partage des découvertes.

L'ensemble du matériel *Cyclades* favorise également le développement des compétences d'ordre personnel et social : *structurer son identité* et *coopérer*. Coopérer est une compétence transversale particulièrement sollicitée dans les situations d'apprentissage qui favorisent le développement de la compétence 3 (s'ouvrir à la diversité des sociétés et de leur territoire). En prenant conscience des événements du passé et de leur impact sur le présent, l'élève se reconnaît comme membre d'une collectivité et, par conséquent, s'y intègre de façon plus harmonieuse. Il apprend à se situer parmi les autres et à reconnaître ses propres valeurs. Tout cela l'amène à construire son identité.

Le traitement de l'univers social dans *Cyclades*

Les 44 situations proposées en géographie, histoire et éducation à la citoyenneté dans les manuels d'enseignement A, B, C et D permettent amplement de développer les diverses compétences en univers social. Certaines des situations qui n'étudient pas comme telles les sociétés identifiées dans le programme sur le plan des savoirs essentiels permettront toutefois de traiter la compétence : histoire du Moyen Âge ou histoire contemporaine d'autres sociétés du monde par exemple. Plusieurs situations permettront en outre de traiter plus spécifiquement l'éducation à la citoyenneté.

On trouvera dans les manuels *Cyclades* A, B, C et D certains des contenus spécifiques liés aux diverses sociétés à l'étude au 3e cycle, mais présentés dans une perspective thématique. Ainsi, on traitera du climat au thème 7 (*Les catastrophes naturelles*), des habitations au thème 9 (*Bâtir*), des fêtes au thème 14 (*Rites et cérémonies*), etc.

Plusieurs projets rejoignent traitent spécifiquement la géographie, l'histoire et l'éducation à la citoyenneté :

Le thème 1 : *La justice* (élaborer une charte des droits et responsabilités);

Le thème 7 : *Les catastrophes naturelles* (étudier la diversité du climat et l'impact de cette diversité sur la société québécoise et canadienne);

Le thème 9 : *Bâtir* (s'intéresser au patrimoine québécois en réalisant un album sur le patrimoine).

Le thème 11 : *La démocratie* (mettre sur pied une structure démocratique en classe);

Le thème 16 : *La conquête de l'Ouest* (réaliser un journal d'époque en s'interrogeant sur diverses sociétés des Prairies et de la Côte Ouest).

Comme on l'a vu plus haut, aux quatre manuels de base s'ajoute un manuel spécifiquement consacré à l'univers social dans lequel les élèves pourront trouver des renseignements sur le fonctionnement de l'ensemble des sociétés à l'étude et des outils pour les situer dans le temps et l'espace (cartes, lignes du temps, tableaux et diagrammes). On trouvera aussi dans le présent guide des cartes muettes (p. 78-81) que les élèves pourront utiliser pour mieux situer les sociétés sur leur territoire.

Les élèves seront invités à recourir à différentes ressources visuelles, médiatiques ou écrites pour trouver réponse à leurs questions. Ils auront à traiter et à organiser les connaissances acquises dans diverses productions (affiches, présentations orales, lettres, rapports de recherches, simulations d'interviews, maquettes, schémas, etc.).

La démarche de recherche en géographie, histoire et éducation à la citoyenneté

Dans *Cyclades*, nous avons choisi de mettre un accent particulier sur la démarche de recherche, une démarche qui rejoint les visées constructivistes de la Réforme. La démarche de recherche proposée dans *Cyclades* comprend six étapes qu'on pourra adapter aux situations et aux besoins.

1ʳᵉ étape : L'élève doit poser le problème à résoudre ou préciser une question qui l'interpelle suffisamment pour l'inciter à se lancer dans une démarche de recherche. Cela fait, l'élève se rappelle les connaissances qu'il ou elle possède déjà sur le sujet, ce qui l'aide à orienter sa recherche.

2ᵉ étape : L'élève identifie ce qu'il ou elle veut apprendre sur le sujet, ce qui l'amène à dégager les divers aspects du problème ou de la question. Il s'agit donc ici de bien cibler l'objet de la recherche et de la circonscrire suffisamment pour pouvoir la mener à bien.

3ᵉ étape : L'élève se fait un plan de travail et rassemble des sources documentaires pertinentes. Il faut donc se donner des méthodes de travail efficaces et se munir d'outils de recherche performants.

4ᵉ étape : À cette étape, on traite les informations qu'on a recueillies. Cela implique un système de classement des informations et une validation des informations recueillies qui permettent d'éliminer celles qui sont inexactes ou inutiles. C'est à cette étape que l'on doit plus particulièrement distinguer les faits des opinions.

5ᵉ étape : L'élève fait la synthèse des éléments qu'il ou elle a rassemblés et transmet à ses camarades les éléments essentiels de ses découvertes en utilisant divers supports visuels : tableaux, graphiques, photos, diagrammes, etc. L'élève doit à cette étape préciser ses sources d'information, un impératif en histoire et en géographie.

6ᵉ étape : À cette dernière étape, l'élève identifie les nouvelles connaissances acquises au cours de la recherche en les comparant avec ses connaissances initiales, et pose un regard critique sur sa démarche pour pouvoir l'améliorer dans une situation ultérieure.

Matériel utile

Le matériel suivant devrait suffire pour le 3ᵉ cycle.

- Le manuel d'univers social *Cyclades*
- Des globes terrestres
- Une mappemonde, une carte, de l'Amérique du Nord, , une carte du Canada, des cartes du Québec (à différentes échelles) et une carte de la vallée du Saint-Laurent
- Des cartes analytiques et synthétiques, des cartes muettes (p. 78-81), des cartes historiques, des cartes géographiques anciennes et récentes des différentes régions du Québec
- Des compas, des règles et du fil pour travailler sur les cartes
- Des atlas, des encyclopédies
- Des plans, des maquettes, des croquis
- Des lignes du temps graduées en millénaires, en siècles et en décennies
- Des boussoles
- Des cassettes audio et vidéo, un magnétophone et une caméra vidéo

Les savoirs essentiels

Les savoirs essentiels concernent les diverses sociétés à étudier au 3ᵉ cycle : la société canadienne en Nouvelle-France vers 1745, la société canadienne vers 1820 et la société québécoise vers 1905 et 1980, la société canadienne des Prairies vers 1905, la société canadienne de la Côte Ouest vers 1905, la société inuite vers 1980, la société micmaque vers 1980 et des sociétés non démocratiques vers 1980. Toutes ces sociétés sont traitées dans les 8 dossiers du manuel d'univers social *Cyclades*. Les élèves y trouveront de la documentation accessible et richement illustrée, aini que des outils de recherche qui en font un ouvrage de référence idéal.

Le Programme de formation prescrit également l'apprentissage de techniques liées à la géographie ou à l'histoire : lire et interpréter des cartes, des documents iconographiques et des climatogrammes, utiliser un atlas ou la rose des vents, localiser un lieu sur un plan ou repérer des informations à teneur géographique dans un document, construire et lire une ligne du temps, calculer des durées, utiliser des repères chronologiques, etc. L'apprentissage de l'ensemble de ces techniques, amorcé au 2e cycle, se poursuivra tout au long du 3e cycle.

Un tableau (p. 82-85) résume les techniques et les savoirs essentiels traités au cours de la première année du cycle en géographie, histoire et éducation à la citoyenneté dans *Cyclades*.

Carte muette du Québec

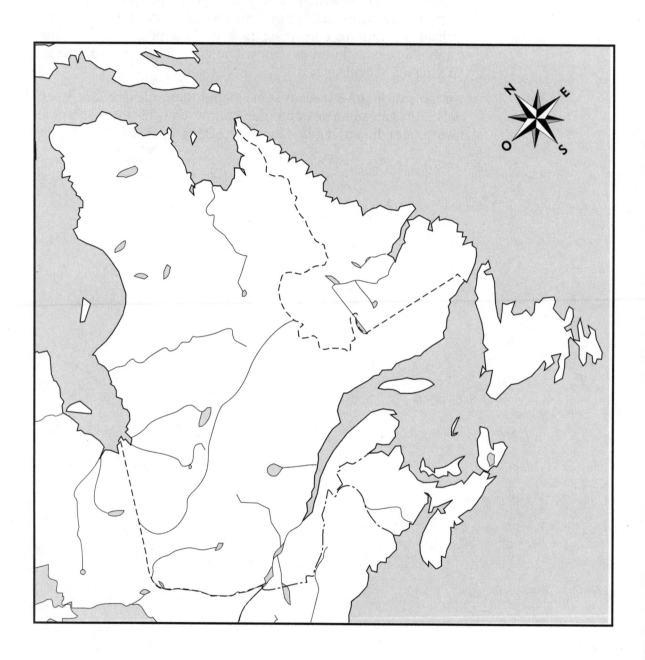

Carte muette du Canada

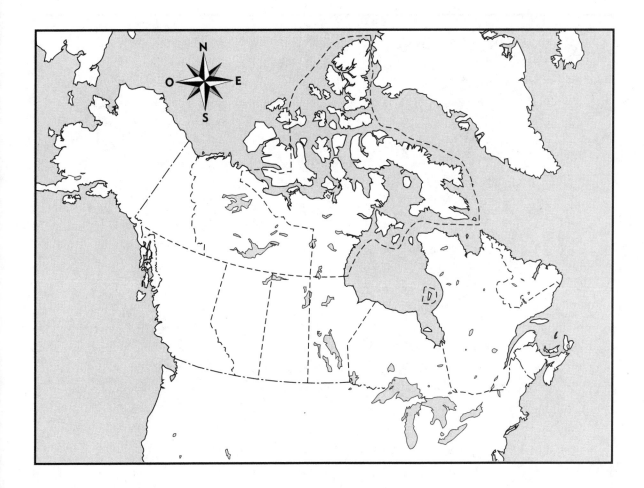

Carte muette de l'est du Canada

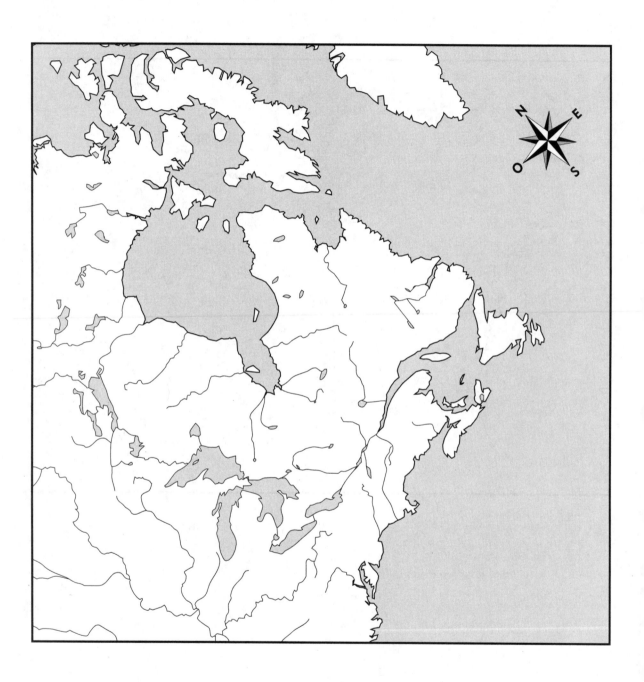

Carte muette de l'est de l'Amérique du Nord

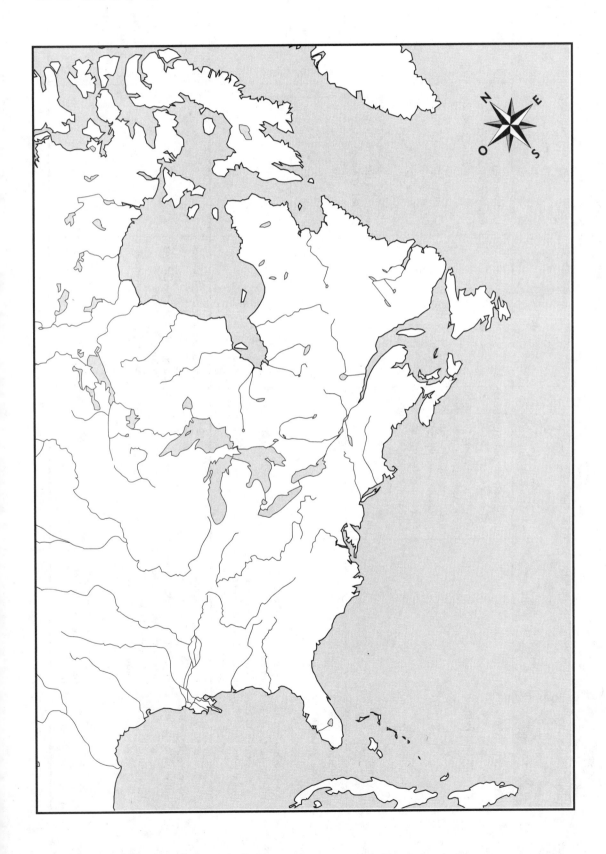

Savoirs essentiels

Univers social	Compétence 1 Lire l'organisation d'une société sur son territoire	Compétence 2 Interpréter le changement dans une société et sur son territoire	Compétence 3 S'ouvrir à la diversité en comparant des sociétés et leur territoire	Techniques	Repères culturels
Th. 1/Situation 3 Un nouveau roi, de nouvelles lois		**La société canadienne entre 1745 et 1820** Territoire occupé, population, système de gouvernement, application des lois, présence anglophone Premiers gouverneurs, loyalistes, conquête, guerre d'indépendance américaine		Lecture de cartes Interprétation de cartes Utilisation d'une rose des vents Construction d'une ligne du temps Lecture d'une ligne du temps Utilisation de repères chronologiques (décennies, siècles, millénaires)	
Th. 1/Situation 9 Conseil de coopération					Éveil à la démocratie au moyen d'un conseil de coopération
Th. 1/Situation 11 La Charte des droits et responsabilités des élèves	**La société québécoise vers 1980** Réalités politiques et éléments de continuité avec le présent : chartes des droits				
Th. 4/Situation 5 La consommation autrefois	**La société québécoise vers 1905** Population, mode de vie, occupation du sol, réalités culturelles, activités économiques, voies de communication Incidence de l'urbanisation et de l'industrialisation sur l'organisation sociale et territoriale		**La société québécoise vers 1905** **La société canadienne des Prairies vers 1905** Les activités économiques		

Savoirs essentiels

Univers social	Compétence I Lire l'organisation d'une société sur son territoire	Compétence 2 Interpréter le changement dans une société et sur son territoire	Compétence 3 S'ouvrir à la diversité en comparant des sociétés et leur territoire	Techniques	Repères culturels
Th. 5/Situation 2 Le monde du travail à la fin du 19e siècle	**La société québécoise vers 1905** Activités économiques : industries et commerce Réalités culturelles : alimentation, habillement, coutumes Influence de l'industrialisation et de la syndicalisation sur l'organisation sociale	**La société québécoise entre 1905 et 1980** Évolution du monde du travail			
Th. 5/Situation 3 Aller là où se trouve le travail	**La société québécoise vers 1905** Répartition, composition et nombre approximatif de la population Moyens de transport terrestres et maritimes Voies de communication : routes, voies ferrées, canaux Influence de l'émigration, de la colonisation, de l'urbanisation et de l'industrialisation sur l'organisation sociale et territoriale			Lecture d'une carte Interprétation d'un tableau	
Th. 6/Situation 1 Voyage dans le temps				Élaborer une ligne du temps	Situer le Moyen Âge
Th. 6/Situation 2 La vie de château					Le Moyen Âge

Savoirs essentiels

Univers social	Compétence 1 — Lire l'organisation d'une société sur son territoire	Compétence 2 — Interpréter le changement dans une société et sur son territoire	Compétence 3 — S'ouvrir à la diversité en comparant des sociétés et leur territoire	Techniques	Repères culturels
Th. 6/Situation 3 Table ronde sur les croyances et superstitions					Le Moyen Âge
Th. 6/Situation 4 Planification du projet					Le Moyen Âge
Th. 6/Situation 5 Dans la peau d'un personnage médiéval					Le Moyen Âge
Th. 6/Situation 11 La maquette médiévale					Le Moyen Âge
Th. 7/Situation 6 Les catastrophes au Canada	**Les sociétés à l'étude** Atouts et contraintes du territoire occupé : relief, éléments du climat, hydrographie		**Les sociétés à l'étude** Caractéristiques du territoire occupé Occupation du territoire		
Th. 9/Situation 1 Conférences de rédaction	**Les sociétés canadienne et québécoise** Éléments de continuité avec le présent : les constructions patrimoniales			Repérage d'informations historiques dans un document Orientation d'un plan, d'une carte Localisation d'un lieu sur un plan	
Th. 9/Situation 2 Le bâtiment, miroir des civilisations				Élaborer une ligne du temps	Le bâtiment à travers les âges

Savoirs essentiels

Univers social	Compétence 1 Lire l'organisation d'une société sur son territoire	Compétence 2 Interpréter le changement dans une société et sur son territoire	Compétence 3 S'ouvrir à la diversité en comparant des sociétés et leur territoire	Techniques	Repères culturels
Th. 9/Situation 3 Héritage du passé	**La société canadienne vers 1745 et vers 1820** Répartition, composition et nombre approximatif de la population Expansion territoriale Présence anglophone, habitations, ouverture de chantiers, commerce du bois, creusage de canaux, commerçants anglais, Loyalistes, guerre d'indépendance américaine	**La société canadienne de 1745 à 1820** Territoire occupé, présence anglophone, commerce du bois, canalisation, évolution de l'habitation		Interprétation de diagrammes	
Th. 9/Situation 4 Les bâtisseurs	**La société canadienne vers 1820** **La société québécoise vers 1905** Influence de personnages sur l'organisation sociale				

ARTS

Présentation du domaine des arts

Le domaine des arts est celui de l'imagination et de l'intuition. Par la pratique des arts, on amènera l'élève à s'ouvrir au monde de la sensibilité, de la subjectivité et de la créativité. « Apprendre à créer, à interpréter et à apprécier des productions artistiques de façon à intégrer la dimension artistique dans sa vie quotidienne » (Programme de formation, p. 190), voilà l'objectif général du domaine des arts.

Ce domaine, comme on le sait, comprend quatre disciplines : l'art dramatique, les arts plastiques, la danse et la musique. Si chacune possède des modes d'expression, des règles et des principes qui lui sont propres, toutes permettent à l'élève d'exprimer ses sentiments et sa vision du monde à travers la création et l'interprétation de productions artistiques. Le matériel *Cyclades* traite deux de ces disciplines : l'art dramatique et les arts plastiques.

Cyclades amène l'élève à développer son esprit critique et son sens esthétique tout en élargissant ses horizons culturels. C'est pourquoi nous insistons tant sur la fréquentation de lieux de culture : galeries d'art, salles de spectacles, musées, théâtres, maisons de la culture, etc. Cela permettra à l'élève de s'ouvrir à différentes formes d'expressions artistiques, de développer sa sensibilité face aux œuvres d'hier et d'aujourd'hui, et de faire des choix éclairés.

La démarche de création en art

L'élève intégrera la démarche de création en art en réalisant des productions artistiques variées. La démarche compte trois étapes qui lui seront constamment rappelées au fil des situations.

1. L'inspiration

À cette étape, l'élève donne libre cours à son imagination à partir d'une proposition, entreprend une démarche de recherche en envisageant plusieurs pistes pour réaliser sa production et commence à faire des choix.

2. L'élaboration

L'élève continue d'exploiter les idées que lui inspire la proposition de départ, mais utilise ici le langage, les techniques et les savoirs propres à la discipline. À cette étape, on expérimente, on combine des éléments, on fait divers essais, on confronte ses idées à celles des camarades, on s'exerce ou on répète, et on apprend à maîtriser les techniques nécessaires pour réaliser sa production.

3. La mise en perspective

Au cours de cette étape, l'élève prend une distance face à sa production pour s'ajuster, puis la finalise en mettant en valeur certains éléments et en fixant ses choix.

Art dramatique

Présentation de la discipline *Art dramatique*

Ressentir le plaisir de créer et d'interpréter des œuvres où interagissent des personnages sur une scène, voilà essentiellement ce que propose aux élèves le programme d'art dramatique. En jouant avec leur corps et leur voix, en expérimentant des jeux de lumière et de sons, en choisissant des costumes et des décors, les élèves s'efforcent d'exprimer la réalité d'une époque. Ils font ressortir des émotions, caricaturent des gestes et des actions, cherchent à faire rire ou à faire pleurer des spectateurs. C'est la dimension proprement théâtrale de la discipline.

L'art dramatique permet de faire émerger le potentiel créateur de l'élève et de développer son habileté à improviser et à interpréter des séquences. Les répétitions, la réalisation d'effets sonores et visuels, le jeu lui-même et le retour critique sur ce jeu sont autant d'occasions pour l'élève de s'investir sur les plans affectif, cognitif, psychomoteur, social et esthétique.

En inventant des séquences dramatiques, l'élève s'approprie la démarche de création en explorant les diverses possibilités offertes par le langage dramatique. L'interprétation de séquences dramatiques l'amène ensuite à développer des techniques théâtrales et à expérimenter des modes de théâtralisation. Par ailleurs, le travail en art dramatique est, de par sa nature même, un travail collectif où chaque élève trouve son compte en participant à une création collective élaborée puis présentée en étroite relation avec les autres.

Les compétences disciplinaires en art dramatique

Dans le Programme de formation , on retrouve trois compétences rattachées à l'art dramatique. Les deux premières, qui consistent à inventer des séquences dramatiques et à interpréter des séquences dramatiques, amènent l'élève à acquérir le langage, les règles, les outils et les principes propres à l'art dramatique. La troisième, qui consiste à apprécier des œuvres théâtrales, ses réalisations, celles de ses camarades, accompagne toujours les deux premières. Elle permet à l'élève de développer son esprit critique, de faire des choix, de connaître ses préférences et d'apprendre à apprécier des œuvres sans nécessairement tout accepter.

Compétence 1 : Inventer des séquences dramatiques

En inventant des séquences dramatiques, l'élève explore le langage, les règles et les outils propres à la discipline et peut y recourir dans d'autres contextes et d'autres créations. Au 3e cycle, l'élève utilise de façon consciente chacune des étapes de la démarche de création et traduit dans sa réalisation tous les aspects de la proposition initiale. Il ou elle saisit l'essence des personnages, articule davantage la fable, maîtrise de plus en plus les techniques de jeu, les techniques théâtrales, les modes de théâtralisation et les structures.

Compétence 2 : Interpréter des séquences dramatiques

Au moment de l'interprétation, l'élève exprime à son public des idées, des sentiments, des sensations ou des émotions. Son interprétation est gestuelle, verbale, expressive et elle correspond à l'atmosphère de l'extrait ou de la courte pièce à jouer. L'élève tient compte des règles du jeu d'ensemble et joue avec expressivité. Il ou elle décrit ses apprentissages sur le plan du langage dramatique, des techniques utilisées, des modes de théâtralisation et des structures dramatiques. Le partage de son expérience d'interprète lui permet de prendre conscience de son corps, son principal instrument, de développer des gestuelles et des mimiques de plus en plus fines, et de réinvestir ces acquis dans d'autres interprétations. Au 3e cycle, l'élève met en scène des dialogues ou des extraits de textes tirés du répertoire de théâtre.

Compétence 3 : Apprécier des œuvres théâtrales, ses réalisations et celles de ses camarades

Pour pouvoir prendre une distance par rapport à des œuvres théâtrales, ses réalisations et celles de ses camarades, l'élève doit avoir de multiples occasions d'apprécier des œuvres théâtrales. En entrant en contact avec des œuvres variées, on développe en effet sa conscience artistique et on aiguise sa sensibilité aux qualités esthétiques et techniques d'une œuvre.

Ce processus de critique doit se faire dans un esprit d'ouverture et de respect. Au 3e cycle, au cours d'activités d'observation, l'élève repère des éléments dramatiques ou théâtraux. Il ou elle peut comparer des extraits ou différentes interprétations d'un même extrait. Il ou elle utilise de façon pertinente le vocabulaire disciplinaire et décrit les éléments de contenus présents dans la séquence dramatique. L'élève constatera également que les œuvres sont inscrites dans une époque et dans un contexte culturel donnés. Cette découverte lui permettra de raffiner son analyse des œuvres et lui fera entrevoir les richesses de la diversité culturelle.

L'arrimage avec les compétences transversales

L'invention et l'interprétation de séquences dramatiques mettent en jeu toutes les compétences transversales, mais plus particulièrement la compétence à *mettre en œuvre sa pensée créatrice*. Pendant la phase d'inspiration, on s'imprègne des éléments de la situation et on en anticipe globalement l'issue. Pendant la phase d'élaboration, on imagine différentes façons de faire, on se représente différents scénarios et on projette diverses modalités de réalisation.

Présenter des improvisations, une pièce de théâtre ou s'inspirer de la *commedia dell'arte*, en pensant à la mise en scène, aux costumes, aux décors, aux programmes et aux invitations sont autant d'occasions de *résoudre des problèmes*. Après avoir maîtrisé la situation, les élèves doivent faire preuve d'organisation et *se donner des méthodes de travail efficaces* pour gérer le matériel et le temps, se répartir les tâches, se fixer des objectifs et respecter un calendrier.

En appréciant des œuvres théâtrales, l'élève apprend à *exercer son jugement critique*. Par ailleurs, le théâtre permet de faire émerger ses émotions cachées, de les canaliser à travers l'expression dramatique, d'exprimer ses images intérieures et, par le fait même, de *structurer son identité*. De plus, le travail en art dramatique amène toujours les élèves à *coopérer* et à *communiquer de façon appropriée* dans ce mode d'expression particulier qu'est le théâtre.

Le traitement de l'art dramatique dans *Cyclades*

Au cours du cycle, les élèves utiliseront un carnet d'art dramatique. On pourra se servir de cet outil pour observer leur cheminement et l'utiliser comme aide-mémoire pour faire un retour sur les apprentissages.

Dans les manuels d'enseignement, les projets suivants sont plus spécifiquement consacrés à l'art dramatique :

- Thème 2 : *Un monde imaginaire* (préparer un défilé de personnages imaginaires);
- Thème 4 : *La consommation* (présenter une pièce de théâtre sur le thème de la consommation);
- Thème 10 : *La* commedia dell'arte (monter une *commedia dell'arte*);
- Thème 12 : *Peurs et phobies* (organiser une fête pour les petits sur le thème de la peur);
- Thème 14 : *Rites et cérémonies* (organiser une fête pour Noël où l'on présentera des improvisations et des montages poétiques).

La démarche type en art dramatique

Chacune des situations en art dramatique comprend plusieurs séances ou ateliers. Voici le déroulement type d'une leçon ou d'un atelier.

1. La préparation du travail

Pour préparer les élèves, on les invite à faire des exercices de concentration et de respiration qu'on décrit dans les sections *Connaissances et techniques*. Ces exercices devraient durer de 5 à 10 minutes.

2. Le travail corporel, le travail vocal, les exercices de concentration et d'écoute

On prévoit une période d'échauffement physique d'environ 10 minutes. Il s'agit de faire travailler le rythme et le mouvement, souvent avec de la musique. Après les exercices de respiration et l'échauffement, on peut s'attarder à la voix, à la concentration ou à l'écoute à l'aide d'une série d'exercices en lien plus ou moins étroit avec l'objet de la théâtralisation. On trouvera là encore des suggestions d'activités dans les sections *Connaissances et techniques*. On peut compter 10 minutes environ pour ces exercices.

3. Le jeu dramatique

Selon les situations, il s'agit d'improviser ou de préparer un scénario ou encore d'interpréter une pièce. En équipe, les élèves préparent la séquence dramatique à inventer ou à interpréter. Ils s'approprient les personnages, le trajet, la façon de se tenir, etc. Ils préparent les décors, les costumes, les effets sonores et visuels. Ce travail dure de 15 à 30 minutes selon la séquence. La période de temps accordée peut bien sûr être beaucoup plus longue s'il s'agit de préparer une pièce complète.

4. La relaxation

On termine généralement la séance par un exercice de respiration et de relaxation. Ce retour au calme dure environ 5 minutes.

Conseils pratiques et matériel

Pour transformer une salle de classe en un espace scénique ou pour qu'elle ressemble à un vrai théâtre, il suffit de placer les chaises et les pupitres d'un seul côté de la classe pour aménager l'espace où le public pourra s'asseoir, face à la scène.

Dans une caisse qu'on mettra au fond de la classe et qu'on décorera avec des affiches de théâtre, des masques, des illustrations de personnages, etc., on invitera les élèves à placer des accessoires et d'anciens habits dont ils n'ont plus besoin (chapeau, vieille robe, chemise usagée, vieux pantalons, etc.). Le contenu de la caisse s'enrichira graduellement au cours des mois. Plus il y aura d'accessoires, de costumes et d'objets de décors, plus les élèves feront preuve d'imagination lors de leurs improvisations et interprétations.

On prévoira aussi des cubes de hauteurs différentes qui permettront de jouer sur différents niveaux et qui deviendront, selon l'imagination des élèves, un escalier, une montagne, un canapé, une forteresse, etc. On se servira de tapis de gymnastique lors des exercices de respiration et de relaxation.

Par ailleurs, de simples cordes se prêteront aux usages les plus divers : simuler le fil d'un micro, une corde à linge, une balançoire, délimiter un espace scénique, etc. On se servira aussi de balles, de quilles et de cerceaux pour faire des jeux d'attention et de concentration. Faire de l'art dramatique demande en fait peu de matériel. Il est préférable d'insister sur l'expression dramatique plutôt que sur l'élaboration de costumes et de décors complexes.

Les savoirs essentiels

En art dramatique, les élèves sont continuellement en action. Ils touchent l'ensemble des savoirs essentiels concernant le langage dramatique, les techniques de jeu, les techniques théâtrales, les modes de théâtralisation et les structures. Au 3e cycle, une technique théâtrale est plus particulièrement mise en pratique : le jeu masqué. À quelques occasions, les élèves travailleront les masques de caractère en jouant des personnages de la *commedia dell'arte*. On travaillera également le masque neutre en amenant l'élève à exprimer ses émotions avec son corps.

Le tableau qui suit résume les techniques et les savoirs essentiels abordés au cours de la première année du cycle en art dramatique dans *Cyclades*.

Art dramatique	Techniques théâtrales	Connaissances et techniques
Th. 1/ Situation 6 À la Cour		Occupation de l'espace
Th. 2/Situation 8 Personnages improvisés		Écriture d'un canevas Improvisation collective Attention, écoute, direction du regard concentration, respect, équilibre/déséquilibre
Th. 2/Situation 9 Montage poétique		Voix d'ensemble : chœur Exercice de voix sonore et de mouvements Occupation de l'espace, niveaux
Th. 2/Séquence 10 Créer une ambiance		Costume, scénographie et environnement sonore
Th. 4/Situation 7 Dans l'esprit de Noël		Costume, caractère du personnage Mimique, prononciation
Th. 4/Situation 8 Mise en scène : *Dans l'esprit de Noël*		Caractéristiques de la fable, caractère du personnage Marches, équilibre/déséquilibre Prononciation, débit, rythme, projection du son Écoute, attention, concentration, respiration Aménagement (objets et espace) et transformation de l'aire de jeu
Th. 6/Situation 6 Romans de chevalerie	Théâtre de lecteurs	Gestes et mimiques, voix parlée Caractère du personnage Exagération et précision des gestes
Th. 8/Situation 6 Rendez-vous manqué en séquences dramatiques		Détente Éléments de costumes, accessoires Texte dramatique Techniques de jeu
Th. 9/Situation 9 Montage poétique		Voix d'ensemble : chœur Langage dramatique et techniques de jeu
Th. 10/Situation 4 La *commedia dell'arte*	Jeu clownesque Jeu masqué (masque de caractère)	Caractère du personnage Attention, écoute Assouplissement, détente, amplitude, Voix parlée : intensité, ton et débit Improvisations
Th. 10/Situation 5 Écrire *Les mères fantômes*		Écriture d'un canevas Indications scéniques Gestes, mimiques

Art dramatique	Techniques théâtrales	Connaissances et techniques
Th. 10/Situation 6 Jouer *Les mères fantômes*		Costumes Bruitage Aménagement de l'aire de jeu Occupation de l'espace Attention, écoute, détente, équilibre/déséquilibre Mémorisation
Th. 10/Situation 7 Chanter, danser, sauter		Voix d'ensemble Mémorisation : gestes, trajets et mouvements

Arts plastiques

Présentation de la discipline *Arts plastiques*

Dès la prime enfance, les enfants cherchent à laisser des traces de leur compréhension du réel en créant des images auxquelles ils donnent du sens, et celles-ci évoluent selon des étapes assez précises. L'évolution graphique débute vers l'âge de deux ans et se termine généralement à l'adolescence. Naturelles au départ, les habiletés en arts plastiques doivent ensuite être guidées par un enseignement approprié. La formation en arts plastiques permet à l'élève «de développer son potentiel créateur au regard du monde visuel et ses habiletés à symboliser, exprimer et communiquer par le biais de l'image » (Programme de formation, p. 210).

Les compétences disciplinaires en arts plastiques

En arts plastiques, l'élève crée des images dans la matière en utilisant un ensemble d'outils et de gestes transformateurs. Deux des trois compétences en arts plastiques se rapportent directement à l'expression : réaliser des créations plastiques personnelles et réaliser des créations plastiques médiatiques. La création plastique médiatique porte en elle-même le message et répond à une intention précise de l'artiste. La troisième compétence, qui consiste à apprécier des œuvres d'art, des objets culturels du patrimoine artistique, des images médiatiques, ses réalisations et celles de ses camarades, amène l'élève à porter un jugement critique et esthétique sur une œuvre, sur sa composition, sur les techniques employées pour la réaliser et sur la réalité socioculturelle qu'elle véhicule. Dans chacune des situations d'arts plastiques présentées aux élèves, la troisième compétence sera toujours associée à l'une des deux premières.

Compétence 1 : Réaliser des créations plastiques personnelles

En réalisant des créations plastiques personnelles, l'élève développe son identité personnelle et sa connaissance du monde. Chacune de ses créations traduit en effet sa personnalité, son expérience et ses aspirations. En transformant des matériaux, l'élève entre en contact avec le langage propre aux arts plastiques et partage son expérience de création pour mieux s'approprier ses apprentissages et pour les réinvestir dans des créations ultérieures. Au 3e cycle, les élèves élargissent leur langage plastique et exploitent des agencements complexes et variés d'éléments dans l'espace. Ils utilisent de façon consciente chacune des étapes de la démarche de création et ils apprennent à décrire leurs apprentissages et les moyens techniques qu'ils utilisent.

Compétence 2 : Réaliser des créations plastiques médiatiques

En créant des réalisations plastiques médiatiques, l'élève enrichit sa connaissance de soi et prend conscience de la fonction de communication de l'image. Il s'agit ici de communiquer des messages précis à des destinataires bien identifiés. Cette habileté à communiquer des messages graphiques se développe au fil des situations grâce au partage des expériences de création et à la rétroaction des destinataires. L'élève adapte de façon personnelle la façon de traduire le message à transmettre par sa création et décrit les apprentissages qu'il ou elle a faits pendant la réalisation.

Compétence 3 : Apprécier des œuvres d'art, des objets culturels du patrimoine artistique, des images médiatiques, ses réalisations et celles de ses camarades

Pour développer cette compétence, il est important de mettre l'élève en contact avec des œuvres variées de diverses époques et cultures, et de lui faire aussi apprécier ses propres réalisations et celles de ses camarades. On observera dans les manuels *Cyclades* de nombreuses reproductions d'œuvres d'artistes connus (Armand, François Boucher, Pieter Bruegel l'Ancien, Chagall, César, Cézanne, Christo, Jean Dallaire, Léonard De Vinci, Marcel Duchamp, Max Ernst, Marcelle Ferron, Klimt, Jean-Paul Lemieux, Édouard Manet, Hélène Matte, Moore, Claude Morin, Oldenburg, Alfred Pellan, Camille Pissaro, etc.), et plusieurs photographies d'objets culturels et d'images médiatiques.

À plusieurs occasions, on invitera les élèves à apprécier des œuvres connues, leurs réalisations et celles de leurs camarades. L'élève portera un jugement à partir de ses réactions personnelles, mais aussi à partir de critères déterminés en lien avec le langage plastique en utilisant le vocabulaire disciplinaire approprié. En partageant ses expériences d'appréciation, l'élève s'ouvre à la diversité culturelle, mais en apprend aussi sur soi-même.

L'arrimage avec les compétences transversales

Tout comme en art dramatique, la compétence *mettre en œuvre sa pensée créatrice* est plus particulièrement touchée au moment de la création plastique. À l'occasion, l'élève cherchera de l'information sur un ou une artiste, sur ses œuvres ou sur un mouvement artistique, ce qui l'amènera à *exploiter de l'information*. Il lui faudra aussi dans bien des cas *résoudre les problèmes* posés par certaines situations (décorer une salle, imaginer un décor de théâtre, créer une affiche de promotion, etc.), car les arts plastiques viennent souvent renforcer d'autres moyens d'expression.

Comme on l'a vu plus haut, la 3e compétence fournit de multiples occasions d'*exercer son jugement critique* en s'appuyant sur divers critères : le choix des couleurs, l'organisation dans l'espace, les motifs, les textures, etc. Pour formuler les appréciations, il faudra par ailleurs constamment *communiquer de façon appropriée* en utilisant le langage propre aux arts plastiques. Les aspects techniques étant très importants en arts plastiques, l'élève devra aussi *se donner des méthodes de travail efficaces*.

À plusieurs occasions, on suggère de faire les gestes transformateurs en arts plastiques à l'aide de l'ordinateur. Les élèves s'initieront à différents logiciels graphiques et pourront donc *exploiter les technologies de l'information et de la communication*.

Les arts plastiques dans *Cyclades*

Dans les manuels d'enseignement A, B, C et D, on propose 45 situations en arts plastiques qui amèneront les élèves à utiliser des techniques et médiums variés. Ces situations permettent de traiter l'ensemble des compétences en arts plastiques, et les élèves auront de multiples occasions de réaliser des créations personnelles ou médiatiques. On trouve des situations en arts plastiques dans tous les thèmes, sauf au thème 17. Le thème 18, *L'art aujourd'hui*, est presque entièrement consacré aux arts plastiques (animer une galerie d'art).

Les arts plastiques ont aussi une grande importance dans trois autres projets. Au thème 6, *Le Moyen Âge*, les élèves réaliseront une tapisserie médiévale, illustreront un univers en lien avec le Moyen Âge et feront une maquette. Au thème 8, *Le roman*, les élèves illustreront les pages couvertures de leurs chapitres, enlumineront certaines pages et imagineront des affiches. Les arts plastiques seront aussi largement exploités au thème 14, *Rites et cérémonies*, pour apprécier des gravures d'époque, réaliser un chansonnier, présenter des vœux poétiques et faire des décorations pour la table.

Au cours du cycle, les élèves utiliseront un carnet d'arts plastiques pour noter leurs inspirations, réaliser des croquis, planifier l'organisation de l'espace, donner des pistes d'appréciation et inscrire des réflexions qui les aideront à apprécier des œuvres ou des réalisations.

Une section du carnet sera consacrée à l'élaboration d'un aide-mémoire en arts plastiques, le *vade-mecum*. Cet outil, que les élèves créeront eux-mêmes au fil des situations, les aidera à s'approprier le langage plastique. Il servira aussi d'outil de référence privilégié quand viendra le temps d'apprécier les œuvres : les couleurs, les formes, les lignes, les motifs, l'organisation de l'espace, les textures et les volumes.

Au 3e cycle, on invitera les élèves à expérimenter un ensemble très varié de gestes transformateurs et d'outils :

- La peinture à la gouache au pinceau, à la brosse ou à l'éponge avec différents objets pour réaliser des paysages, un programme, un album pour des petits, des vœux poétiques, etc.

- Le dessin au crayon-feutre, au pastel à l'huile, au pastel sec ou à l'encre pour créer son portfolio, des décorations, une tapisserie, un album sur le patrimoine, des calligrammes, etc.

- Le collage avec du papier, du carton, des objets de récupération, du papier peint, du tissu ou des revues pour réaliser des affiches, des maquettes, la page couverture d'un roman, des masques, des décors, etc.

- La gravure avec de la pâte à cartogravure, du pastel à l'huile et de la gouache pour réaliser des décorations, des cadeaux, l'image d'un monde imaginaire, etc.

- L'impression avec de la gouache, de la craie de cire et des objets divers pour faire des créations, la page couverture d'un magazine, un album, des décorations, une toile, etc .

- Le modelage avec de la pâte à modeler ou de l'argile pour faire des figurines, des décorations de Noël, un objet d'art inuit.

- Le façonnage et l'assemblage avec du papier, du carton ou du tissu pour fabriquer des représentations d'une planète, des maquettes médiévales, des affiches, des masques, etc.

- La réalisation d'images à l'ordinateur pour illustrer une recherche, réaliser un album sur le patrimoine, un magazine ou un journal d'époque.

Conseils pratiques

Pour réussir une démarche de création, il faut prendre le temps de recueillir les idées des élèves.

- Leur accorder suffisamment de temps pour expérimenter, l'expérimentation de gestes et d'outils servant de déclencheur à la créativité et à l'imagination.

- Leur laisser du temps pour transformer les matériaux et bien se familiariser avec la technique proposée.

- Favoriser des périodes de partage entre les élèves, car ce sont des occasions privilégiées d'enrichissement et de valorisation.

- Créer un climat propice à la création en mettant de la musique douce et en demandant aux élèves de parler à voix basse.

- Prendre le temps de présenter et d'apprécier les réalisations, et de faire le point sur l'ensemble de la démarche de création.

Matériel utile

Chaque technique des arts plastiques requiert du matériel spécifique. Voici une liste de ce dont vous aurez besoin pour réaliser les différentes situations suggérées dans *Cyclades*.

Pour le dessin

- Du papier : à dessin, pour pastel à l'huile, pour fusain
- Du pastel à l'huile de couleurs variées, du pastel à l'huile blanc et noir, du pastel sec
- Du fusain, de la sanguine, des craies de cire, de l'encre de Chine, des crayons-feutres

Pour la peinture

- Du papier pour gouache
- De la gouache de couleurs primaires (jaune, magenta et cyan), de couleurs secondaires (orangé, vert et violet), noire et blanche

- Des pinceaux de deux grosseurs différentes, des brosses, des éponges

Pour les collages

- Des cartons de couleurs variées et de différentes grandeurs, des cartons de différents plis, du carton ondulé
- De la colle liquide ou en bâton
- Des ciseaux pour droitiers et gauchers

Pour la gravure

- De la pâte à cartogravure
- Du papier d'aluminium pour gravure
- Du polystyrène
- De la pâte à modeler

Pour l'impression

- Du papier pour impression
- Des éponges
- Des objets texturés

Pour le modelage

- De la pâte à modeler et de l'argile (sans cuisson)

Pour le façonnage

- Des cartons de différentes couleurs, des cartons ondulés
- Des retailles de tissu

Pour l'assemblage

- Des boîtes, du papier, du carton, du tissu, de la ficelle, etc.
- De la colle liquide ou en bâton
- Du papier peint

Les élèves peuvent apporter de la maison différents matériaux qui serviront à la réalisation de leurs œuvres : retailles de tissu, papier peint, cartons, contenants, pierres, bois et papier de récupération.

Les savoirs essentiels

En arts plastiques, les savoirs essentiels se divisent en deux grandes catégories : les gestes transformateurs et le langage plastique.

Pour les gestes transformateurs, on fera appel à un ensemble de techniques : le dessin, la peinture, le collage, la gravure, l'impression, le modelage, le façonnage et l'assemblage. Certains de ces gestes seront réalisés à l'aide de l'ordinateur. Les élèves apprendront à maîtriser plusieurs gestes : tracer, appliquer un pigment coloré, déchirer, entailler, découper, coller, ajourer, tracer en creux, imprimer, souder, pincer, plier, entailler, friser et fixer des volumes. Ils utiliseront pour cela différents outils comme la brosse, le pinceau, l'éponge, les ciseaux, la souris et le crayon électronique.

Quant au langage plastique, on le travaillera avec les élèves au moment où ils élaboreront leur aide-mémoire en arts plastiques et lorsqu'ils apprécieront diverses créations.

Arts plastiques	Les gestes transformateurs	Le langage plastique
Th. 1/Situation 1 Un univers injuste	Découper, entailler et assembler du papier ou du carton. Utiliser de la colle proprement.	Utiliser les couleurs chaudes et froides. Organiser l'espace. Utiliser des formes angulaires et arrondies.
Th. 1/Situation 8 L'album des droits de l'enfant	Déchirer du papier ou du carton. Transformer le papier avec ses doigts.	Choisir les couleurs, les motifs. Organiser l'espace en utilisant l'alternance et la perspective.
Th. 1/Situation 10 Pour gérer les apprentissages, le portfolio	Tracer à main levée avec un crayon-feutre. Découper du papier et du carton.	Dessiner par points, par taches, par traits, en aplat. Utiliser les lignes de toutes sortes (horizontales, obliques, longues, brisée...). Utiliser des formes arrondies, angulaires, des couleurs chaudes et froides.
Th. 2/Situation 7 Un défilé miniature	Souder, pincer un matériau malléable (argile, pâte à modeler).	Représenter des textures variées (lignes, formes, couleurs, motifs et organisation de l'espace). La taille et le modelage, le colombin et la galette.
Th. 2/Situation 11 Publiciser le défilé	Découper et assembler du papier et du carton. Façonner du carton ou du papier (le plier, l'entourer, le vriller, l'entailler, le tresser, le friser, le déchirer).	Valeurs (claire ou foncée). Varier les formes, utiliser l'espace, l'asymétrie ou la symétrie.
Th. 3/Situation 9 Poésie en images et sons	Appliquer un pigment coloré (gouache, pinceau, brosse ou éponge).	Peindre par traits, par taches et en aplat. Utiliser des couleurs chaudes ou froides ainsi que des formes angulaires ou arrondies.
Th. 3/Situation 10 L'évolution d'une vie extraterrestre	Fixer et équilibrer des volumes (papier, carton et objets).	Formes tridimensionnelles.
Th. 4/Situation 9 Des décorations	Tracer à main levée. Découper, appliquer un pigment coloré. Entailler, ajourer, assembler, déchirer du papier et du carton.	Utiliser des couleurs contrastantes, des formes et des motifs divers. Décorer avec des lignes de toutes sortes. Utiliser des textures.
Th. 5/Situation 9 Le Petit Prince	Tracer à main levée (pastel à l'huile) et appliquer un pigment coloré (encre) en utilisant le lavis.	Lignes, formes et couleurs. Organisation de l'espace (énumération, juxtaposition, répétition, symétrie et asymétrie). Utiliser la perspective avec chevauchement.
Th. 6/Situation 8 Tapisseries médiévales	Tracer à main levée (crayon-feutre). Utiliser les points, les traits, les hachures. Varier l'épaisseur et la finesse des lignes.	Couleurs, textures, motifs, formes et organisation de l'espace.
Th. 6/Situation 10 Univers partagé	Tracer à main levée. Appliquer un pigment coloré.	Couleurs chaudes ou froides. Différentes formes et lignes.
Th. 6/Situation 11 La maquette médiévale	Souder et pincer un matériau malléable. Plier, entailler, friser papier et carton. Assembler en fixant et équilibrant des volumes.	Formes tridimensionnelles. Organisation et représentation de l'espace. Symétrie et perspective.
Th. 7/Situation 7 Au feu ! Au feu !	Utiliser un logiciel de dessin pour produire une image.	Textures, couleurs et formes.
Th. 7/Situation 10 Rire et catastrophes	Appliquer un pigment coloré (encre de Chine).	Formes et couleurs. Organisation de l'espace (énumération, superposition, juxtaposition). Lignes (étroites, épaisses, en zigzag).

Arts plastiques	Les gestes transformateurs	Le langage plastique
Th. 7/Situation 12 Page couverture	Imprimer (monotype avec gouache) et imprimer (objets divers avec gouache). Appliquer un pigment coloré en aplat, à la tache et au trait.	Formes, lignes, couleurs. Organisation de l'espace (énumération, superposition, juxtaposition). Plan et perspective.
Th. 8/Situation 9 En amorce des chapitres...	Déchirer, entailler et enduire de colle (papier et carton). Dessiner à main levée (crayons-feutres) des lettrines.	Couleurs chaudes ou froides, formes angulaires ou arrondies, superposition et symétrie.
Th. 8/Situation 11 Pour t'attirer dans mon univers...	Découper, entailler, trouer (ajourer), assembler papier de soie et carton, les enduire de colle.	Superposition, symétrie et asymétrie. Couleurs variées.
Th. 8/Situation 12 Une invitation à lire	Découper, plier, entailler, et coller en réalisant des reliefs. Enduire de colle.	Couleurs primaires et secondaires, chaudes ou froides et leurs valeurs (claire ou foncée). Motifs, textures et lignes variés.
Th. 9/Situation 6 Décrire et illustrer le patrimoine	Tracer à main levée (crayons feutres). Découper et enduire de colle (papier et carton).	Lignes, formes, organisation de l'espace (énumération, répétition, juxtaposition, superposition, symétrie). Couleurs (primaires et secondaires).
Th. 9/Situation 10 Maisons et paysages	Appliquer un pigment coloré au trait, à la tache et en aplat (gouache avec pinceau, brosse ou éponge). Enduire de colle.	Étude de peintres. Lignes, formes, couleurs. Organisation de l'espace.
Th. 10/Situation 6 Jouer *Les mères fantômes*		Couleurs, organisation de l'espace et perspective.
Th. 10/Situation 8 Un programme personnalisé	Tracer à main levée (crayon-feutre, pastel à l'huile).	Perspective en diminution, perspective en chevauchement.

Principes de l'évaluation dans *Cyclades*

Présentation de l'évaluation

Dans la foulée des changements proposés en lien avec la rénovation du curriculum de l'école québécoise, le ministère de l'Éducation a retenu une nouvelle définition de l'apprentissage :

> L'apprentissage est considéré comme une démarche d'appropriation personnelle qui prend appui sur les ressources cognitives et affectives de l'élève et qui est influencée par son environnement culturel et par ses interactions sociales. L'apprentissage est donc un processus cognitif, affectif et social. (Gouvernement du Québec, 2002b, p. 5.)

L'apprentissage et l'évaluation étant étroitement liés, cette définition a des conséquences notables sur les orientations en matière d'évaluation, et la collection *Cyclades* en a tenu compte dans l'approche qu'elle propose. Nous avons donc conçu des outils d'évaluation résolument orientés vers le soutien à l'apprentissage, puisque cette fonction de l'évaluation est un élément central de la Réforme. De nombreux auteurs, dont Scallon (1988a et 2000), ont en effet constaté les aspects très positifs d'une telle évaluation sur la motivation des élèves. Les possibilités d'amélioration et de correction du processus d'apprentissage qu'offrent ces pratiques d'évaluation constituent donc la pierre angulaire sur laquelle repose la réussite des élèves.

L'évaluation comme aide à l'apprentissage

Selon le ministère de l'Éducation, l'évaluation des apprentissages se définit comme «une démarche qui permet de porter un jugement sur les compétences développées et les connaissances acquises par l'élève en vue de prendre des décisions et d'agir» (Gouvernement du Québec, 2002b, p. 7). Les outils d'évaluation proposés dans *Cyclades* sont essentiellement au service de l'apprentissage. L'information qu'ils permettent de recueillir alimente le jugement de l'enseignante ou de l'enseignant et l'éclaire sur la façon de soutenir ses élèves dans le développement de leurs compétences.

Selon Scallon (2000), l'évaluation qui vise à soutenir l'apprentissage «a pour fonction exclusive la régulation des apprentissages pendant le déroulement même d'un programme d'études, d'un cours ou d'une séquence d'apprentissage» (p. 16). Or réguler signifie ajuster, améliorer un processus. Cette régulation peut se faire soit par un ajustement de la démarche d'apprentissage de l'élève, soit par un ajustement des actions pédagogiques.

L'ajustement de la démarche de l'élève

Le processus d'apprentissage de l'élève peut d'abord être régulé par des rétroactions qui interviennent à des moments précis d'une séquence d'apprentissage. S'appuyant sur des auteurs comme Allal (1993, 1999a), le ministère de l'Éducation distingue à cet égard des régulations proactives, des régulations interactives et des régulations rétroactives.

Les régulations proactives, qui interviennent durant les activités d'apprentissage, donnent une rétroaction immédiate à l'élève. Les régulations interactives sont des échanges informels ou des questions posées à l'élève. Les régulations rétroactives sont, quant à elles, des retours faits sur des tâches non réussies au cours d'une première étape d'apprentissage.

On trouvera dans *Cyclades* de nombreuses indications qui aideront à réguler le processus d'apprentissage de l'élève pendant une séquence d'apprentissage. Il s'agit souvent de questions à poser à l'élève pour activer son processus métacognitif. Selon nous, les régulations interactives doivent occuper une place importante en classe, car elles permettent de réagir aux besoins immédiats des élèves en leur fournissant une rétroaction appropriée. Cette rétroaction doit faire ressortir les progrès de l'élève. Selon Jalbert et Munn (2001), elle doit être la plus immédiate possible et porter précisément sur l'erreur observée.

Dans les indications qui accompagnent les grilles d'observation des guides *Cyclades*, nous précisons souvent le sens que l'on devrait donner à la rétroaction. Étant donné la nature imprévisible de ces régulations, on prendra soin d'ajuster le questionnement que nous proposons aux besoins des élèves. La rétroaction pourra également se faire en annotant les différents cahiers, carnets ou journaux que les élèves utiliseront au cours des situations d'apprentissage.

Le processus d'apprentissage peut aussi être régulé par les élèves eux-mêmes. On parle alors de l'autorégulation des apprentissages. Le concept d'autorégulation renvoie à des réflexions et à des actions posées par l'élève pour ajuster sa démarche d'apprentissage et modifier au besoin ses schèmes d'apprentissage. Les outils d'évaluation dans *Cyclades* sont construits de façon à favoriser l'activité métacognitive de l'élève, lui donnant ainsi le pouvoir d'agir pour progresser, comme le souhaite le ministère de l'Éducation : « L'élève doit être conscient de son processus d'apprentissage ou de son cheminement et, lorsqu'il rencontre une difficulté, être en mesure de recourir à diverses stratégies afin d'apporter les correctifs nécessaires » (Gouvernement du Québec, 2002b, p. 9).

Pour aider l'élève à réguler son propre processus d'apprentissage, on trouve dans *Cyclades* le portfolio, un outil que les nouvelles orientations en évaluation privilégient, ainsi que des fiches d'autoévaluation. Selon Jalbert et Munn (2001), l'autoévaluation est d'ailleurs une excellente façon d'amener l'élève à mieux gérer le processus de régulation nécessaire à la réalisation efficace d'une tâche. Dans _Cyclades_, les fiches d'autoévaluation s'appliquent à des situations d'apprentissage précises. Elles amènent les élèves à commenter leurs méthodes de travail, à expliquer leurs difficultés, à prendre conscience des stratégies qu'ils utilisent spontanément et à développer de nouvelles stratégies.

Enfin, le processus d'apprentissage de l'élève peut également être régulé par le biais des interactions qui ont lieu dans la classe entre les élèves, une idée intimement liée au courant socioconstructiviste initié par Vygotsky (Crahay, 1999). Des auteurs comme Scallon (1999) ajoutent que les échanges d'idées jouent un rôle régulateur en suscitant l'activité métacognitive de l'élève. Cette conception psychopédagogique conduit à présenter, dans le contexte de la Réforme, des modalités d'évaluation qui tiennent compte de l'importance de l'interaction pour la progression des élèves. Voilà pourquoi l'ensemble des situations d'apprentissage proposées dans _Cyclades_ sont fondées sur une approche collaborative favorisant la coopération entre les élèves. C'est également pour cette raison que plusieurs fiches de la section _Annexes_ font appel à l'évaluation mutuelle ou à la coévaluation.

Les objets d'évaluation

L'évaluation qui vise à soutenir l'apprentissage s'intéresse à l'ensemble des éléments constituant le processus d'apprentissage de l'élève (Morrissette, 2002). Voici un schéma du processus d'apprentissage inspiré des travaux des chercheurs Tombari et Borich (1999).

LE PROCESSUS D'APPRENTISSAGE

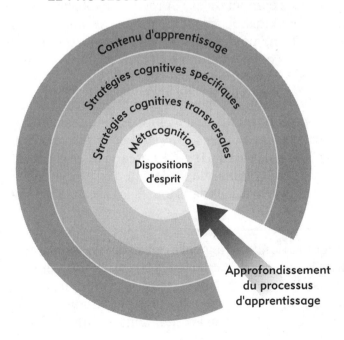

Contenu d'apprentissage
Stratégies cognitives spécifiques
Stratégies cognitives transversales
Métacognition
Dispositions d'esprit

Approfondissement du processus d'apprentissage

Selon les auteurs, le processus d'apprentissage est constitué de contenus d'apprentissage (savoirs), de stratégies cognitives spécifiques et transversales, de l'activité métacognitive de l'élève et même de certaines dispositions d'esprit, la motivation notamment. Les travaux de Morrissette (2002) ont par ailleurs révélé que l'évaluation des apprentissages au cours des années 1980 s'intéressait presque exclusivement aux éléments périphériques du processus d'apprentissage.

Avec la Réforme, c'est l'ensemble du processus d'apprentissage qui devient objet d'évaluation. Ainsi, les objets d'évaluation deviennent à la fois plus nombreux et plus complexes. Selon le Ministère, dans une situation complexe, les objets d'évaluation sont les connaissances avant que les élèves abordent une nouvelle séquence d'apprentissage, la démarche ou le cheminement suivi, le produit final, la motivation, etc.

Les grilles d'observation présentées dans *Cyclades* ainsi que les fiches d'autoévaluation, d'évaluation mutuelle ou de coévaluation tiennent compte de cette nouvelle complexité. Elles ont d'ailleurs été élaborées de façon à rendre observable l'ensemble des éléments constituant le processus d'apprentissage.

Les savoirs

Les savoirs essentiels, des connaissances et des techniques identifiées pour chacun des grands domaines d'apprentissage du Programme de formation sont autant d'objets d'évaluation en cours d'apprentissage. Les savoirs sont importants pour le développement des compétences, puisqu'ils constituent des outils pour l'action, et les compétences sont justement des savoir-agir.

Dans *Cyclades*, nous traitons les savoirs dans les sections *Connaissances et technique*s des manuels d'enseignement. L'enseignement des connaissances et techniques est ciblé pour chacune des situations d'apprentissage, de sorte que ces dernières répondent à des besoins bien réels pour la situation. L'évaluation des savoirs n'est donc pas une fin en soi, mais une pratique bien contextualisée dans une situation d'apprentissage.

Les compétences

La compétence, également objet d'évaluation, est un savoir-agir, c'est-à-dire un concept d'apprentissage intégré – connaissances, habiletés et capacités – fortement inspiré de la psychologie cognitive. Le ministère de l'Éducation en distingue deux grands types : les compétences disciplinaires, rattachées à des disciplines précises, et les compétences transversales qui se distinguent des premières par leur caractère générique. Ces compétences complexes, évolutives, globales et intégratives[1] sont indissociables des contextes dans lesquels elles se manifestent. On ne peut donc les évaluer directement, et il faut plutôt inférer leur développement à partir des réalisations de l'élève.

Dans les guides *Cyclades*, nous proposons pour chaque thème un ensemble de grilles pour observer le développement des compétences disciplinaires. Pour évaluer les compétences transversales, on trouvera des grilles aux pages 111 à 119. Ces grilles, qui permettent d'observer le développement des neuf compétences transversales, peuvent être utilisées dans toutes les situations d'apprentissage.

Les situations d'évaluation

Le ministère de l'Éducation tend à favoriser une évaluation continue des apprentissages. On devrait donc évaluer périodiquement chacun des élèves, l'évaluation étant maintenant considérée comme un acte pédagogique intégré aux activités quotidiennes de la classe. Dans une telle perspective, les situations d'évaluation ont

1. Gouvernement du Québec, 2002b.

essentiellement les mêmes caractéristiques que les situations d'apprentissage. Dans *Cyclades*, toutes les situations d'apprentissage peuvent donc servir de situations d'évaluation, puisque toutes fournissent à l'élève une occasion de porter un regard métacognitif sur sa démarche d'apprentissage.

Par ailleurs, les situations d'évaluation doivent être complexes en raison de la complexité même de la compétence. Selon Legendre (2001), «on ne peut porter de jugement sur le développement d'une compétence que dans la mesure où l'élève est régulièrement placé dans des situations suffisamment complexes pour nécessiter la mobilisation et l'utilisation intégrée de ressources variées» (p. 17). Toutes les situations d'apprentissage-évaluation proposées dans *Cyclades* sont complexes, car elles font intervenir plusieurs disciplines et mobilisent plusieurs savoirs. De plus, elles se déroulent habituellement sur plusieurs semaines.

La démarche d'évaluation	Le Ministère propose une démarche d'évaluation plus souple que celle qui était proposée au cours des années 1980: «Même si les démarches de l'évaluation sont présentées de manière séquentielle, il ne faut pas en conclure que l'évaluation est un processus rigide et linéaire. En effet, il est possible d'entreprendre certaines démarches, de revenir à l'une d'elles pour la compléter et de poursuivre ensuite l'évaluation jusqu'à la fin[2]». La démarche d'évaluation est donc maintenant considérée comme un processus cyclique et dynamique. Elle vise à ce que les jugements portés reflètent réellement les progrès réalisés par l'élève, même si cela exige que l'on revienne à des étapes antérieures.
Les étapes de la démarche d'évaluation	**La planification** Dans *Cyclades*, nous suggérons une planification de l'évaluation de l'ensemble des compétences disciplinaires et transversales, comme l'illustrent les tableaux des pages 109 et 110. Comme on l'a souligné plus haut, on pourra toutefois évaluer d'autres situations d'apprentissage si elles semblent plus pertinentes.

La prise d'information Les grilles d'observation permettent de noter les particularités d'une action, d'un produit ou d'un processus chez l'élève. Dans ces grilles, chaque compétence est décomposée selon ses différentes composantes, celles-ci représentant «un certain nombre de démarches jugées essentielles à son développement ou à son exercice. Ces composantes relient les savoirs aux processus qui en permettent l'intégration et la mobilisation[3]».

Nous avons ajouté à chacune des composantes des comportements observables chez l'élève pour faciliter la tâche d'évaluation, les composantes présentant un niveau relativement élevé d'abstraction.

---

2. Gouvernement du Québec, 2002b, p. 13.
3. Gouvernement du Québec, 2001b.

On pourra se servir des grilles d'observation soit pour observer un élément particulier du développement d'une compétence, soit de manière plus holistique pour apprécier le développement global d'une compétence.

Concrètement, nous suggérons d'inscrire une brève description qualitative pour apprécier chaque composante en s'appuyant sur certains comportements observables chez l'élève. La richesse de ces descriptions vous aidera à soutenir la progression de l'élève dans une perspective d'évaluation personnalisée[4]. L'ensemble des descriptions permettra d'émettre un jugement global sur le développement d'une compétence à l'aide de l'échelle suivante.

Cotes : 1. Se développe aisément, sans vraiment nécessiter de soutien.
2. Se développe assez bien avec peu de soutien.
3. En bonne voie de se développer, mais nécessite un soutien occasionnel.
4. Se développe difficilement et nécessite un soutien constant.

Précisons que pour chacune des compétences à observer on trouvera dans les grilles un ensemble d'outils d'évaluation qui se prêtent à l'observation de la compétence ciblée, et plus précisément de chacune des composantes.

L'étape de la prise d'information peut également se faire par le biais de grilles d'autoévaluation de la section *Annexe*. L'entrevue individuelle avec l'élève est un autre moyen formel que nous privilégions, de même que le portfolio. Les séminaires de groupes sont également des occasions privilégiées de recueillir de l'information.

On peut également recueillir de l'information de façon informelle, sans outils concrets. Ainsi, les échanges et les questions qu'on pose à l'élève fournissent d'excellentes occasions de recueillir de l'information sur la situation de chacun. Soulignons qu'on a avantage à inscrire dès que possible ses observations dans un journal, par exemple, en précisant le contexte d'apprentissage.

L'interprétation À l'étape de l'interprétation, on utilise les informations recueillies pour situer l'élève dans ses apprentissages en cours de cycle. Cette analyse donne lieu à une interprétation critérielle, c'est-à-dire à une comparaison entre les renseignements recueillis sur l'élève et ce qui est attendu de l'élève dans le Programme de formation. On fait aussi une interprétation dynamique, c'est-à-dire un suivi des progrès réalisés par l'élève à partir de prises d'information successives, sans tenir compte de sa position dans le groupe.

À cette étape, on doit mettre en relation les données qu'on a recueillies sur l'élève avec une référence donnée, comme le souligne Legendre (2001) : « observer, ce n'est pas recueillir passivement des

---

4. Les grilles d'observation se veulent souples; elles peuvent être aisément adaptées aux élèves en difficulté.

éléments d'information, c'est produire des observations, les organiser de manière active et les interpréter à partir du cadre de référence de l'observateur» (p. 18). Les critères d'évaluation décrits dans le Programme de formation peuvent avantageusement servir de référence, mais on peut également utiliser les échelles des niveaux de compétence (Gouvernement du Québec, 2002a): «En cours de cycle, les échelles permettent de porter un regard global sur les apprentissages de l'élève afin de situer l'évolution de ses compétences» (p. 33).

Le jugement   Après avoir interprété les données, on pose un jugement qui doit refléter le mieux possible la progression de l'élève. Il s'agit d'une étape très importante dans l'esprit d'une démarche d'évaluation visant à soutenir l'apprentissage. En fait, à l'étape du jugement, on se prononce sur la capacité de l'élève à réaliser une tâche mobilisant un certain nombre de ressources.

Le jugement ne sera valable que dans la mesure où il peut se généraliser à d'autres situations semblables et qu'il repose sur des informations pertinentes et suffisantes. Cela implique qu'on ait consigné plusieurs informations successives et qu'on ait pris en compte un ensemble de renseignements complémentaires: le temps dont l'élève a disposé pour faire une tâche, le soutien qui lui a été apporté, les ressources dont il a disposé, etc. En cours de cycle, le jugement a toujours un caractère temporaire, car, comme le précise le ministère de l'Éducation[5], les compétences exigent du temps pour se développer. Par conséquent, l'élève doit avoir à sa disposition suffisamment de temps pour s'améliorer, c'est-à-dire pour développer ses compétences.

La décision   Dans le cadre d'une évaluation en cours de cycle, le jugement doit déboucher sur une décision d'ordre pédagogique. À la suite du jugement, il faut donc poser une action pour réguler le processus d'apprentissage. Et cette action est de plus en plus faite par l'élève, qu'on veut responsabiliser davantage par rapport à la prise en charge de ses apprentissages.

Ajoutons que les informations qu'on a rassemblées sur l'élève à l'aide des grilles d'observation que nous proposons dans *Cyclades* doivent être consignées dans le portfolio ou dans le journal de bord de l'enseignante ou de l'enseignant de façon qualitative et non quantitative. La diversité des données recueillies sur la progression de l'élève n'a en effet aucun sens si elle est régie par une logique comptable.

---

5. Gouvernement du Québec, 2002.

La participation de l'élève à la démarche d'évaluation

Avec la Réforme, on souhaite que l'élève participe activement à l'évaluation de ses apprentissages. C'est ce que nous faisons constamment dans *Cyclades*, notamment avec les fiches d'auto-évaluation. Nous donnons également de nombreuses occasions à l'élève d'analyser ses travaux et de prendre des notes sur ses apprentissages dans les différents outils de consignation que nous suggérons d'utiliser quotidiennement, le cahier de lecture par exemple.

Nous suggérons aussi fréquemment que l'élève confronte son interprétation à celle de l'enseignante ou de l'enseignant, ce qui constitue une autre façon de l'amener à participer activement à l'évaluation. Des fiches d'évaluation mutuelle et de coévaluation visent aussi à favoriser l'engagement actif de l'élève au processus d'évaluation.

Les stratégies d'évaluation

Dans *Cyclades*, nous privilégions particulièrement trois stratégies d'évaluation : le portfolio, l'entrevue individuelle et le séminaire. On trouvera de l'information sur ces outils dans la section didactique du présent guide (p. 223 à 232).

L'évaluation comme soutien à l'apprentissage devient un acte professionnel complexe, puisqu'il n'y a plus de périodes de l'année consacrées spécifiquement à l'évaluation. On doit observer des objets très complexes, l'activité métacognitive des élèves notamment, car toutes les constituantes du processus d'apprentissage de l'élève sont devenues objets d'évaluation. On doit également cumuler un grand nombre d'informations recueillies dans différents contextes. Nous espérons que l'ensemble des outils présentés dans *Cyclades* vous fourniront des moyens d'évaluation concrets, souples et facilement applicables en classe.

Plan d'évaluation des compétences disciplinaires

COMPÉTENCES	Français 1 Lire des textes variés	Français 2 Écrire des textes variés	Français 3 Communiquer oralement	Français 4 Apprécier des œuvres littéraires	Science et technologie 1 Proposer des explications...	Science et technologie 2 Mettre à profit...	Science et technologie 3 Communiquer à l'aide...	Géographie, histoire,... 1 Lire l'organisation...	Géographie, histoire,... 2 Interpréter le changement...	Géographie, histoire,... 3 S'ouvrir à la diversité...	Art dramatique 1 Inventer des séquences...	Art dramatique 2 Interpréter des séquences...	Art dramatique 3 Apprécier des œuvres...	Arts plastiques 1 Réaliser des créations personnelles	Arts plastiques 2 Réaliser des créations médiatiques	Arts plastiques 3 Apprécier des œuvres d'art...
Thème 1			✓						✓					✓	✓	✓
Thème 2	✓	✓		✓							✓	✓	✓			
Thème 3		✓			✓	✓	✓									
Thème 4								✓				✓	✓			
Thème 5	✓	✓	✓					✓	✓							
Thème 6				✓											✓	✓
Thème 7		✓			✓	✓	✓									
Thème 8			✓	✓											✓	✓
Thème 9	✓	✓			✓	✓		✓	✓							
Thème 10			✓	✓						✓	✓					
Thème 11	✓	✓	✓					✓	✓							
Thème 12	✓											✓	✓			
Thème 13		✓	✓	✓	✓	✓	✓								✓	✓
Thème 14	✓							✓		✓				✓		✓
Thème 15	✓	✓		✓						✓						
Thème 16			✓		✓	✓	✓									
Thème 17		✓	✓						✓							
Thème 18	✓													✓		✓
Thème 19			✓													
Thème 20										✓		✓	✓			

Plan d'évaluation des compétences transversales

COMPÉTENCES	1 Exploiter l'information	2 Résoudre des problèmes	3 Exercer son jugement critique	4 Mettre en œuvre sa pensée créatrice	5 Se donner des méthodes de travail efficaces	6 Exploiter les TIC	7 Structurer son identité	8 Coopérer	9 Communiquer de façon appropriée
Thème 1			✓				✓		✓
Thème 2				✓				✓	✓
Thème 3	✓	✓			✓				
Thème 4	✓		✓			✓		✓	
Thème 5							✓		✓
Thème 6				✓	✓			✓	
Thème 7		✓	✓		✓	✓	✓		✓
Thème 8	✓		✓	✓		✓			
Thème 9	✓	✓	✓		✓			✓	
Thème 10	✓		✓	✓					
Thème 11	✓	✓			✓		✓		
Thème 12				✓			✓	✓	✓
Thème 13	✓			✓	✓				
Thème 14	✓	✓	✓	✓					✓
Thème 15	✓			✓	✓			✓	
Thème 16	✓	✓	✓	✓					✓
Thème 17	✓		✓	✓		✓			
Thème 18	✓	✓		✓			✓		
Thème 19		✓				✓	✓		
Thème 20	✓			✓				✓	

COMPÉTENCE TRANSVERSALE I

Exploiter l'information

Composantes / Comportements observés chez l'élève	Jugement global — Nom de l'élève			
S'approprier l'information.				
Prend connaissance d'un ensemble d'informations.				
Sélectionne l'information pertinente.				
Regroupe l'information par catégories.				
Établit des liens entre différentes informations.				
Reconnaître diverses sources d'information.				
Repère des documents dans une bibliothèque.				
Utilise des outils pour se repérer dans un ouvrage (table des matières, index, intertitres, etc.).				
Consulte des sources d'information variées.				
Questionne la fiabilité des sources d'information.				
Note les sources d'information retenues.				
Tirer profit de l'information.				
Utilise l'information pour répondre à ses questions.				
Formule d'autres questions à partir de l'information recueillie.				
Réinvestit l'information recueillie dans d'autres contextes.				
Partage ses découvertes.				

Cotes : 1. Se développe aisément, sans vraiment nécessiter de soutien.   3. En bonne voie de se développer, mais nécessite un soutien occasionnel.
        2. Se développe assez bien avec peu de soutien.   4. Se développe difficilement et nécessite un soutien constant.

COMPÉTENCE TRANSVERSALE 2
Résoudre des problèmes

Jugement global

Nom de l'élève

Composantes — Comportements observés chez l'élève				
Analyser les éléments de la situation.				
Distingue les éléments importants d'une situation-problème.				
Établit des liens avec des situations semblables résolues antérieurement.				
Identifie les diverses étapes à franchir pour résoudre le problème.				
Imaginer des pistes de solution.				
Formule des solutions variées et créatives.				
Évalue leur pertinence et retient les meilleures.				
Mettre à l'essai des pistes de solution.				
Met en application quelques pistes de solution.				
Échange sur les pistes de solution.				
Retient la solution qui se révèle la plus efficace.				
Adopter un fonctionnement souple.				
Opte pour une démarche itérative (revient au besoin à des étapes antérieures).				
Utilise des stratégies variées.				
Évaluer sa démarche.				
Identifie les réussites de sa démarche de résolution de problème.				
Identifie les difficultés éprouvées.				
Compare sa démarche avec celles de ses camarades.				
Établit des liens avec des situations antérieures.				

Cotes : 1. Se développe aisément, sans vraiment nécessiter de soutien.   3. En bonne voie de se développer, mais nécessite un soutien occasionnel.
2. Se développe assez bien avec peu de soutien.   4. Se développe difficilement et nécessite un soutien constant.

COMPÉTENCE TRANSVERSALE 3
Exercer son jugement critique

Jugement global

Nom de l'élève

Composantes	Comportements observés chez l'élève				
Construire son opinion.					
	S'informe sur un sujet et en explore les différentes facettes.				
	Recherche les faits liés à un sujet et établit des liens entre eux.				
	Explore les différents points de vue donnés sur un sujet.				
	Prend position sur un sujet donné.				
Exprimer son jugement.					
	Communique son point de vue sur un sujet.				
	Justifie son point de vue en donnant des arguments logiques et cohérents.				
Relativiser son jugement.					
	Compare son point de vue avec ceux de ses camarades.				
	Pose des questions pour obtenir des éclaircissements.				
	Réajuste son point de vue au besoin.				
	Nuance ses propos.				

Cotes :   1. Se développe aisément, sans vraiment nécessiter de soutien.   3. En bonne voie de se développer, mais nécessite un soutien occasionnel.
          2. Se développe assez bien avec peu de soutien.   4. Se développe difficilement et nécessite un soutien constant.

COMPÉTENCE TRANSVERSALE 4 Mettre en œuvre sa pensée créatrice	Jugement global / Nom de l'élève			

Composantes / Comportements observés chez l'élève				
S'imprégner des éléments d'une situation.				
Cerne les enjeux d'une situation.				
Identifie l'objectif à atteindre.				
Anticipe globalement la démarche à suivre et son aboutissement.				
Imaginer des façons de faire.				
Trouve des idées diversifiées et innovatrices pour atteindre son objectif.				
Laisse libre cours à son imagination et note toutes ses idées.				
Fait des liens entre ses différentes idées.				
S'engager dans une réalisation.				
Établit une liste d'actions concrètes à faire.				
Sélectionne, élimine ou modifie les idées pour réaliser une création.				
Détermine une ou plusieurs façons d'exprimer ses idées, sentiments et émotions.				
Intègre de nouvelles idées en cours de réalisation.				
Adopter un fonctionnement souple.				
Varie ses stratégies et ses techniques.				
Modifie au besoin sa planification initiale.				
Confronte ses idées à celles de ses camarades.				
S'inspire des idées de ses camarades pour améliorer les siennes.				
Reprend le processus de réalisation pour améliorer son processus de création (démarche itérative).				

Cotes :
1. Se développe aisément, sans vraiment nécessiter de soutien.
2. Se développe assez bien avec peu de soutien.
3. En bonne voie de se développer, mais nécessite un soutien occasionnel.
4. Se développe difficilement et nécessite un soutien constant.

COMPÉTENCE TRANSVERSALE 5 **Se donner des méthodes de travail efficaces**	Jugement global Nom de l'élève			
Composantes — **Comportements observés chez l'élève**				
Analyser la tâche à accomplir.				
Cerne l'objectif à atteindre. Identifie les diverses étapes à franchir. Établit des liens entre la tâche et son contexte.				
S'engager dans la démarche.				
Détermine les actions concrètes à faire en tenant compte des contraintes de la situation. Dresse la liste des ressources nécessaires à l'exécution de la tâche. Établit un calendrier de réalisation. Fait le partage des tâches.				
Accomplir la tâche.				
Adapte sa façon de travailler en fonction des besoins. Mobilise diverses ressources pour atteindre l'objectif.				
Analyser sa démarche.				
Exprime son degré de satisfaction en regard de la démarche et du résultat final. Identifie les méthodes de travail qui se sont révélées efficaces et prend conscience de leurs limites. Invite des camarades à donner leur avis sur sa façon de travailler. Dégage des pistes d'amélioration pour des situations ultérieures.				

Cotes : 1. Se développe aisément, sans vraiment nécessiter de soutien.   3. En bonne voie de se développer, mais nécessite un soutien occasionnel.
2. Se développe assez bien avec peu de soutien.   4. Se développe difficilement et nécessite un soutien constant.

COMPÉTENCE TRANSVERSALE 6

Exploiter les technologies de l'information et de la communication

Jugement global

Composantes / Comportements observés chez l'élève	Nom de l'élève			
S'approprier les technologies de l'information et de la communication.				
Explore les procédés et techniques propres aux TIC.				
Intègre dans son langage usuel la terminologie liée aux TIC.				
Explore les fonctions du système d'exploitation et de certains logiciels.				
Reconnaît dans divers contextes des concepts rattachés aux TIC.				
Utiliser les technologies de l'information et de la communication pour effectuer une tâche.				
Reconnaît la pertinence d'utiliser les TIC pour réaliser une tâche donnée.				
Sélectionne les TIC appropriées à la tâche.				
Recourt à des stratégies d'exploitation des TIC.				
Fait appel à un référentiel ou à ses pairs pour se dépanner.				
Évaluer l'efficacité de l'utilisation de la technologie.				
Relève les stratégies d'exploitation de la technologie qui se sont révélées utiles.				
Identifie les limites de la technologie dans un contexte donné.				
Entrevoit d'autres possibilités d'utilisation des TIC.				
Propose des améliorations possibles dans sa façon d'exploiter les TIC.				

Cotes : 1. Se développe aisément, sans vraiment nécessiter de soutien.
2. Se développe assez bien avec peu de soutien.
3. En bonne voie de se développer, mais nécessite un soutien occasionnel.
4. Se développe difficilement et nécessite un soutien constant.

COMPÉTENCE TRANSVERSALE 7

Structurer son identité

Jugement global

Nom de l'élève

Composantes	Comportements observés chez l'élève

S'ouvrir aux stimulations environnantes.

- Exprime ses perceptions, ses sentiments ou ses réflexions face à un fait, à une situation ou à un événement.
- Réagit aux propos exprimés par ses camarades et prend conscience de leur importance.
- Explore des œuvres médiatiques variées.
- S'intéresse aux valeurs véhiculées dans son milieu.

Prendre conscience de sa place parmi les autres.

- Identifie ses valeurs, ses forces et ses limites.
- Partage ses opinions et les justifie.
- Observe l'effet de son action ou de ses attitudes sur les autres, et vice versa.
- Fait preuve d'ouverture d'esprit à l'égard de la diversité culturelle et ethnique.

Mettre à profit ses ressources personnelles.

- S'appuie sur ses forces et sur ses valeurs pour prendre des décisions.
- Fait des choix en tenant compte de ses limites.
- Évalue ses choix.
- Acquiert de l'autonomie.
- Prend part à l'élaboration de règles ou de consignes.

Cotes : 1. Se développe aisément, sans vraiment nécessiter de soutien. 3. En bonne voie de se développer, mais nécessite un soutien occasionnel.
2. Se développe assez bien avec peu de soutien. 4. Se développe difficilement et nécessite un soutien constant.

COMPÉTENCE TRANSVERSALE 8
Coopérer

Jugement global

Nom de l'élève

Composantes	Comportements observés chez l'élève				
Interagir avec ouverture d'esprit dans différents contextes.					
	Émet ses idées et fait preuve d'ouverture face à celles de ses camarades.				
	Regarde ses interlocuteurs.				
	Prend conscience des messages non verbaux.				
	Par ses interventions, fait progresser la discussion.				
	Respecte la personnalité de ses camarades.				
	Respecte le droit de parole.				
	Discute calmement.				
Contribuer au travail collectif.					
	Suggère un plan de travail ou des modifications à y apporter.				
	Participe à l'élaboration de règles de fonctionnement pour l'équipe.				
	Aide ses camarades et accepte leur aide.				
	Se concentre sur la tâche qui lui a été confiée.				
	Adapte son comportement pour faciliter le travail d'équipe.				
Tirer profit du travail en coopération.					
	Identifie des tâches qui se réalisent plus facilement en équipe.				
	Évalue sa propre participation à un travail d'équipe.				
	Identifie les attitudes qui ont facilité le travail d'équipe et celles qui l'ont entravé.				
	Dégage des façons d'améliorer le travail en équipe dans des projets ultérieurs.				

Cotes : 1. Se développe aisément, sans vraiment nécessiter de soutien.   3. En bonne voie de se développer, mais nécessite un soutien occasionnel.
2. Se développe assez bien avec peu de soutien.   4. Se développe difficilement et nécessite un soutien constant.

	Jugement global				
	Nom de l'élève				

COMPÉTENCE TRANSVERSALE 9

Communiquer de façon appropriée

Composantes	Comportements observés chez l'élève				
Établir l'intention de la communication.					
	Précise le message visé par la communication.				
	Dégage des idées liées au projet de communication.				
	Planifie de façon détaillée sa communication en tenant compte du médium, des destinataires et des règles propres aux langages utilisés.				
Choisir le mode de communication.					
	Choisit un ou des langages pertinents en fonction du message, du médium, du contexte et des destinataires.				
Réaliser la communication.					
	Utilise un vocabulaire approprié à la discipline.				
	Respecte le sujet de la communication.				
	Vérifie si ses interlocuteurs ont compris son message en leur posant des questions.				
	Utilise des moyens de communication pertinents (langage corporel, plastique, scientifique, etc.).				
	Identifie ses réactions à une communication (orale, écrite, symbolique, artistique).				
	Identifie les points forts et les points faibles de ses communications.				
	Se fixe des défis pour les prochaines communications.				

Cotes : 1. Se développe aisément, sans vraiment nécessiter de soutien. 3. En bonne voie de se développer, mais nécessite un soutien occasionnel.
2. Se développe assez bien avec peu de soutien. 4. Se développe difficilement et nécessite un soutien constant.

Évaluation en cours d'apprentissage : thème I

Afin de soutenir le processus d'apprentissage de l'élève, nous suggérons d'évaluer une compétence du domaine des langues, *Communiquer oralement*, une compétence liée à l'univers social *Interpréter le changement dans une société et sur son territoire*, et les trois compétences en arts plastiques, soit *Réaliser des créations plastiques personnelles*, *Réaliser des créations plastiques médiatiques* et *Apprécier des œuvres d'art, des objets culturels du patrimoine artistique, des images médiatiques, ses réalisations et celles de ses camarades*. On pourra évaluer les compétences transversales *Exercer son jugement critique*, *Structurer son identité* et *Communiquer de façon appropriée*.

Outils d'évaluation

FRANÇAIS

Communiquer oralement

Bien qu'on ne présente ici que deux outils pour guider les observations, toutes les situations du thème 1 fournissent des occasions d'observer la compétence à communiquer oralement au cours des nombreuses discussions plus ou moins informelles entre les élèves.

- **Le cahier de français, section communication orale (situation 2)**

  Dans leur cahier, les élèves gardent des traces du développement de leur compétence à communiquer oralement. On les invitera à y inscrire des aspects à améliorer et on en fera un suivi afin de s'assurer de leur progression.

- **La fiche d'autoévaluation *Quand j'ai discuté en équipe*, annexe 1.2 (situation 5)**

  Cette fiche permet aux élèves de réfléchir à leurs comportements au cours des discussions, ce qui les amène à améliorer certaines d'entre elles. Ils se sensibilisent aux stratégies qu'ils emploient lorsqu'ils communiquent et à celles qu'ils doivent développer.

GÉOGRAPHIE, HISTOIRE ET ÉDUCATION À LA CITOYENNETÉ

Interpréter le changement dans une société et sur son territoire

La situation 3 permettra de recueillir des informations sur le développement de cette compétence.

- **Les cartes muettes remplies par les élèves**

  Certains élèves pourront comparer les limites territoriales et la répartition de la population de la société canadienne en 1745 avec celle de 1820 à l'aide des cartes muettes qu'on trouvera aux pages 78 à 81 du présent guide.

- **La ligne du temps**

  Dans cette situation, les élèves élaboreront une ligne du temps pour situer les principaux événements qui ont marqué l'histoire de la Nouvelle-France, puis celle de la province de Québec. Ils relèveront les moments clés qui ont marqué l'organisation sociale et territoriale de cette société après la conquête anglaise, notamment l'Acte de Québec de 1774.

● **Le journal d'histoire et de géographie**

Au cours de cette situation, les élèves personnaliseront leur journal d'histoire et de géographie. Ils élaboreront ensuite des fiches de recherche pour consigner leurs principales découvertes sur les sociétés, ce qui leur permettra de préparer ultérieurement une communication écrite. On observera plus particulièrement leur habileté à organiser l'information.

● **La communication écrite**

À partir des fiches de recherche, les élèves élaboreront le plan d'une communication écrite visant à comparer la société canadienne vers 1745 avec la même société vers 1820. On vérifiera s'ils savent relever les principaux changements en les situant dans leur contexte historique et géographique.

ARTS PLASTIQUES

Réaliser des créations plastiques personnelles
Réaliser des créations plastiques médiatiques
Apprécier des œuvres d'art, des objets culturels du patrimoine artistique, des images médiatiques, ses réalisations et celles de ses camarades

Les situations 1, 8 et 10 permettent d'évaluer les élèves en arts plastiques dans la perspective du soutien au développement de leurs compétences.

● **Le carnet d'arts plastiques (situation 1)**

Dans leur carnet d'arts plastiques, les élèves font des croquis ou des esquisses de leurs réalisations, et ils notent leurs impressions. L'observation de ces traces permet d'évaluer la façon dont ils planifient leur création. On observera comment les élèves enrichissent la section aide-mémoire du carnet. On y repérera notamment leur compréhension du langage plastique en vue de les aider à corriger et à enrichir leurs conceptions.

● **La scène inspirée du texte d'écoute *Le procès* (situation 1)**

Les élèves illustreront une scène de l'univers de *Cyclades*. Ils exploreront le collage et le découpage de papier. On s'attardera plus particulièrement à la façon dont ils exploitent les couleurs chaudes et froides pour traduire l'émotion que provoque le texte.

● **La page d'un album qui illustre un des droits de l'enfant (situation 8)**

On verra si les élèves ont intégré les éléments du langage plastique en les écoutant commenter leur réalisation. On observera la justesse des gestes transformateurs et le soin accordé à l'étape de la touche finale. À l'aide de questions, on aidera les élèves à faire un retour sur chaque étape de création.

● **Le portfolio (situation 10)**

On s'intéressera à la façon dont les élèves ont personnalisé leur portfolio. Ils commenteront leur réalisation en utilisant le langage plastique et en s'attardant aux gestes transformateurs qu'ils ont explorés. On les invitera par ailleurs à expliquer en quoi la façon dont ils ont décoré leur portfolio reflète leur personnalité.

FRANÇAIS

Communiquer oralement

Jugement global

Nom de l'élève

Composantes	Comportements observés chez l'élève				
Explorer verbalement divers sujets avec autrui pour construire sa pensée.					
Discussions en classe	Discute d'un concept (justice) ou d'un sujet (réaction à un texte d'écoute ou à un écrit).				
	Participe à une discussion sur la violence.				
	Contribue à élaborer les règles de vie en classe.				
	Pendant un conseil de classe, joue le rôle qui lui a été attribué.				
Partager ses propos durant une situation d'interaction.					
Discussions en classe	Exprime son désaccord ou son accord.				
	Donne son opinion sur un sujet.				
	Respecte le point de vue des autres.				
	Encourage les autres à s'exprimer.				
	S'exprime en utilisant un vocabulaire clair et précis.				
Réagir aux propos entendus au cours d'une situation de communication orale.					
Discussions en classe	Attend son tour pour parler.				
	Demande des éclaircissements.				
Utiliser les stratégies et les connaissances requises par la situation de communication.					
Quand j'ai discuté en équipe, annexe 1.2	Utilise des stratégies d'écoute : attitude ouverte, posture attentive, interprétation du langage non verbal, vérification de sa compréhension.				
	Compare les points de vue exprimés.				
	Vérifie si son interlocuteur ou interlocutrice a compris son message.				
Évaluer sa façon de s'exprimer et d'interagir en vue de s'améliorer.					
Cahier de français *Quand j'ai discuté en équipe*, annexe 1.2	Identifie un point à améliorer lors de sa participation à une discussion.				

Cotes : 1. Se développe aisément, sans vraiment nécessiter de soutien. 3. En bonne voie de se développer, mais nécessite un soutien occasionnel.
2. Se développe assez bien avec peu de soutien. 4. Se développe difficilement et nécessite un soutien constant.

GÉOGRAPHIE, HISTOIRE ET ÉDUCATION À LA CITOYENNETÉ Interpréter le changement dans une société et sur son territoire	Jugement global / Nom de l'élève			

Composantes	Comportements observés chez l'élève				
Situer une société et son territoire dans l'espace et le temps à deux moments.					
Cartes muettes remplies par les élèves	Compare les limites territoriales du Canada et ses divisions administratives vers 1745 et vers 1820.				
Relever les principaux changements survenus dans l'organisation d'une société et de son territoire.					
Ligne du temps Journal d'histoire et de géographie Communication écrite Cartes muettes remplies par les élèves	Compare le territoire du Canada vers 1763, 1774 et 1791. Note l'arrivée d'une immigration anglophone et protestante dans la province de Québec. Décrit les principaux changements apportés au régime juridique et politique entre 1745 et 1820.				
Préciser des causes et des conséquences des changements.					
Ligne du temps Journal d'histoire et de géographie Communication écrite	Établit des liens entre la conquête de 1763 et la concurrence des Français et des Anglais sur le plan commercial et territorial. Dégage les conséquences de la conquête britannique pour la population française. Explique l'importance de l'Acte de Québec pour les habitants français de la province.				
Préciser l'influence de personnages ou l'incidence d'événements sur ces changements.					
Ligne du temps Journal d'histoire et de géographie Communication écrite	Relève le rôle joué par les gouverneurs James Murray et Guy Carleton dans le développement politique, social et économique du Canada. Établit des liens entre l'arrivée d'immigrants anglophones et la conquête de 1763. Relie l'arrivée massive des Loyalistes au Canada à la guerre d'indépendance américaine.				
Justifier son interprétation des changements.					
Ligne du temps Journal d'histoire et de géographie Communication écrite	Explique les changements survenus à la suite de la conquête de 1763. Explique l'influence de personnages et l'incidence d'événements sur les changements survenus.				
Dégager des traces de ces changements dans notre société et sur notre territoire.					
Journal d'histoire et de géographie Communication écrite	Établit des liens entre la conquête de 1763 et le Québec actuel sur les plans suivants : délimitation du territoire; présence anglophone; lois criminelles anglaises; survivance du droit civil français et de la religion catholique; régime parlementaire britannique.				

Cotes :
1. Se développe aisément, sans vraiment nécessiter de soutien.
2. Se développe assez bien avec peu de soutien.
3. En bonne voie de se développer, mais nécessite un soutien occasionnel.
4. Se développe difficilement et nécessite un soutien constant.

ARTS PLASTIQUES **Réaliser des créations plastiques personnelles**	**Jugement global**				
	Nom de l'élève				

Composantes	**Comportements observés chez l'élève**				
Exploiter des idées de création inspirées par une proposition.					
Carnet d'arts plastiques Scène inspirée du texte d'écoute Le procès Portfolio	Illustre une scène à partir d'un texte d'écoute. Fait des esquisses au crayon à mine. Visualise une scène en entier avant de la réaliser : organisation des principaux éléments dans l'espace. Personnalise son portfolio.				
Exploiter des gestes transformateurs et des éléments du langage plastique.					
Carnet d'arts plastiques	Déchire ou découpe du papier et fait des essais d'organisation (énumère, juxtapose et superpose). Utilise les éléments du langage plastique. Applique le crayon-feutre par points, par taches, par traits, par lignes et en aplat. Crée des textures pour obtenir un effet de relief. Varie les motifs en jouant avec les traits et les lignes. Rapproche des points pour créer l'illusion de couleur et mélange les couleurs pour en obtenir d'autres.				
Organiser les éléments résultant de ses choix.					
Scène inspirée du texte d'écoute Le procès Portfolio	Occupe tout l'espace dans sa réalisation. Exploite le jeu des couleurs pour traduire une émotion et les choisit selon le plan (couleurs plus sombres pour les éléments éloignés). Exploite les formes angulaires ou arrondies. Réalise une frise de formes répétées ou alternées. Commence par dessiner au crayon-feutre en haut de la feuille pour éviter les gâchis. Agence des lignes pour créer l'effet désiré.				
Finaliser sa réalisation.					
Scène inspirée du texte d'écoute Le procès Portfolio	Recherche l'équilibre dans l'organisation de l'espace. Juge de l'effet produit avant de coller le papier ou le carton.				
Partager son expérience de création.					
Scène inspirée du texte d'écoute Le procès Portfolio Carnet d'arts plastiques	Parle de ses difficultés. Exprime son degré de satisfaction à l'égard de sa réalisation. Utilise le langage plastique pour présenter son portfolio.				

Cotes : 1. Se développe aisément, sans vraiment nécessiter de soutien. 3. En bonne voie de se développer, mais nécessite un soutien occasionnel.
2. Se développe assez bien avec peu de soutien. 4. Se développe difficilement et nécessite un soutien constant.

ARTS PLASTIQUES

Réaliser des créations plastiques médiatiques

Jugement global

Nom de l'élève

Composantes	Comportements observés chez l'élève				

Exploiter des idées de création inspirées par une proposition de création médiatique.

Page d'un album qui illustre un droit de l'enfant

Carnet d'arts plastiques

- Réalise au crayon à mine quelques croquis de son illustration d'un droit de l'enfant.
- Réalise une page d'un album qui illustre les droits de l'enfant.

Exploiter des gestes transformateurs et des éléments du langage plastique selon le message et le ou la destinataire.

Carnet d'arts plastiques

- Déchire du papier pour donner les formes désirées.
- Fait des essais de collage et d'organisation.
- Utilise les éléments du langage plastique : couleurs claires ou foncées, formes, espace.
- Exploite des gestes propres à la technique du collage : superpose et alterne du papier.

Organiser les éléments résultant de ses choix selon le message et le ou la destinataire.

Page d'un album qui illustre un droit de l'enfant

- Utilise des couleurs variées.
- Organise l'espace en utilisant la superposition, l'alternance et en tentant de créer de la perspective.
- Réalise des motifs avec le papier déchiré.
- Colle le fond en premier lieu.

Finaliser sa production.

Page d'un album qui illustre un droit de l'enfant

- Ajoute des détails pour embellir sa page d'album.
- Juge de l'effet avant de coller le papier.

Partager son expérience de création médiatique.

Page d'un album qui illustre un droit de l'enfant

Carnet d'arts plastiques

- Identifie les éléments plus difficiles à réaliser.
- Compare sa réalisation avec celle qu'il ou elle a imaginée au départ.
- Identifie une stratégie ou une action en lien avec chaque étape de la démarche de création.

Cotes : 1. Se développe aisément, sans vraiment nécessiter de soutien.
2. Se développe assez bien avec peu de soutien.

3. En bonne voie de se développer, mais nécessite un soutien occasionnel.
4. Se développe difficilement et nécessite un soutien constant.

ARTS PLASTIQUES

Apprécier des œuvres d'art, des objets culturels du patrimoine artistique, des images médiatiques, ses réalisations et celles de ses camarades

Jugement global

Nom de l'élève

Composantes	Comportements observés chez l'élève				
Examiner une œuvre d'art, un objet culturel du patrimoine artistique, une image médiatique ou une réalisation plastique personnelle ou médiatique au regard d'éléments de contenu.					
Scène inspirée du texte d'écoute *Le procès*	Commente le langage plastique des scènes, des pages d'album et des portfolios.				
Carnet d'arts plastiques	Enrichit son aide-mémoire en arts plastiques.				
Page d'un album qui illustre un droit de l'enfant	Utilise son aide-mémoire en arts plastiques pour apprécier les réalisations.				
Établir des liens entre ce que l'on a ressenti et ce que l'on a examiné.					
Portfolio	Explique en quoi la décoration de son portfolio témoigne de ce qu'il ou elle est.				
	Commente l'effet des couleurs chaudes et des couleurs froides.				
Porter un jugement d'ordre critique ou esthétique.					
Scène inspirée du texte d'écoute *Le procès*	Commente sa réalisation et celles de ses pairs quant à l'organisation des éléments dans un collage, de l'exploitation des couleurs et des motifs créés.				
Page d'un album qui illustre un droit de l'enfant					
Portfolio	Présente son portfolio en commentant les thèmes, les couleurs, la technique, les motifs, les formes et les lignes.				
Partager son expérience d'appréciation.					
Scène inspirée du texte d'écoute *Le procès*	Confronte ses impressions face aux réalisations avec celles de ses pairs.				
Page d'un album qui illustre un droit de l'enfant	Utilise le vocabulaire disciplinaire pour partager son appréciation des réalisations.				
	Compare les réalisations médiatiques entre elles.				
	Exprime ce qu'on ressent à critiquer les réalisations de ses pairs et à entendre leur critique au regard de la sienne.				

Cotes : 1. Se développe aisément, sans vraiment nécessiter de soutien.   3. En bonne voie de se développer, mais nécessite un soutien occasionnel.
2. Se développe assez bien avec peu de soutien.   4. Se développe difficilement et nécessite un soutien constant.

Évaluation en cours d'apprentissage : thème 2

Le thème se prête bien à l'évaluation de deux compétences en français : *Lire des textes variés* et *Apprécier des œuvres littéraires*. Dans le cadre du défilé, la présentation d'improvisations et de montages poétiques sollicitent les trois compétences à évaluer en art dramatique, soit *Inventer, Interpréter* et *Apprécier des séquences dramatiques*. Pendant la préparation et l'organisation du défilé de personnages imaginaires, on observera les compétences transversales *Mettre en œuvre sa pensée créactrice, Coopérer* et *Communiquer de façon appropriée*.

Outils d'évaluation

FRANÇAIS

Lire des textes variés

Plusieurs situations touchent la lecture ; on observera donc les élèves dans divers contextes. On pourrait rencontrer chacun d'entre eux afin d'échanger sur leur habileté à lire et afin de fixer des défis de lecture.

- **Le cahier de français, section lecture (situations 2, 3, 4 et 9)**

  Le cahier de français est un outil essentiel pour discuter des activités et apprentissages en lecture. Les élèves devraient y inscrire régulièrement des réflexions sur leurs lectures personnelles. Pendant le projet, ils noteront leurs prédictions sur le texte *Au royaume de Trikar*, récriront des mots, des phrases ou des événements tirés du texte et feront des liens avec leur expérience personnelle. Après l'écoute d'une aventure d'Ulysse, ils en trouveront les grandes lignes, puis ils exprimeront leurs réactions à des poèmes et à une autre aventure d'Ulysse.

- **Le journal dialogué (situation 5)**

  Dans ce journal, deux élèves notent leurs réactions à un roman fantastique qu'ils lisent simultanément. Après chaque chapitre, un membre de l'équipe écrit un commentaire auquel son ou sa partenaire répond, et ainsi de suite, jusqu'à la fin du livre.

- **Les fiches AR-A *Un rêve*, p. 16 ; *L'étrange visiteur*, p. 17-18 ; *Le domaine de Bantor*, p. 19-20 ; *Raconte-moi une histoire*, p. 25-26 (situations 2 et 4)**

  Dans ces fiches, les élèves témoignent de leur connaissance du schéma du récit, analysent plus en profondeur les personnages du texte *Au royaume de Trikar*, approfondissent leur connaissance des mots de substitution et prennent conscience du point de vue que peut adopter un auteur ou une auteure à travers le narrateur ou la narratrice.

- **Les illustrations des étapes des récits sur Dracula et Frankenstein (situation 3)**

  Même si les élèves font les illustrations en équipe, on pourra observer de quelle façon certains d'entre eux interprètent des moments importants d'une histoire.

- **La fiche de présentation du roman, annexe 2.6 (situation 5)**

  Dans cette fiche, les élèves identifient des éléments qui permettent d'associer le roman choisi au genre fantastique. Ils résument brièvement le roman et en font une appréciation.

- **Les photocopies des poèmes *Le mort joyeux* et *Les Hybriades* (situation 9)**

  Les élèves marquent les poèmes pour relever les mots qui évoquent chez eux des images.

- **La fiche d'observation *Pendant la lecture partagée*, annexe 2.5 (situations 4 et 5)**

  En remplissant cette fiche, on peut cerner des difficultés que les élèves éprouvent en lecture. On s'interroge sur l'utilisation des stratégies, sur la pertinence des questions posées pour éclaircir la compréhension du texte et d'Ulysse.

- **La fiche d'autoévaluation *Ma façon de lire*, annexe 2.4 (situations 2 et 5)**

  Dans cette fiche, les élèves expriment leur perception de la lecture et se fixent un défi à relever afin de s'améliorer.

Apprécier des œuvres littéraires

Six situations permettent d'explorer des œuvres littéraires. La cinquième est particulièrement intéressante, puisqu'on y aborde le roman fantastique, genre dont on explorera plusieurs facettes.

- **Le cahier de français, section lecture (situations 2, 3, 4 et 9)**

  Le cahier sert de base aux échanges entre les élèves. Ces derniers doivent faire des liens entre des ouvrages littéraires et d'autres types de productions, soit des films, des émissions de télé, des jeux vidéo. Ils s'approprieront le genre fantastique et analyseront des textes. Ils compareront des ouvrages et des poèmes entre eux.

- **Le journal dialogué (situation 5)**

  Dans ce journal, les élèves explorent une œuvre et comparent leurs réactions à celle-ci avec les réactions de leur partenaire.

- **La grille d'observation de la discussion, annexe 2.3 (situation 3)**

  L'observation consiste à noter l'attitude d'ouverture des élèves au moment des échanges. Les élèves résument ensuite le contenu des discussions.

- **Les discussions sur la violence et sur les types de personnages (situations 3 et 6)**

  Le thème permet de réfléchir à la violence de certains personnages et aux valeurs et stéréotypes véhiculés par les «bons» ou les «mauvais» personnages. On fera des liens entre les personnages imaginaires de récits fantastiques et l'adaptation qu'on en fait dans les médias.

- **La fiche de présentation du roman, annexe 2.6 (situation 5)**

  Dans cette fiche, les élèves doivent expliquer ce qu'ils ont aimé du roman et justifier le fait qu'il appartient au genre fantastique.

● **Le tableau sur le genre fantastique (situation 5)**

En comparant le roman choisi par une équipe avec des ouvrages examinés en grand groupe, les élèves doivent remplir un tableau sur le genre fantastique à partir des critères établis.

● **Le portrait du personnage du «bon» et du «méchant» (situation 6)**

Après avoir discuté de ce qui caractérise les deux types de personnages, les élèves dressent le portrait de chacun par écrit.

ART DRAMATIQUE

Inventer des séquences dramatiques
Interpréter des séquences dramatiques
Apprécier des œuvres théâtrales, ses réalisations et celles de ses camarades

L'art dramatique est au cœur du projet, les situations 8, 9 et 10 y étant consacrées en majeure partie. Il serait intéressant de filmer les élèves au cours de la préparation et de la présentation des improvisations et des montages poétiques. Sinon, les observer régulièrement et prendre des notes. On pourrait organiser un séminaire sur le thème des apprentissages réalisés en art dramatique.

● **Le cahier d'art dramatique**

C'est dans ce cahier que les élèves inscriront leur canevas pour l'improvisation, noteront des observations sur leurs réalisations et celles des autres, indiqueront les étapes nécessaires à la création de leurs improvisations, inscriront les idées retenues lors des montages poétiques, dessineront leur costume et écriront leurs idées pour les décors et la sonorisation.

● **La vidéo de la présentation des improvisations et des montages poétiques**

Les élèves se présentent les improvisations et les montages pendant les répétitions. Noter les commentaires et les suggestions d'amélioration pour constater les progrès durant le défilé.

FRANÇAIS

Lire des textes variés

Jugement global

Nom de l'élève

Composantes	**Comportements observés chez l'élève**				
Construire du sens à l'aide de son bagage de connaissances et d'expériences.					
Cahier de français Photocopies des poèmes	Trouve des mots, des phrases, des événements dans le récit *Au royaume de Trikar* et fait des liens avec son expérience personnelle.				
	Dresse une carte d'exploration de Dracula et de Frankenstein.				
	Relève les mots qui suggèrent des images dans un poème.				
Utiliser le contenu des textes à diverses fins.					
AR-A : *Un rêve*, p. 16; *L'étrange visiteur*, p. 17-18; *Le domaine de Bantor*, p. 19-20 *Fiche de présentation du roman*, annexe 2.6	Décrit des personnages, leurs réactions et sentiments.				
	Après la lecture, enrichit les informations sur Dracula et Frankenstein.				
	Résume un roman pour le présenter à des camarades.				
	Relève ce qui caractérise le genre fantastique.				
	Isole des éléments des poèmes qui peuvent servir au chœur pour le montage poétique.				
Réagir à une variété de textes lus.					
Cahier de français Journal dialogué	Exprime ses réactions au texte *Au royaume de Trikar* et explique certaines d'entre elles.				
	Note deux ou trois commentaires sur Ulysse.				
	Réagit à la lecture d'un roman fantastique.				
	Réagit à l'écoute et à la lecture de poèmes.				
Utiliser des stratégies et les connaissances requises par la situation de lecture.					
Cahier de français AR-A : *Un rêve*, p. 16; *L'étrange visiteur*, p. 17-18; *Raconte-moi une histoire*, p. 25-26 Illustrations du récit *Pendant la lecture partagée*, annexe 2.5; *Ma façon de lire*, annexe 2.4	Prédit le contenu d'un récit et justifie ses hypothèses.				
	Dégage les étapes du schéma du récit.				
	Identifie des mots de substitution.				
	Identifie le point de vue du narrateur ou de la narratrice.				
	Pose des questions pour clarifier le texte.				
	Demande de l'aide en cas d'incompréhension.				
Évaluer sa démarche de lecture en vue de l'améliorer.					
Ma façon de lire, annexe 2.4; *Pendant la lecture partagée*, annexe 2.5	S'interroge sur sa lecture.				
	Réfléchit aux stratégies utilisées.				
	Se situe comme lecteur ou lectrice de romans.				
	Se fixe un aspect à améliorer.				
	S'arrête en cours de lecture pour clarifier les incompréhensions.				

Cotes : 1. Se développe aisément, sans vraiment nécessiter de soutien.
2. Se développe assez bien avec peu de soutien.
3. En bonne voie de se développer, mais nécessite un soutien occasionnel.
4. Se développe difficilement et nécessite un soutien constant.

FRANÇAIS

Apprécier des œuvres littéraires

Jugement global

Nom de l'élève

Composantes	Comportements observés chez l'élève				
Explorer des œuvres variées en prenant appui sur ses goûts, ses intérêts et ses connaissances.					
Cahier de français Tableau sur le genre fantastique	● Compare les deux récits d'Ulysse, identifie le point de vue du narrateur ou de la narratrice et commente l'intérêt des deux récits. ● Choisit un roman fantastique et justifie son choix. ● Dresse un tableau des caractéristiques du genre fantastique et l'enrichit après la lecture de son roman. ● Interprète les images inspirées par des poèmes et compare les deux poèmes.				
Recourir aux œuvres littéraires à diverses fins.					
Fiche de présentation du roman, annexe 2.6	● S'inspire d'œuvres littéraires pour choisir un personnage imaginaire à jouer. ● Planifie un montage poétique à partir de deux poèmes. ● Écrit un récit en s'inspirant de ceux d'Ulysse.				
Porter un jugement critique ou esthétique sur les œuvres explorées.					
Grille d'observation de la discussion, annexe 2.3 Discussion sur la violence Discussion sur le « bon » et le « mauvais » personnage	● Fait des liens entre Dracula et Frankenstein et les adaptations de ces personnages dans les médias. ● Donne son opinion sur la violence exprimée dans les récits fantastiques et chez les personnages. ● Identifie ce qui caractérise le «bon» ou le «mauvais» personnage et donne des exemples. ● Compare le thème et les images des deux poèmes.				
Utiliser les stratégies et les connaissances requises par la situation.					
Cahier de français Grille d'observation de la discussion, annexe 2.3	● Note ce qui caractérise la façon d'écrire de Carmen Marois. ● Prête attention aux idées des autres au cours des échanges. ● Écoute avec attention le récit d'Ulysse et les deux poèmes.				
Comparer ses jugements et ses modes d'appréciation avec ceux d'autrui.					
Journal dialogué	● Répond aux commentaires exprimés par un ou une camarade dans le journal dialogué.				

Cotes : 1. Se développe aisément, sans vraiment nécessiter de soutien.   3. En bonne voie de se développer, mais nécessite un soutien occasionnel.
2. Se développe assez bien avec peu de soutien.   4. Se développe difficilement et nécessite un soutien constant.

ART DRAMATIQUE
Inventer des séquences dramatiques

Jugement global

Nom de l'élève

Composantes	Comportements observés chez l'élève				
Exploiter des idées de création inspirées par une proposition.					
Cahier d'art dramatique	Échange ses idées d'improvisation avec ses partenaires.				
	Écrit un canevas pour son improvisation.				
Exploiter des éléments du langage dramatique, de techniques de jeu, de techniques théâtrales ou de modes de théâtralisation.					
Présentation des improvisations	Respecte les règles en improvisation.				
	Est à l'écoute de ses partenaires.				
	Ne cherche pas continuellement à mener le jeu et travaille en collaboration avec ses partenaires.				
	Fait confiance à l'autre et accepte de suivre ses indications.				
	Dessine un costume pertinent.				
	Imagine des décors et une sonorisation en lien avec le thème du défilé.				
Organiser les éléments résultant de ses choix.					
Présentation des improvisations	Tient compte des remarques de son ou sa partenaire pour améliorer son jeu et modifie son canevas au besoin.				
	Réalise son costume avec des matériaux simples.				
	Participe à l'élaboration de décors ou à la sonorisation.				
Finaliser sa réalisation.					
Présentation des improvisations	Respecte le canevas.				
	Participe à l'organisation du défilé et décide de l'ordre des numéros.				
Partager son expérience de création.					
Cahier d'art dramatique	Fait le schéma des étapes de création de son improvisation.				

Cotes : 1. Se développe aisément, sans vraiment nécessiter de soutien.   3. En bonne voie de se développer, mais nécessite un soutien occasionnel.
2. Se développe assez bien avec peu de soutien.   4. Se développe difficilement et nécessite un soutien constant.

ART DRAMATIQUE
Interpréter des séquences dramatiques

Composantes / Comportements observés chez l'élève	Jugement global — Nom de l'élève			
S'approprier le contenu dramatique de la séquence.				
Cahier d'art dramatique — Analyse les poèmes et comprend des images.				
S'inspire des poèmes pour donner des idées de montage poétique.				
Exploite des éléments des poèmes pour créer le chœur.				
Appliquer des éléments du langage dramatique et des techniques théâtrales.				
Présentation des montages poétiques — Respecte la chorégraphie prévue.				
Utilise divers niveaux dans l'espace.				
Mémorise sa partie.				
Essaie de rythmer les poèmes de différentes façons.				
Appliquer les règles relatives au jeu d'ensemble.				
Présentation des montages poétiques — S'efforce de bien rendre la voix d'ensemble.				
Cherche à être à l'unisson.				
Se déplace selon la chorégraphie prévue.				
Partager son expérience d'interprétation.				
Cahier d'art dramatique — Identifie une règle nécessaire à la bonne marche du jeu d'ensemble.				

Cotes : 1. Se développe aisément, sans vraiment nécessiter de soutien.   3. En bonne voie de se développer, mais nécessite un soutien occasionnel.
2. Se développe assez bien avec peu de soutien.   4. Se développe difficilement et nécessite un soutien constant.

ART DRAMATIQUE

Apprécier des œuvres théâtrales, ses réalisations et celles de ses camarades

Jugement global

Nom de l'élève

Composantes — Comportements observés chez l'élève				
Examiner le contenu d'un extrait d'œuvre ou d'une réalisation dramatique.				
Cahier d'art dramatique — S'approprie les règles d'improvisation et juge de leur atteinte dans diverses séquences.				
Établir des liens entre ce que l'on a ressenti et ce que l'on a examiné.				
Cahier d'art dramatique — Exprime ses sentiments lors d'un montage poétique.				
Porter un jugement d'ordre critique ou esthétique.				
Cahier d'art dramatique — Relève un point fort et un point faible dans diverses improvisations.				
Partager son expérience d'appréciation.				
Présentation des improvisations et des montages poétiques — Modifie son jeu en fonction de l'appréciation des autres.				

Cotes : 1. Se développe aisément, sans vraiment nécessiter de soutien.
2. Se développe assez bien avec peu de soutien.
3. En bonne voie de se développer, mais nécessite un soutien occasionnel.
4. Se développe difficilement et nécessite un soutien constant.

Évaluation en cours d'apprentissage : thème 3

Le projet du thème 3 consiste à mettre sur pied un musée de l'espace. Comme il comporte de nombreuses occasions d'observer l'habileté des élèves à écrire dans différents contextes, nous suggérons d'utiliser la grille rattachée à la compétence *Écrire des textes variés* pour apprécier les progrès qu'ils ont faits depuis le début du cycle. En raison de la teinte scientifique du projet, nous suggérons également de faire porter l'évaluation sur les compétences du domaine de la science et de la technologie : *Proposer des explications ou des solutions à des problèmes d'ordre scientifique ou technologique*, *Mettre à profit les outils, objets et procédés de la science et de la technologie* et *Communiquer à l'aide des langages utilisés en science et en technologie*.

On pourra aussi observer les compétences transversales suivantes : *Exploiter l'information*, *Résoudre des problèmes* et *Se donner des méthodes de travail efficaces*.

Outils d'évaluation

FRANÇAIS

Écrire des textes variés

Les situations 4, 10 et 11 sont particulièrement intéressantes pour évaluer cette compétence. Les situations 5 à 8 fourniront également de précieuses informations sur la progression des élèves en écriture.

- **Le cahier de français (plusieurs situations)**

   Les élèves écriront fréquemment dans leur cahier de français, qu'il s'agisse de prédictions sur un texte ou d'impressions sur un poème par exemple. Ils y noteront des découvertes pour mieux les retenir et pour les mettre en lien avec leurs connaissances préalables. On pourra notamment y observer de quelle façon les élèves se servent de l'écrit pour organiser leur pensée.

- **Le rapport d'expérience (situation 4)**

   On incitera les élèves à apporter autant de soin à la rédaction du rapport d'expérience que s'il s'agissait d'une situation d'écriture proprement dite. On pourra y observer l'efficacité de leur démarche et leur capacité à réinvestir le vocabulaire disciplinaire utilisé dans l'expérience sur la propulsion des fusées.

- **La fiche d'analyse et d'appréciation d'un poème (situation 5)**

   Comme dans le cas du rapport d'expérience, on invitera les élèves à soigner l'élaboration de ces fiches. Il sera donc important d'y réagir et de les faire corriger.

- **La carte d'identité d'un personnage de BD (situation 6)**

   Pour rédiger la carte d'identité, les élèves dégageront les caractéristiques du personnage de BD qu'ils ont choisi et y associeront des passages ou une description des images qui les font ressortir. On évaluera par ailleurs la précision du vocabulaire, notamment l'emploi des adjectifs.

● **Les capsules d'information sur l'Univers (situation 7)**

En raison de la concision de ces textes, les élèves devront employer des mots englobants pour présenter les informations. Sur les brouillons, on observera si les élèves se sont souciés d'améliorer leurs phrases.

● **Le dépliant touristique fictif (situation 8)**

Dans le dépliant, on vérifiera si les élèves sélectionnent et organisent leurs idées en tenant compte de l'objectif : attirer des visiteurs sur leur planète. On y observera aussi la présence (ou l'absence) d'adjectifs, de superlatifs et d'adverbes d'intensité.

● **Le texte explicatif sur les adaptations comportementales de la créature (situation 10)**

Ce texte représente une occasion d'observer les stratégies de préécriture, d'écriture et de révision. En phase d'intégration, évaluer la qualité de la réflexion des élèves sur leur processus d'écriture.

● **Le texte pour décrire un monde imaginaire (situation 11)**

Les brouillons permettront de voir où en sont les élèves quant à leur habileté à tenir compte de l'intention d'écriture, des destinataires et du contexte. On pourra ainsi leur apporter du soutien sur ce plan au cours du cycle. On pourra aussi détecter la mauvaise utilisation ou sous-utilisation de la grille de révision (annexe 3.7).

SCIENCE ET TECHNOLOGIE

Proposer des explications ou des solutions à des problèmes d'ordre scientifique ou technologique

Mettre à profit les outils, objets et procédés de la science et de la technologie

Communiquer à l'aide des langages utilisés en science et en technologie

Le thème 3 est intimement lié à la science et à la technologie. Plusieurs situations permettront d'observer le développement des compétences dans ce domaine.

● **La fusée construite par les élèves (situation 4)**

Observer la conception des composantes de la fusée et les efforts fournis par les élèves pour augmenter sa propulsion. S'attarder aussi aux matériaux utilisés et à leur assemblage.

● **Le rapport d'expérimentation (situation 4)**

En lisant le rapport, on pourra constater la rigueur avec laquelle les résultats de l'expérimentation ont été consignés. Donner une rétroaction sur la justesse des explications du principe de la propulsion de la fusée.

● **Le journal scientifique (plusieurs situations)**

Dans le journal scientifique, les croquis des prototypes permettront d'apprécier les tentatives d'amélioration qui ont été faites, notamment après les commentaires des pairs.

- **Le schéma explicatif d'un phénomène relié à l'espace (situation 7)**

  Le schéma explicatif témoignera de ce que les élèves ont retenu de leur quête d'information et de la façon dont ils ont traité ces informations, bref de la qualité d'appropriation des connaissances. Il permettra également de voir de quelle façon les élèves ont organisé ces connaissances.

- **Les capsules d'information pour le musée (situation 7)**

  Les capsules d'information constituent un prolongement explicite du schéma explicatif. On s'assurera de la justesse des informations en raison de leur caractère médiatique. Si des erreurs se sont glissées, suggérer aux élèves de vérifier la fiabilité de leurs sources d'information.

- **Le dépliant touristique fictif (situation 8)**

  Cette production fictive permettra de voir si les élèves ont bien saisi les conditions essentielles à la présence de la vie. On jugera de la qualité des propositions formulées pour pallier les conditions austères des autres planètes du système solaire. Les solutions doivent être innovatrices et cohérentes, indépendamment de leur faisabilité.

- **Le texte explicatif sur les adaptations comportementales de la créature (situation 10)**

  Dans ce court texte, on verra si les élèves établissent des liens pertinents entre les conditions d'un habitat et les caractéristiques morphologiques adaptatives de ses habitants.

- **La créature en trois dimensions (situation 10)**

  Lorsque les élèves présenteront la créature imaginaire, on pourra juger de leur appropriation du vocabulaire et de la pertinence des liens qu'ils ont établis entre des caractéristiques morphologiques et celles de l'habitat.

FRANÇAIS
Écrire des textes variés

	Jugement global				
Composantes	**Comportements observés chez l'élève**	Nom de l'élève			

Recourir à son bagage de connaissances et d'expériences.

Texte explicatif sur les adaptations comportementales
Texte sur un monde imaginaire
Dépliant touristique fictif

- Décrit les adaptations comportementales d'une créature imaginaire.
- Décrit un monde imaginaire.
- Réalise un dépliant touristique fictif.

Exploiter l'écriture à diverses fins.

Texte explicatif sur les adaptations comportementales
Cahier de français
Rapport d'expérience
Fiche d'analyse et d'appréciation d'un poème
Carte d'identité d'un personnage de BD
Capsules sur l'Univers

- Rédige des explications scientifiques.
- Note ses impressions sur un texte.
- Prend des notes pour retenir de l'information.
- Rédige un rapport d'expérience.
- Élabore une fiche d'analyse et d'appréciation d'un poème.
- Élabore la carte d'identité d'un personnage.
- Rédige des capsules d'information.

Explorer la variété des ressources de la langue écrite.

Texte explicatif sur les adaptations comportementales
Texte sur un monde imaginaire
Rapport d'expérience
Carte d'identité d'un personnage de BD
Capsules sur l'Univers

- Réinvestit du vocabulaire.
- Utilise des expressions et des mots précis.
- Déplace, supprime, ajoute ou substitue des éléments dans une phrase.
- Emploie des mots englobants.

Utiliser les stratégies, les connaissances et les techniques requises par la situation.

Texte explicatif sur les adaptations comportementales de la créature
Texte sur un monde imaginaire
Rapport d'expérience
Capsules sur l'Univers
Dépliant touristique fictif

- Fait les accords dans le groupe du nom.
- Accorde le verbe avec le sujet.
- Fait lire son brouillon ou emploie une grille de révision.
- Fait un plan et divise son texte en paragraphes.
- Respecte les contraintes de la situation (destinataires et contexte).
- Soigne la mise en pages.

Évaluer sa démarche d'écriture en vue de l'améliorer.

Texte explicatif sur les adaptations comportementales
Texte sur un monde imaginaire
Dépliant touristique fictif

- Identifie des savoir-faire non maîtrisés dans son processus d'écriture.
- Commente l'efficacité des stratégies d'écriture.
- Met en relief les progrès qu'il ou elle a faits.

Cotes : 1. Se développe aisément, sans vraiment nécessiter de soutien.
2. Se développe assez bien avec peu de soutien.
3. En bonne voie de se développer, mais nécessite un soutien occasionnel.
4. Se développe difficilement et nécessite un soutien constant.

SCIENCE ET TECHNOLOGIE

Proposer des explications ou des solutions à des problèmes d'ordre scientifique ou technologique

Jugement global

Nom de l'élève

Composantes	Comportements observés chez l'élève				

Identifier un problème ou cerner une problématique.

Journal scientifique
Rapport d'expérimentation
Dépliant touristique fictif
Texte explicatif sur les adaptations comportementales de la créature

- Prend conscience de ses conceptions initiales, les exprime et les schématise.
- Émet des hypothèses sur la propulsion des fusées.
- Propose des explications pertinentes aux principes physiques observés.
- Énonce des questions sur un phénomène relié à l'espace.
- Réfléchit aux conditions essentielles à la vie.
- S'interroge sur la biodiversité
- Émet des hypothèses sur une vie extraterrestre en fonction de conditions environnementales.

Recourir à des stratégies d'exploration variées.

Journal scientifique
Rapport d'expérimentation
Schéma explicatif d'un phénomène relié à l'espace
Capsules d'information
Dépliant touristique fictif
Texte explicatif sur les adaptations comportementales

- Réalise un croquis du prototype à fabriquer ou un schéma explicatif et le soumet à ses pairs.
- Élabore des essais en modifiant les variables et note les résultats de façon rigoureuse.
- Cherche des informations dans diverses sources.
- Interprète correctement les caractéristiques d'une des planètes du système solaire.

Évaluer sa démarche.

Rapport d'expérimentation
Dépliant touristique fictif

- Tire des conclusions après ses expérimentations.
- Identifie des questions à la suite d'expérimentations.
- S'interroge sur la fiabilité de ses sources d'information.
- Évalue la pertinence de solutions proposées pour résoudre un problème.
- Réfléchit à son appropriation des notions scientifiques.

Cotes : 1. Se développe aisément, sans vraiment nécessiter de soutien.
2. Se développe assez bien avec peu de soutien.
3. En bonne voie de se développer, mais nécessite un soutien occasionnel.
4. Se développe difficilement et nécessite un soutien constant.

SCIENCE ET TECHNOLOGIE

Mettre à profit les outils, objets et procédés de la science et de la technologie

	Jugement global				
Composantes — **Comportements observés chez l'élève**	Nom de l'élève				
S'approprier les rôles et fonctions des outils, techniques, instruments et procédés de la science et de la technologie.					
Journal scientifique / Rapport d'expérimentation — Établit des liens entre le design des composantes de la fusée et sa puissance de propulsion.					
Relier divers outils, objets ou procédés technologiques à leurs contextes et à leurs usages.					
Journal scientifique / Fusée construite par les élèves — Fabrique une fusée après avoir conçu l'ensemble de ses composantes.					
Évaluer l'impact de divers outils, instruments ou procédés.					
Journal scientifique — Explique pourquoi on lance des fusées aujourd'hui.					

Cotes : 1. Se développe aisément, sans vraiment nécessiter de soutien.   3. En bonne voie de se développer, mais nécessite un soutien occasionnel.
2. Se développe assez bien avec peu de soutien.   4. Se développe difficilement et nécessite un soutien constant.

SCIENCE ET TECHNOLOGIE

Communiquer à l'aide des langages utilisés en science et en technologie

Composantes / Comportements observés chez l'élève	Jugement global — Nom de l'élève			
S'approprier des éléments du langage courant liés à la science et à la technologie.				
Journal scientifique / Dépliant touristique fictif / Créature en trois dimensions — Explore le vocabulaire relié à un phénomène de l'espace.				
Construit sa représentation des notions de pression atmosphérique et de force gravitationnelle.				
Explore le vocabulaire lié à l'évolution des espèces et à ses adaptations à divers habitats.				
Utiliser des éléments du langage courant et du langage symbolique liés à la science et à la technologie.				
Journal scientifique / Schéma explicatif d'un phénomène relié à l'espace — Construit un schéma explicatif d'un phénomène relié à l'espace.				
Utilise des données scientifiques justes et précises.				
Exploiter les langages courant et symbolique pour formuler une question, expliquer un point de vue ou donner une explication.				
Fusée construite par les élèves / Dépliant touristique fictif / Créature en trois dimensions — Explique le phénomène de propulsion des fusées en utilisant le vocabulaire disciplinaire de la physique.				
Communique ses idées sur les conditions essentielles à la vie en utilisant le vocabulaire approprié.				
Présente sa créature imaginaire en expliquant comment elle a évolué pour s'adapter à son habitat.				

Cotes : 1. Se développe aisément, sans vraiment nécessiter de soutien. 3. En bonne voie de se développer, mais nécessite un soutien occasionnel.
2. Se développe assez bien avec peu de soutien. 4. Se développe difficilement et nécessite un soutien constant.

Évaluation en cours d'apprentissage : thème 4

Le projet thématique 4 couvre un large éventail de compétences. Nous suggérons cependant de cibler l'évaluation en cours d'apprentissage sur une compétence en français, *Écrire des textes variés*, une compétence liée au domaine de l'univers social, *Lire l'organisation d'une société sur son territoire*, et deux compétences en art dramatique, *Interpréter des séquences dramatiques* et *Apprécier des œuvres théâtrales, ses réalisations et celles de ses camarades*. On pourra aussi observer les compétences transversales suivantes : *Exercer son jugement critique, Exploiter les TIC* et *Coopérer*.

Outils d'évaluation

FRANÇAIS

Écrire des textes variés

Les situations 1, 3, 4, 5, 6, 11 et 12 requièrent une mobilisation particulière de la compétence à écrire des textes variés.

● **Le questionnaire sur l'argent de poche (situation 3)**

On observera de quelle façon les élèves ont adapté leur questionnaire au groupe ciblé pour le sondage. On observera aussi l'ordre logique des questions et leur formulation.

● **Le rapport d'enquête (situation 3)**

On insistera auprès des élèves pour qu'ils soignent la qualité de la langue écrite lorsqu'ils produisent un texte susceptible d'être médiatisé. Observer les traces de correction sur le brouillon et l'habileté des élèves à tirer profit des commentaires reçus.

● **La fiche *Évaluation du rapport d'enquête*, annexe 4.5 (situation 3)**

Cette liste de vérification permettra aux élèves de poser un regard critique sur le rapport d'enquête en tant que produit et de l'améliorer une dernière fois avant de le soumettre. On pourra alors réagir en exprimant son accord ou son désaccord avec leur évaluation.

● **Le cahier de français (plusieurs situations)**

Les élèves se serviront de ce cahier à de nombreuses reprises et pour diverses fins. Aussi constitue-t-il un reflet de leurs réflexions sur leur démarche d'écriture et sur leurs méthodes de travail. On aura donc avantage à le consulter fréquemment.

● **Les affiches de conseils sur les dangers de la surconsommation de médias électroniques (situation 4)**

Ces affiches permettront de vérifier si les élèves sont capables de réinvestir les connaissances qu'ils ont acquises sur la formulation de phrases impératives.

- **Le rapport de recherche (situation 5)**

  Dans ce rapport, on vérifiera plus particulièrement la pertinence des informations présentées et leur organisation, en s'attardant à divers aspects liés à la grammaire, notamment l'emploi de pronoms et autres mots de substitution.

- **L'article scientifique (situation 6)**

  Après avoir lu le brouillon, on fournira une rétroaction sur le respect de l'intention d'écriture, sur la division du texte en paragraphes et sur les autres aspects liés à la grammaire de la phrase qui ont été abordés au cours des thèmes précédents.

- **Le rapport d'analyse de produits (situation 11)**

  On observera la précision et la rigueur de la description du dispositif expérimental pour vérifier les affirmations publicitaires sur des produits, et la qualité des résultats obtenus et des conclusions de l'expérimentation. On notera aussi les efforts que les élèves ont faits pour améliorer leur rapport à la suite des commentaires qu'ils ont reçus.

- **La fiche *Écrire une lettre*, annexe 4.2 (situation 12)**

  Cette fiche est une liste de vérification de toutes les composantes du message. Si la lettre des élèves est incomplète, cela pourrait indiquer un problème de compréhension majeur qui rendrait nécessaire de revoir certaines notions.

- **Les messages publicitaires ou le programme de la pièce de théâtre (situation 12)**

  On observera principalement la prise en compte des destinataires. Afin de s'adapter à une partie du public plus jeune, les élèves pourraient notamment prévoir des dessins qui faciliteraient la lecture du programme.

HISTOIRE, GÉOGRAPHIE ET ÉDUCATION À LA CITOYENNETÉ

Lire l'organisation d'une société sur son territoire

La situation 5 permettra de recueillir des informations très utiles sur la progression des élèves à l'égard de cette compétence. On pourrait aussi s'en servir pour observer la compétence transversale *Exploiter l'information*.

- **La fiche AR-A *La consommation dans les villes*, p. 62 (situation 5)**

  Les réponses à cette fiche permettront de vérifier si les élèves sont capables d'établir des liens entre le phénomène de l'industrialisation et des caractéristiques sociales et territoriales de la société québécoise depuis la fin du 19e siècle.

- **Le rapport de recherche (situation 5)**

  Ce rapport de recherche permettra de vérifier si les élèves sont capables d'approfondir un aspect caractéristique de la société québécoise à la fin du 19e siècle (les mouvements de population à l'intérieur et à l'extérieur du Québec, la mécanisation de l'agriculture, la colonisation, etc.).

- **Le journal d'histoire et de géographie (situation 5)**

  Les élèves noteront leur plan de recherche en précisant les questions qui guideront leur recherche et les informations qu'ils tireront des travaux de leurs camarades sur d'autres aspects de la société québécoise à la fin du 19e siècle. Observer comment ils ont organisé les connaissances dans leur journal.

ART DRAMATIQUE

Interpréter des séquences dramatiques

Apprécier des œuvres théâtrales, ses réalisations et celles de ses camarades

On observera surtout le développement de ces compétences à la situation 8, mais la situation 7 permettra également de recueillir certaines informations pertinentes liées à l'étude des personnages.

- **La carte d'identité du personnage (situation 7)**

  La façon dont les élèves se représentent le personnage à jouer permettra de vérifier s'ils se sont bien approprié la séquence dramatique. Bien que différentes interprétations soient possibles, on devra trouver dans ces cartes des indications de jeu tirées du scénario.

- **Le cahier d'art dramatique (situation 8)**

  Consulter ce cahier notamment pour vérifier la planification des étapes de mise sur pied de la pièce de théâtre : décor, accompagnement sonore, accessoires, etc. Y observer également les notes que les élèves auront prises sur la façon de jouer le personnage et sur l'expérimentation de leur jeu d'acteurs.

- **La pièce de théâtre *Dans l'esprit de Noël* (situation 8)**

  Si on a pu filmer les interprétations de la pièce, observer des éléments précis en visionnant des extraits. Si on ne l'a pas fait, noter des observations et les partager avec les élèves qui auront eux aussi observé le jeu de leurs camarades.

FRANÇAIS

Écrire des textes variés

Jugement global

Nom de l'élève

Composantes	Comportements observés chez l'élève				

Recourir à son bagage de connaissances et d'expériences.

Lettre d'invitation
Questionnaire sur l'argent de poche
Rapport d'enquête
Rapport de recherche
Article scientifique
Rapport d'analyse
Messages publicitaires ou programme de théâtre

- Rédige un questionnaire sur l'argent de poche.
- Produit un rapport d'enquête.
- Fait des affiches de conseils.
- Rédige un rapport de recherche.
- Rédige un article scientifique et un rapport d'analyse.
- Réalise un message publicitaire ou un programme de théâtre.
- Écrit une lettre d'invitation.

Exploiter l'écriture à diverses fins.

Journal d'histoire et de géographie
Cahier de français
Rapport de recherche

- Écrit dans ses outils de consignation.
- Élabore des fiches des sources d'information.
- Recourt à l'écriture pour retenir les informations.
- Laisse des traces de ses démarches de recherche.

Explorer la variété des ressources de la langue écrite.

Lettre d'invitation
Rapport de recherche

- Emploie des pronoms pour éviter les répétitions.
- Tente diverses formulations et retient la meilleure.

Utiliser les stratégies, les connaissances et les techniques requises par la situation d'écriture.

Lettre d'invitation
Écrire une lettre, annexe 4.2
Questionnaire sur l'argent de poche
Rapport d'enquête
Évaluation du rapport d'enquête, annexe 4.5
Affiches de conseils
Rapport de recherche
Article scientifique
Rapport d'analyse
Messages publicitaires ou programme de théâtre

- Met des majuscules aux noms propres.
- Tient compte des destinataires et de l'intention d'écriture.
- Fait les accords dans les groupes du nom et l'accord des verbes avec le sujet.
- Fait relire son brouillon et tient compte des suggestions.
- Réalise un plan de son texte et divise son texte en paragraphes.
- Teste son message pour l'améliorer.
- Utilise un logiciel de correction ou un dictionnaire pour corriger l'orthographe d'usage.

Évaluer sa démarche d'écriture en vue de l'améliorer.

Évaluation du rapport d'enquête, annexe 4.5
Rapport de recherche
Article scientifique
Messages publicitaires ou le programme de théâtre

- Exprime ses difficultés.
- S'interroge sur son texte (grammaire du texte et de la phrase).
- Commente l'adéquation entre son texte et l'intention d'écriture.

Cotes : 1. Se développe aisément, sans vraiment nécessiter de soutien.
2. Se développe assez bien avec peu de soutien.
3. En bonne voie de se développer, mais nécessite un soutien occasionnel.
4. Se développe difficilement et nécessite un soutien constant.

HISTOIRE, GÉOGRAPHIE ET ÉDUCATION À LA CITOYENNETÉ

Lire l'organisation d'une société sur son territoire

Composantes / Comportements observés chez l'élève	Jugement global — Nom de l'élève			
Situer la société et son territoire dans l'espace et dans le temps.				
Situe sur une carte les limites territoriales de la société québécoise à la fin du 19e siècle.				
Établit des liens entre des caractéristiques de la société et l'aménagement de son territoire.				
Rapport de recherche / Journal d'histoire et de géographie — Entreprend une recherche sur un des aspects caractéristiques de la société québécoise à la fin du 19e siècle.				
Note dans son journal des informations nouvelles tirées des recherches de ses camarades.				
Précise l'influence de personnages ou l'incidence d'événements sur l'organisation sociale et territoriale.				
AR-A : *La consommation dans les villes*, p. 62 / Rapport de recherche — Explique le phénomène d'industrialisation qui se met en place au Québec durant la deuxième moitié du 19e siècle.				
Explique le phénomène d'urbanisation qui s'observe au Québec à la fin du 19e siècle dans la foulée de l'industrialisation.				
Établit des liens entre l'urbanisation et la détérioration des conditions de vie en ville.				
Constate l'essor de l'industrie manufacturière.				

Cotes : 1. Se développe aisément, sans vraiment nécessiter de soutien.   3. En bonne voie de se développer, mais nécessite un soutien occasionnel.
2. Se développe assez bien avec peu de soutien.   4. Se développe difficilement et nécessite un soutien constant.

ART DRAMATIQUE

Interpréter des séquences dramatiques

	Jugement global				
	Nom de l'élève				

Composantes / Comportements observés chez l'élève					
S'approprier le contenu dramatique de la séquence.					
Cahier d'art dramatique Carte d'identité du personnage	Échange sur la pièce de théâtre, sur les valeurs qu'elle véhicule et sur les personnages. Mémorise la pièce et apprend son rôle. Partage ses intuitions quant à la façon de jouer les personnages. Dresse la carte d'identité du personnage à jouer. Note ses impressions et les démarches menant à l'interprétation de la pièce de théâtre. Participe activement aux répétitions.				
Appliquer des éléments du langage dramatique, de techniques de jeu, de techniques théâtrales et de modes de théâtralisation.					
Cahier d'art dramatique	Fait des exercices de respiration, de voix, de diction et d'attention. Improvise pour trouver la meilleure façon de jouer son personnage. Planifie l'éclairage, l'accompagnement sonore et les décors. Recourt à sa mémoire émotive pour faire ressortir les sentiments du personnage interprété.				
Exploiter les éléments expressifs inhérents à la séquence dramatique.					
Pièce de théâtre *Dans l'esprit de Noël*	Soigne sa prononciation, son articulation et son élocution. Adopte des intonations, des mimiques et des attitudes qui conviennent au personnage.				
Appliquer les règles relatives au jeu d'ensemble.					
Pièce de théâtre *Dans l'esprit de Noël*	Respecte la séquence déterminée lors de la prestation. Tient compte du jeu de ses partenaires.				
Partager son expérience d'interprétation.					
Cahier d'art dramatique	Évoque des éléments pertinents pour parler de son expérience d'interprétation. Établit des liens entre les choix retenus pour jouer la pièce et les exercices de préparation. Pose un regard critique sur ses essais et ses choix scéniques. Exprime son degré de satisfaction à l'égard de son jeu.				

Cotes : 1. Se développe aisément, sans vraiment nécessiter de soutien.   3. En bonne voie de se développer, mais nécessite un soutien occasionnel.
2. Se développe assez bien avec peu de soutien.   4. Se développe difficilement et nécessite un soutien constant.

ART DRAMATIQUE

Apprécier des séquences dramatiques

Jugement global

Composantes	**Comportements observés chez l'élève**	Nom de l'élève			

Examiner le contenu d'un extrait d'œuvre théâtrale ou d'une réalisation dramatique au regard d'éléments de contenu.

Cahier d'art dramatique
- Observe les interprétations de la pièce *Dans l'esprit de Noël* selon des critères prédéterminés.
- Relève les actions, les mimiques, les modulations de voix qui traduisent bien le caractère des personnages.

Examiner un extrait d'œuvre théâtrale au regard d'aspects socioculturels.

Cahier d'art dramatique
- Relève les aspects propres à sa culture dans la pièce *Dans l'esprit de Noël*, notamment tout ce qui concerne la fête de Noël et les habitudes de consommation.

Porter un jugement d'ordre critique ou esthétique.

Cahier d'art dramatique
- Exprime ce qui lui plaît ou déplaît dans la séquence dramatique.

Partager son expérience d'appréciation.

Discussion sur la pièce de théâtre
- Échange sur son appréciation et la justifie auprès de l'équipe qu'il ou elle a observée.
- Donne des suggestions pour améliorer le jeu des autres équipes.

Cotes : 1. Se développe aisément, sans vraiment nécessiter de soutien.   3. En bonne voie de se développer, mais nécessite un soutien occasionnel.
2. Se développe assez bien avec peu de soutien.   4. Se développe difficilement et nécessite un soutien constant.

Évaluation en cours d'apprentissage : thème 5

Le projet du thème 5 consiste à réaliser une émission de télévision sur le thème des métiers. Nous suggérons d'évaluer deux compétences en français, *Lire des textes variés* et *Communiquer oralement*, et deux compétences en géographie, histoire et éducation à la citoyenneté, *Lire l'organisation d'une société sur son territoire* et *Interpréter les changements d'une société sur son territoire*. Le projet offre aussi la possibilité d'observer plus précisément les compétences transversales *Exploiter l'information*, *Structurer son identité* et *Communiquer de façon appropriée*.

Outils d'évaluation

FRANÇAIS

Lire des textes variés

Au cours des situations 2, 3, 4, 8, 9 et 10, les élèves liront des textes variés, tirés de différentes sources (manuel *Cyclades A*, manuel d'univers social *Cyclades*, textes tirés d'Internet, textes informatifs sur les métiers, etc.). Ils pourront alors échanger sur leurs lectures avec leurs camarades et observer leur façon de lire dans divers contextes.

- **Le cahier de français (situations 4, 8 et 10)**

  Dans leur cahier de français, les élèves expliqueront certains mots du texte *Trente-six métiers* et dégageront les informations essentielles de la partie du texte qu'ils ont à approfondir. Ils noteront également en quoi consiste le travail d'écologiste à partir du texte *Catherine Potvin, écologiste*. Ils inscriront les émotions qu'ils ont ressenties à l'écoute des deux chansons, puis ils noteront leurs prédictions sur le texte *Alfred sauve Antoine* et dresseront la carte des personnages.

- **Les fiches AR-A *L'allumeur de réverbères*, p. 70; *Alfred sauve Antoine*, p. 71-72; *Monde du travail et syndicats*, p. 85-86 (situations 2, 9 et 10)**

  Dans la fiche sur le monde du travail, les élèves sélectionneront des informations et réagiront à deux textes informatifs. Les deux autres fiches permettent aux élèves de réagir à des textes littéraires, d'identifier le schéma du récit et d'analyser les caractéristiques et les motivations de différents personnages.

- **La fiche d'exploration sur les métiers (situation 2)**

  Cette fiche permet de voir comment les élèves sélectionnent de l'information dans divers documents afin de recueillir suffisamment d'informations sur des métiers pour pouvoir les présenter adéquatement.

- **Un carnet de lecture sur le petit prince (situation 9)**

  Pendant la lecture du roman *Le Petit Prince*, les élèves construiront un carnet de lecture. Ils y noteront leurs prédictions sur le récit ainsi que leurs réactions. Ils analyseront les personnages et dégageront les liens qui s'établissent entre eux.

- **La grille d'observation *Lecture partagée*, annexe 5.5 (situations 2, 3 et 9)**

  À différents moments au cours du thème, on invite les élèves à lire en lecture partagée. Profiter de ces moments pour observer les élèves en cours de lecture.

- **La fiche *Mon personnage et son occupation*, annexe 5.7, et l'affiche (situation 10)**

  Les élèves présenteront le métier d'un personnage de roman ou de bédé et dégageront l'incidence de cette occupation sur le déroulement du récit.

- **La fiche *Ma façon de lire*, annexe 5.8 (entrevue de lecture)**

  Les élèves s'interrogeront sur leur façon de lire et ils se donneront un défi en lecture.

Communiquer oralement

Les situations 1, 2, 3, 5, 6, 7 et 10 développent plus particulièrement la compétence à communiquer oralement. On pourra aussi tirer parti de discussions moins formelles.

- **Le cahier de français (toutes les situations)**

  Les élèves notent dans ce cahier leurs réactions aux épisodes de *Cyclades* et leurs réflexions sur la forme et le contenu d'émissions de télé. Ils analysent des interviews et des jeux-questionnaires télévisés en observant la qualité de la langue.

- **La fiche *Planifier une émission de télévision*, annexe 5.2 (situation 1)**

  Dans la deuxième partie de cette fiche, les élèves évaluent leur participation et relèvent des aspects à améliorer.

- **Les vidéos des émissions (situation 1)**

  Si les élèves filment leurs émissions, on utilisera des extraits pour analyser certains aspects de leur communication orale et des éléments à améliorer.

- **La fiche *Apprécier une émission de télévision*, annexe 5.3 (situation 1)**

  Cette fiche permet aux élèves d'apprécier l'émission de télé réalisée par une des équipes. Elle servira de base de discussion pour améliorer les prestations.

- **La grille *Mes élèves en situation de communication*, annexe 5.4 (situation 1)**

  Cette fiche pourra être utilisée à tout moment au cours du thème pour évaluer les divers aspects de la compétence à communiquer oralement.

- **Les vidéos des présentations en univers social (situation 3)**

  Dans cette vidéo, les élèves présentent l'affiche qu'ils ont élaborée sur les thèmes de l'urbanisation, de la colonisation et de l'émigration au début du 20ᵉ siècle. Observer leur habileté à communiquer et à organiser leur présentation.

- **Les vidéos des interviews des jeux-questionnaires (situations 5 et 6)**

  Les élèves s'interrogeront sur leur habileté à poser des questions et à y répondre. Ils chercheront à s'améliorer en s'observant sur les séquences filmées afin de produire une interview captivante pour leur public.

● **La fiche _Mon personnage et son occupation_, annexe 5.7, et l'affiche (situation 10)**

Cette fiche et l'affiche permettront d'observer l'habileté des élèves à organiser les informations qu'ils recueillent sur leur personnage.

● **Les vidéos des présentations d'un personnage et de son métier (situation 10)**

On verra de quelle façon les élèves s'y prennent pour inciter les autres à lire le livre qu'ils présentent. Ils pourront commenter leur posture, les structures de phrases, la clarté du message et la qualité générale de la langue orale.

GÉOGRAPHIE, HISTOIRE ET ÉDUCATION À LA CITOYENNETÉ

Lire l'organisation d'une société sur son territoire
Interpréter le changement dans une société et sur son territoire

La situation 2 permet aux élèves d'approfondir leurs connaissances sur la société cana-dienne au début du 20ᵉ siècle et de cerner les changements entre cette société et celle de la fin du siècle. Dans la situation 3, les élèves analyseront l'impact de l'urbanisation, de la colonisation, de l'émigration et du développement des réseaux de transport.

● **Le journal d'histoire et de géographie (situations 2 et 3)**

Dans ce journal, les élèves notent différents éléments concernant leurs apprentis-sages en géographie, histoire et éducation à la citoyenneté. On pourra l'utiliser au cours des séminaires sur les apprentissages réalisés depuis le début de l'année en univers social ou pendant les entrevues avec les élèves.

● **Les fiches AR-A _Monde du travail et syndicats_, p. 85-86; _Urbanisation_, p. 83-84 (situations 2 et 3)**

Ces fiches permettent aux élèves de consigner diverses informations sur l'évolution de la démographie au Québec, sur le monde du travail et sur la naissance du syndi-calisme en établissant des liens avec le monde d'aujourd'hui.

● **La fiche d'exploration sur un métier (situation 2)**

Sur cette fiche qu'ils élaborent eux-mêmes, les élèves notent des informations sur un métier pratiqué au début du 20ᵉ siècle. On s'en servira pour faire des comparai-sons avec l'époque actuelle.

● **Les illustrations en lien avec la vie d'autrefois (situation 2)**

Les élèves chercheront des photos et illustrations du monde du travail au début du 20ᵉ siècle. Ces documents graphiques seront comparés avec l'époque actuelle.

● **Les affiches sur l'urbanisation, l'émigration, la colonisation et le système de transport (situation 3)**

Ces affiches résument les informations que les élèves ont recueillies sur ces diffé-rents phénomènes ainsi que la compréhension qu'ils en ont.

FRANÇAIS

Lire des textes variés

Jugement global

Nom de l'élève

Composantes	Comportements observés chez l'élève

Construire du sens à l'aide de son bagage de connaissances et d'expériences.

Cahier de français
Carnet de lecture sur le petit prince

- Fait le rappel de ses connaissances sur le travail dans les villes dans le passé pour mieux comprendre un texte sur le sujet.
- Établit des liens entre le monde d'aujourd'hui et celui du début du 20e siècle.
- Explique la syndicalisation, la colonisation ou l'émigration.

Utiliser le contenu des textes à diverses fins.

AR-A : *Monde du travail et syndicats*, p. 85-86
Fiche d'exploration d'un métier
Cahier de français
Carnet de lecture sur le petit prince
Mon personnage et son occupation, annexe 5.7
Affiche *Mon personnage et son occupation*

- Consulte plusieurs sources d'information pour élaborer une fiche ou une affiche.
- Sélectionne de l'information pour élaborer une fiche ou une affiche.
- Cerne les causes et conséquences de divers phénomènes.
- Prend des notes pour préparer une présentation.
- Dresse la carte d'un personnage.
- Relève les liens entre les personnages.

Réagir à une variété de textes lus.

Cahier de français
Carnet de lecture sur le petit prince
AR-A : *Alfred sauve Antoine*, p. 71-72

- Réagit aux conditions de travail d'autrefois.
- Discute du message d'une chanson, d'un texte.
- Établit des liens avec son expérience.
- Pose des questions sur un texte.
- Note des réflexions personnelles après la lecture.

Utiliser des stratégies, les connaissances et les techniques requises par la situation de lecture.

Cahier de français
AR-A *L'allumeur de réverbères*, p. 70; *Alfred sauve Antoine*, p. 71-72; *Monde du travail et syndicats*, p. 85-86
Lecture partagée, annexe 5.5

- Fait des prédictions sur la suite d'un récit.
- Prépare des questions sur une partie du texte.
- Dresse le schéma d'un texte informatif.
- Analyse un poème.
- S'arrête en cours de lecture pour se corriger.
- Identifie le problème et la solution dans un récit.
- Identifie les caractéristiques et les motivations d'un personnage.

Évaluer sa démarche de lecture en vue de l'améliorer.

Ma façon de lire, annexe 5.8

- S'interroge sur sa façon de lire.
- Identifie ses forces et ses faiblesses.
- Se donne un défi en lecture.

Cotes :
1. Se développe aisément, sans vraiment nécessiter de soutien.
2. Se développe assez bien avec peu de soutien.
3. En bonne voie de se développer, mais nécessite un soutien occasionnel.
4. Se développe difficilement et nécessite un soutien constant.

FRANÇAIS
Communiquer oralement

Jugement global

Nom de l'élève

Composantes	Comportements observés chez l'élève				
Explorer verbalement divers sujets avec autrui pour construire sa pensée.					
Discussions en classe *Mes élèves en situation de communication*, annexe 5.4 Cahier de français *Mon personnage et son occupation*, annexe 5.7	Discute de l'influence de la télévision dans sa vie. Identifie les composantes d'une émission de télé. Distingue les faits des opinions. Commente les conditions de travail au début du 20ᵉ siècle. S'interroge sur la syndicalisation, l'urbanisation, la colonisation ou l'émigration. Organise sa présentation d'un personnage et de son occupation.				
Partager ses propos durant une situation d'interaction.					
Cahier de français *Mes élèves en situation de communication*, annexe 5.4 *Apprécier une émission de télévision*, annexe 5.3 Vidéos des émissions, des présentations en univers social, des interviews et des jeux-questionnaires	Échange sur la façon d'organiser une émission. Donne son opinion sur différents phénomènes. Pose des questions pour obtenir des éclaircissements. Répond aux questions qu'on lui pose. Utilise une langue correcte. Utilise des structures de phrases variées. Utilise un vocabulaire précis.				
Réagir aux propos entendus au cours d'une situation de communication.					
Cahier de français *Apprécier une émission de télévision*, annexe 5.3	Commente les épisodes de l'univers *Cyclades*. Analyse des émissions de télé (forme et contenu). Apprécie les émissions de ses camarades.				
Utiliser des stratégies et connaissances requises par la situation.					
Cahier de français *Mes élèves en situation de communication*, annexe 5.4 *Apprécier une émission de télévision*, annexe 5.3 Vidéos et présentations	Prend une bonne posture d'écoute. Fait progresser la discussion Analyse la façon de mener une interview ou un jeu-questionnaire pour s'en inspirer. Utilise un support visuel pendant une présentation. Tient compte des destinataires				
Évaluer sa façon de s'exprimer et interagir en vue de s'améliorer.					
Planifier une émission de télévision, annexe 5.2 *Apprécier une émission de télévision*, annexe 5.3 Vidéos des émissions	Évalue sa participation aux discussions. Relève une force et une faiblesse dans ses communications. Réajuste son discours en fonction des commentaires qu'on lui fait. Prend conscience d'éléments moins bien compris dans sa communication.				

Cotes : 1. Se développe aisément, sans vraiment nécessiter de soutien.   3. En bonne voie de se développer, mais nécessite un soutien occasionnel.
2. Se développe assez bien avec peu de soutien.   4. Se développe difficilement et nécessite un soutien constant.

GÉOGRAPHIE, HISTOIRE ET ÉDUCATION À LA CITOYENNETÉ

Lire l'organisation d'une société sur son territoire

Jugement global

Nom de l'élève

Composantes / Comportements observés chez l'élève				
Situer la société et son territoire dans l'espace et le temps.				
AR-A: *Monde du travail et syndicats*, p. 85-86 — Dresse une ligne du temps pour présenter le phénomène de la syndicalisation.				
Évalue l'importance du réseau ferroviaire au début du 20e siècle.				
Situe sur une carte les principales villes du début du 20e siècle.				
Situe les principaux sites de colonisation.				
Établir des liens entre des caractéristiques de la société et l'aménagement du territoire.				
Journal d'histoire et de géographie / Illustrations de la vie d'autrefois / AR-A: *Urbanisation*, p. 83-84 — Identifie les effets de l'industrialisation sur l'urbanisation.				
Trouve des illustrations du monde du travail d'autrefois.				
Dégage les conditions de vie des ouvriers dans les villes au début du 20e siècle.				
Explique l'impact du développement du transport maritime et ferroviaire sur l'aménagement du territoire.				
Établir des liens entre les atouts, des contraintes du territoire et l'organisation de la société.				
AR-A: *Monde du travail et syndicats*, p. 85-86 / Journal d'histoire et de géographie — Décrit les secteurs du développement industriel au 19e siècle en expliquant leur importance pour l'économie québécoise.				
Établit des liens entre l'agriculture et l'industrie forestière.				
Préciser l'influence de personnages ou l'incidence d'événements sur l'organisation sociale et territoriale.				
AR-A: *Monde du travail et syndicats*, p. 85-86 / Journal d'histoire et de géographie — Décrit un métier d'autrefois.				
Explique le phénomène de la syndicalisation.				
Cerne les causes de l'émigration des Québécois aux États-Unis.				
Cerne les causes de la colonisation.				
Cerne les causes et les conséquences de l'urbanisation.				
Établir des liens de continuité avec le présent.				
AR-A: *Monde du travail et syndicats*, p. 85-86 — S'intéresse au monde syndical d'aujourd'hui.				

Cotes: 1. Se développe aisément, sans vraiment nécessiter de soutien.
2. Se développe assez bien avec peu de soutien.
3. En bonne voie de se développer, mais nécessite un soutien occasionnel.
4. Se développe difficilement et nécessite un soutien constant.

GÉOGRAPHIE, HISTOIRE ET ÉDUCATION À LA CITOYENNETÉ

Interpréter le changement dans une société et sur son territoire

Jugement global

Nom de l'élève

Composantes	Comportements observés chez l'élève				
Situer une société et son territoire dans l'espace et le temps à deux moments.					
Journal d'histoire et de géographie	Compare le nombre de villes au début du 19e siècle et au début du 20e siècle.				
Relever les principaux changements survenus dans l'organisation d'une société et de son territoire.					
Journal d'histoire et de géographie Fiche d'exploration sur un métier AR-A : *Urbanisation*, p. 83-84	Décrit l'évolution d'un métier de la fin du 19e siècle à la fin du 20e siècle. Compare la population du Québec entre 1850 et 1900.				
Préciser des causes et des conséquences des changements.					
Journal d'histoire et de géographie Fiche d'exploration sur un métier Illustrations de la vie d'autrefois AR-A : *Urbanisation*, p. 83-84	Cerne les différences entre les conditions de travail à la fin du 20e siècle et celles d'aujourd'hui. Explique les causes de l'urbanisation.				
Dégager des traces de ces changements dans notre société et sur notre territoire.					
AR-A : *Urbanisation*, p. 83-84	Explique les changements survenus dans le Québec urbain entre 1920 et 1980.				

Cotes : 1. Se développe aisément, sans vraiment nécessiter de soutien.   3. En bonne voie de se développer, mais nécessite un soutien occasionnel.
2. Se développe assez bien avec peu de soutien.   4. Se développe difficilement et nécessite un soutien constant.

Évaluation en cours d'apprentissage : thème 6

Les grilles d'observation permettront de recueillir de l'information sur les compétences suivantes : *Écrire des textes variés*, *Apprécier des œuvres littéraires*, *Réaliser des créations plastiques médiatiques* et *Apprécier des œuvres d'art, des objets culturels du patrimoine artistique, des images médiatiques, ses réalisations et celles de ses camarades*.

On pourra aussi évaluer les compétences transversales suivantes : *Mettre en œuvre sa pensée créatrice*, *Se donner des méthodes de travail efficaces* et *Coopérer*.

Outils d'évaluation

FRANÇAIS

Écrire des textes variés

Les situations 5, 9 et 10 permettront d'observer la progression des élèves au regard de l'écriture.

- **Le cahier de français (l'ensemble des situations)**

  On demandera aux élèves de réviser quelques pages de leur cahier de français, car ils le liront à des pairs et échangeront ensemble pour améliorer leurs textes.

- **Le texte sur le personnage de l'époque médiévale (situation 5)**

  Les élèves devront s'identifier à un personnage de l'époque médiévale. Observer notamment comment ils décrivent son aspect physique, sa situation familiale et sociale, le type d'habitation où il vit et son occupation.

- **La chanson à refrain (situation 9)**

  Les élèves s'entraideront pour écrire le couplet ou le refrain d'une chanson collective. Ils mettront en commun leurs talents pour écrire des mots porteurs de sens. Évaluer la richesse du vocabulaire, la qualité des images et la prise en compte des décisions de l'ensemble du groupe pendant la planification de la chanson.

- **Le brouillon du récit écrit à partir de l'univers partagé (situation 10)**

  On évaluera l'originalité des textes produits à partir de paramètres communs. Prêter attention à la structure de l'histoire, à la division en paragraphes. Regarder les traces que les élèves laissent sur leur brouillon, lesquelles fournissent des informations très intéressantes dans une perspective d'évaluation formative.

- **La fiche *Mon plan de travail*, annexe 6.8 (situation 10)**

  À l'aide de cette fiche, les élèves planifieront leur texte, étape très importante du processus d'écriture. Ils devront préciser quels seront les personnages principaux et secondaires de leur histoire, le lieu et le temps du récit, et les grandes étapes du schéma narratif.

● **La fiche *Mon processus d'écriture*, annexe 6.9 (situation 10)**

Cette fiche aidera les élèves à poser un regard métacognitif sur leur compétence à écrire des textes variés. On les aidera à cerner des défis sur le plan de cette compétence.

Apprécier des œuvres littéraires

Les situations 6, 7, 8 et 9 fourniront des occasions privilégiées d'observer le développement de cette compétence.

● **Le cahier de français (situations 6 à 9)**

On trouvera des renseignements très utiles dans ce cahier. Dans la situation 6, les élèves apprécieront le roman *Le défi de Méléagant* et les stéréotypes qu'il présente. Dans la situation 9, ils apprécieront la chanson *Pauvre Rutebeuf*.

● **La fiche AR-B *Méléagant et les autres*, p. 6-7 (situation 6)**

Cette fiche permet d'étudier les personnages du texte *Le défi de Méléagant* (personnalité de chacun, liens qui les unissent, motivations). Les élèves s'appuieront sur ce travail pour préparer un théâtre de lecteurs.

● **La fiche *Ma réaction au roman*, annexe 6.6 (situation 7)**

Notamment, les élèves noteront les liens qu'ils font entre une œuvre et leurs expériences personnelles. Observer la façon dont ils justifient leur appréciation.

● **La fiche AR-B *Le chevalier Arnaud*, p. 3-4 (situation 8)**

À l'aide de cette fiche, les élèves analyseront le personnage Arnaud, ses sentiments, ses réactions et ses intentions.

● **La chanson à refrain (situation 9)**

Après avoir étudié la chanson *Pauvre Rutebeuf*, les élèves écriront une chanson à refrain en s'inspirant de ce qu'ils ont apprécié dans cette œuvre.

ARTS PLASTIQUES

Réaliser des créations plastiques médiatiques

Apprécier des œuvres d'art, des objets culturels du patrimoine artistique, des images médiatiques, ses réalisations et celles de ses camarades

Au cours des situations 8, 10 et 11, les élèves produiront des créations plastiques médiatiques pour leur maquette de la vie au Moyen Âge.

● **La fiche *Critique d'une tapisserie célèbre*, annexe 6.7 (situation 8)**

Cette fiche fournira plusieurs éléments d'information sur la capacité des élèves à apprécier des œuvres d'art. On observera notamment l'utilisation du langage plastique pour commenter une tapisserie médiévale.

● **Le carnet d'arts plastiques (situations 8, 10 et 11)**

Examiner les croquis des réalisations plastiques et l'expérimentation des techniques, soit les étapes préliminaires à la création.

● Les carrés de la courtepointe collective (situation 8)

On s'intéressera à la cohérence d'ensemble de la courtepointe, à l'harmonie des couleurs et à l'effet créé par les motifs et les textures. Observer également la façon dont les élèves évaluent leur contribution à cette réalisation collective.

● Le texte orné d'enluminures (situation 10)

Après avoir observé des enluminures, les élèves s'en inspireront pour trouver des motifs et des dessins qu'ils reproduiront en alternance autour de leur texte.

● Un personnage en trois dimensions et autres réalisations pour la maquette (situation 11)

Les élèves réaliseront le personnage qu'ils ont imaginé à la situation 5. Examiner les indices du métier du personnage (vêtements, outils et accessoires), son positionnement dans la maquette et les bâtiments qui compléteront l'environnement.

● La maquette sur la vie au Moyen Âge (situation 11)

On observera l'appréciation des élèves de cette réalisation collective et leur habileté à y relever des éléments caractéristiques du Moyen Âge. Quand les élèves commenteront leur contribution au travail collectif, on leur demandera de quelle façon ils ont résolu certains problèmes, en ce qui concerne l'assemblage des volumes notamment.

FRANÇAIS
Écrire des textes variés

Jugement global

Nom de l'élève

Composantes	Comportements observés chez l'élève

Recourir à son bagage de connaissances et d'expériences.

Texte sur le personnage de l'époque médiévale

Chanson à refrain

Récit de la situation 10

- Écrit un texte en s'identifiant à un personnage de l'époque médiévale.
- Collabore à l'écriture d'une chanson.
- Écrit un récit en respectant un univers déterminé collectivement.

Exploiter l'écriture à diverses fins.

Cahier de français

- Consigne des informations pour les utiliser ultérieurement.
- Réagit à un texte par écrit dans son cahier.

Explorer la variété des ressources de la langue écrite.

Texte sur le personnage de l'époque médiévale

Chanson à refrain

Récit de la situation 10

- Emploie des synonymes ou d'autres mots de substitution.
- Utilise les mots évocateurs appris durant le thème.

Utiliser les stratégies, les connaissances et les techniques requises par la situation.

Texte sur le personnage de l'époque médiévale

Chanson à refrain

Mon plan de travail, annexe 6.8

Récit de la situation 10

- Élabore un plan et le modifie au besoin.
- Découpe son texte en paragraphes.
- Laisse des traces de ses corrections.
- Fait les accords dans les groupes du nom et accorde les verbes avec leur sujet.
- Vérifie l'orthographe dans un dictionnaire.
- Emploie des organisateurs textuels et des marqueurs de relation.
- Tient compte des commentaires reçus.

Évaluer sa démarche d'écriture en vue de l'améliorer.

Texte sur le personnage de l'époque médiévale

Chanson à refrain

Récit de la situation 10

Mon processus d'écriture, annexe 6.9

- Donne son opinion sur la cohérence d'ensemble de la chanson écrite collectivement.
- Dégage les difficultés d'écriture.
- Cerne un aspect à améliorer en écriture et identifie les moyens d'y parvenir.

Cotes : 1. Se développe aisément, sans vraiment nécessiter de soutien.   3. En bonne voie de se développer, mais nécessite un soutien occasionnel.
2. Se développe assez bien avec peu de soutien.   4. Se développe difficilement et nécessite un soutien constant.

FRANÇAIS

Apprécier des œuvres littéraires

Jugement global

Nom de l'élève

Composantes	Comportements observés chez l'élève				
Explorer des œuvres variées en prenant appui sur ses goûts, ses intérêts et ses connaissances.					
Cahier de français	Relève la présence de stéréotypes dans les romans de chevalerie.				
	Dégage les thèmes d'un poème.				
	Interprète le titre d'un poème.				
	Repère les vers qui ont inspiré l'illustratrice.				
Recourir aux œuvres littéraires à diverses fins.					
Chanson à refrain	Réalise un théâtre de lecteurs à partir d'un roman de chevalerie.				
	Réalise une courtepointe à partir d'un récit sur l'amour courtois.				
	Écrit une chanson à partir d'un modèle.				
Porter un jugement critique ou esthétique sur les œuvres explorées.					
Ma réaction au roman, annexe 6.6 AR-B : Le chevalier Arnaud, p. 3-4	Commente un récit : vocabulaire, ton, images, tension dramatique, etc.				
	Analyse les personnages d'un récit.				
	Décrit une image qu'évoque un poème.				
	Commente l'effet des sonorités dans un poème.				
Utiliser les stratégies et les connaissances requises par la situation d'appréciation.					
AR-B : Méléagant et les autres, p. 6-7 Ma réaction au roman, annexe 6.6 Cahier de français	Dégage les thèmes d'un roman et commente l'atmosphère qui s'en dégage.				
	Établit des liens entre l'œuvre et ses expériences personnelles.				
	Compare les points de vue de personnages.				
	Réalise un graphique de l'évolution de la tension dramatique d'un récit.				
	Cartographie les lieux d'un récit.				
Comparer ses jugements et ses modes d'appréciation avec ceux d'autrui.					
Ma réaction au roman, annexe 6.6	Exprime ses réactions au récit et s'ouvre à d'autres points de vue.				
	Partage ses réactions à un poème.				
	Partage son interprétation d'une image d'un poème.				

Cotes : 1. Se développe aisément, sans vraiment nécessiter de soutien. 3. En bonne voie de se développer, mais nécessite un soutien occasionnel.
2. Se développe assez bien avec peu de soutien. 4. Se développe difficilement et nécessite un soutien constant.

ARTS PLASTIQUES

Réaliser des créations plastiques médiatiques

Jugement global

Nom de l'élève

Composantes	Comportements observés chez l'élève

Exploiter des idées inspirées par une proposition de création médiatique.

Carnet d'arts plastiques
Personnage et autres réalisations

- Réalise un croquis du carré de courtepointe.
- S'inspire d'une tapisserie médiévale pour créer un carré de courtepointe.
- S'inspire d'enluminures pour orner son texte.
- Participe à la planification de la maquette.
- Réalise des éléments pour la maquette.

Exploiter des gestes transformateurs et des éléments du langage plastique selon le message et le destinataire.

Carré de courtepointe
Carnet d'arts plastiques
Personnage et autres réalisations
Maquette du Moyen Âge

- Exploite l'effet des points au crayon-feutre.
- Varie l'épaisseur des lignes, la largeur, la quantité et la densité des hachures.
- Trace des lettres, des symboles ou des dessins à main levée à l'encre, à la gouache diluée ou au crayon-feutre.
- Assemble et fixe des formes tridimensionnelles.

Organiser les éléments résultant de ses choix selon le message et le destinataire.

Carré de courtepointe
Texte orné d'enluminures
Personnage et autres réalisations

- Développe une écriture personnelle.
- Utilise des couleurs harmonieuses.
- Organise l'espace pictural sans le surcharger.
- Choisit des motifs et les alterne.
- Réalise son personnage et le place dans la maquette.

Finaliser sa production.

Carré de courtepointe
Texte orné d'enluminures
Maquette du Moyen Âge

- Réalise un carré de courtepointe au crayon-feutre; le colle en respectant le schéma préétabli.
- Recopie son texte proprement avec une écriture constante.
- Ajoute des éléments à la maquette pour l'enrichir.
- Fixe et équilibre les éléments de la maquette pour obtenir un effet de perspective.

Partager son expérience de création médiatique.

Carnet d'arts plastiques

- Identifie les éléments difficiles à réaliser.
- Partage des techniques pour assembler, fixer et équilibrer des volumes.

Cotes : 1. Se développe aisément, sans vraiment nécessiter de soutien. 3. En bonne voie de se développer, mais nécessite un soutien occasionnel.
2. Se développe assez bien avec peu de soutien. 4. Se développe difficilement et nécessite un soutien constant.

ARTS PLASTIQUES

Apprécier des œuvres d'art, des objets culturels du patrimoine artistique, des images médiatiques, ses réalisations et celles de ses camarades

Jugement global

Nom de l'élève

Composantes / Comportements observés chez l'élève				
Examiner une réalisation plastique au regard d'éléments de contenu.				
Critique d'une tapisserie célèbre, annexe 6.7 — Utilise le langage plastique pour décrire une tapisserie médiévale et des enluminures. Donne son interprétation personnelle de ce que représente une tapisserie médiévale.				
Examiner une œuvre d'art, un objet culturel du patrimoine artistique ou une image médiatique au regard d'aspects socioculturels.				
Critique d'une tapisserie célèbre, annexe 6.7 / Maquette du Moyen Âge — Identifie des éléments socioculturels sur une tapisserie médiévale. Relève sur la maquette des éléments caractéristiques de la vie au Moyen Âge.				
Établir des liens entre ce que l'on a ressenti et ce que l'on a examiné.				
Critique d'une tapisserie célèbre, annexe 6.7 / Courtepointe / Maquette du Moyen Âge — Apprécie une tapisserie médiévale. Commente l'effet d'ensemble de la courtepointe. Commente l'effet d'ensemble de la maquette.				
Porter un jugement d'ordre critique ou esthétique.				
Critique d'une tapisserie célèbre, annexe 6.7 / Courtepointe / Texte orné d'enluminures / Maquette du Moyen Âge — Commente l'harmonie des couleurs, les tons et l'organisation de l'espace dans la tapisserie et dans la courtepointe. Apprécie une calligraphie et des enluminures. Distingue les éléments bien réussis et moins bien réussis sur la maquette				
Partager son expérience d'appréciation.				
Critique d'une tapisserie célèbre, annexe 6.7 / Maquette du Moyen Âge — Utilise le vocabulaire disciplinaire pour partager son appréciation de la tapisserie. Discute de la cohérence d'ensemble de la tapisserie, des motifs et des textures. Discute de la conformité de la maquette.				

Cotes : 1. Se développe aisément, sans vraiment nécessiter de soutien.   3. En bonne voie de se développer, mais nécessite un soutien occasionnel.
2. Se développe assez bien avec peu de soutien.   4. Se développe difficilement et nécessite un soutien constant.

Évaluation en cours d'apprentissage : thème 7

Le projet de réalisation des magazines sur le thème des catastrophes naturelles amènera les élèves à travailler les trois compétences en science et technologie. On en profitera pour évaluer ces compétences. On observera aussi la compétence en lecture. Bien qu'il n'y ait pas de grille d'observation en écriture, on pourra se servir des nombreux textes que les élèves produiront pour leur magazine afin de soutenir le développement de cette compétence par des rétroactions appropriées. On pourra aussi évaluer les compétences transversales suivantes : *Résoudre des problèmes*, *Se donner des méthodes de travail efficaces* et *Exploiter les TIC*.

Outils d'évaluation

FRANÇAIS

Lire des textes variés

Nous avons prévu des outils spécifiques d'évaluation pour les situations 2, 6 et 8. Cependant, d'autres situations pourront servir à évaluer cette compétence, notamment celles qui induisent un processus de recherche d'informations.

- **Le cahier de français (l'ensemble des situations)**
  Le cahier fournit de nombreuses informations sur la progression des élèves. On y trouvera des traces des stratégies mobilisées pour s'approprier le contenu d'un texte, notamment pendant l'enseignement réciproque (situation 6).

- **La fiche AR-B *Les catastrophes naturelles*, p. 22-23 (situation 2)**
  Pour remplir la fiche, les élèves devront repérer les informations dans le texte.

- **Les fiches AR-B *Catastrophes hydriques*, p. 32; *Le Canada : diversité explosive*, p. 29-30 (situation 6)**
  Le travail de synthèse nécessaire pour remplir ces fiches fournira un bon indice de la compréhension des élèves.

- **Le tableau de réactions à deux colonnes (situation 8)**
  Les élèves réagiront aux textes *Construire un feu* et *Les sauterelles*, des textes dans lesquels les personnages principaux sont confrontés à des catastrophes. On s'intéressera plus particulièrement à leur interprétation des citations et à leurs commentaires.

- **La fiche AR-B *Construire un feu et Les sauterelles*, p. 19-21 (situation 8)**
  Cette fiche amène les élèves à dégager le schéma du récit et à relever les indices de temps et de lieux qui permettent de comprendre l'enchaînement des événements.

- **La fiche *Ma façon de lire*, annexe 7.12 (situation 8)**
  En remplissant cette fiche, les élèves se situeront en tant que lecteurs. Ils préciseront les stratégies qu'ils mobilisent de façon spontanée et celles qu'ils doivent s'approprier.

SCIENCE ET TECHNOLOGIE

Proposer des explications ou des solutions à des problèmes d'ordre scientifique ou technologique

Mettre à profit les outils, objets et procédés de la science et de la technologie

Communiquer à l'aide des langages utilisés en science et en technologie

On recueillera de l'information sur le développement de ces trois compétences à l'aide des situations 2, 3, 4 et 6. On notera des observations sur les étapes de la démarche scientifique.

● **Le journal scientifique (situations 2, 3, 4 et 6)**

Les notes des élèves devraient décrire la démarche qu'ils suivent pour résoudre des problèmes d'ordre scientifique, pour expliquer des phénomènes naturels et pour s'approprier les outils de la science.

● **Le lexique lié aux catastrophes naturelles (situation 2)**

Dans le texte *Les catastrophes naturelles*, les élèves liront des mots qui ne leur sont pas familiers. On leur proposera d'élaborer un lexique pour définir ces mots, des mots qu'ils pourront ensuite utiliser dans le cadre des activités de partage des découvertes relatives à la science et à la technologie.

● **La fiche AR-B *Les catastrophes naturelles*, p. 22-23 (situation 2)**

Cette fiche, et particulièrement la question 2, témoignera de la compréhension des élèves des phénomènes naturels abordés.

● **L'article sur une catastrophe naturelle (situation 2)**

Dans cet article, on appréciera la qualité de la démarche pour comprendre une catastrophe naturelle. Observer le réinvestissement du vocabulaire scientifique, de même que la relation de cause à effet rattachée au phénomène étudié. Le schéma explicatif du phénomène sera également très utile.

● **La carte murale collective (situation 3)**

Une carte murale collective assurera le suivi des catastrophes naturelles qui surviendront au cours du mois sur la planète. On se penchera plus particulièrement sur l'élaboration de la légende et des pictogrammes.

● **La fiche *Évaluation de la présentation*, annexe 7.7 (situation 3)**

Pendant que des équipes communiqueront leurs découvertes sur des catastrophes naturelles, les élèves observateurs apprécieront la qualité des informations, du matériel pour soutenir les explications et des conclusions avancées. L'enseignante ou l'enseignant réagira aussi à la présentation.

● **Un instrument de mesure météorologique fabriqué par les élèves (situation 4)**

On encouragera les élèves à fabriquer un instrument de mesure météorologique. On observera le degré d'autonomie pour consulter des ouvrages ou des sites Internet.

● **La fiche *Instruments météorologiques*, annexe 7.8 (situation 4)**

Cette fiche permettra d'évaluer la démarche que les élèves ont suivie pour expliquer le fonctionnement d'un instrument utilisé en météorologie.

FRANÇAIS

Lire des textes variés

Jugement global

Nom de l'élève

Composantes / Comportements observés chez l'élève				
Construire du sens à l'aide de son bagage de connaissances et d'expériences.				
Cahier de français — Survole un texte et planifie sa façon de le lire (texte informatif ou narratif).				
Fait des prédictions et les vérifie.				
Organise ses connaissances.				
Utiliser le contenu des textes à diverses fins.				
Cahier de français — Cherche des informations pour rédiger un article.				
Élabore une fiche signalétique sur un texte.				
Réagir à une variété de textes lus.				
Cahier de français / Tableau de réactions — Commente des passages d'un texte.				
Partage ses réactions au texte.				
Utiliser les stratégies, les connaissances et les techniques requises par la situation.				
Cahier de français / AR-B : *Les catastrophes naturelles*, p. 22-23; *Catastrophes hydriques*, p. 32; *Le Canada diversité explosive*, p. 29-30; *Construire un feu et Les sauterelles*, p. 19-21 — Réalise un schéma explicatif d'un phénomène.				
Trouve le sens des mots nouveaux.				
Fait un lexique des mots clés d'un texte.				
S'aide du contexte pour distinguer les sens d'un mot.				
Fait le rappel d'un texte.				
Lit en fonction de l'intention de lecture.				
Identifie le point de vue du narrateur.				
S'identifie à un personnage du récit.				
Relève les indices de temps et de lieux.				
Dégage le schéma du récit.				
Évaluer sa démarche de lecture en vue de l'améliorer.				
Ma façon de lire, annexe 7.12 — Évalue l'efficacité des stratégies.				
S'interroge sur sa façon de lire.				
Identifie ses difficultés et cherche des solutions pour les résoudre.				

Cotes : 1. Se développe aisément, sans vraiment nécessiter de soutien. 3. En bonne voie de se développer, mais nécessite un soutien occasionnel.
2. Se développe assez bien avec peu de soutien. 4. Se développe difficilement et nécessite un soutien constant.

SCIENCE ET TECHNOLOGIE

Proposer des explications ou des solutions à des problèmes d'ordre scientifique ou technologique

Composantes / Comportements observés chez l'élève	Jugement global — Nom de l'élève			
Identifier un problème ou cerner une problématique.				
Journal scientifique				
⬤ S'interroge sur la nature et les conséquences d'une catastrophe naturelle.				
⬤ Émet des hypothèses sur les liens entre la géographie de certaines régions et l'occurrence de catastrophes naturelles.				
Recourir à des stratégies d'exploration variées.				
Journal scientifique Article sur une catastrophe naturelle Carte murale AR-B: *Les catastrophes naturelles*, p. 22-23 Texte sur la relation entre une société canadienne et son territoire				
⬤ Réalise un schéma explicatif d'une catastrophe naturelle.				
⬤ Cherche des informations dans diverses sources.				
⬤ Élabore une carte murale pour rendre compte de l'apparition de catastrophes naturelles.				
⬤ Élabore un protocole d'expérience.				
⬤ Consigne rigoureusement les données.				
Évaluer sa démarche.				
Journal scientifique *Évaluation de la présentation*, annexe 7.7				
⬤ Réévalue ses représentations initiales.				
⬤ Identifie ses difficultés à comprendre un phénomène naturel.				
⬤ Fait le bilan de ses découvertes.				
⬤ Explique sa démarche de suivi des catastrophes naturelles pendant le mois.				
⬤ Note ses conclusions et les nuances après les échanges.				
⬤ Pose un regard critique sur le protocole d'expérience et sur la fiabilité des résultats.				

Cotes: 1. Se développe aisément, sans vraiment nécessiter de soutien.   3. En bonne voie de se développer, mais nécessite un soutien occasionnel.
2. Se développe assez bien avec peu de soutien.   4. Se développe difficilement et nécessite un soutien constant.

SCIENCE ET TECHNOLOGIE

Mettre à profit les outils, objets et procédés de la science et de la technologie

	Jugement global				
	Nom de l'élève				
Composantes / **Comportements observés chez l'élève**					
S'approprier les rôles et fonctions des outils, techniques, instruments et procédés de la science et de la technologie.					
Instruments météorologiques, annexe 7.8 — Explique le fonctionnement d'un instrument météorologique.					
Fabrique un instrument pour mesurer un phénomène météorologique.					
Relier divers outils, objets ou procédés technologiques à leurs contextes et à leurs usages.					
Instruments météorologiques, annexe 7.8 — Utilise un instrument pour mesurer un phénomène météorologique.					
Explique l'évolution technique d'un instrument météorologique.					
Évaluer l'impact de divers outils, instruments ou procédés.					
Instruments météorologiques, annexe 7.8 — Relève l'utilité d'un instrument météorologique et dégage les avantages de connaître les données mesurées.					
Identifie les limites de certains instruments météorologiques.					
Se prononce sur la fiabilité de l'instrument météorologique fabriqué en classe.					

Cotes : 1. Se développe aisément, sans vraiment nécessiter de soutien.   3. En bonne voie de se développer, mais nécessite un soutien occasionnel.
2. Se développe assez bien avec peu de soutien.   4. Se développe difficilement et nécessite un soutien constant.

SCIENCE ET TECHNOLOGIE

Communiquer à l'aide des langages utilisés en science et en technologie

Jugement global

Nom de l'élève

Composantes	Comportements observés chez l'élève

S'approprier des éléments du langage courant liés à la science et à la technologie.

 Lexique lié aux catastrophes naturelles

Article sur une catastrophe naturelle

Évaluation de la présentation, annexe 7.7

- Explique le lexique propre aux catastrophes naturelles.
- Se familiarise avec le vocabulaire lié aux phénomènes météorologiques.

Utiliser des éléments du langage courant et du langage symbolique liés à la science et à la technologie.

 Journal scientifique

AR-B: *Les catastrophes naturelles*, p. 22-23

Article sur une catastrophe naturelle

Carte murale

Évaluation de la présentation, annexe 7.7

Texte sur la relation entre une société canadienne et son territoire

- Réalise un schéma explicatif d'un phénomène naturel.
- Élabore une légende et crée des pictogrammes pour rendre compte de l'évolution de catastrophes naturelles.
- Réalise des dessins, des schémas, des graphiques, des histogrammes ou des diagrammes pour organiser l'information.

Exploiter les langages courant et symbolique pour formuler une question, expliquer un point de vue ou donner une explication.

 Journal scientifique

AR-B: *Les catastrophes naturelles*, p. 22-23

Article sur une catastrophe naturelle

Évaluation de la présentation, annexe 7.7

Instruments météorologiques, annexe 7.8

- Explique son illustration d'un phénomène naturel.
- Compare son schéma explicatif avec ceux de ses camarades.
- Rédige un article pour expliquer une catastrophe naturelle et y joint un schéma explicatif.
- Présente ses travaux sur l'apparition et l'évolution de catastrophes naturelles au cours du mois et sur leurs conséquences sur la population.
- Évalue l'exactitude des prévisions météorologiques.
- Formule une question à la suite de sa démarche.

Cotes: 1. Se développe aisément, sans vraiment nécessiter de soutien.
2. Se développe assez bien avec peu de soutien.
3. En bonne voie de se développer, mais nécessite un soutien occasionnel.
4. Se développe difficilement et nécessite un soutien constant.

Évaluation en cours d'apprentissage : thème 8

En raison des nombreuses occasions que le thème fournit à cet égard, nous suggérons d'observer les compétences à écrire des textes variés et à apprécier des œuvres littéraires. Et puisque plusieurs créations plastiques seront nécessaires à la mise en forme du roman, il apparaît tout indiqué d'observer le développement des compétences *Réaliser des créations plastiques médiatiques* et *Apprécier des œuvres d'art, des objets culturels du patrimoine artistique, des images médiatiques, ses réalisations et celles de ses camarades*. On pourra aussi évaluer les compétences transversales *Mettre en œuvre sa pensée créatrice*, *Structurer son identité* et *Communiquer de façon appropriée*.

Outils d'évaluation

FRANÇAIS

Écrire des textes variés

Les situations 3, 7, 8, 9, 10 et 12 permettront de situer les élèves au regard de cette compétence. L'annexe 8.5, *Écrire...*, pourra aussi servir d'outil d'évaluation.

- **Le cahier de français, section écriture (l'ensemble des situations)**

  Dans ce cahier, les élèves organiseront leur réflexion rétrospective sur leur démarche d'écriture et noteront des observations sur la cohérence de textes qu'ils liront, observations qu'ils réinvestiront pendant leurs propres rédactions.

- **Le brouillon et le propre du texte sur un auteur ou une auteure de roman jeunesse (situation 3)**

  Dans cette situation, on s'attardera beaucoup à la cohérence textuelle : ordre logique de présentation des idées, bon découpage du texte en paragraphes, continuité de l'information, utilisation de mots de substitution, référents bien identifiables, etc.

- **Le brouillon et le propre de la suite du récit *Le château de livres* (situation 7)**

  En inventant la suite d'un récit, les élèves réinvestiront les techniques d'écriture des auteurs jeunesse qu'ils auront notées dans leur cahier de français (déroulement logique ou chronologique, connecteurs ou marqueurs de relation, reprise de l'information par l'emploi de termes substituts).

- **Le brouillon et le propre du mini-roman (situation 8)**

  Pour écrire le mini-roman, les élèves se fixeront des objectifs réalistes en s'appuyant sur les derniers textes qu'ils ont écrits. On mettra en place les modalités d'un enseignement correctif, des cliniques sur des aspects précis du processus d'écriture par exemple.

- **La fiche *Mon travail de rédaction*, annexe 8.10 (situation 8)**

  Cette fiche permettra aux élèves de relire l'histoire qu'ils ont écrite en ciblant des aspects précis à vérifier.

- **Le brouillon et le propre des poèmes rédigés à partir du contenu du roman (situation 9)**

  Pour chacun des chapitres du mini-roman, les élèves imagineront des acrostiches ou des haïkus. On observera la richesse du vocabulaire et les traces de la correction sur les brouillons.

- **Le brouillon et le propre de la quatrième de couverture des mini-romans (situation 10)**

  Les élèves devront résumer le roman écrit par un de leurs pairs et rédiger une courte notice biographique pour présenter son auteur ou auteure. Ils pourront échanger leur texte pour partager leurs idées et le valider auprès des auteurs des romans.

- **L'affiche publicitaire pour promouvoir le roman (situation 12)**

  Pour réaliser une affiche publicitaire, les élèves testeront l'effet de diverses formules pour trouver les mots et les phrases qui ont le plus d'impact sur les destinataires de leur message.

Apprécier des œuvres littéraires

Six situations permettront d'explorer des œuvres littéraires à des fins d'appréciation : les situations 2, 4, 5, 7, 9 et 11.

- **Le cahier de français, section lecture (l'ensemble des situations)**

  À la situation 2, les élèves noteront une phrase qui les touche dans le texte de Gilles Vigneault ou de Gabrielle Roy. À la situation 5, ils formuleront une appréciation critique d'un roman. À la situation 7, ils analyseront des personnages du texte *Un château de livres* et apprécieront les techniques d'écriture de l'auteure. Aux situations 9 et 11, ils noteront leurs impressions sur des poèmes.

- **La discussion sur l'écriture (situation 2)**

  Après la lecture d'un texte de Gilles Vigneault et d'un extrait d'une œuvre de Gabrielle Roy, les élèves réfléchiront à l'importance de l'écriture dans leur propre vie et en discuteront avec leurs camarades.

- **La fiche *Des œuvres, un auteur ou une auteure*, annexe 8.6 (situation 4)**

  Cette fiche fournira de nombreux renseignements sur le développement de la compétence à apprécier des œuvres littéraires. On y trouvera des comportements observables liés à toutes les composantes de la compétence.

- **La fiche AR-B *Un rendez-vous manqué*, p. 35 (situation 5)**

  Cette fiche amènera les élèves à utiliser des stratégies pour s'approprier le récit : dégager les relations entre les personnages entre eux (sociogramme) et situer les personnages dans l'espace et dans le temps, des étapes préalables à l'appréciation de l'œuvre.

- **La fiche AR-B *Mes réactions*, p. 37 (situation 5)**

  Dans cette fiche, les élèves expliciteront leur appréciation du récit *Un rendez-vous manqué* et se compareront avec un des personnages de l'histoire.

ARTS PLASTIQUES

Réaliser des créations plastiques médiatiques

Apprécier des œuvres d'art, des objets culturels du patrimoine artistique, des images médiatiques, ses réalisations et celles de ses camarades

Les situations 9, 11 et 12 permettront d'évaluer les élèves en arts plastiques.

● **Le carnet d'arts plastiques (l'ensemble des situations)**

Dans leur carnet, les élèves feront des croquis ou des esquisses et noteront leurs impressions, ce qui permettra d'évaluer la façon dont ils planifient leur création.

● **Les lettrines tracées en début de chapitre (situation 9)**

Pour enjoliver leur mini-roman, les élèves dessineront à l'encre ou au crayon-feutre des lettrines au début de chacun des chapitres en s'inspirant de modèles.

● **Les illustrations des poèmes (situation 9)**

Les élèves utiliseront la technique du papier découpé ou ajouré pour illustrer les poèmes qu'ils ont écrits dans le mini-roman. Ils feront des esquisses à partir d'idées émanant des poèmes, puis des essais avec de petits cartons.

● **La fiche *La création de mes camarades*, annexe 8.11 (situation 9)**

Cette fiche permettra d'observer l'appropriation du langage plastique pour cibler les notions à revoir. Les questions plus subjectives du bas de la fiche fourniront des indices sur la sensibilité des élèves à l'égard des œuvres artistiques et des représentations artistiques symboliques.

● **La page couverture du mini-roman (situation 11)**

À partir d'œuvres de Marc Chagall, les élèves réaliseront la page couverture de leur roman en utilisant la technique du dessin par collage de papier de soie. On observera le soin apporté aux détails et à l'amélioration de la création médiatique.

● **La fiche *Appréciation d'un tableau*, annexe 8.12 (situation 11)**

En observant et en commentant une œuvre de Marc Chagall, les élèves constateront la diversité de l'interprétation et de l'appréciation d'une œuvre artistique.

● **L'affiche publicitaire du roman (situation 12)**

Pour réaliser cette affiche, les élèves combineront un message accrocheur à un support interactif avec relief pour obtenir l'effet désiré.

FRANÇAIS

Écrire des textes variés

Jugement global

Nom de l'élève

Composantes / Comportements observés chez l'élève				
Recourir à son bagage de connaissances et d'expériences.				
Cahier de français / Suite du récit / Mini-roman / Poèmes — Rédige un texte pour présenter un auteur ou une auteure.				
Imagine la suite d'un récit.				
Écrit un mini-roman.				
Écrit des poèmes à partir de son roman.				
Exploiter l'écriture à diverses fins.				
Suite du récit / Cahier de français / Affiche publicitaire — Élabore la carte d'identité d'un personnage.				
Note ses impressions sur un récit ou un poème.				
Écrit un message accrocheur pour inciter d'autres élèves à lire son roman.				
Explorer la variété des ressources de la langue écrite.				
Cahier de français / Texte sur un auteur / Mini-roman / Affiche publicitaire — Reformule des informations.				
Trouve des titres originaux pour les chapitres.				
Cherche des slogans percutants.				
Utiliser les stratégies, les connaissances et les techniques requises par la situation d'écriture.				
Texte sur un auteur / Suite du récit / Mini-roman / Mon travail de rédaction, annexe 8.10 / Affiche publicitaire — Tient compte des destinataires.				
Fait le plan de son texte.				
Formule bien ses phrases.				
Corrige l'orthographe grammaticale.				
Emploie des marqueurs de relation pour indiquer le déroulement de l'action.				
Évaluer sa démarche d'écriture en vue de l'améliorer.				
Suite du récit / Cahier de français / Mini-roman / Mon travail de rédaction, annexe 8.10 / Affiche publicitaire — Améliore son texte à la lumière des commentaires reçus.				
Participe à des rencontres pour échanger sur les étapes de rédaction du roman.				
Écrit une réflexion sur chacune des étapes du processus d'écriture.				

Cotes : 1. Se développe aisément, sans vraiment nécessiter de soutien.   3. En bonne voie de se développer, mais nécessite un soutien occasionnel.
2. Se développe assez bien avec peu de soutien.   4. Se développe difficilement et nécessite un soutien constant.

FRANÇAIS

Apprécier des œuvres littéraires

Composantes / Comportements observés chez l'élève	Nom de l'élève			
Jugement global				

Composantes	Comportements observés chez l'élève				
Explorer des œuvres variées en prenant appui sur ses goûts, ses intérêts et ses connaissances.					
Cahier de français	Participe à un cercle de lecture sur des auteurs.				
	Dégage les thèmes d'un roman.				
	Établit des liens entre *Le château de livres* et d'autres récits du genre.				
	Commente le lien entre l'illustration et le poème.				
Recourir aux œuvres littéraires à diverses fins.					
Discussion en classe	À partir d'œuvres littéraires, discute de l'importance de l'écriture dans sa vie.				
Porter un jugement critique ou esthétique sur les œuvres explorées.					
Cahier de français *Des œuvres, un auteur ou une auteure*, annexe 8.6 AR-B : *Mes réactions*, p. 37	Commente une œuvre littéraire : vocabulaire, atmosphère, tension dramatique, etc.				
	Dégage les valeurs véhiculées dans une œuvre.				
	Se prononce sur les stéréotypes.				
	Se compare avec un personnage.				
Utiliser les stratégies et les connaissances requises par la situation d'appréciation.					
Des œuvres, un auteur ou une auteure, annexe 8.6 AR-B : *Un rendez-vous manqué*, p. 35 Cahier de français	Analyse les personnages d'un récit.				
	Réalise un graphique de l'évolution de la tension dramatique d'un récit.				
	Réalise le sociogramme de personnages.				
	Relève les comparaisons dans un poème.				
Comparer ses jugements et ses modes d'appréciation avec ceux d'autrui.					
Des œuvres, un auteur ou une auteure, annexe 8.6 Cahier de français AR-B : *Mes réactions*, p. 37	Formule une critique d'un roman et la partage avec ses camarades.				
	Utilise un vocabulaire précis et nuancé pour apprécier une œuvre.				
	Partage ses impressions sur un récit et sur des poèmes.				

Cotes : 1. Se développe aisément, sans vraiment nécessiter de soutien.   3. En bonne voie de se développer, mais nécessite un soutien occasionnel.
2. Se développe assez bien avec peu de soutien.   4. Se développe difficilement et nécessite un soutien constant.

ARTS PLASTIQUES

Réaliser des créations plastiques médiatiques

Jugement global

Nom de l'élève

Composantes | **Comportements observés chez l'élève**

Exploiter des idées de création inspirées par une proposition de création médiatique.

Lettrines
Illustrations des poèmes
Carnet d'arts plastiques
Page couverture du roman
Affiche publicitaire

- Réalise des lettrines à partir de modèles.
- Illustre un poème de façon symbolique ou réaliste.
- Réalise la page couverture de son roman.
- Réalise une affiche pour publiciser son roman.

Exploiter des gestes transformateurs et des éléments du langage plastique selon le message et le destinataire.

Carnet d'arts plastiques
Lettrines
Illustrations des poèmes
Page couverture du roman
Affiche publicitaire

- Trace des lettres à main levée.
- Découpe des formes dans des papiers de couleur.
- Fait des essais de composition.
- Fait des essais de façonnage et de collage en relief.

Organiser les éléments résultants de ses choix selon le message et le destinataire.

Illustrations des poèmes
Page couverture du roman
Affiche publicitaire

- Choisit les couleurs en fonction de l'émotion à exprimer.
- Réorganise les cartons pour créer plusieurs plans.
- Détermine l'emplacement du texte et des éléments en relief sur une affiche.

Finaliser sa production.

Page couverture du roman
Illustrations des poèmes
Affiche publicitaire

- Choisit une forme de reliure.
- Ajoute des détails, un contour ou des pliures.

Partager son expérience de création médiatique.

Carnet d'arts plastiques
Illustrations des poèmes
Page couverture du roman
Affiche publicitaire

- Note dans son carnet les temps forts de sa démarche de création.
- Établit des liens entre son illustration et sa source d'inspiration.
- Note son degré de satisfaction à l'égard de sa réalisation.
- Identifie les éléments difficiles à réaliser.

Cotes : 1. Se développe aisément, sans vraiment nécessiter de soutien. 3. En bonne voie de se développer, mais nécessite un soutien occasionnel.
2. Se développe assez bien avec peu de soutien. 4. Se développe difficilement et nécessite un soutien constant.

ARTS PLASTIQUES

Apprécier des œuvres d'art, des objets culturels du patrimoine artistique, des images médiatiques, ses réalisations et celles de ses camarades

Jugement global

Nom de l'élève

Composantes	Comportements observés chez l'élève				
Examiner une œuvre d'art, un objet culturel du patrimoine artistique, une image médiatique ou une réalisation plastique personnelle ou médiatique au regard d'éléments de contenu.					
La création de mes camarades, annexe 8.11 *Appréciation d'un tableau*, annexe 8.12	Utilise le langage plastique pour décrire une création artistique. Donne son interprétation personnelle d'une œuvre d'art. Établit des liens entre une œuvre d'art et le texte qui l'a inspirée.				
Examiner une œuvre d'art, un objet culturel du patrimoine artistique ou une image médiatique au regard d'aspects socioculturels.					
Discussion en classe	Dégage des aspects socioculturels dans les œuvres de Marc Chagall.				
Établir des liens entre ce que l'on a ressenti et ce que l'on a examiné.					
La création de mes camarades, annexe 8.11 *Appréciation d'un tableau*, annexe 8.12	Identifie les sentiments qu'inspire une œuvre d'art ou les réalisations de ses camarades. Identifie ce qu'on apprécie et ce qu'on apprécie moins dans un tableau. Décrit l'ambiance qui se dégage d'une œuvre.				
Porter un jugement d'ordre critique ou esthétique.					
Lettrines Illustrations des poèmes *La création de mes camarades*, annexe 8.11 *Appréciation d'un tableau*, annexe 8.12	Commente la beauté des lettrines. Fait un choix parmi plusieurs réalisations selon ses préférences. Commente la technique utilisée par un ou une artiste. Émet une critique constructive sur l'affiche d'un pair.				
Partager son expérience d'appréciation.					
La création de mes camarades, annexe 8.11 *Appréciation d'un tableau*, annexe 8.12	Donne son appréciation d'une œuvre de Marc Chagall. Établit des liens entre des œuvres artistiques.				

Cotes : 1. Se développe aisément, sans vraiment nécessiter de soutien.   3. En bonne voie de se développer, mais nécessite un soutien occasionnel.
2. Se développe assez bien avec peu de soutien.   4. Se développe difficilement et nécessite un soutien constant.

Évaluation en cours d'apprentissage : thème 9

Comme on explore au thème 9 la notion de patrimoine, nous suggérons d'évaluer deux compétences rattachées à l'univers social, soit *Lire l'organisation d'une société sur son territoire* et *Interpréter le changement dans une société et sur son territoire*. On observera aussi deux compétences en science pendant la construction de maquettes de pylônes et de ponts, et en français la compétence *Lire des textes variés*. On pourra aussi évaluer les compétences transversales *Exploiter l'information*, *Exercer son jugement critique* et *Exploiter les TIC*.

Outils d'évaluation

FRANÇAIS

Lire des textes variés

Les situations 2, 3, 5, 7, 8 et 9 permettront de recueillir de l'information pertinente sur la progression des élèves en lecture.

- **Le cahier de français, section lecture (l'ensemble des situations)**

  On observera dans le cahier les réflexions des élèves sur les textes qu'ils ont lus, les traces des stratégies pour se les approprier (situation 2) et les traces d'analyse des chansons et poèmes au fil des situations.

- **La fiche AR-B** *Le bâtiment*, **p. 48 (situation 2)**

  Les élèves résumeront les informations du texte *Le bâtiment, miroir des civilisations* et dégageront la structure du texte.

- **La fiche AR-B** *La maison québécoise*, **p. 49 (situation 3)**

  Cette fiche aidera les élèves à comprendre l'évolution de la maison québécoise. En comparant leurs réponses, ils retiendront plus facilement les informations.

- **La fiche AR-B** *Les ponts*, **p. 50 (situation 5)**

  Cette fiche donnera une idée de la compréhension des élèves du texte *Les grands ponts*.

- **La fiche AR-B** *Le labyrinthe de Dédale*, **p. 51-52 (situation 7)**

  En dégageant le schéma du récit *Le labyrinthe de Dédale* ainsi que les relations entre les personnages et en analysant le personnage Dédale, les élèves approfondiront leur compréhension du texte.

- **La fiche AR-B** *La légende de Notre-Dame*, **p. 53 (situation 7)**

  Les élèves situeront l'époque et les lieux de la légende. Ils distingueront le réel de l'imaginaire et s'interrogeront sur la source d'inspiration de l'auteur anonyme de la légende.

- **Le poème inspiré d'un vers de Robert Choquette (situation 8)**

  Après leur analyse du poème *La ville...*, les élèves choisiront un vers à partir duquel ils écriront un autre poème.

GÉOGRAPHIE, HISTOIRE ET ÉDUCATION À LA CITOYENNETÉ

Lire l'organisation d'une société sur son territoire

Interpréter le changement dans une société et sur son territoire

Les situations 1, 2, 3 et 4 permettront d'observer le développement de la compétence à lire l'organisation d'une société sur son territoire, et la situations 3, celle à interpréter le changement dans une société et sur son territoire.

- **Le journal d'histoire et de géographie (situations 2, 3 et 4)**

  Dans ce journal, on trouvera notamment des traces de la démarche de recherche : plan de questionnement, organisation des informations historiques tirées des lectures, planification de la communication des découvertes, etc.

- **La fiche *Notre album*, annexe 9.2 (situation 1)**

  Cette fiche permettra d'observer ce que les élèves prévoient mettre dans leur album. On évaluera leur plan d'action : répartition des tâches, organisation de la sortie, facture de l'album, etc.

- **L'album du patrimoine (l'ensemble des situations)**

  Dès la première situation, les élèves commenceront à rassembler du matériel pour constituer leur album. Au cours d'une sortie, ils photographieront des constructions d'intérêt historique.

- **L'exposé sur l'influence de la présence anglaise et américaine sur l'organisation de la société canadienne vers 1820 et le diagramme (situation 3)**

  Les élèves tenteront de répondre à une ou deux questions sur des caractéristiques de la société canadienne vers 1820 et sur des changements qui se sont produits entre 1745 et 1820. Ils feront un exposé en utilisant des diagrammes et des documents iconographiques.

- **Les cartes muettes remplies par les élèves (situations 3)**

  Pendant leur exposé, les élèves pourront se servir des cartes muettes (p. 78-81 du présent guide) pour comparer le Canada de 1745 avec le Canada de 1820 sur le plan des limites territoriales et de la répartition de la population.

- **La fiche AR-B *La maison québécoise*, p. 49 (situation 3)**

  Les élèves compareront les maisons québécoises à différentes époques, puis ils établiront des liens entre l'évolution de ces habitations et la présence d'une immigration anglophone depuis la conquête de 1763.

- **Les fiches signalétiques sur des personnages historiques (situation 4)**

  Les élèves réaliseront des fiches sur des personnes qui ont influencé le développement des sociétés canadienne vers 1820 et québécoise vers 1905.

SCIENCE ET TECHNOLOGIE

Proposer des explications ou des solutions à des problèmes d'ordre scientifique ou technologique

Mettre à profit les outils, objets et procédés de la science et de la technologie

La situation 5 offre un contexte intéressant pour observer le développement de ces compétences.

● **Le journal scientifique (situation 5)**

On cherchera dans le journal des traces de la démarche qui a mené à la construction d'un pylône et d'un pont : croquis, notes sur les essais, conclusions, etc.

● **La construction du pylône et du pont (situation 5)**

Les élèves s'entendront sur le meilleur plan à retenir pour construire un prototype qui respecte les contraintes de construction. Ils soumettront leur prototype à des tests pour en améliorer la solidité et ils compareront les prototypes pour tirer des conclusions sur la faiblesse de certains designs.

● **La rencontre scientifique (situation 5)**

Pendant la discussion, on examinera les hypothèses des élèves quant aux facteurs qui entrent en jeu dans la solidité des structures qu'ils ont construites. Par des questions et des tests, on mettra ces hypothèses à l'épreuve.

● **Le plan des structures construites (situation 5)**

Une fois leurs prototypes terminés, les élèves dessineront le plan des structures à l'échelle. Ils y indiqueront les endroits où leurs structures risquent de s'affaisser en établissant des liens avec les forces qui sont en jeu.

● **La feuille de consignes pour construire le pont (situation 5)**

En équipes, les élèves rédigeront une feuille de consignes à suivre pour la réalisation du pont qu'ils ont imaginé. Ce sera un excellent moyen d'objectiver leur démarche.

FRANÇAIS

Lire des textes variés

	Jugement global			
	Nom de l'élève			

Composantes	**Comportements observés chez l'élève**				
Construire du sens à l'aide de son bagage de connaissances et d'expériences.					
Cahier de français AR-B : *Le bâtiment*, p. 48; *La maison québécoise*, p. 49; *Les ponts*, p. 50	Décrit l'évolution de la maison québécoise et les types de ponts.				
	Fait des prédictions sur un texte et les modifie en cours de lecture.				
	Fait le rappel de ses connaissances.				
	Relève les images d'un poème.				
Utiliser le contenu des textes à diverses fins.					
Cahier de français Poème	Note les informations pertinentes pour élaborer un album du patrimoine.				
	Imagine un poème à partir du poème *La ville...*				
Réagir à une variété de textes lus.					
AR-B : *La légende de Notre-Dame*, p. 53 Poème	Exprime ses réactions à des légendes.				
	Réagit à une chanson et à des poèmes.				
	Exprime ses préférences pour un mot ou un vers.				
Utiliser des stratégies, les connaissances et les techniques requises par la situation de lecture.					
Cahier de français AR-B : *Le bâtiment*, p. 48; *Le labyrinthe de Dédale*, p. 51-52; *La légende de Notre-Dame*, p. 53	Réalise un graphique créatif.				
	Résume un texte.				
	Élabore un lexique de mots clés d'un texte.				
	Réalise le schéma d'un texte.				
	Dégage les étapes du schéma d'un récit.				
	Analyse des personnages et leurs relations.				
	Distingue ce qui est réel de ce qui est fictif.				
	Relève le point de vue des personnages.				

Cotes : 1. Se développe aisément, sans vraiment nécessiter de soutien.   3. En bonne voie de se développer, mais nécessite un soutien occasionnel.
2. Se développe assez bien avec peu de soutien.   4. Se développe difficilement et nécessite un soutien constant.

GÉOGRAPHIE, HISTOIRE ET ÉDUCATION À LA CITOYENNETÉ

Lire l'organisation d'une société sur son territoire

	Composantes	Comportements observés chez l'élève	Jugement global — Nom de l'élève			
Situer la société et son territoire dans l'espace et dans le temps.						
	Cartes muettes	● Situe la société québécoise vers 1905 et la société canadienne vers 1820.				
Établir des liens entre des caractéristiques de la société et l'aménagement de son territoire.						
	AR-B : *La maison québécoise*, p. 49 Journal d'histoire et de géographie Exposé	● Cerne les caractéristiques de la population canadienne vers 1820 : répartition, présence anglaise. ● Constate l'expansion territoriale depuis 1791. ● Décrit les habitations canadiennes vers 1820. ● Explique la composition des classes sociales au Québec vers 1905				
Préciser l'influence de personnages ou l'incidence d'événements sur l'organisation sociale et territoriale.						
	AR-B : *La maison québécoise*, p. 49 Journal d'histoire et de géographie Exposé Fiches signalétiques	● Établit des liens entre les besoins des commerçants anglais et le développement des voies de communication. ● Relie l'essor de l'industrie du bois et : 1. le niveau de vie des Canadiens français; 2. l'apparition de scieries; 3. la construction navale; 4. de nouvelles régions. ● Relie l'arrivée des Loyalistes au Canada à la guerre d'indépendance américaine. ● Établit des liens entre la présence des Loyalistes et la fondation du Haut-Canada. ● Établit des liens entre la diversité des habitations au Canada et la présence anglophone. ● Réalise une fiche sur une personne qui a influencé la société au 19e ou au 20e siècle.				
Établir des liens de continuité avec le présent.						
	Notre album, annexe 9.2 Album du patrimoine Journal d'histoire et de géographie	● Recense des éléments du patrimoine pour l'album : maisons, tours, musées, etc. ● Cherche une personne qui a influencé la société canadienne ou québécoise au 19e ou au 20e siècle.				

Cotes : 1. Se développe aisément, sans vraiment nécessiter de soutien.
2. Se développe assez bien avec peu de soutien.
3. En bonne voie de se développer, mais nécessite un soutien occasionnel.
4. Se développe difficilement et nécessite un soutien constant.

GÉOGRAPHIE, HISTOIRE ET ÉDUCATION À LA CITOYENNETÉ

Interpréter le changement dans une société et sur son territoire

Jugement global

Nom de l'élève

Composantes	Comportements observés chez l'élève				

Situer une société et son territoire dans l'espace et dans le temps à deux moments.

Cartes muettes — Compare les limites territoriales du Canada et ses divisions vers 1745 et vers 1820.

Relever les principaux changements survenus dans l'organisation d'une société et de son territoire.

Exposé et diagramme
AR-B : *La maison québécoise*, p. 49
Cartes muettes
Journal d'histoire et de géographie

— Cerne les changements survenus dans l'organisation de la société canadienne entre 1745 et 1820 (territoire, population, commerce, transport maritime).

— Décrit les changements apportés aux habitations entre 1745 et 1820.

Préciser des causes et des conséquences des changements.

Exposé
AR-B : *La maison québécoise*, p. 49
Journal d'histoire et de géographie

— Relie les changements survenus dans la société canadienne à la conquête anglaise de 1763.

— Relie l'immigration anglophone après 1745 à la guerre d'indépendance américaine.

— Dégage les conséquences des changements survenus au Canada après 1745 (territoire, structure sociale, exploitation des ressources, transport maritime).

Préciser l'influence de personnages ou l'incidence d'événements sur ces changements.

Journal d'histoire et de géographie
Exposé et diagramme

— Saisit l'importance de la présence anglophone sur le développement social, commercial et industriel de la province.

— Identifie les groupes d'influence vers 1820.

Justifier son interprétation des changements.

Exposé et diagramme

— Explique les changements survenus à la suite de la conquête de 1763.

— Explique l'influence des Loyalistes et des commerçants anglais.

Dégager des traces de ces changements dans notre société et sur notre territoire.

Album du patrimoine

— Repère des constructions qui témoignent des origines françaises et de la présence anglophone.

— Établit des liens entre la conquête de 1763 et le Québec actuel.

Cotes : 1. Se développe aisément, sans vraiment nécessiter de soutien.   3. En bonne voie de se développer, mais nécessite un soutien occasionnel.
2. Se développe assez bien avec peu de soutien.   4. Se développe difficilement et nécessite un soutien constant.

SCIENCE ET TECHNOLOGIE	Jugement global				
Proposer des explications ou des solutions à des problèmes d'ordre scientifique ou technologique	Nom de l'élève				

Composantes	Comportements observés chez l'élève				
Identifier un problème ou cerner une problématique.					
Journal scientifique	S'interroge sur les matériaux qui entrent dans la construction des pylônes et sur leur assemblage.				
	Émet des hypothèses sur les facteurs qui entrent en jeu dans la solidité des pylônes.				
Recourir à des stratégies d'exploration variées.					
Journal scientifique	Fait un plan du prototype de pylône.				
Pylône et pont	Compare la solidité des structures.				
Rencontre scientifique	Tient compte des contraintes de construction.				
	Réinvestit ses connaissances pour construire un pont.				
Évaluer sa démarche.					
Pylône et pont	Vérifie si son prototype répond aux contraintes de construction.				
Journal scientifique	Explique les principes de construction de son prototype.				
Rencontre scientifique	Relève les points faibles de son prototype et suggère des améliorations.				
Plan des structures construites	Évalue le coût approximatif de construction de son prototype.				
Feuille de consignes	Établit des rapports entre la masse et la charge de rupture.				
	Compare les prototypes avec les structures construites dans sa région.				
	Tire des conclusions sur l'équilibre des forces (compression, tension, etc.).				

Cotes : 1. Se développe aisément, sans vraiment nécessiter de soutien.   3. En bonne voie de se développer, mais nécessite un soutien occasionnel.
2. Se développe assez bien avec peu de soutien.   4. Se développe difficilement et nécessite un soutien constant.

SCIENCE ET TECHNOLOGIE

Mettre à profit les outils, objets et procédés de la science et de la technologie

	Jugement global			
	Nom de l'élève			

Composantes	Comportements observés chez l'élève				
S'approprier les rôles et fonctions des outils, techniques, instruments et procédés de la science et de la technologie.					
Pylône et pont / Journal scientifique / Rencontre scientifique / Plan des structures construites	Établit des liens entre les matériaux entrant dans la construction des pylônes et la solidité de l'assemblage. Établit des liens entre le design de pylônes et de ponts et leur solidité.				
Relier divers outils, objets ou procédés technologiques à leurs contextes et à leurs usages.					
Pylône et pont / Journal scientifique / Plan des structures construites / Feuille de consignes	Fabrique un pylône en assemblant ses composantes. Fabrique un pont en assemblant ses composantes. Explique comment on peut augmenter la solidité d'une structure.				
Évaluer l'impact de divers outils, instruments ou procédés.					
Journal scientifique / Rencontre scientifique	Associe la construction de pylônes au transport de l'électricité. Établit des liens entre la solidité des pylônes et les conséquences du verglas de 1998 au Québec. Comprend le choix de certaines formes pour construire un pont ou un pylône. Dégage la meilleure façon d'obtenir une structure solide.				

Cotes : 1. Se développe aisément, sans vraiment nécessiter de soutien.   3. En bonne voie de se développer, mais nécessite un soutien occasionnel.
2. Se développe assez bien avec peu de soutien.   4. Se développe difficilement et nécessite un soutien constant.

Évaluation en cours d'apprentissage : thème 10

Dans ce thème, il sera pertinent de cibler deux des trois compétences en art dramatique, soit *Inventer des séquences dramatiques* et *Apprécier des œuvres théâtrales, ses réalisations et celles de ses camarades*. Également, comme on trouve quelques situations de communication orale, on utilisera toutes les notes prises de façon informelle au cours des échanges ainsi que les outils d'évaluation ci-dessous pour apprécier la progression des élèves sur le plan de cette compétence. On pourra aussi évaluer les compétences transversales *Mettre en œuvres sa pensée créatrice, Se donner des méthodes de travail efficaces* et *Coopérer*.

Outils d'évaluation

FRANÇAIS

Communiquer oralement

On privilégiera les situations 1, 2 et 7 pour évaluer cette compétence. On pourra également utiliser des observations qu'on a recueillies au thème 9 comme informations complémentaires.

- **Les discussions sur l'épisode 10 de *Cyclades* (situation 1)**

  Les élèves écriront d'abord leurs commentaires sur le 10ᵉ épisode de *Cyclades* dans leur cahier de français, puis les partageront en petits groupes. On prendra des notes pendant les discussions sur les stratégies qu'ils mettent en œuvre dans ce contexte pour mieux communiquer.

- **La fiche *Mes élèves en équipe*, annexe 10.2 (situations 1 et 7)**

  On pourra observer quelques élèves durant les discussions en petits groupes pour évaluer la compétence à communiquer oralement.

- **La fiche *Autoévaluation de la discussion*, annexe 10.6 (situation 1)**

  Pendant la phase d'intégration, les élèves autoévalueront leur façon de communiquer au cours des discussions. Ils compareront ensuite leur évaluation avec celle de l'enseignant ou de l'enseignante.

- **La présentation sur le théâtre et la vidéo (situation 2)**

  On essaiera de filmer les présentations des élèves, car le visionnement de la vidéo les aidera à relever des exemples d'énoncés mal formulés, d'anglicismes, d'impropriétés ou d'imprécisions qui auront échappé à leur attention au moment des présentations.

- **La fiche *Une recherche sur le théâtre*, annexe 10.4 (situation 2)**

  Chaque élève aura pour tâche de donner une rétroaction à un ou une autre élève après la présentation de ses découvertes sur le théâtre. On mettra ensuite en relation ces observations avec les notes qu'on aura prises durant les exposés.

- **Les échanges sur l'analyse de chansons (situation 7)**

  On observera plus particulièrement ici les comportements qui font progresser les échanges. En phase d'intégration, on donnera aux élèves une rétroaction sur leur façon de discuter, sur leur écoute et sur la façon dont ils ont exprimé leurs idées.

ART DRAMATIQUE

Inventer des séquences dramatiques
Apprécier des œuvres théâtrales, ses réalisations et celles de ses camarades

Les situations 4, 5, 6 et 7 permettront de recueillir des informations pertinentes sur le développement de ces compétences.

- **Le cahier d'art dramatique (situations 4, 5, 6 et 7)**

  Les élèves laisseront de nombreuses traces de leur processus de création dans le cahier d'art dramatique. Ils y noteront des indications sur l'attitude des personnages qu'ils joueront, sur les décors, sur les accessoires, etc. On observera également les grilles d'appréciation des séquences dramatiques (voir situation 6 en particulier).

- **La fiche AR-B *Les personnages*, p. 64-66 (situation 4)**

  Essentiellement, cette fiche aidera les élèves à analyser des personnages de la *commedia dell'arte* en identifiant leurs qualités et défauts.

- **La fiche *Pour jouer un personnage*, annexe 10.5 (situation 4)**

  En équipes de deux ou trois, les élèves improviseront des scènes avec les personnages de la *commedia dell'arte*. On prendra alors des notes sur la composition des personnages, sur leur allure et sur leur posture. Les équipes qui observent donneront une rétroaction à celles qui improvisent en remplissant cette fiche. Après la présentation des improvisations, les élèves reprendront cette fiche pour évaluer leur propre jeu.

- **Le texte de la scène tirée du canevas *Les mères fantômes* (situation 5)**

  Chaque équipe sera invitée à écrire une scène à partir du canevas *Les mères fantômes* en imaginant des monologues et des dialogues, ainsi que différentes indications scéniques. Pour ce faire, on reverra les règles d'écriture d'une pièce à partir de l'observation d'un extrait de pièce de théâtre. Lorsque chaque scène sera écrite, on s'assurera de la cohérence d'ensemble en créant des liens entre les différentes parties.

- **La séquence dramatique inventée à partir du canevas *Les mères fantômes* et les répétitions (situations 6 et 7)**

  En observant les répétitions de la séquence dramatique, on pourra apprécier le jeu des acteurs, l'intérêt des costumes et des décors, les effets de l'éclairage et l'accompagnement sonore de la pièce. À la situation 7, on prêtera une attention particulière à l'enchaînement des différentes parties du spectacle pour s'assurer de sa fluidité. On essaiera de filmer les répétitions et la représentation finale pour aider les élèves à réguler leur processus d'apprentissage.

- **Le séminaire sur l'art dramatique (situation 6)**

  À la fin du thème, on organisera un séminaire pour faire le point sur le développement des compétences en art dramatique. On fera le bilan des apprentissages que les élèves ont réalisés, individuellement et collectivement.

FRANÇAIS
Communiquer oralement

	Jugement global			
Composantes / **Comportements observés chez l'élève**	Nom de l'élève			

Explorer verbalement divers sujets avec autrui pour construire sa pensée.

Mes élèves en équipe, annexe 10.2
Présentation sur le théâtre
Une recherche sur le théâtre, annexe 10.4
Échanges sur l'analyse de chansons

- Présente ses découvertes sur le théâtre.
- Introduit son sujet et situe le contexte de sa recherche.
- Discute de l'analyse de chansons.

Partager ses propos durant une situation d'interaction.

Mes élèves en équipe, annexe 10.2
Présentation sur le théâtre
Une recherche sur le théâtre, annexe 10.4
Autoévaluation de la discussion, annexe 10.6
Échanges sur l'analyse de chansons

- Exprime ses idées et utilise des arguments pertinents.
- Exprime ses doutes, ses sentiments et ses impressions.
- Pose des questions pour obtenir des éclaircissements.
- S'exprime dans une langue correcte.
- Utilise un vocabulaire précis.

Réagir aux propos entendus au cours d'une situation de communication orale.

Discussions sur l'épisode 10 de *Cyclades*
Mes élèves en équipe, annexe 10.2
Autoévaluation de la discussion, annexe 10.6
Échanges sur l'analyse de chansons

- Échanges sur l'analyse de chansons
- Commente un épisode de *Cyclades*.
- Attend son tour pour parler.
- Reformule les propos de son interlocuteur ou de son interlocutrice.
- Manifeste son accord ou son désaccord face aux propos émis.

Utiliser des stratégies et connaissances requises par la situation de communication.

Mes élèves en équipe, annexe 10.2
Présentation sur le théâtre
Une recherche sur le théâtre, annexe 10.4

- Échanges sur l'analyse de chansons
- Écoute ses interlocuteurs avec attention.
- Respecte le sujet de la discussion.
- Précise sa pensée et situe ses interlocuteurs.
- Utilise un support visuel pendant une présentation.
- Parle assez fort.
- Articule clairement.

Évaluer sa façon de s'exprimer et interagir en vue de s'améliorer.

Présentation sur le théâtre
Autoévaluation de la discussion, annexe 10.6

- Relève des anglicismes, impropriétés et imprécisions dans la communication.
- Commente le débit, le volume de la voix et l'intonation.

Cotes: 1. Se développe aisément, sans vraiment nécessiter de soutien.
2. Se développe assez bien avec peu de soutien.
3. En bonne voie de se développer, mais nécessite un soutien occasionnel.
4. Se développe difficilement et nécessite un soutien constant.

ART DRAMATIQUE

Inventer des séquences dramatiques

	Jugement global			
	Nom de l'élève			

Composantes	Comportements observés chez l'élève				
Exploiter des idées de création inspirées par une proposition.					
AR-B : *Les personnages*, p. 64-66 Cahier d'art dramatique Texte de la scène tirée du canevas *Les mères fantômes*	• Invente une séquence dramatique. • Analyse les personnages de la *commedia dell'arte*. • Participe à l'écriture d'une scène à partir d'un canevas. • Note des idées de création en lien avec les chansons analysées.				
Exploiter des éléments du langage dramatique, de techniques de jeu, de techniques théâtrales ou de modes de théâtralisation.					
Cahier d'art dramatique *Pour jouer un personnage*, annexe 10.5	• S'exerce à traduire le caractère de son personnage. • Imagine les façons de bouger de son personnage. • Prête attention aux répliques des autres acteurs. • Imagine une chorégraphie.				
Organiser les éléments résultant de ses choix.					
Cahier d'art dramatique Texte de la scène tirée du canevas *Les mères fantômes* Séquence dramatique à partir du canevas *Les mères fantômes*	• Ajoute des indications scéniques. • Invente des dialogues et des monologues. • Réalise les décors et les costumes. • Planifie les éclairages et l'environnement sonore. • Planifie les déplacements sur l'aire de jeu.				
Finaliser sa réalisation.					
Séquence dramatique à partir du canevas *Les mères fantômes*	• Respecte les règles du jeu de masque de caractère. • Participe à des répétitions pour mettre au point la séquence dramatique. • Ajoute des enchaînements pour faire des liens entre les différentes parties du spectacle.				
Partager son expérience de création.					
Carnet d'art dramatique Séminaire sur l'art dramatique	• Note une force et une faiblesse dans sa démarche de création. • Fait le bilan des connaissances acquises sur l'écriture de séquences dramatiques. • Note une action en lien avec chacune des étapes de création.				

Cotes : 1. Se développe aisément, sans vraiment nécessiter de soutien.   3. En bonne voie de se développer, mais nécessite un soutien occasionnel.
2. Se développe assez bien avec peu de soutien.   4. Se développe difficilement et nécessite un soutien constant.

ART DRAMATIQUE

Apprécier des œuvres théâtrales, ses réalisations et celles de ses camarades

		Jugement global				

Nom de l'élève

Composantes	**Comportements observés chez l'élève**					
Examiner le contenu d'un extrait d'œuvre théâtrale ou d'une réalisation dramatique au regard d'éléments de contenu.						
Cahier d'art dramatique Séquence dramatique à partir du canevas *Les mères fantômes*	Observe les improvisations et identifie les meilleurs interprètes.					
	Apprécie les décors, les costumes, les éclairages et l'ambiance sonore.					
	Commente le jeu des acteurs, les enchaînements et les chorégraphies.					
Porter un jugement d'ordre critique ou esthétique.						
Pour jouer un personnage, annexe 10.5 Séquence dramatique à partir du canevas *Les mères fantômes*	Remplit une fiche d'appréciation sur le jeu des comédiens.					
	Relève les points forts et les points faibles de la séquence dramatique.					
	Donne son opinion sur la fluidité des mouvements d'ensemble du spectacle.					
Partager son expérience d'appréciation.						
Pour jouer un personnage, annexe 10.5 Séminaire sur l'art dramatique	Compare l'évaluation de son propre jeu avec celle de ses camarades et de son enseignante ou enseignant.					
	Modifie son jeu en fonction des commentaires reçus.					

Cotes : 1. Se développe aisément, sans vraiment nécessiter de soutien. 3. En bonne voie de se développer, mais nécessite un soutien occasionnel.
2. Se développe assez bien avec peu de soutien. 4. Se développe difficilement et nécessite un soutien constant.

Faire de la science et de la technologie à l'école primaire

Daniel Lytwynuk

Ce condensé didactique veut fournir des conseils sur la façon d'organiser et de mener les activités scientifiques et technologiques avec des élèves du primaire. Certaines sections moins «pratico-pratiques» ont pour but d'enrichir votre vision de la science et de la technologie, et de donner des assises solides à vos actions pédagogiques.

Le cadre pédagogique et la conception de l'apprentissage qui servent de base au texte sont par ailleurs conformes aux visées éducatives du *Programme de formation de l'école québécoise* et aux grands courants mondiaux de réforme de l'éducation scientifique et technologique.

La culture scientifique et technologique en tant que compétence

Je peux dire en quoi mes activités développeront la culture de mes élèves en science ou en technologie.

Nos sociétés occidentales, on le sait, se définissent en grande partie à travers leur culture scientifique et technologique. Vos élèves, en développant leur propre culture scientifique et technologique, pourront comprendre davantage leur société, y jouer un rôle plus actif, y communiquer et prendre de meilleures décisions dans leur vie quotidienne. À l'aide d'un bagage de connaissances scientifiques, ils pourront aussi un jour participer eux-mêmes activement à définir cette société. N'hésitez pas à répéter à vos élèves que les activités scientifiques et technologiques que vous entreprenez avec eux sont faites dans cette visée pédagogique globale.

Par ailleurs, la culture scientifique et technologique ne repose pas seulement sur des connaissances. Vos élèves devront pouvoir choisir et articuler les capacités qu'ils ont développées dans ce domaine du savoir pour traiter les situations problématiques de la vie courante.

Je choisis des thèmes et des sujets de façon à explorer les trois principaux domaines : l'univers matériel, la Terre et l'Espace, et l'univers vivant.

À quel bagage scientifique nos élèves peuvent-ils aspirer ? Comme il est mentionné dans le *Programme de formation de l'école québécoise*, l'élève doit être mis en contact avec les trois principaux domaines que sont l'univers matériel, la Terre et l'Espace, et l'univers vivant. À l'intérieur de ces trois domaines, le choix des notions est laissé à la discrétion des enseignants, des équipes cycles et des équipes écoles.

Il est toutefois recommandé de travailler les concepts de façon cohérente et de manière à pouvoir les réinvestir. C'est pour cette

Mon enseignement vise non pas l'apprentissage de faits isolés, mais la construction de concepts unificateurs.

raison qu'ils sont regroupés dans des noyaux unificateurs. La matière, l'énergie, les forces et mouvements, et les interactions sont des concepts que l'on pourrait qualifier de transversaux. Par exemple, on abordera la notion de force et d'action/réaction lorsqu'on étudiera les caractéristiques de la résistance de l'air (univers matériel), mais aussi la propulsion d'une fusée (Terre et Espace) ou le fonctionnement des insectes (univers vivant). On peut aussi, par une approche thématique, articuler les concepts à partir d'un sujet d'étude plus vaste en intégrant d'autres disciplines. Si le manuel d'enseignement *Cyclades* vous propose des thématiques, vous ne devez pas vous y limiter. Restez plutôt à l'affût et établissez des liens avec les notions que vous avez travaillées en classe ou que vous prévoyez aborder.

De même, il ne faut pas se limiter à ce que la science et la technologie savent, mais examiner de quelle façon elles se situent dans l'activité humaine. Il est donc essentiel de les replacer sans arrêt dans la vie quotidienne des enfants, faute de quoi les concepts resteront décontextualisés et, réduits à des savoirs scolaires, aussitôt oubliés. Il convient également d'étudier la science et la technologie en lien avec la société, en considérant ses dimensions humaine, éthique, économique et même politique. La dimension historique est particulièrement utile dans ce sens pour faire comprendre comment les idées évoluent et se développent, comment la science et la technologie ont structuré le monde dont on a hérité et comment l'avenir que nous préparons est entre les mains des jeunes d'aujourd'hui.

J'emploie régulièrement une approche interdisciplinaire pour étudier les problématiques plus complexes.

L'approche par thématique offre l'occasion de faire des liens interdisciplinaires dans ce sens : « Qui a créé les navettes spatiales ? (Dimension humaine.) Quand et dans quel contexte ? (Dimension historique.) Comment doit-on continuer à les utiliser ? (Dimension éthique.) Qui les paie ? (Dimension économique.) Qui décide de les utiliser ? (Dimension politique.) » Toutes ces questions amènent à considérer les impacts que la science et la technologie peuvent avoir sur notre santé, notre sécurité, notre environnement et notre bien-être général, mais aussi à réfléchir aux effets pervers de certaines technologies.

Construire des concepts pour les utiliser

La construction des savoirs scientifiques et technologiques se fait généralement selon le modèle suivant. On fait plusieurs observations qui amènent à créer une généralisation. Cette généralisation devient un concept, c'est-à-dire une classe d'objets ou de phénomènes ayant certains attributs en commun. On appose ensuite une étiquette à ce concept, laquelle servira à prédire d'autres cas semblables.

Je fais nommer les concepts par les élèves et je leur fais formuler une définition, identifier des attributs essentiels, puis fournir des exemples et des contre-exemples.

Par exemple, en recueillant des observations sur de petits êtres vivants terrestres, on fera la généralisation que beaucoup ont six pattes et une carapace. Il sera commode d'ordonner ces nombreux êtres vivants de façon à pouvoir généraliser le concept, d'y apposer l'étiquette « insecte », d'y définir les attributs « six pattes et squelette externe », et d'y inclure ensuite tout nouveau spécimen présentant ces attributs. L'araignée, qui a huit pattes, servira alors de contre-exemple.

Lorsqu'on a construit un concept et qu'on a pris le temps d'y réfléchir, on peut dire qu'on le maîtrise si on peut le nommer, en formuler une définition, en identifier les attributs essentiels et en fournir des exemples et des contre-exemples.

Dans une démarche pédagogique, la construction du concept se fait d'abord en contexte, à l'intérieur d'une thématique ou dans une situation proprement scientifique ou technologique. La formulation d'un problème rend les conceptions initiales inadéquates, et la construction ou reconstruction de concepts nouveaux ou supplémentaires devient avantageuse pour les élèves. Ces concepts revus et augmentés prennent de nouvelles étiquettes, et les observations recueillies permettent d'identifier les attributs essentiels et de formuler des définitions.

Puis, les concepts sont décontextualisés dans des activités de structuration, c'est-à-dire qu'ils ne sont plus limités au contexte qui leur a donné naissance. L'insecte devient alors un modèle, forcément simplifié, de la réalité. Le petit animal à six pattes devient un concept général qui englobe tous les cas particuliers.

On s'emploie ensuite à fournir de nouveaux exemples et aussi des contre-exemples. C'est la recontextualisation. C'est ce que nous faisons par exemple lorsque nous laissons les élèves chercher d'autres utilisations à un circuit électrique qui allume une ampoule ou d'autres exemples d'insectes en métamorphose. C'est ce que nous faisons également lorsque nous proposons à l'élève des activités de réinvestissement ou des projets personnels.

Je fais étudier les sujets en contexte dans la situation (contextualisation), je fais ensuite généraliser le cas (décontextualisation), puis j'applique la généralisation (recontextualisation).

Comprendre le fonctionnement de la science et de la technologie

Faire entreprendre une démarche scientifique ou technologique doit aussi avoir pour objectif de mettre en place une réelle éducation à la science, c'est-à-dire amener les élèves à comprendre ce qui distingue la science des autres systèmes de compréhension du monde. De la même façon, l'étude des techniques devrait considérer leur évolution dans l'histoire de façon à mieux comprendre comment elles ont façonné le monde dans lequel nous vivons. On amènera ainsi les élèves à se situer face aux inventions technologiques et à porter un regard critique.

Les normes de la communauté scientifique

Je tiens compte des critères qui distinguent la science des autres modes de connaissance du monde et je les rappelle aux élèves.

Comment déterminer la valeur des idées d'un point de vue scientifique ? En science, les meilleures idées sont :

- les idées qui expliquent le plus de choses (de phénomènes) ou qui le font plus en détail ;
- les idées qui ont été soumises à des tests et qui les ont réussis ;
- les idées qui sont en accord avec les autres idées généralement admises dans la communauté scientifique.

Quand on construit des modèles du monde réel, on veut qu'ils servent à expliquer autre chose qu'un cas isolé. On veut pouvoir le généraliser au plus grand nombre de cas possible. C'est de cette façon que l'on parvient à mettre de l'ordre dans la multitude des objets et des phénomènes actuels sans être submergés. Lorsqu'on a compris que le sel «disparaît» dans l'eau en y étant toujours présent, cela permet de prédire et d'expliquer la dissolution d'un grand nombre de solides dans les liquides. Mais comme de telles généralisations qu'on nomme principes, théories ou lois n'expliquent jamais tout, on cherche constamment à les affiner et à les améliorer. Parfois, on doit même les réviser de fond en comble, non sans rencontrer une farouche opposition des tenants des idées reçues.

Les élèves proposeront volontiers des explications pour tout, et c'est tant mieux. Il faudra leur expliquer que ces explications devront ensuite se mesurer aux trois critères que nous avons mentionnés plus haut.

Mais les idées ne sont que des idées. La science, bien qu'elle soit parfois forcée de mettre à l'épreuve ses idées sous forme de simulations ou de modèles, met de l'avant la méthode expérimentale pour valider les constructions mentales des scientifiques. Elle s'assure ainsi que ses modèles épousent l'expérience du réel. Elle aime ainsi les quantifier, les répéter et en faire des statistiques pour en maximiser la «duplicabilité». Elle exige d'examiner les observations corroborantes de façon critique. On doit donc absolument permettre aux élèves d'aller à la rencontre du monde réel pour l'interroger et en observer les composantes et les interactions.

Les idées doivent aussi pouvoir être testées, car la science est surtout une entreprise de recherche structurée d'erreurs. Ainsi, ce ne sont pas tant les hypothèses et les théories des pseudo-sciences qui gênent les scientifiques, mais plutôt le fait qu'elles ne se prêtent pas à la critique ou qu'elles n'y résistent pas. Les éléments qui relèvent de la foi ou de croyances n'ont pas de valeur sur le plan scientifique.

Mais il y a test et test. La science passe beaucoup de temps à vérifier ses dispositifs et à argumenter sur leur valeur. Il n'est donc pas inutile de prendre le temps avec les élèves de cerner adéquatement le problème et la meilleure façon d'y répondre. On leur fait du coup comprendre les normes de la bonne science, et on leur donne des outils pour se soustraire aux manipulations des pseudo-sciences (voir la section sur l'expérimentation, p. 204).

Les idées scientifiques sont aussi mises en relation avec les autres idées généralement admises dans le domaine, donc soumises à l'examen des pairs. Les experts du même domaine étudient d'un œil critique les idées nouvelles et cherchent à en reproduire les résultats. Plus une idée bouleverse ce qui est déjà admis dans la communauté scientifique, plus les exigences à son égard sont élevées.

Une démarche scientifique

Si l'histoire et la philosophie des sciences nous montrent que les scientifiques n'ont pas véritablement de méthode pour connaître le monde — l'histoire des découvertes est parsemée d'heureux hasards, d'erreurs bien exploitées et d'obsessions personnelles —, il est toutefois possible de faire vivre aux élèves une démarche scientifique pour résoudre des problèmes.

Nous employons le terme *démarche* dans le sens de «façon de se déplacer dans une recherche de construction de sens en se confrontant à des situations-problèmes», et non pas «effectuer des tâches pour arriver à la bonne réponse». En effet, il y a souvent lieu de faire des retours en arrière pour reformuler le problème, soulever de nouvelles questions ou hypothèses, tâtonner ou apporter des ajustements aux critères de réussite d'un problème. La traditionnelle séquence figée « observation-hypothèse-expérimentation-interprétation-conclusion» n'est pas compatible avec une vision socioconstructiviste de la science. Elle ne l'est pas non plus avec ce que l'on connaît de l'apprentissage, car les enfants n'apprennent pas de façon progressive et linéaire.

Il est également souhaitable de ne pas toujours formaliser la démarche. On peut parfois simplement «essayer pour voir» sans se donner d'hypothèses à vérifier.

Je prends le temps de voir les choses en profondeur. Je ne fais pas retenir des notions aux élèves. Je leur fais comprendre réellement les concepts.

La réussite d'une telle démarche d'enseignement exige que l'on reconsidère son utilisation du temps. En effet, le savoir réellement construit n'est pas un produit consommable, mais le résultat d'un lent cheminement. Le temps de discussion et de réflexion, à l'image de la «vraie» science, devient central, et il ne faut jamais le considérer comme du temps perdu. Le temps que l'on consacre à la formation de l'esprit humain est un terreau fertile qui assurera le développement de l'élève. Et le développement des compétences de la langue et du langage mathématique s'en trouvera grandement favorisé. Ainsi, faire de la science «s'il reste du temps» est un très mauvais calcul sur le plan pédagogique.

Une démarche technologique

Le nouveau Programme de formation réunit la technologie et la science. En effet, beaucoup d'auteurs ont souligné que la division de ces deux sphères de l'activité humaine était artificielle et peu productive, puisque comprendre et faire sont le plus souvent intimement liés dans la réalité. Dans une définition très large de la technique et de la technologie, soit *modifier l'environnement pour mieux répondre aux besoins humains*, il va de soi que chercher à comprendre les phénomènes en cause nous permet de mieux y parvenir. Et inversement, les outils, instruments et procédés qu'on invente permettent eux aussi de mieux comprendre le monde.

La démarche technologique s'apparente à la démarche en science, la différence fondamentale se situant dans l'intention de recherche. La technologie est un processus de recherche de solutions à des besoins humains. Une éducation à la technologie devrait permettre à l'élève de développer une capacité à penser la technologie, en tant que :

Concepteur d'objets technologiques   Concevoir des objets technologiques artisanaux exige que l'on crée un objet technique répondant à des critères de performance. Un pont réalisé à l'échelle doit pouvoir supporter une masse, avec une contrainte de matériaux à utiliser. Nous donnons des indications de contraintes et des facteurs de réussite dans les situations des manuels d'enseignement, mais on pourra aussi les déterminer avec les élèves. On peut également réaliser plusieurs plans et prototypes, les modèles améliorés ne devant jamais «effacer» les essais précédents, puisqu'ils sont source d'apprentissage.

Je permets aux élèves de concevoir des objets techniques en fonction de critères de réussite.

Utilisateur d'une technologie   Il y a lieu de considérer les élèves comme utilisateurs d'instruments, d'outils et de systèmes technologiques. À cet égard, on pense spontanément aux TIC, mais il faut reconnaître que ces systèmes technologiques évoluent si rapidement qu'ils sont voués à la désuétude à plus ou moins brève échéance. Dans ce contexte, certains s'interrogent même sur la pertinence d'habiliter les jeunes à les utiliser. Cependant, on comprendra facilement l'importance d'apprendre aux élèves à brancher un appareil électrique en toute sécurité ou à manier des outils comme un tournevis ou un marteau.

Je donne aux élèves l'occasion d'utiliser des objets technologiques.

Analyseur de technologie   Il faut amener les élèves à étudier le fonctionnement des mécanismes et systèmes technologiques courants. Comment fonctionne une écluse ou une fusée? Il faut faire mener des recherches sur des objets techniques, comparer des objets, les démonter et les remonter, visiter des musées ou d'anciennes usines. Il faut, par le moyen d'enquêtes, de visites d'entreprises, de films documentaires, faire explorer le fonctionnement d'entreprises de production modernes, leur fonction commerciale, leur gestion et leur environnement.

Citoyen lucide et critique des technologies   Dans la même perspective d'une éducation sur ce que sait la science, mais aussi sur ce qu'est la science, il convient d'explorer avec les élèves de quelle façon les inventions techniques ont modifié et structuré notre façon de vivre. Quel est l'impact, par exemple, de la télévision ou de l'ordinateur sur la vie sociale?

J'amène mes élèves à être critiques face au monde technologique dans lequel ils vivent.

Le va-et-vient entre le cheminement personnel et le cheminement collectif

Il est possible, à toutes les étapes de la démarche scientifique ou technologique, d'organiser le travail des élèves pour un travail individuel, en petit groupe ou en groupe classe. Lors d'un travail individuel, par exemple, l'élève consigne par écrit dans son journal scientifique ses questions, ses idées, ses hypothèses, son plan de travail et ses explications. Cela lui permet de se compromettre face à ses conceptions initiales sur un sujet ou un phénomène et de réfléchir sur son cheminement. C'est aussi un espace où il lui est permis d'affirmer librement son individualité et de se tromper en toute sécurité.

Je mets en place un temps de réflexion personnel (journal ou autre) où l'élève peut exprimer ses conceptions initiales, ses descriptions, ses prédictions (hypothèses), ses propositions de dispositifs expérimentaux, etc.

Je réserve suffisamment de temps pour discuter des conceptions initiales, des descriptions, des prédictions (hypothèses), des dispositifs expérimentaux, des résultats d'expériences et des explications.

J'organise régulièrement des rencontres où chaque élève participe au questionnement ou à la construction des modèles du monde réel comme dans une communauté scientifique et technologique.

Je me mets moi aussi dans le rôle d'apprenant quand je fais de la science et de la technologie.

En petit groupe, l'élève pourra mettre à l'épreuve ses idées en les présentant à ses coéquipiers et profitera des idées, des questions et des points de vue de ses camarades. Les équipes pourront parfois se choisir un porte-parole qui exposera le résultat du travail de l'équipe au grand groupe.

En grand groupe, chaque élève ou chaque équipe pourra participer à la mise en commun pour imiter un forum scientifique. C'est encore là une bonne façon de faire de l'éducation à la science. Étant donné qu'une des valeurs fondamentales de la science est la validation du savoir par les pairs, le partage et le débat d'idées autour des conceptions initiales, de la construction du problème, des dispositifs expérimentaux, des descriptions et des explications sont essentiels.

Ce sera également l'occasion de s'efforcer à communiquer le fruit de son travail personnel aux camarades. Par ailleurs, en compilant les résultats de toutes les expérimentations, en principe identiques, on apportera une validation statistique et on mettra en lumière les expérimentations qui ont été mal conduites. La mise en commun multiplie les idées, fournit de meilleures généralisations en colligeant plus de résultats et permet de déceler les erreurs de manipulation.

Il n'est pas toujours souhaitable de faire un va-et-vient entre le travail individuel et le groupe classe, car cela peut parfois se révéler trop lourd. Il conviendra davantage de déterminer si, selon les cas, il sera plus productif de faire appel au groupe pour la mise en commun des idées.

Quand on le juge nécessaire, on peut animer une rencontre scientifique. La première fois — et il est bon de le rappeler de temps à autre —, on présente aux élèves la façon dont les scientifiques partagent leurs idées. Ceux qui travaillent sur les mêmes sujets s'appellent, se rencontrent ou s'envoient des courriels. Ils se rencontrent parfois en équipe de travail et, régulièrement, des centaines de scientifiques de par le monde se rencontrent lors de colloques ou de congrès pour parler de leurs travaux en cours ou de leurs plus récentes découvertes.

Les conférenciers présentent leurs travaux et les collègues chercheurs les écoutent avec attention. Parfois, on organise des débats, et des désaccords peuvent survenir. Chaque scientifique doit alors défendre son point de vue, ce qui débouche souvent sur de nouvelles recherches. Mais tous s'entendent sur des valeurs comme la bonne écoute, l'ouverture d'esprit et le doute raisonnable, c'est-à-dire l'esprit critique. Avec le temps, les meilleures idées finissent par être adoptées par une partie de plus en plus grande de la communauté scientifique. Ces idées deviennent alors des paradigmes, c'est-à-dire les meilleures idées du moment, généralement acceptées par tous les scientifiques. Ce sont ces concepts clés qu'on trouve dans les manuels scolaires.

Votre rôle d'enseignante ou d'enseignant

Les activités de science et technologie ne se résument jamais à une série de tâches. Elles sont constituées d'un ensemble de situations-problèmes. Une tâche est gouvernée par l'application d'un algorithme, c'est-à-dire que chacune de ses étapes est connue et programmée. Comme pour les situations-problèmes qui s'adressent aux élèves, les situations du manuel d'enseignement offrent un cadre dans lequel vous aurez à naviguer et, dans une certaine mesure, à improviser, car l'exploration scientifique du monde ne se réduit jamais à une recette.

Lorsque vous allez d'une équipe à l'autre, vous devrez écouter et chercher à comprendre ce que les élèves comprennent. Posez-leur des questions : « Expliquez-moi ce que vous faites. Qu'est-ce qui se passe ? Qu'avez-vous observé ? » Répondez le moins possible à leurs questions, car ils doivent en venir eux-mêmes à se considérer comme de véritables chercheurs.

Vous devez donc faire un travail de médiation. Vos actions pourraient se résumer à[1] :

1. Questionner les propositions des élèves plutôt que de les juger.
2. Faire participer les élèves à la construction de connaissances en leur donnant l'occasion d'argumenter et de discuter la validité des propositions sans se référer à un jugement extérieur.
3. S'assurer de la compréhension mutuelle, de la coconstruction.
4. Rappeler les acquis et les enjeux poursuivis pour faire progresser l'élaboration des connaissances.
5. Décider du passage d'une activité à une autre en fonction de la progression de la discussion.
6. Garantir la « normalité » des faits observés, étant entendu que vous êtes, par votre expérience, le seul ou la seule à savoir ce qui est attendu.
7. Décider de la prise en compte ou du rejet des propositions des élèves.
8. Choisir la suite à donner à la proposition d'un ou d'une élève.

Les étapes de la démarche en science et technologie

I. J'explore le sujet et je m'interroge

La situation de départ

Je fais en sorte que la situation soit motivante pour les élèves, en tenant compte du défi que le problème représente.

On doit accorder une attention particulière à la situation de départ. Elle a pour but de créer la motivation nécessaire à l'investissement des élèves et de donner lieu à des questionnements pour lesquels le regard scientifique ou technologique sera utile. Cela implique qu'on sait pourquoi on aura recours à la science ou à la technologie dans une situation donnée.

---

1. Rapport final 1995 de la recherche « Essais d'objectivation et de transformation des pratiques médiatrices des enseignants dans l'éducation scientifique » publié par l'INRP.

Le champ d'étude de la science, soit le monde réel observable, et celui de la technologie, c'est-à-dire le monde des objets fabriqués, sont extrêmement vastes. Mais la science et la technologie ne peuvent pas répondre de façon satisfaisante à tous les problèmes. De plus, certains problèmes scientifiques ou technologiques ne peuvent pas s'appliquer dans une classe du primaire. C'est pourquoi certaines situations-problèmes particulièrement productives et faciles à organiser sont devenues des incontournables : l'étude des propriétés de l'eau, de la germination, de la masse volumique, etc.

Je permets aux élèves de bien s'approprier le problème pour qu'ils sentent qu'il leur appartient.

Mais même dans ces cas, la situation doit être amenée de telle façon que les élèves sentent que le problème leur appartient, car cette dévolution les rend responsables de leurs apprentissages. C'est à cette seule condition qu'ils pourront mobiliser leurs conceptions initiales. Trop souvent hélas, les enfants n'ont pas l'occasion de réfléchir eux-mêmes aux problèmes, ce qui faisait dire à Karl Popper : « Le fait est que notre pédagogie consiste à submerger les enfants de réponses à des questions qu'ils ne se sont pas posées alors qu'on n'écoute pas les questions qu'ils posent. La pédagogie ordinaire est un ensemble de réponses sans questions et de questions sans réponses. »

J'encourage les élèves à formuler et à consigner leurs propres questions.

Au début, beaucoup d'élèves ne sauront pas poser des questions. C'est qu'ils en ont (déjà) perdu l'habitude, ou qu'ils en sont venus à se considérer comme des répondeurs de questions. Cependant, ils y reprendront rapidement goût si celles-ci sont reçues sans jugement et si elles sont encouragées.

Je prête attention aux questions et aux intérêts des élèves qui pourraient me servir de pistes pour des activités de prolongement ou de réinvestissement.

Certaines thématiques de la collection *Cyclades* se prêtent particulièrement bien au regard scientifique et technologique. Si des situations d'apprentissage et des pistes sont proposées, vous devez vous assurer que celles-ci restent assez ouvertes pour que les enfants s'approprient la situation. Vous devrez également prêter attention aux commentaires et aux étonnements des élèves afin de les exploiter et de fournir d'autres pistes d'activités.

Comment faire ?

- Mettez en place des conditions propices à l'émerveillement et au questionnement. Les questions peuvent venir de l'enseignante ou de l'enseignant, certes — et elles peuvent être très bonnes si elles ne sont pas formulées uniquement pour solliciter « la bonne réponse » —, mais les élèves doivent être encouragés à formuler eux-mêmes des questions, qui pourront devenir de véritables problèmes que l'on pourra étudier à la façon des scientifiques ou des techniciens. Précisez qu'il s'agit de noter ce qui étonne, intrigue ou pose problème.

J'encourage mes élèves à apporter en classe des spécimens d'étude en lien avec la thématique.

- L'objet d'étude de la science étant le monde réel, on doit favoriser le contact avec celui-ci, de façon concrète d'abord, puis de façon virtuelle. L'eau, le sol, les matériaux, les êtres vivants et les objets peuvent être apportés en classe pour l'étude «en laboratoire», ou on peut entrer en contact avec eux sur le terrain pour faire des observations libres. Certains appellent cette activité l'expérimentation exploratoire. Cette étape, trop souvent négligée, est très importante.

- Lorsqu'on ne peut faire autrement, on utilisera des images, à l'état brut le plus possible, c'est-à-dire non annotées ou commentées, puisque c'est à cette étape la tâche de l'élève. Si les images sont annotées et commentées, elles deviendront prétexte à faire émerger d'autres questions et situations-problèmes fertiles en possibilités d'enquêtes pour le groupe. Il est important à cette étape d'accueillir toutes les contributions des élèves.

- En plus des questions proposées dans les situations des manuels d'enseignement, les questions des élèves, si elles sont parfois sans grande portée éducative ou scientifique, peuvent toujours être réorientées vers des concepts abordables par un questionnement approprié.

À tout moment, je fais faire des liens avec les événements de l'actualité ou d'autres événements significatifs pour les élèves.

- Saisissez toutes les occasions de faire des liens avec les événements de l'actualité. Une nouvelle dans les médias ou un événement significatif pour un élève, la classe, l'école, le quartier ou même pour une communauté globale peut être l'occasion d'un nouveau sujet d'étude fertile. Encourager les élèves à noter leurs questions et à proposer des sujets d'enquête réalisables.

Élaborer des pistes

Je me fais une carte d'exploration personnelle pour identifier les notions-noyaux et les possibilités d'activités complémentaires.

Il n'est pas nécessaire de posséder un grand bagage technoscientifique pour organiser et mener des activités en science ou en technologie au primaire. Cependant, il vous sera toujours utile d'aborder un thème ou une situation en faisant un survol de vos propres conceptions initiales. Une carte d'exploration personnelle vous permettra d'identifier vos connaissances et vos lacunes sur le sujet, d'amorcer votre propre questionnement et de repérer des possibilités de situations-problèmes. Vous identifierez ainsi les notions-noyaux pour fixer des priorités. Vous trouverez une bonne source d'informations dans les sections *Connaissances et techniques* des manuels d'enseignement.

Vous pourrez également établir des liens avec les thèmes que vous avez déjà étudiés — davantage encore si l'élève a un portfolio en science et technologie qui le suit tout au long de sa scolarité — pour réinvestir le travail sur les conceptions déjà abordées. Vous pouvez faire ce travail de préparation avant même de présenter la situation de départ pour pouvoir repérer et exploiter les questions des élèves et les orienter vers des situations fécondes.

Comment faire?

- Organisez le sujet par écrit en concepts et sous-concepts. Si vous utilisez la méthode de la carte d'exploration ou du réseau de concepts, mettez le sujet principal au centre et articulez tout autour les idées qui s'y rattachent. Identifiez d'une part les questions ou les doutes qui se présentent, et d'autre part les objets, phénomènes ou événements qu'une démarche scientifique ou technologique permettrait de mieux décrire ou de mieux comprendre.

Faire surgir les conceptions initiales des élèves

Je favorise l'expression des conceptions initiales de mes élèves sur le sujet ou sur le problème.

En début de thème, mais aussi en début de situation, il est essentiel de faire surgir les conceptions initiales des élèves. Plusieurs raisons justifient cette étape, que la recherche en didactique des sciences juge essentielle au développement des concepts. D'abord, les élèves doivent prendre conscience de leurs conceptions pour y travailler. En effet, selon une formule devenue célèbre, on n'apprend qu'à partir de ce que l'on sait déjà. En dialoguant avec leurs camarades et en consignant leurs conceptions initiales, ils ressentiront davantage l'insuffisance ou l'inadéquation des connaissances qu'ils possèdent sur le sujet.

Je relève des conflits entre les conceptions initiales des élèves et je repère les incohérences avec le savoir scientifique.

Ensuite, repérez ce que pensent les élèves et ajustez en conséquence la situation, les problèmes et le questionnement. Vous pourrez mieux identifier avec vos élèves les conflits de conceptions et d'idées, et mettre en lumière leurs insuffisances pour mieux situer les activités que vous proposerez. Vous déterminerez ainsi si la situation d'apprentissage proposée dans le manuel d'enseignement doit être poussée plus loin que prévu ou si, au contraire, elle nécessite des connaissances préalables. Avant de traiter du cycle de l'eau par exemple, il faudra peut-être faire une activité sur la condensation, plusieurs élèves ayant l'impression que l'eau évaporée n'existe plus. Il s'agit en fait d'ajuster la situation pour que le problème comporte un défi raisonnable pour la majorité des élèves.

Je repère certains obstacles à la construction du savoir auxquels je consacrerai ensuite plus de temps.

Vous pourrez aussi repérer certains obstacles aux nouveaux apprentissages. Souvent, l'élève tient à ses conceptions initiales comme à la prunelle de ses yeux: elles répondent à ses besoins. Les abandonner pour gagner des points ou pour vous faire plaisir rendra l'élève imperméable à l'acquisition durable de nouvelles connaissances. Vous devrez ainsi tracer la ligne à franchir entre les conceptions initiales et les nouvelles connaissances à acquérir.

En un mot, il s'agit non pas de centrer son enseignement sur l'objet, mais sur le sujet, l'élève qui essaie de comprendre et d'agir à un stade donné de son développement.

Comment faire?

● Posez des questions ou demandez la définition des termes que les élèves emploient. Animez un remue-méninges. Faites réaliser un dessin. Faites commenter un schéma ou une photo. Faites une démonstration en demandant aux élèves d'écrire leurs prédictions sur ce qui arrivera. Animez une discussion et demandez-leur de choisir parmi plusieurs modèles explicatifs. Animez un débat sur une conception fausse, mais largement véhiculée. Faites comparer des croyances de différentes époques avec les connaissances scientifiques actuelles.

● Résistez à la tentation de répondre aux questions. Les élèves doivent apprendre que vous n'êtes pas là pour répondre à leurs questions, mais pour les aider à chercher, à faire de la science.

Je ne juge pas les idées de mes élèves. Je cherche à comprendre ce qu'ils comprennent.

● Écoutez ce que disent les enfants et cherchez à comprendre ce qu'ils comprennent. Rassurez-les et déclenchez chez eux des possibilités de réflexions qui leur étaient jusque-là inaccessibles.

● Faites consigner autant que vous le pouvez les conceptions initiales dans le journal scientifique ou sur un document qui s'intégrera au portfolio. Ce seront des traces des plus tangibles pour l'évaluation. Elles pourront par ailleurs fournir des hypothèses qui mèneront à la construction du problème.

Construire le problème

J'ajuste les problématiques des situations pour qu'elles présentent un défi raisonnable pour la majorité des élèves.

Les situations d'apprentissage qui font appel à la science ou la technologie dans les manuels d'enseignement sont généralement déjà formulées sous forme de problèmes ou de questions. Cependant, elles restent souvent ouvertes dans leur forme pour accueillir les idées des élèves et élargir les pistes à explorer. Vous devrez peut-être ajuster le niveau de difficulté de ces questions pour les situer dans la zone proximale de la majorité des élèves, ou pour que le défi qu'elles représentent soit suffisamment grand pour leur donner confiance en eux. Mais il faut dans tous les cas conserver la relative complexité des situations pour que les élèves maîtrisent les phénomènes dans leur globalité.

Pour mettre la classe entière à la recherche d'une explication ou d'une solution, il convient de s'assurer que tous les élèves ont bien cerné le problème. C'est un aspect d'une démarche scientifique ou technologique qu'on néglige trop souvent. En effet, faire de la science, c'est savoir bien poser un problème.

Je m'assure que tous ont compris ce qu'est le problème et ce que l'on cherche.

Prendre le temps de bien préciser ce qui fait problème permet de mieux réfléchir à ce qui doit être mis en place pour y répondre. Et formuler un problème, c'est en même temps imaginer des solutions, faire des «expériences par la pensée». Ce n'est pas en suivant des expériences, mais en les devançant que la science progresse. Même lorsque vous permettrez aux élèves de procéder par tâtonnement, ils produiront sans cesse des hypothèses dans un bouillonnement d'idées et de va-et-vient entre la pensée créatrice et le monde réel.

Nous suggérons souvent de mettre les élèves à contribution pour proposer de nouveaux problèmes qui prolongent la situation initiale d'une problématique. Par exemple, dans la situation 6 du thème 16, les élèves, même après la séance, auront sans doute envie de calculer la masse volumique d'autres matières en expérimentant de nouvelles techniques.

Comment faire?

- Soulignez les conflits d'idées et les incohérences, sans toutefois trancher, et utilisez-les comme moteur de l'enquête. Faites ressortir vous-même les conflits entre les descriptions, les propositions d'explications et les prédictions en proposant des alternatives. Demandez aux élèves de relever ce qui pose problème.

- Laissez aux élèves le temps de reformuler le problème afin de s'assurer que chacun comprenne l'intention de la recherche. Encouragez toujours davantage les formulations du type «Comment cela fonctionne-t-il?» ou «De quoi cela dépend-il?» plutôt que «Pourquoi?», qui demeure d'approche difficile pour les élèves du primaire. Proposez aussi la formulation «Si... alors...».

- Posez-leur des questions: «Que pourrions-nous comprendre d'autre? Que pourrions-nous faire d'autre? Comment nous y prendre?»

2. J'imagine une façon de répondre à la question ou de résoudre le problème

Je permets aux élèves, individuellement, en petits groupes ou en groupe classe, de participer à l'élaboration d'une façon de résoudre le problème.

Comme des scientifiques, les enfants doivent eux-mêmes développer la compétence à résoudre des problèmes. Dans cette perspective, une part importante de la démarche de recherche doit être remise aux élèves. Les balises indiquées dans les manuels d'enseignement *Cyclades* visent à circonscrire des domaines d'exploration fertiles et à limiter des avenues qui vous feraient perdre trop de temps et qui décourageraient les élèves.

Proposer des explications en science, ce n'est pas suivre fidèlement une méthode pour en arriver à un résultat donné. On évitera donc de remettre aux élèves un mode d'emploi ou une liste d'étapes toutes tracées pour en arriver à une solution. Si de telles activités sont parfois nécessaires, pour réaliser un trébuchet par exemple, il conviendra de pousser la manipulation plus loin pour développer une réelle compétence.

Il ne faudrait pas en déduire qu'il n'y a pas de rigueur dans la méthodologie en science et technologie. Tout au contraire, la recherche de cohérence dans les résultats exige que ses acteurs puissent, en énonçant leurs descriptions et leurs explications du monde réel, dire dans quelles conditions précises les expérimentations ont été réalisées. Les élèves, lorsqu'il s'agit d'une expérience collective, doivent mettre par écrit les étapes qu'ils entendent suivre. Ainsi, les résultats divergents leur feront prendre conscience de l'importance de la communication entre scientifiques et de la nécessaire rigueur dans les protocoles expérimentaux.

Comment faire?

Je permets aux élèves de réfléchir aux stratégies à

- Remettre entièrement ou en partie aux élèves la responsabilité de trouver une façon de répondre à la question ou de résoudre

mettre en œuvre pour ré-
pondre à la question de
façon scientifique.

le problème. Ils peuvent discuter d'une démarche en petits groupes et débattre de leurs propositions en groupe classe. Vous pouvez aussi animer un remue-méninges.

● Chaque petit groupe peut mener sa recherche à sa façon, mais la mise en commun des résultats sera alors impossible et les résultats de chaque équipe invérifiables, puisque les conditions d'expérimentation ne seront pas les mêmes d'une équipe à l'autre.

● Lors de la mise en commun, votre rôle sera de guider les propositions en tenant compte de certaines contraintes dont vous serez responsable : la faisabilité quant aux délais, aux coûts, à la sécurité, aux apprentissages qui en découleront, etc. Vous devrez :

- déterminer la ou les stratégies qui seront nécessaires à la résolution du problème (observer, réaliser une enquête sociologique, expérimenter par tâtonnement, construire un dispositif expérimental, concevoir un objet technologique, consulter des ressources documentaires, etc.);

- émettre des prédictions (hypothèses ou anticipations) ou concevoir des plans;

- déterminer ce qui sera observé, l'observation étant toujours une structuration (les observations, profondément liées aux intérêts et au projet de recherche, auront avantage à se faire selon des critères négociés par le groupe);

- déterminer l'étendue des observations à faire;

- déterminer de quelle façon les données seront notées ou les essais consignés;

- déterminer les outils, les instruments et le matériel nécessaires.

● Il peut se dégager plusieurs pistes d'expérimentation intéressantes à explorer. Cette voie aurait l'avantage de permettre aux équipes de faire preuve d'autonomie et à la classe de recueillir beaucoup d'information sur un sujet. Cependant, on ne pourra pas mettre en commun les résultats pour les confronter ni discuter des dispositifs expérimentaux et des résultats.

3. Je réalise l'enquête ou je fais l'objet technologique

Pour qu'une démarche soit *scientifique*, il faut qu'elle respecte certaines normes de la communauté scientifique, car ce sont ces normes qui viennent valider le savoir scientifique. Ce processus d'élaboration de la connaissance aboutit à un savoir que les scientifiques privilégient, car il rend mieux compte des phénomènes, ou d'un plus grand nombre de phénomènes, ou les décrit de façon plus détaillée et précise. En outre, il permet souvent de mieux prédire les phénomènes. Et comme le savoir scientifique est une entreprise communautaire, les scientifiques se soucient constamment de la cohérence de leurs explications avec les savoirs d'autres domaines.

Comme on l'a vu, la première de ces normes est qu'une idée, une hypothèse ou une théorie doit pouvoir se prêter à des tests et y résister. Toutes les idées se valent tant qu'elles n'ont pas été mises à l'épreuve. Elles sont le point de départ de toute connaissance, et les idées de départ, précieuses, doivent toujours être accueillies avec ouverture d'esprit. Mais les idées ne sont scientifiquement valables qu'une fois qu'on les a testées.

Il importe que l'élève puisse mettre ses idées à l'épreuve le plus souvent possible. La démarche expérimentale n'a toutefois pas toujours besoin d'un cadre formel, car on peut expérimenter de bien des façons.

Activités d'observation en vue de décrire

Je mets en place des situations dans lesquelles la description détaillée de phénomènes pourra s'affiner.

C'est la première étape de la définition d'un modèle de la réalité. Il s'agit de rendre compte des composantes d'un objet ou d'un phénomène et d'affiner ses modèles. Pour ce, il faut identifier, sérier et classer en faisant des comparaisons et en cherchant des similitudes et des différences entre des éléments.

Comment faire ?

- Les récits descriptifs ou les dessins et schémas initiaux des élèves (qui équivalent à des hypothèses) peuvent être comparés entre eux, et les divergences peuvent donner lieu à des observations pour «aller voir qui a raison». On cherche alors à rendre compte avec plus de précision en observant des phénomènes du monde réel. Les instruments d'observation et de mesure deviennent ici nécessaires (loupes, balances, règles, etc.).

- En observant un insecte à la loupe ou en catégorisant les feuilles de différentes espèces d'arbres, les élèves précisent leur vision du monde. D'autres questions surgiront sûrement, et les situations des manuels d'enseignement pourront sans doute correspondre à des problèmes soulevés par les élèves.

- Pour les plus jeunes, on peut fournir une liste de caractéristiques générales pour guider l'observation : couleurs, formes, textures, dimensions, proportions, composantes (présence/absence, nombre, caractéristiques), etc. Rappeler aux élèves d'observer les éléments de façon à mettre en évidence les ressemblances et les différences entre eux afin de faire ressortir des régularités ou des constances.

- On doit encourager l'analogie, qui stimule l'imagination et mobilise les conceptions initiales. Si on intervient dans les phénomènes pour provoquer ces changements, alors on expérimente.

L'expérimentation

La description détaillée des caractéristiques d'objets ou de phénomènes ne peut suffire pour se créer des modèles adéquats du monde réel. Pour rendre compte des phénomènes et des objets, il faut étudier les interrelations entre leurs composantes.

Pour comprendre comment les choses sont reliées entre elles, l'élève devra provoquer des changements sur ce qu'il étudie. Il pourra ainsi expliquer les relations en identifiant des causes et des effets, par exemple les liens entre le taux d'humidité d'un aliment et l'apparition d'une moisissure. C'est en identifiant les causes qui provoquent les effets que l'on pourra identifier les attributs essentiels des généralisations, et en fournir des exemples et des contre-exemples.

Selon le stade de développement des élèves et l'étendue du modèle que l'on cherche à construire avec eux, l'activité expérimentale dans la situation pourra prendre plusieurs voies.

A Le tâtonnement expérimental

J'anime des activités de tâtonnement expérimental lorsque je juge que cela convient bien à la tâche.

Parfois, une simple démarche d'identification des liens de cause à effet est adéquate. Sans méthodologie formalisée et standardisée pour tous, les élèves sont simplement invités à faire des essais «pour voir». On recueille les observations et les explications par la suite, ce qui peut servir à dégager certaines généralisations.

Le tâtonnement expérimental, c'est aussi de la science. C'est d'ailleurs la manière dont se sont développées historiquement les technologies, car ce n'est qu'au XIXe siècle qu'on s'est mis à essayer de comprendre les principes de fonctionnement d'inventions ancestrales, les moulins par exemple, pour les améliorer.

Comment faire?

- Une fois le problème identifié (par exemple, comment peut-on classer les feuilles d'arbres que nous avons recueillies?), les équipes discutent, font des essais et argumentent avec leurs coéquipiers pour faire valoir la meilleure classification. Lorsqu'ils cherchent à comprendre comment une corde pincée d'un instrument produit un son, ils font des essais avec différentes cordes tendues autour de différents contenants, et auxquelles ils donnent diverses tensions. C'est le type de démarche mise en œuvre lors de la conception d'objets technologiques, où la théorie se situe souvent en aval des essais sur le terrain.

J'encourage les élèves à faire des essais et à consigner par écrit ou sous forme de schéma ce qui n'a pas fonctionné pour en tirer des leçons.

- Encouragez les élèves à produire de nouvelles hypothèses et à prendre des risques. Dans cette optique, faites consigner les essais qui n'ont pas fonctionné et récompensez les élèves au moment de la mise en commun pour leur contribution à l'effort collectif.

● Dans la conception d'objets technologiques, c'est souvent par essais et erreurs que l'on parvient à améliorer des modèles et à atteindre les critères de performance visés. Les élèves ont souvent tendance, comme par magie, à relever chez leurs voisins les idées productives. Il ne faut pas décourager ces pratiques, car la classe peut très bien fonctionner comme une équipe d'ingénieurs collaborant au sein d'une entreprise.

B L'identification des variables

Je fais identifier les variables qui peuvent entrer en jeu dans un phénomène.

Dans l'approfondissement des descriptions et des explications, les enfants se rendent vite compte que, dans tout phénomène, plusieurs facteurs entrent en jeu. Lorsqu'on fabrique un téléphone à ficelle, par exemple, le type de contenant, la longueur du fil et le type de corde ont une influence sur la transmission du son. Il y a donc plusieurs interrelations entre les composantes, et l'étude des causes et des effets nous permet d'affiner nos conceptions sur le son. Il devient alors important de nommer les variables qui entrent en jeu, soit au moment de la formulation des hypothèses, soit au moment de rendre compte des explorations ouvertes. Chaque interrelation dans un phénomène peut faire l'objet d'une enquête précise.

C Une recherche plus structurée : le contrôle des variables

Afin de déterminer précisément la cause d'un phénomène ou les liens précis entre les composantes d'un système, on doit se concentrer sur une seule cause et un seul effet. En portant un regard analytique sur un aspect précis, les descriptions des causes et des effets tiennent davantage lieu d'explication. On en arrive ainsi, dans le meilleur des cas, à déterminer si l'on a affaire à une coïncidence (deux phénomènes qui se produisent ensemble, mais qui ne sont pas liés), à une corrélation (deux phénomènes qui varient ensemble, mais qui ne sont pas directement reliés, par exemple le taux de tabagisme et le niveau socioéconomique d'un groupe de personnes) ou à un véritable lien de cause à effet.

J'amène les élèves à contrôler des variables.

Au deuxième cycle, les élèves ont déjà abordé le concept du « test juste » (de l'anglais, *fair test*). Si, après l'étude de la croissance des plantes, la vitesse de maturation (apparition des fleurs) a varié selon les équipes, mais que l'exposition au soleil, la fréquence d'arrosage et la profondeur des semis ont varié d'une équipe à l'autre, les élèves ne seront pas en mesure de proposer des explications valables. Dans bien des cas, il faudra mettre en place un dispositif où rien ne varie, dispositif qui deviendra la référence avec laquelle on comparera les autres expériences. Ce dispositif s'appelle *le témoin*.

Comment faire ?

● Le concept d'isolation de variables doit être construit par les élèves. Il s'agit d'identifier les facteurs qui entrent en jeu, de décider quelles variables seront modifiées et lesquelles seront contrôlées (maintenues constantes).

On peut expliquer la notion avec un contre-exemple. *Véronique prétend que son nouveau vélo 18 vitesses va plus vite que celui de Michelle qui n'a qu'une vitesse. On organise alors une course à vélo dans la cour d'école, avec une ligne de départ, un sifflet annonçant le début de la course et des juges à la ligne d'arrivée. Mais le jour de la course, c'est le grand frère de Véronique âgé de 14 ans qui se présente comme coureur cycliste contre Michelle qui n'a que 8 ans. Pourquoi n'est-ce pas un bon test pour déterminer quel vélo est le plus rapide? Comment devrions-nous procéder?*

On peut également mettre en place un dispositif expérimental simple pour montrer les limites d'une expérimentation dans laquelle on ne contrôle pas les variables. Par exemple, donnez la consigne de compter le nombre d'oscillations d'un pendule pendant 15 secondes. Donnez à la moitié des équipes des pendules courts et lourds, et aux autres des pendules deux fois plus longs, mais deux fois plus légers. Après cette expérimentation, demandez-leur de tirer des leçons concernant les liens entre la masse du pendule et la vitesse d'oscillation.

La règle pourrait s'énoncer simplement: étudier une chose à la fois, en gardant tout le reste inchangé, donc contrôler tout ce qui peut varier pour isoler une variable que l'on veut mieux comprendre.

D Quantifier

Je fais quantifier les observations des élèves pour qu'ils puissent proposer de meilleures explications.

Pour décrire et expliquer les phénomènes avec encore plus de précision, on peut les mesurer. Les instruments de mesure en science (la balance pour les masses, le cylindre gradué pour les volumes, le chronomètre pour le temps, le thermomètre pour la température, la règle et le ruban pour les longueurs, le dynamomètre pour les forces, le papier pH pour l'acidité et, dans les meilleurs des cas, le multimètre pour l'électricité, le photomètre, etc.) permettent d'affiner les interrelations entre les phénomènes et d'augmenter la validité des explications. Ils amplifient la précision de nos sens.

Comment faire?

- Il faut guider certaines situations pour que les instruments deviennent utiles, voire essentiels à la résolution d'un problème ou d'un conflit. *Cette pomme a-t-elle vraiment perdu plus d'eau que celle qui a été conservée dans un sac de plastique? Le tissu foncé exposé à la lumière du soleil est-il vraiment plus chaud que le tissu pâle? De combien de degrés?* Faire ressentir aux élèves que les termes *un peu, pas mal, assez* ou *moyen* créent un flou qui prête à trop d'interprétations et d'incohérences, et que les scientifiques s'appuient souvent sur la mesure à l'aide d'instruments très précis.

L'enquête sociologique

Je fais réaliser des enquêtes sociologiques pour recueillir des informations auprès de personnes de l'entourage.

Dans l'enquête sociologique, les élèves recueillent des informations sur les comportements des gens de leur entourage en les observant ou en leur posant des questions. Dans la plupart des enquêtes courantes, il faut habituellement interroger 1000 personnes pour que le résultat soit exact à 5 % près. Le choix de l'échantillon de population ainsi que la formulation des questions influent également de façon radicale sur les résultats, pouvant même dans certains cas les invalider.

La façon de mener une enquête et de juger de sa validité est donc un aspect important dans un programme axé sur la santé, la consommation et les médias (qui sont des domaines généraux de formation du Programme). Interroger les personnes du troisième âge permet notamment de concrétiser l'évolution technologique de nos sociétés.

Comment faire ?

- Faire une collecte d'informations sur le terrain oblige à bien formuler les questions pour pouvoir mieux comprendre les phénomènes. Il faut donc bien cerner le questionnement ou la problématique avec les élèves et même faire des hypothèses sur les résultats. Comment une réponse dans un sens ou dans l'autre éclairera-t-elle notre questionnement ?

- Comme dans l'étude expérimentale, l'enquête peut avoir un but descriptif, mais aussi explicatif. On peut essayer de faire des liens entre les phénomènes, par exemple l'occupation du temps en fonction de l'âge de la personne.

- Bien que les notions de probabilité ne soient pas acquises avant l'adolescence, les élèves devraient être initiés au concept d'échantillon valable (plus le nombre est grand, plus on «noie» les erreurs) en comparant les résultats individuels avec les résultats collectifs (des moyennes). Vous pourriez pour ce faire agrandir l'échantillon à l'extérieur du cadre de la classe.

L'étude de terrain, écologique ou environnementale

Je fais réaliser des études de terrain pour faire recueillir des informations dans un environnement réel et complexe.

Il faut aller sur le terrain quand la reconstitution en laboratoire n'est pas possible. Il faut alors étudier les composantes d'un système complexe sans en contrôler les paramètres. Une sortie en nature ou dans une entreprise permet de réaliser ce type d'enquête. On vérifie alors des modèles théoriques en observant le monde réel dans toute sa complexité. On peut cependant apporter des spécimens en classe pour les étudier de façon expérimentale.

Comment faire ?

- Une sortie dans la nature ou dans une entreprise doit être préparée. Trop souvent, la sortie est vue comme une récompense, une activité de détente peu compatible avec un travail précis. Il faut bien préparer la sortie et la présenter comme une étape fondamentale pour répondre au problème posé. C'est ce travail préalable qui assurera le succès de l'activité.

4. Je propose une explication ou une solution

Je donne l'occasion aux élèves de se créer eux-mêmes des modèles de la réalité.

Les élèves doivent rendre compte de leur démarche et des résultats obtenus. Ils doivent confronter leurs descriptions et leurs explications avec leurs conceptions du début de la situation et avec celles de leurs camarades. Vous devez en contrepartie accueillir toutes les idées.

Je donne l'occasion aux élèves de confronter leurs descriptions et leurs explications à celles de leurs camarades.

Je propose aux élèves un langage scientifique et technologique standardisé quand il leur faut assimiler de nouveaux concepts.

Rappelons qu'on doit attacher une grande importance à la communication des idées. L'élève doit utiliser un langage adéquat pour communiquer, c'est-à-dire utiliser un langage courant pertinent et cohérent, mais aussi des éléments du vocabulaire scientifique et technologique. Les « affaires » deviennent alors des « larves », des « moisissures » et des « grammes ». On fera peu à peu percevoir aux élèves l'importance d'utiliser un vocabulaire standardisé, c'est-à-dire d'employer des termes scientifiques et technologiques. Parfois, prendre en compte l'histoire d'un mot peut aider les élèves à mieux se l'approprier.

Un espace personnel

Je fais usage d'un espace de réflexion personnel, le journal scientifique par exemple.

Les élèves devraient, comme les scientifiques, avoir un espace où ils peuvent écrire leurs observations, descriptions, explications provisoires, idées, impressions, questions et pistes d'exploration. Cela devient un espace de réflexion où il est permis de faire des erreurs sans être sanctionné. C'est aussi une façon de faire voir aux élèves l'importance que la science attribue aux hypothèses et son refus des dogmes.

Je respecte cet espace comme un lieu où il est permis de faire des essais et des erreurs.

Le journal scientifique est un outil très utile à cet égard. Comme il ne s'agit pas d'une reliure à anneaux, les élèves y écrivent, y dessinent et y collent des pages sans en retirer les essais et les erreurs. Ce n'est pas un portfolio, mais bien un journal où l'on garde des traces de ses démarches et de ses essais.

Comment faire ?

- Montrer aux enfants comment les scientifiques utilisent l'écrit comme outil de réflexion et comment des journaux personnels consignent des ébauches d'idées, des croquis, des fausses pistes, des hypothèses, des essais, etc. C'est également l'endroit où les scientifiques notent leurs questions, leurs étonnements et leurs états d'âme.

- Il serait préférable de ne pas corriger le journal scientifique de l'élève afin de préserver la liberté de se tromper sans être jugé.

- On peut aussi faire rédiger un rapport d'observation ou d'expérience si on veut mettre les textes et les schémas à la disposition de tous.

Un espace collectif

La meilleure façon de faire évoluer les conceptions des élèves et d'assurer un développement conceptuel durable est de leur faire confronter leurs idées avec celles de leurs pairs. Le forum scientifique permet à tout moment de créer un espace où les élèves doivent chercher à s'exprimer et à s'expliquer de façon cohérente. C'est l'endroit où les conceptions sont soumises au «tribunal» scientifique. C'est le lieu où, en tant que groupe de recherche, on «s'entend» sur les idées à explorer, sur les étapes des protocoles expérimentaux, sur les observations les plus signifiantes et sur les explications les plus valables. On se réserve le droit à la dissension, mais jamais parce qu'on est trop attaché à ses propres idées.

Comment faire ?

- En petit groupe d'abord, en nommant un ou une porte-parole, ou en rencontre scientifique, les élèves doivent proposer et justifier leurs descriptions et leurs explications. Ils doivent dire pourquoi ils pensent que leurs observations corroborent leurs idées et ils doivent expliciter les liens logiques qu'ils utilisent.

- Demandez-leur : «Qu'as-tu observé qui te permette de faire cette affirmation ?» Lorsqu'ils décrivent des liens entre les phénomènes, ils doivent pouvoir en expliquer la nature par une argumentation. Il faut convaincre. Ils doivent également discuter et argumenter les idées des autres. C'est en s'exerçant régulièrement à cette activité qu'ils y deviendront compétents.

- Vous pourrez, lorsque vous le jugerez pertinent, intervenir pour forcer les élèves à produire de meilleurs raisonnements logiques. Vous devrez toujours reconnaître dans les résultats négatifs des expérimentations les meilleurs faits corroborants, soit d'un dispositif s'avérant inadéquat, soit d'une hypothèse à rejeter. Par ailleurs, pouvoir reproduire une expérience deviendra fondamental.

- Le sujet se prêtera peut-être à un débat. Chaque petit groupe pourra alors avoir fait une enquête en fonction d'une perspective humaine, éthique, scientifique, économique, sociologique, etc. Un ou une porte-parole pourra alors participer à une table ronde. Les autres élèves agiront à titre d'observateurs.

5. J'organise mes informations

J'anime des activités de structuration en apportant le soutien nécessaire aux élèves.

Vient le moment où l'on structure le savoir qu'on a construit en lui donnant une forme. Ce n'est pas une consécration, puisque la science considère les savoirs non pas comme des vérités, mais comme des modèles pour donner un ordre au monde, modèles qu'elle accepte sans cesse de corriger ou de remplacer. Les savoirs construits par les élèves ne sont pas davantage des vérités. On ne doit pas se satisfaire de conceptions fausses ou en opposition avec le savoir des scientifiques. Tout est dans l'art de créer une situation qui demande à contre-vérifier et peut-être à ré-évaluer ses réalités.

On peut parfois accepter de s'en tenir à des conceptions «intermédiaires», pour autant qu'elles ne soient pas fausses, puisqu'elles sont le fruit d'une véritable démarche de recherche et l'évolution des conceptions que certains pouvaient avoir au début de la situation. C'est donc le moment de passer des cas isolés vers un savoir de type conceptuel, vers une généralisation. C'est aussi le moment où l'on propose des améliorations aux procédés mis en place pour résoudre le problème et que l'on décide si on poursuit des recherches plus approfondies ou si on reprend l'expérimentation en modifiant des paramètres.

J'encourage les élèves à poursuivre leurs recherches lorsqu'ils proposent des pistes complémentaires ou personnelles.

Comment faire?

- Lorsque le temps est venu de faire un bilan collectif de ce qui a été compris, on consigne les notes dans une section clairement identifiée du journal scientifique, soit le phénomène ou la généralisation (principe ou théorie) admise par le groupe. Il faut aider les élèves à formuler le résultat de leur travail sous la forme d'une ou de plusieurs phrases qu'ils peuvent consigner dans leur journal scientifique. Il importe, à cette étape, de bien faire sentir aux élèves que le savoir structuré est le résultat d'un travail consensuel, d'une vision partagée. Certains conseillent d'utiliser un crayon d'une couleur spéciale afin de bien distinguer les sections personnelles (*Je pense que...*) des collectives (*Nous pensons que...*).

- Il faut offrir aux élèves de structurer leurs conceptions par une variété de modes de représentation: dessins, affiches, dépliants, fichiers, photos, enregistrements, vidéos, collections, expositions, maquettes, objets technologiques, jeux-questionnaires, exposés, reportages, simulations, séquences dramatiques, etc.

- Les modes de représentation des phénomènes mesurés peuvent être des diagrammes à bandes ou des graphiques. Cela replace l'imaginaire et l'agir au cœur de la construction du savoir. Par contre, dans bien des circonstances, le langage écrit permet d'expliciter et de structurer davantage la pensée que des schémas, par exemple. Il devrait donc occuper une place centrale à cette étape.

- Si les langages scientifiques et technologiques sont souvent pertinents, les langages artistiques constituent à l'occasion de bonnes façons de créer des modèles de la réalité, pourvu qu'ils soient le fruit d'une démarche scientifique ou technologique.

- Il convient parfois d'uniformiser les modes de représentation pour les comparer.

- Le savoir construit peut ensuite être validé par les scientifiques, en consultant les écrits ou en interrogeant des experts: «Allons voir ce qu'en pensent les scientifiques...» ou bien: «Allons voir si les scientifiques sont d'accord avec nous...».

Je fais de la médiation lorsque les élèves doivent négocier leur savoir avec celui qui est reconnu dans la communauté scientifique et technologique.

Je donne aux élèves l'occasion d'utiliser leurs savoirs dans des contextes nouveaux pour les réactiver.

● Vous devrez jouer votre rôle de médiation afin que cette étape soit faite avec tact, sans dévaloriser les conceptions des élèves. On peut trouver des réponses aux questions non résolues en faisant des recherches documentaires, et les conflits de résultats ou d'interprétation peuvent être tranchés en consultant le savoir établi. On peut ainsi émettre des doutes sur les généralisations qui entrent en conflit avec un savoir scientifique.

Le réinvestissement des apprentissages

Comme nous l'avons mentionné plus haut, les concepts ne prendront racine que s'ils permettent aux élèves d'être plus compétents. Il faut donc leur présenter des situations où ils ont l'occasion d'utiliser leurs nouveaux savoirs. Il faut organiser de nouvelles situations de recontextualisation. Nous donnons à cet effet des pistes dans les manuels d'enseignement à la fin des situations d'apprentissage.

Il ne faut pas considérer les situations de réinvestissement comme des activités complémentaires, mais bien comme une étape obligatoire du développement des compétences en science et en technologie.

L'évaluation

Vous devrez assumer le double rôle de rendre compte du développement de l'élève face à lui-même, c'est-à-dire de son cheminement personnel, mais aussi par rapport aux exigences du système éducatif, c'est-à-dire une norme. C'est ce paradoxe qui rend l'acte d'évaluer si complexe et problématique. D'un côté, on demande d'adapter son enseignement aux besoins de l'élève et de l'autre, d'aider l'élève à satisfaire à une norme.

Si cette norme peut s'exprimer clairement dans certaines disciplines, elle ne s'y prête pas aussi facilement en science et technologie. Dans une situation faisant appel à la science, juger si l'on a utilisé un procédé de façon appropriée pour proposer une explication pertinente dans un langage adéquat se fera toujours en référence au contexte et aux situations mises en place.

Je choisis des indicateurs de composantes de la compétence en science et technologie en fonction de ce qui a été construit et développé en classe.

Voici quelques indicateurs qui pourront vous permettre de juger du développement de la compétence de vos élèves. Ces indicateurs doivent être communiqués aux élèves, et ceux-ci peuvent prendre part à l'acte d'évaluer.

J'établis des facteurs de réussite en fonction du cheminement personnel de l'élève et des attentes énoncées dans le Programme de formation.

La grille d'observation, la liste de vérification, l'entrevue, le journal de bord, le dossier anecdotique sont autant de moyens de recueillir des informations sur le développement des compétences en science et technologie. Le journal de bord, les diverses productions et les documents inclus dans le portfolio sont des outils que l'élève peut utiliser pour interpréter lui-même sa progression, mais vous devrez aussi vous y référer.

Par ailleurs, être compétent en science et technologie, c'est savoir comment utiliser les ressources (savoirs, savoir-faire et savoir-être) que l'on a construites ou développées pendant un cheminement scolaire et comprendre pourquoi on le fait. On peut en juger dans l'action et en situation en vérifiant si l'élève a la capacité :

- de poser des questions et de formuler ou reformuler des problèmes;
- de prendre plaisir à répondre à des questions et à communiquer ses idées et ses opinions;
- de sélectionner les éléments qui sont pertinents pour résoudre un problème;
- d'imaginer une façon de tester les modèles que l'on propose (idées ou hypothèses) en construisant un dispositif expérimental ou observationnel simple;
- d'associer les instruments, outils et techniques à des utilisations et de s'en servir;
- de tenir compte des contraintes et des facteurs de réussite d'un projet technologique;
- de communiquer une observation ou le déroulement d'une expérience;
- d'interpréter les interrelations entre les phénomènes observés (coïncidence, corrélation, cause/effet);
- d'écouter les descriptions et les explications des autres avec un esprit ouvert, mais critique, et d'en tenir compte;
- de prendre des risques intellectuels (accepter d'être parfois en porte-à-faux avec la majorité ou d'entreprendre des pistes de recherches alternatives, accepter ses erreurs);
- d'utiliser les services des spécialistes (les identifier, comprendre leurs travaux, leur poser des questions, etc.);
- de réaliser un modèle descriptif ou explicatif dans un mode approprié (schéma, maquette, récit fictif, diaporama, etc.);
- de comparer son récit explicatif avec celui qui est accepté par la communauté scientifique;
- de dire de quelle façon sa réalisation technologique répond aux objectifs de performance fixés;
- de communiquer une définition;
- de communiquer les principaux attributs d'un concept scientifique ou technologique;
- de donner un ou des exemples et un ou des contre-exemples;
- d'utiliser des termes scientifiques ou techniques et de présenter des concepts en utilisant des liens de causalité (parce que, étant donné que, puisque, donc, alors, etc.);
- d'évaluer son parcours en portant un jugement sur les essais et les erreurs, et de les justifier;
- de reconnaître les avantages des instruments, des objets et des procédés élaborés par la science;

– de comparer les technologies entre elles;
– de critiquer des croyances et ses propres croyances d'un point de vue scientifique.

L'organisation physique et matérielle des activités

Je fournis aux élèves de multiples occasions d'entrer en contact avec les objets et les phénomènes du monde réel.

Je fournis aux élèves de nombreuses occasions d'entrer en contact avec des spécialistes en science et en technologie.

Je fournis aux élèves plusieurs occasions d'entrer en contact avec les milieux naturels.

Je fais participer le plus d'élèves possible en fonction du matériel dont je dispose.

J'organise un coin de science.

Amener le monde dans la classe   Tout au long des thèmes ou des sujets d'études, encouragez les enfants à apporter des matériaux et des objets en classe. Le contact avec le monde réel se fait par des représentations, images ou textes, mais rien ne remplace la richesse de la réalité, source de questionnement et d'émerveillement. De même, pour étudier le vivant, les élevages et les cultures sont irremplaçables. Installer des vivariums ou des germoirs permet de concevoir des expériences et de mener des enquêtes pendant plusieurs mois.

L'apport des spécialistes   Inviter des spécialistes en classe contribue à la dimension humaine de l'activité scientifique et technologique. Souvent, les parents ou les amis des parents des élèves œuvrent dans un domaine plus ou moins directement lié au thème étudié. Une brève visite en classe leur permet de répondre aux questions restées sans réponse après les recherches ou encore à des questions soigneusement préparées et préalablement expédiées par courriel. Ces questions peuvent également porter sur la pratique de leur emploi, sur l'activité des spécialistes du domaine, sur l'importance de l'activité dans le quartier ou la région, etc. Trouver ces spécialistes sera en soi une tâche très enrichissante.

Sortir de la classe   Une sortie sur le terrain permet de recueillir des observations que l'on ne peut reproduire en laboratoire. Les sorties en nature ou en milieu industriel sont une bonne façon d'amorcer ou de clore une thématique.

Organiser les activités en fonction du matériel disponible
Vous devrez tenir compte de certaines contraintes matérielles pour organiser votre travail. Le nombre de microscopes, par exemple, vous permettra soit de faire travailler tous les élèves en même temps, soit d'organiser un îlot de quelques microscopes, soit dans le pire des cas d'en mettre un en démonstration. Le travail à deux est souvent l'idéal, mais les petits groupes permettent un échange productif et une synergie non négligeables.

Beaucoup d'enseignants et enseignantes aiment mettre en place un îlot ou un coin de science où, selon une procédure souple, des équipes vont mener des tâches de façon autonome. Dans ce contexte, on leur donne souvent des indications claires pour qu'ils réalisent les tâches de façon efficace. On peut alors faire imprimer des directives pour guider l'expérimentation afin que les équipes ne sollicitent pas constamment votre aide si vous devez travailler avec le reste du groupe. Vous pouvez toutefois leur assigner des tâches plus ouvertes et encourager leurs observations libres et leurs questionnements pour favoriser une éventuelle mise en commun. On peut aménager un coin de science dans la classe. Quelques tables avec des chaises, un présentoir de carton servant de para-vent, dans lequel on inclut des pochettes contenant des fiches d'ac-tivités à remplir et des fiches d'activités terminées. On peut éga-lement y rassembler de la documentation sur la thématique et des matériaux d'observation.

Je fais moi-même les ex-périences pour être un bon guide.

Autant que possible, faire soi-même une expérience avant de la proposer aux élèves   Cela vous permet de réduire les écueils qui font perdre trop de temps et qui émoussent l'enthousiasme. Si l'objectif n'est pas de tracer d'avance la démarche à suivre, baliser les activités en limitant les possibilités de s'égarer est un compro-mis acceptable.

Les situations proposées dans les manuels d'enseignement offrent un tel cadre, mais vous ne pourrez sans doute pas faire l'économie d'expérimenter vous-même pour vérifier si le critère de perfor-mance proposé dans la situation est à la portée des élèves. Mais prenez toujours garde de sous-estimer la capacité des élèves.

Miser sur la coopération

Je mets en place une pé-dagogie coopérative dans une perspective constructi-viste.

S'il apparaît de première importance de développer chez les élèves la compétence transversale de travailler en coopération, les recherches montrent que cette pratique pédagogique a aussi des avantages au niveau de la qualité des apprentissages en général. En effet, les en-fants apprennent mieux entre eux, car souvent l'adulte a oublié ses conceptions et savoir-faire de l'enfance, et cela l'empêche de bien com-prendre le cheminement des jeunes élèves. Au contraire, la com-munication se fait très bien entre enfants du même âge.

La démarche par projets

L'apprentissage par projets se pratique depuis longtemps dans nos écoles. Plusieurs pédagogues ont contribué à développer les prin-cipes de base de cette approche : Dewey, Claparède, Freinet, Bloom et, plus récemment, Mialaret, Vial, Legrand, Francœur-Bellavance et Bouchard, pour ne citer que quelques noms. Tous ont eu comme préoccupation première de faire en sorte que l'élève devienne le prin-cipal agent de ses apprentissages en travaillant dans le cadre de pro-jets qui font appel à de multiples compétences. Nous tenterons ici de mieux définir ce qu'est l'apprentissage par projets, de faire res-sortir les rôles des élèves et des enseignantes et enseignants dans cette pédagogie et de cerner le déroulement type d'un projet.

Une démarche englobante

L'apprentissage par projets est une approche qui permet aux élèves de développer des compétences dans plusieurs disciplines en tou-chant au moins un domaine général de formation. Dans *Cyclades*, cinq disciplines contribuent à la réussite des projets : le français ; la science et la technologie ; la géographie, l'histoire et l'éducation à la citoyenneté ; les arts plastiques ; l'art dramatique.

Les projets s'inscrivent dans des thématiques qui rejoignent les domaines généraux de formation qui leur servent de points d'ancrage. Enfin, ils permettent de développer l'ensemble des compétences transversales, les élèves étant placés devant des situations qui posent des problèmes à divers niveaux et qui exigent le déploiement d'un ensemble de compétences pour assurer la réussite.

Chacun des projets débouche sur une réalisation concrète souvent assez ambitieuse : la mise sur pied d'un musée de l'espace, la réalisation d'une *commedia dell'arte* ou l'organisation d'un colloque sur la jeunesse par exemple. Les projets sont donc très diversifiés et peuvent prendre différentes directions selon les idées et les intérêts des élèves.

À travers la réalisation des projets, les élèves peuvent s'engager pleinement et profiter des expériences de leurs camarades. « Le projet doit fournir à l'élève l'occasion d'adopter une attitude de recherche, d'explorer et de discuter avec ses camarades, de réaliser des productions diverses (artistiques, littéraires, technologiques, etc.), de vivre une activité en équipe et de s'exprimer de différentes manières[1]. » Dans une démarche par projets, toutes ces avenues sont explorées, et les élèves peuvent librement exprimer leurs talents et aptitudes en s'inspirant des stratégies qu'utilisent les membres de leur groupe de travail.

L'apprentissage par projets favorise aussi une pédagogie différenciée. On sait qu'à l'intérieur d'un cycle les groupes sont loin d'être homogènes. Chaque élève a son rythme, son style, ses habiletés, et l'apprentissage par projets valorise toutes les façons d'apprendre, chaque élève se sentant sollicité. Les projets permettent en outre de développer un sentiment d'appartenance au groupe, car les élèves ont de nombreuses occasions de discuter avec leurs camarades pour échanger des idées et développer leur pensée.

Confrontés aux divers problèmes causés par la réalisation du projet, les élèves sont amenés à établir des rapports de coopération plutôt que de compétition, et ils apprennent ainsi à s'autodiscipliner et à réguler leurs comportements.

Dans *Cyclades*, les différents projets présentés sont des suggestions, des lignes directrices que les enseignants et enseignantes peuvent aménager selon les besoins et les intérêts des élèves. À maintes reprises en cours de projet, on invite les élèves à faire des choix. Ce processus de prise de décision leur donne la possibilité d'infléchir le projet dans la direction qui leur convient le mieux, ce qui vient encore accroître leur motivation.

---

1. QUÉBEC (Gouvernement), Ministère de l'Éducation. *Documents d'accompagnement du programme de formation de l'école québécoise, enseignement primaire, premier cycle*, document de travail, 29 novembre 1999, p. 14.

Des élèves responsables de leurs apprentissages

Pour vivre une pédagogie par projets, on doit s'éloigner de la vision traditionnelle selon laquelle les enseignantes et enseignants sont les seuls à gérer la classe et les apprentissages qui s'y font : « Un des principes de la pédagogie par projets est de faire confiance à l'élève comme premier agent de ses apprentissages. La réalisation d'un projet lui permet d'accroître son estime de soi et de vivre en harmonie avec lui-même. La prise de décision et l'implication de l'élève à l'intérieur d'un groupe favorisent l'atteinte des objectifs qu'il vise et lui permettent de prendre en charge ses apprentissages, d'où l'importance pour l'enseignante d'apprendre à partager son pouvoir[2]. »

Faire participer les élèves au processus de décision, c'est accepter de leur donner du pouvoir. Les enseignantes et enseignants deviennent alors des guides, des animateurs, des médiateurs entre les objets d'apprentissage et les élèves. Les élèves, quant à eux, doivent chercher les réponses aux questions qu'ils se posent, planifier les activités de la journée, trouver des solutions pour accomplir les différentes tâches, s'interroger sur leur motivation, apprendre de leurs erreurs, mesurer la conséquence des gestes qu'ils posent, bref devenir pleinement responsables de leurs apprentissages.

Par ailleurs, la réussite d'un projet collectif dépend souvent des aptitudes qu'ont les élèves pour le travail d'équipe et la coopération. Cette pédagogie intègre donc tout naturellement l'apprentissage coopératif (dont on traite aux pages 235 à 239), car elle fournit un environnement propice au développement des principes d'interdépendance et de responsabilisation qui sont à la base de l'apprentissage coopératif.

Les étapes de réalisation du projet

Le projet collectif, qu'il émerge du groupe ou qu'il soit proposé par l'enseignante ou l'enseignant, comporte généralement quatre phases : le démarrage, l'élaboration, la réalisation et la présentation suivie d'un bilan qui ferme la boucle.

Au moment de démarrer le projet, il est important de discuter avec les élèves des objectifs à atteindre et des critères d'apprentissage qu'on vise. C'est aussi à cette étape qu'on décrit les grandes lignes du projet pour permettre aux élèves d'en anticiper le déroulement et les exigences.

La période d'élaboration vient affiner la planification du projet : on en précise les buts, on détermine les ressources nécessaires, on répartit au besoin les tâches en formant des équipes. On prévoit aussi des périodes d'évaluation ou des temps d'arrêt pour réfléchir à la bonne marche du projet.

2. Collectif MORISSETTE-PÉRUSSET. *Vivre la pédagogie du projet collectif*, coll. Apprentissage Chenelière/Didactique, Montréal, Éditions de la Chenelière/McGraw-Hill, 2000, p. 8.

Pendant la phase de réalisation, les élèves se retrouvent souvent en équipes. Ils reviennent sur les objectifs et les critères d'apprentissage pour se les approprier, individuellement ou en équipes. Chaque membre du groupe prend alors conscience de son rôle par rapport à la tâche à réaliser. Les équipes se voient généralement attribuer une tâche spécifique, et on rappelle les règles de fonctionnement en équipe. Si nécessaire, on prévoit des moments de réflexion et d'évaluation.

La plupart du temps, la dernière phase est marquée par un temps fort où l'on présente à un public plus ou moins large le résultat du projet (projection publique d'émissions de télévision sur le thème des métiers, défilé de personnages imaginaires, ouverture d'une galerie d'art, etc.).

Les élèves organisent la présentation du projet en lançant des invitations, en demandant des autorisations ou en songeant à remercier ceux qui les ont aidés. Ils révisent les rôles de chacun d'entre eux ou de chacune des équipes. Ils font au besoin une répétition générale de la communication et en gardent des traces afin d'améliorer leur prestation en public. Ils recueillent les commentaires des différents participants pour mieux en évaluer les effets. Puis on réfléchit ensemble aux apprentissages qui ont été consolidés ou réalisés, et on fait le bilan des réussites et des échecs.

Les différentes phases prennent plus ou moins d'ampleur selon la nature du projet. Mais il est important de ménager à chaque phase des moments de réflexion où les élèves peuvent s'interroger sur leurs stratégies et leurs apprentissages, et faire le point pour apporter au besoin des réajustements. Ces moments de réflexion contribuent sensiblement à la construction des savoirs qui sont essentiels au développement des diverses compétences du Programme de formation.

Les projets permettent aux élèves de gérer leurs apprentissages. S'ils sont bien réalisés, ils développent chez l'élève l'estime de soi, la conscience de ses aptitudes et, surtout, la certitude d'être ensemble capables d'apprendre à apprendre.

La démarche par projets permet de vivre des expériences pédagogiques souvent fascinantes. Dans bien des cas, on assiste à un développement étonnant des compétences intellectuelles, linguistiques et méthodologiques et, par le travail en équipe, à un développement des compétences liées à la socialisation. Par des apprentissages qui se font tous en contexte, les élèves accroissent sensiblement leur autonomie et apprennent à établir des liens avec des connaissances auparavant fragmentées. Et dans le cadre de projets motivants qu'ils choisissent ou adaptent librement, les élèves haussent d'eux-mêmes le seuil de leurs exigences sur les plans de la recherche, de la mise en forme et de la communication.

La gestion de classe participative

Rappelons que le modèle constructiviste préconisé dans le Programme de formation amène logiquement une gestion de classe participative où les élèves sont au centre des préoccupations. C'est un modèle qui favorise le développement de leur autonomie et qui vise à les rendre responsables de leurs attitudes et apprentissages. La gestion de classe participative permet aux élèves de construire leurs savoirs en les plaçant dans des contextes d'apprentissage variés et en leur donnant les moyens de développer des compétences tant disciplinaires que transversales. Elle a en outre pour objectif de les rendre conscients de ce développement. Cette conception globale de l'apprentissage se traduit bien sûr par une gestion de classe particulière.

Les enseignantes et enseignants doivent gérer l'organisation des différentes composantes de la vie de classe, tant sur le plan pédagogique que sur le plan organisationnel. La gestion de classe participative implique en effet que «l'enseignant accorde autant d'importance au climat qu'au contenu; qu'il se préoccupe de la qualité de la relation enseignant-élève; qu'il fait les interventions nécessaires pour motiver le plus possible les élèves; qu'il respecte les rythmes d'apprentissage des élèves; qu'il intervient en classe de façon à respecter les différents styles d'apprentissage; qu'il cerne les besoins des élèves en matière d'acquis, d'intérêts, de goûts et de préoccupations; qu'il amène fortement les élèves à s'engager au niveau de la démarche d'apprentissage, objectivation, autocorrection, etc.; qu'il sollicite la participation des élèves à la vie de la classe et de l'école en les faisant participer aux décisions, aux changements ou à la mise en place de structures de la classe en ce qui concerne l'organisation physique, les comportements, les attitudes, les apprentissages ou les méthodes de travail[1] ».

Nous avons présenté dans la première partie de ce guide (p. 4 à 10) les principales assises sur lesquelles se fonde notre démarche pédagogique : la démarche par projets, l'enseignement stratégique, l'apprentissage coopératif. Ces approches fortement interreliées, qui rejoignent surtout la dimension pédagogique de la vie de classe, orientent la façon de gérer les apprentissages. Soulignons par ailleurs que chacune de ces approches a des effets importants sur la motivation des élèves, sur le respect de leurs rythmes et styles d'apprentissage, et sur leur engagement réel dans la construction de leurs savoirs. Dans cette partie, nous décrirons brièvement quelques aspects de la gestion de classe sur le plan organisationnel. Ceux-ci devraient permettre d'instaurer un climat propice aux apprentissages par l'adoption de règles de vie communes et l'acquisition d'outils pour résoudre les conflits interpersonnels.

---

1. CARON, Jacqueline. *Quand revient septembre. Guide sur la gestion de classe participative*, vol. 1, Montréal, Éditions de la Chenelière, 1994, p. 17.

Un référentiel disciplinaire

Dès le début du cycle, il est essentiel d'établir avec les élèves des règles et procédures en regard des apprentissages, mais également des comportements. On dressera donc avec eux une liste de comportements négociables et non négociables en élaborant un référentiel disciplinaire auquel chaque élève devra adhérer. Le terme «discipline» renvoie ici à «une manière d'apprendre à l'enfant à organiser sa vie et ses actions de façon à en tirer le maximum de plaisir, en tenant compte des autres et du monde dans lequel il vit[2]». Les règles disciplinaires ont principalement pour objet les relations interpersonnelles, l'utilisation du bien public et le déroulement des activités quotidiennes de la classe.

Avec les élèves du troisième cycle qui commencent à savoir se comporter dans un groupe, cette opération doit se tenir dès le début du cycle, et le référentiel doit être rappelé à divers moments en cours de route, particulièrement au début de la deuxième année du cycle. Il est donc important de bien leur expliquer chacune des règles et de faire ressortir la logique qui les sous-tend. Dans un premier temps, on les informera des règles qui régissent l'école, un premier lieu où l'on devra contrôler ses gestes, ses paroles et ses attitudes. Dans un deuxième temps, on pourra établir ensemble les règles concernant la vie de classe en se reportant à des aspects qualitatifs généraux. On donnera des exemples spécifiques aux élèves pour bien illustrer les comportements qu'on attend d'eux. Rappelons à ce propos ce grand principe qu'il est préférable de présenter les règles sous forme de comportement attendu plutôt que de comportement proscrit. Formulées de façon positive, les règles se mettent en effet plus facilement en place, et elles sont plus faciles à expliquer et à retenir. Si les élèves ne comprennent pas la logique ou le bien-fondé d'une règle, il faut la leur expliquer de nouveau en détaillant davantage sa formulation. Il est important que chacun des élèves s'approprie le référentiel que se donne le groupe et y adhère.

L'élève apprendra graduellement à adopter de bons comportements, mais cet apprentissage sera grandement simplifié si on lui indique avec clarté ce qu'on attend de lui et si on lui enseigne à être responsable de son comportement. Les nombreuses situations de travail en équipe proposées dans l'apprentissage coopératif permettront aux élèves d'intégrer assez rapidement certaines règles de fonctionnement en petits groupes. Et bien d'autres règles viendront s'ajouter au fil des projets : règles de sécurité lors des expérimentations en science et technologie ou lors de sorties, règles d'hygiène de vie en lien avec le projet de se qualifier pour obtenir un visa santé, règles comportementales lors des sorties, des spectacles, avec des visiteurs de tous les âges, etc.

Un enseignement explicite des règles   On devrait présenter systématiquement l'ensemble des règles de vie en respectant la

---

2. *Idem*, p. 107.

démarche d'enseignement explicite, c'est-à-dire en expliquant le quoi, le comment, le pourquoi et le quand. Dans nos manuels d'enseignement, à l'étape de la préparation des situations d'apprentissage, on invite souvent les enseignants et enseignantes à rappeler les règles à suivre pour assurer la bonne marche des activités, surtout si elles se déroulent en équipes, et on demande aux élèves de les reformuler dans leurs mots en expliquant leur raison d'être. Dans la phase d'intégration, on revient régulièrement sur le fonctionnement du travail en équipe ou sur le comportement individuel des élèves. Ils ont donc de multiples occasions d'évaluer leur comportement dans une activité particulière, de porter un jugement sur leur façon d'agir dans la vie de classe et de se donner des défis à relever sur le plan des attitudes et comportements de façon à optimiser le travail en classe et à permettre une vie de groupe harmonieuse.

Des exemples concrets tirés de la vie de classe La formulation de certaines règles peut parfois se révéler trop abstraite, même si elles sont illustrées par des exemples. Aussi a-t-on souvent avantage à analyser sur-le-champ une situation problématique vécue en classe en faisant ressortir les conséquences fâcheuses qui ont découlé de l'infraction à la règle et en faisant voir les avantages que son respect procurerait. En procédant de cette façon, l'ensemble du groupe intégrera peu à peu les règles de vie et on pourra, à partir de ces acquis, se fixer de nouveaux défis ou choisir d'autres dimensions à travailler.

Une application souple et positive des règles La punition d'un comportement inadéquat, si légère soit-elle, ne doit être envisagée qu'en dernier recours. Apprendre à bien se comporter en groupe est le résultat d'un long apprentissage, rappelons-le, et des élèves que l'on punit développent très souvent des sentiments d'incompétence et de la frustration qu'on pourrait facilement éviter. Il est donc de loin préférable de mettre l'accent sur des comportements adaptés que d'imposer une règle par une sanction qui ne réglera le problème que ponctuellement. Ainsi, un simple geste ou un rappel verbal suffisent bien souvent à rétablir l'ordre. De même, on gagne beaucoup à cet égard en adoptant une attitude d'attention sélective, c'est-à-dire en soulignant le bon comportement d'un ou d'une élève et en ignorant le mauvais comportement d'un ou d'une autre.

Un objectif de réparation et non de punition La punition, si l'on doit s'y résoudre, doit découler logiquement de l'infraction à la règle. Ainsi, on pourrait demander à un ou une élève qui a perdu du temps en classe de reprendre son travail pendant la récréation ou à la fin de la journée de classe. On pourrait isoler un ou une élève qui perturbe le travail du groupe pour réfléchir aux conséquences de son comportement. Un ou une élève qui brise un objet pourrait avoir la responsabilité de le réparer. De cette façon, les élèves peuvent établir des liens directs entre le manquement à une règle et la sanction qui en découle. Sont à proscrire toutes les punitions qui peuvent être associées de près ou de loin à des activités d'apprentissage (copier des mots, réciter des formules, faire une dictée, etc.). L'apprentissage doit en effet être source de plaisir, jamais de punition ou d'exclusion.

Une démarche de résolution de problèmes   La vie scolaire amène inévitablement son lot d'incompréhensions, de heurts, de mésententes et de contrariétés de toutes sortes, même si le climat est généralement harmonieux. On ne doit donc pas nier l'existence des conflits, mais plutôt s'efforcer de les résoudre en amenant les élèves à utiliser des stratégies de résolution de problèmes. La capacité de résoudre des problèmes interpersonnels est en effet une compétence sociale importante, et on devra prendre le temps de l'enseigner aux élèves. Il serait intéressant de construire avec le groupe une affiche qui rappelle la façon de se comporter en cas de conflit. Cette affiche devrait rappeler l'importance d'écouter les autres, de prendre le temps de réfléchir tout en se calmant, de s'expliquer, d'exprimer clairement ce qui est déplaisant sans attaquer les autres, de s'excuser au besoin, d'accepter de partager, de toujours chercher une solution pour résoudre les conflits et de faire en sorte de retisser les liens avec la ou les personnes en cause. Les élèves pourraient trouver eux-mêmes des exemples tirés de leur quotidien pour illustrer les actions, comportements ou attitudes qui mènent à la résolution de conflits.

Un conseil de coopération

En plus de conflits interpersonnels, la vie en classe suppose la régulation d'une série de gestes et de procédures de tout ordre. Nous croyons qu'il est essentiel de faire participer les élèves à l'ensemble de la vie de classe le plus tôt possible et de leur inculquer sans tarder des valeurs de respect, de tolérance et d'équité entre les membres du groupe classe. Le conseil de coopération nous semble un moyen privilégié pour atteindre ces objectifs : « Le conseil de coopération est un lieu de gestion où chaque enfant a sa place, où l'individu et le groupe ont autant d'importance l'un que l'autre et où les dimensions affectives et cognitives sont traitées en équilibre[3]. »

Il faudrait mettre en place le conseil de coopération au début de chacune des années du cycle. Au cours du conseil, on invite les élèves à réfléchir aux règles de vie de classe, et l'enseignante ou l'enseignant modélise la façon d'adresser les messages qui serviront au moment du conseil. Le conseil est en effet une excellente occasion pour les élèves de développer certaines compétences disciplinaires, dont la communication orale et la capacité à écrire des messages variés.

---

3. JASMIN, Danielle. *Le conseil de coopération*, Montréal, Éditions de la Chenelière, 1994.

Le conseil de coopération devrait se tenir au moins une fois par semaine. Les élèves devraient s'asseoir en cercle de façon que tous puissent se voir et s'entendre. En début d'année, il est préférable de tenir des conseils assez brefs, mais fréquents, environ tous les deux jours. Une fois que les élèves s'y seront habitués, on pourra espacer ces rencontres et les allonger. Le conseil a pour objectif d'apprendre aux élèves à se comprendre, à s'entraider, à chercher des moyens de mieux vivre ensemble, à résoudre divers problèmes de la vie courante de la classe et à établir des consensus de façon que tous adhèrent aux solutions communes.

Grâce au conseil, la discipline, la vie de classe, les situations souhaitables et celles qui ne le sont pas deviennent la responsabilité de l'ensemble du groupe et libèrent les enseignantes et enseignants du lourd fardeau d'une responsabilité qu'ils sont trop souvent seuls à porter. En revanche, il faut accepter de partager dans une certaine mesure le pouvoir décisionnel avec le groupe et faire consensus au regard de certaines décisions. Les enseignantes et enseignants conservent cependant à titre de guides et d'animateurs un droit de veto sur les décisions qui sont peu fondées.

Lors du premier conseil, on informera les élèves de ses buts, on expliquera au besoin le sens du mot *coopération* et on fera ressortir l'utilité du conseil pour résoudre les problèmes ou conflits. On énoncera aussi certaines règles générales concernant la prise de parole et les échanges. Ces règles, qui se préciseront et s'enrichiront au fil des conseils, fourniront un cadre solide qui constituera une excellente initiation aux principes de la démocratie.

Un outil essentiel : le journal mural   Le journal mural est un outil essentiel à la tenue des conseils. Sur le plan matériel, il est constitué d'une simple affiche, d'un coin du tableau ou d'un babillard où les élèves pourront coller de brefs messages. Ils y inscriront des félicitations, des remerciements ou les problèmes qu'ils ont eus avec un ou une élève pour les mettre à l'ordre du jour du conseil. Au moment du conseil, on rassemblera les messages placés sur le journal mural. Ils feront l'objet de discussions au conseil de coopération.

En utilisant le journal mural, les élèves apprendront à féliciter ou à remercier des camarades. Il est souvent utile de montrer aux élèves comment relever des comportements qui justifient ces types de messages et comment rédiger ces derniers. Les élèves prendront vite plaisir à lire et à écrire ces messages personnalisés des plus motivants. Ils apprendront également à exprimer leurs conflits avec des pairs afin de trouver des solutions dans un esprit d'ouverture et de coopération. Sur ce plan, les enseignantes et enseignants devront faire de fréquents rappels pour s'assurer que les critiques sont formulées de façon acceptable et polie, et pour aider le groupe à trouver une bonne solution au problème. Le journal permet aussi de discuter de problèmes ou d'événements spéciaux concernant l'ensemble de la classe. En tant que membres du conseil, les enseignantes et enseignants peuvent en tout temps amener de nouveaux points de discussion. Voici un ordre du jour type.

1. Retour sur le conseil précédent.
2. Félicitations et remerciements.
3. Critiques (*J'ai un problème avec…*).
4. Sujets de discussion inscrits au journal mural.

Lors de chaque conseil, on devrait noter l'ensemble des décisions que le groupe a prises pour chacun des points à l'ordre du jour. Cela permet de faire des retours sur les conseils précédents et de rappeler des règles ou des décisions qui avaient déjà été débattues.

Le conseil de coopération peut devenir un merveilleux outil de gestion participative. Il permet de faire de fréquents retours pour évaluer le climat de la classe et il encourage les élèves à participer activement à la gestion de la vie scolaire en développant leur sens des responsabilités.

Le conseil de coopération s'accorde très bien avec le nouveau contexte pédagogique que prône la Réforme en éducation. Dans ce contexte, les enseignantes et enseignants doivent favoriser un climat propice à l'apprentissage. Ils n'ont plus à transmettre des connaissances, mais plutôt à permettre aux élèves de développer eux-mêmes des compétences. Ainsi, la gestion de classe n'est plus réservée aux enseignantes et enseignants. Les élèves doivent intégrer différents comportements, adhérer aux règles communes du groupe, régler leurs différends avec les camarades de façon harmonieuse et apprendre à échanger avec les autres dans un esprit d'ouverture. Ils doivent se sentir responsables non seulement de leurs propres apprentissages, mais aider leurs pairs à en développer en partageant leurs connaissances. C'est là le secret d'une saine gestion de classe participative.

Le portfolio

En tant qu'instrument d'évaluation, le portfolio s'est largement répandu au cours des dernières années. C'est qu'il constitue un outil d'évaluation formative des plus précieux dans la mesure où il rassemble des documents authentiques que les élèves ont réalisés, puis eux-mêmes sélectionnés, le plus souvent en concertation avec leur enseignante ou enseignant. Il s'agit donc d'une collection de travaux particulièrement signifiants qui permettent aux élèves de reconnaître la maîtrise de leurs compétences à divers stades de leur apprentissage et de constater l'évolution de leurs compétences.

En ce sens, le portfolio raconte une histoire propre à chaque élève. Il témoigne de son cheminement et de ses progrès, et il révèle aussi, en négatif, sur quels plans il devrait faire porter ses efforts pour améliorer ses points faibles. Cet outil constitue une base concrète à partir de laquelle les élèves peuvent se fixer des objectifs vraiment adaptés à leur cas, tant sur le plan scolaire que personnel et social. Le portfolio, en effet, regroupe non seulement des travaux scolaires, mais aussi des évaluations et autoévaluations du travail personnel et du travail d'équipe, ainsi que des réflexions sur une foule d'activités individuelles et collectives.

Dans *Cyclades*, nous suggérons d'utiliser divers outils pour consigner les réflexions sur la démarche spécifique à chacune des matières et pour noter les apprentissages. Chacun pourrait être placé dans le portfolio en plus d'autres éléments qui viendront témoigner du cheminement des élèves. Voici une liste de ces outils.

Le cahier de français   Dans ce cahier, les élèves écrivent leurs réflexions, questions et hypothèses sur la lecture, leurs stratégies d'écriture et de correction, des notes sur leurs communications orales, etc. On peut aussi réserver d'autres cahiers à des activités spécifiques comme les cercles de lecture.

Le cahier d'art dramatique   Dans ce cahier, les élèves donnent des indications sur leur planification des séquences dramatiques, sur leur perception des personnages, sur les éléments concernant le langage dramatique, sur les techniques de jeu, les techniques théâtrales, les modes de théâtralisation et la fable elle-même. Ils apprécient des œuvres dramatiques. Ils notent leur appréciation de séquences dramatiques que leurs pairs interprètent. Ils évaluent leur travail et réfléchissent à leur démarche de création.

Le carnet d'arts plastiques   Dans ce carnet, les élèves écrivent les idées de créations inspirées par une proposition, font des croquis ou des esquisses, donnent une idée de l'organisation des éléments de leurs créations plastiques. Ils notent leur appréciation d'œuvres d'art, d'objets culturels ou du patrimoine artistique, d'images médiatiques, de leurs réalisations ou de celles de leurs camarades. C'est un outil qui les aide à réfléchir à leur démarche de création. Ils pourraient y ajouter l'aide-mémoire en arts plastiques qu'ils auront eux-mêmes élaboré.

Cet aide-mémoire est une sorte de glossaire illustré que les élèves enrichiront au fil des situations en arts plastiques pour noter, par exemple, des formes (arrondie, angulaire), des lignes (droite, courbe, horizontale, verticale, brisée, large, étroite), des couleurs (primaires, secondaires, chaudes, froides), des textures, des volumes, des motifs, des modes d'organisation dans l'espace (énumération, juxtaposition, superposition, répétition, alternance, symétrie, asymétrie), etc. On les aidera à élaborer cet outil de référence personnel en s'appuyant sur l'information donnée dans la section *Connaissances et techniques* des situations en arts plastiques des manuels d'enseignement *Cyclades*.

Le journal scientifique   Dans ce journal, les élèves notent des hypothèses sur divers phénomènes, expliquent des solutions à des problèmes scientifiques ou technologiques, consignent des observations selon diverses variables, font des schémas, des tableaux ou des diagrammes, inscrivent des résultats, évaluent leur démarche de recherche, etc. On s'en servira lors des rencontres scientifiques.

Le journal d'histoire et de géographie Cet outil de consignation sert lors des situations en géographie, histoire et éducation à la citoyenneté. Les élèves peuvent y planifier leur recherche, noter des sources de référence, élaborer un plan, répondre à des questions, s'interroger sur leur façon de faire, exprimer leur point de vue. C'est un outil indispensable qui permet de suivre les progrès de chaque élève.

Les types de portfolios

Bien qu'il existe en réalité autant de types de portfolios que de classes, nous pouvons en dégager trois grands types : le portfolio dossier d'apprentissage, le portfolio dossier de présentation et le portfolio bilan.

Le portfolio dossier d'apprentissage Ce premier type de portfolio suppose que les élèves assurent une gestion presque quotidienne de leur dossier. Ils doivent régulièrement y intégrer des travaux personnels en faisant ressortir les progrès qu'ils ont réalisés à l'aide de fiches de réflexion ou d'autoévaluation ou dans les outils de consignation. Ce portfolio constitue donc avant tout un outil de prise en charge de ses apprentissages. Il permet aux élèves de prendre connaissance de leurs forces et de leurs faiblesses, et il les amène à réfléchir à leur façon personnelle d'apprendre. C'est un outil d'apprentissage très précieux qui habitue graduellement l'élève à se fixer des défis et à choisir des moyens efficaces pour les atteindre.

Le portfolio dossier de présentation Ce type de portfolio s'apparente beaucoup aux portfolios des professionnels en arts graphiques qui rassemblent à l'intention d'éventuels employeurs un échantillon assez réduit de leurs œuvres les plus récentes et les plus représentatives. Pour constituer un tel portfolio, les élèves doivent sélectionner parmi leurs travaux ceux qu'ils jugent les plus réussis ou les plus originaux. Ils les présentent ensuite à l'enseignante ou à l'enseignant au moment des rencontres individuelles, à leurs parents à l'occasion des rencontres de fin d'étape ou à des personnes invitées à des projets spéciaux. Ces portfolios plus réduits, qui font l'objet de soins particuliers sur le plan de la présentation, ont généralement des effets très positifs sur la motivation et l'estime de soi.

Le portfolio bilan Comme son nom l'indique, on utilise ce type de portfolio pour dresser un bilan des apprentissages des élèves à la fin d'une étape, à la fin d'une année ou à la fin d'un cycle. En collaboration avec l'enseignante ou l'enseignant, les élèves sélectionnent des travaux selon des critères assez précis pour démontrer qu'ils ont atteint les compétences du Programme de formation.

Ce type de portfolio s'accompagne logiquement de divers rapports sur le cheminement des élèves et de résultats d'épreuves faites à l'extérieur de la classe, comme les examens de la commission scolaire ou ceux du ministère de l'Éducation.

Un processus d'évaluation continu

Pour les élèves, la tenue d'un portfolio est un processus d'évaluation continu qui comprend généralement cinq étapes.

1. Comprendre les objectifs et le mode de fonctionnement du portfolio.
2. Rassembler des travaux.
3. Sélectionner des travaux ou des passages dans les carnets et journaux.
4. Reconnaître ses réussites et faire ressortir les points à améliorer.
5. Présenter sa sélection à l'enseignante ou à l'enseignant, aux amis, aux parents ou à la direction.

L'un des principaux objectifs du portfolio étant de développer les compétences des élèves à participer activement à leur propre évaluation, on prendra soin de respecter leur rythme d'appropriation de cet outil. Il n'y a donc pas une façon idéale de constituer un portfolio. Ce sont les réactions et les besoins des élèves qui dicteront en définitive la forme particulière que prendra cet outil personnel. Ce qui importe avant tout, c'est que ceux-ci soient partie prenante de chacun des aspects du portfolio, lequel s'enrichira au fil des réflexions et des entretiens individuels.

Les objectifs du portfolio

Il faut se garder de mettre en place des objectifs trop nombreux ou trop ambitieux, surtout à la phase d'implantation du portfolio. En effet, la pédagogie du portfolio est un processus assez exigeant qui demande du temps et de fréquentes adaptations. Il faudra donc bien préciser au départ ses objectifs prioritaires, par exemple :

- créer un outil d'autoévaluation efficace;
- faire prendre conscience aux élèves de leurs stratégies d'apprentissage;
- favoriser la transmission aux parents de la progression des apprentissages;
- accroître l'estime de soi des élèves;
- responsabiliser les élèves à l'égard de leurs apprentissages.

La structure et l'utilisation du portfolio

Pour implanter l'utilisation du portfolio en classe, il faudra d'abord déterminer la structure du portfolio et son mode de fonctionnement. Cela implique au départ d'importantes décisions quant à la présentation matérielle de l'outil, notamment ses dimensions, sa facilité de manipulation et son accessibilité. Le portfolio devrait en effet pouvoir contenir, sans qu'il faille les plier, à peu près tous les types de productions que les élèves réaliseront, et ce, en un nombre suffisant d'exemplaires. Cela pourra comprendre les carnets et journaux, divers types de textes rédigés en classe ou à la maison, des enregistrements audio ou vidéo, des dessins, des fiches de réflexion ou d'évaluation, etc. Si l'on fonctionne selon une pédagogie par projets, on intégrera aussi au portfolio des productions témoignant des diverses étapes de la réalisation des projets et des manifestations de leur aboutissement. Le support doit par ailleurs être assez solide pour que les élèves puissent le manipuler souvent chaque semaine. Si l'on choisit un support commun pour toute la classe, il faudra trouver de bons moyens de le personnaliser.

Il faudra aussi déterminer avec les élèves des lignes directrices pour la sélection des documents. Il s'agit là d'une étape essentielle, surtout à la phase d'implantation. Selon leur personnalité, certains élèves ont en effet tendance à tout intégrer à leur portfolio, lequel devient vite un fourre-tout sans signification, alors que d'autres sont portés à éliminer d'office la plupart de leurs productions, ne les jugeant jamais satisfaisantes. Il faudra voir à orienter les choix en déterminant un nombre approximatif de pièces, de façon à limiter les excès dans un sens comme dans l'autre. Les élèves devront aussi prendre l'habitude de dater systématiquement tous les travaux, de les classer avec soin et de faire une table des matières pour s'y retrouver facilement.

Pour que le portfolio soit efficace, les élèves doivent l'utiliser plusieurs fois par semaine, le plus souvent après une séquence d'enseignement, plus rarement en fin de journée. On leur accordera alors quelques minutes pour choisir collectivement les travaux et pour les dater. Il s'agit d'une simple routine à laquelle on s'habituera rapidement. Idéalement, on devrait en outre consacrer une période hebdomadaire à la mise à jour et à la réorganisation du portfolio. On invitera alors les élèves à annoter leurs travaux en y inscrivant des réflexions personnelles, à rédiger une liste commentée des livres qu'ils ont lus, à intégrer des travaux qu'ils ont faits à la maison et à réévaluer leurs choix quant au contenu et à l'organisation du portfolio. Bushman (1993) suggère à ce propos d'intéressants critères de sélection de travaux à la fin de la semaine ou à la fin d'un projet. On peut ainsi proposer aux élèves de sélectionner :

- leur meilleur travail;
- le travail qu'ils ont trouvé le plus difficile;
- le travail qu'ils ont trouvé le plus facile;
- le travail qu'ils jugent le plus créatif;
- le travail qu'ils ont trouvé le plus agréable à faire;
- le travail qu'ils jugent le plus profitable sur le plan des apprentissages;
- le travail qui traduit le mieux un talent particulier.

Ces périodes privilégiées de mise à jour du portfolio permettent en outre aux élèves de prendre conscience des progrès qu'ils ont réalisés et de discuter librement avec leurs camarades de leurs réussites et de leurs difficultés. L'enseignante ou l'enseignant profite de l'occasion pour discuter avec les élèves des modifications ou des ajouts qu'ils apportent, ce qui constitue un excellent moyen de réorienter ceux et celles qui ont plus de difficulté à faire bon usage de cet outil.

Les rencontres individuelles

Pour certaines évaluations, il faudra prévoir un entretien individuel de 10 ou 15 minutes avec chaque élève pour faire un retour personnalisé sur son portfolio et sur ses objectifs d'apprentissage. Pour que ces rencontres soient fructueuses, il est essentiel que les élèves soient bien conscients des critères d'évaluation des pièces qu'ils auront intégrées à leur portfolio, et qu'ils aient eu le temps de réorganiser son contenu et de mettre à jour les fiches et les grilles d'autoévaluation qui en font partie.

Ces rencontres d'étape devraient amener les élèves à prendre conscience de leurs forces et de leurs faiblesses, à évaluer leur processus d'apprentissage et à se fixer des objectifs d'apprentissage personnels à atteindre avant la prochaine rencontre. De son côté, l'enseignante ou l'enseignant découvrira peu à peu les intérêts particuliers des élèves et leur attitude générale face à l'apprentissage. Pour être constructives, ces rencontres devraient être axées sur les aspects positifs du contenu du portfolio. Ainsi, plutôt que de remettre en question certains travaux que les élèves auront intégrés à leur portfolio, on incitera les élèves à s'exprimer librement en leur posant des questions ouvertes.

Pour dégager l'essentiel de ces rencontres, on suggère de prendre des notes sur des fiches synthèses qu'on aura préparées pour l'occasion ou sur de simples feuilles sur lesquelles on aura inscrit le nom de l'élève et la date de la rencontre. Si le temps le permet, on devrait idéalement dresser une liste des documents contenus dans le portfolio avec de brefs commentaires sur chacun.

Pour les entrevues, nous suggérons le canevas général de la page 229. Il va sans dire qu'il doit être adapté aux besoins d'information de l'enseignante ou de l'enseignant, aux disciplines ciblées ainsi qu'à l'âge des élèves. Ainsi, on choisira quelques questions parmi celles-ci et on en adaptera d'autres.

Les rencontres collectives ou séminaires

Il serait intéressant d'organiser des rencontres entre les élèves en petites équipes afin qu'ils présentent des aspects de leur portfolio. Les rencontres devraient porter sur des thèmes bien précis en lien avec les compétences transversales ou disciplinaires. Ainsi, les élèves échangent sur leurs apprentissages et leur façon d'apprendre, et tirent des exemples de leurs réalisations dans leur portfolio. Ils comparent différentes productions, constatent les habiletés de certains élèves, découvrent leurs différences et leurs similitudes respectives. Ils consolident leurs apprentissages à partir de cette réflexion collective et prennent conscience de la richesse qu'apporte le groupe.

Canevas d'entrevue

Questions d'ordre général pour commencer l'entrevue

1. Comment te sens-tu à l'école en général? dans la classe?

2. Que penses-tu de ton comportement avec tes camarades? avec ton enseignant ou enseignante? avec les spécialistes? Que peux-tu améliorer? Comment vas-tu t'y prendre?

3. Que peux-tu accomplir de façon autonome? Quels défis peux-tu te lancer pour devenir encore plus autonome?

4. Quelles responsabilités voudrais-tu assumer dans la classe?

5. Quelles sont les disciplines que tu préfères? celles que tu aimes le moins?

Questions liées aux compétences disciplinaires

1. Quels sont tes bons coups, ce que tu réussis aisément dans telle discipline? Montre-moi des traces de réalisations qui en font preuve.

2. Qu'as-tu amélioré dans cette discipline, quels sont les progrès que tu as accomplis?

3. Quelles sont les difficultés auxquelles tu fais face actuellement dans cette discipline?

4. Quels sont les défis que tu veux relever au cours des prochaines semaines ou des prochains mois?

5. Quels moyens te permettront de relever ces défis?

6. Comment puis-je t'aider à relever ces défis?

7. Est-ce que tes parents pourraient également t'aider? Comment?

8. Quelles sont les stratégies que tu as employées et qui se sont avérées efficaces?

9. Quelles sont celles qui pourraient être utiles dans d'autres disciplines?

10. Quelles sont celles que tu aimerais développer? Comment t'y prendras-tu pour y arriver?

11. Quel est ton niveau de motivation à l'égard de cette discipline?

12. À quoi peut te servir ce que tu as appris dans cette discipline?

13. De quoi es-tu le plus fier ou fière?

Questions liées aux compétences transversales, exemple: coopérer

1. Comment évalues-tu ta participation au travail d'équipe? Participes-tu à l'élaboration de règles de fonctionnement par exemple? Te sens-tu à l'aise pour exprimer tes idées et pour participer à l'élaboration d'un travail?

2. Quelles sont les attitudes que tu adoptes qui favorisent la coopération? Par exemple, tiens-tu compte des idées émises par tes pairs?

3. Quelles sont les attitudes que tu adoptes qui entravent la coopération?

4. Respectes-tu le rôle que l'on t'assigne lors d'un travail d'équipe?

5. Quels sont tes rapports avec les autres membres d'une équipe en général?

Le portfolio et les parents

On sait que la participation des parents aux apprentissages de leurs enfants est un des plus importants facteurs de réussite chez ces derniers. Dès le début de l'année, on informera donc les parents de l'utilité du portfolio. Ils pourront consulter les portfolios au moment des rencontres à l'école, et parfois à la maison. Ils seront alors invités à émettre leurs commentaires généraux — on leur demandera de s'en tenir aux encouragements — et à annoter certains travaux (*Bravo, ce conte est très drôle; ce texte fait preuve de réflexion; ton orthographe s'est améliorée*, etc.).

Le portfolio et le bulletin

Par rapport aux outils d'évaluation plus traditionnels, le portfolio présente de nombreux avantages. D'abord, il permet d'intégrer l'évaluation à l'ensemble des situations d'apprentissage des projets en mettant l'accent sur des activités signifiantes et contextualisées. De plus, il amène les élèves à développer leur autonomie et à se responsabiliser à l'égard de leurs apprentissages. Il peut aussi fournir une source d'information des plus précieuses quand les outils d'évaluation traditionnels donnent des résultats contradictoires. Cependant, comme le portfolio se prête mal à la notation chiffrée de résultats, on pourrait adapter le bulletin et décrire l'atteinte des compétences à l'aide d'une légende appropriée. Le portfolio est un complément dynamique du bulletin et un outil des plus utiles pour encourager les élèves et orienter leurs efforts.

Critères d'analyse du portfolio

Comme les objectifs du portfolio et les types de travaux qu'on y range sont très variés, il faudra se doter de ses propres critères d'analyse, critères qu'on établira selon ses objectifs d'enseignement prioritaires et selon son mode de fonctionnement en classe. Il faudra d'ailleurs faire preuve de réalisme sur ce plan, car un trop grand nombre de critères provoquera vite des difficultés et occasionnera une perte de temps inutile. Par ailleurs, comme pour la plupart des étapes de la mise sur pied du portfolio, on fera participer activement les élèves au choix des critères.

Au début de l'année, on devrait animer une discussion avec les élèves pour mieux connaître leur conception de la lecture et de l'écriture, de même que leurs attentes générales à l'égard des apprentissages.

À partir de ces réflexions et de vos propres objectifs d'apprentissage, vous pourrez fixer ensemble quelques critères d'évaluation pour la première étape. Celle-ci sera alors beaucoup plus significative pour les élèves, qui pourront orienter leurs efforts avec plus de certitude. À l'occasion de la rencontre d'étape, on verra bien sûr à personnaliser l'évaluation et on encouragera chaque élève à ajouter des objectifs personnels à ceux qui sont communs à toute la classe.

Pistes pour l'évaluation des portfolios

Voici des pistes de réflexion possibles pour faciliter l'analyse de la grande diversité de documents que les portfolios présentent.

Les projets thématiques

– Les élèves démontrent-ils de l'intérêt pour les projets qui leur sont proposés?

– De façon générale, s'engagent-ils activement dans les projets en suggérant leurs propres idées?

– Au cours de la réalisation des projets, les élèves adoptent-ils une attitude ouverte de recherche, d'exploration et d'échange?

– Intègrent-ils spontanément aux projets diverses voies d'expression: créations artistiques, littéraires, technologiques?

– Peuvent-ils dresser le bilan de leurs réussites et de leurs échecs au cours de la réalisation des projets?

Les compétences transversales

– Au cours de leurs recherches, les élèves ont-ils développé leur habileté à exploiter l'information et à résoudre des problèmes?

– Les élèves ont-ils développé un certain sens critique en se construisant des opinions personnelles, en appréciant des productions littéraires ou artistiques, en portant des jugements et en évaluant leurs démarches d'apprentissage?

– Les élèves sont-ils devenus plus habiles à explorer différentes possibilités de réalisation de projets ou de situations d'apprentissage? Et peuvent-ils dans une certaine mesure anticiper l'issue d'une démarche?

– Les élèves ont-ils développé de meilleures méthodes de travail? Peuvent-ils les analyser en cernant les améliorations possibles? Utilisent-ils l'ordinateur efficacement pour réaliser leurs travaux?

– Les élèves apprennent-ils à communiquer de façon plus appropriée? Peuvent-ils évaluer l'efficacité de leurs communications?

– Les élèves peuvent-ils transférer dans d'autres situations d'apprentissage ou dans des situations de leur vie quotidienne les compétences qu'ils ont développées à l'école?

Les habiletés langagières et l'univers culturel

– Les élèves ont-ils une attitude positive envers la lecture et l'écriture?

– Les élèves prennent-ils plaisir à lire et à écrire à l'extérieur de la classe?

– Constatent-ils mieux l'utilité de la lecture et de l'écriture dans leur vie, à l'école et dans la société?

– Conçoivent-ils la langue écrite ou orale comme un outil d'apprentissage, d'expression, de communication et de culture?

– Établissent-ils spontanément des liens entre leurs diverses expériences culturelles?

Les stratégies d'apprentissage

– Les élèves ont-ils appris à développer des stratégies d'apprentissage efficaces?

- Les élèves sont-ils suffisamment conscients de ces stratégies pour pouvoir les décrire ?
- Peuvent-ils combiner diverses stratégies pour résoudre des problèmes plus complexes ?
- Appliquent-ils des stratégies dans certaines de leurs activités quotidiennes à l'extérieur de l'école ?

La coopération

- De façon générale, les élèves travaillent-ils de façon harmonieuse en équipes ?
- Les élèves écoutent-ils leurs camarades ? Tiennent-ils compte de leurs suggestions pour améliorer leurs réalisations ?
- Peuvent-ils interagir dans divers contextes et dans différents groupes ?
- Participent-ils activement aux décisions communes ?
- Assument-ils leurs responsabilités dans l'équipe ?

L'autoévaluation et le portfolio

- Les élèves comprennent-ils l'importance de s'autoévaluer ?
- À quelle fréquence les élèves font-ils des autoévaluations ?
- Les élèves ont-ils tendance à se sous-estimer ou à se surestimer lorsqu'ils s'autoévaluent ?
- S'appuient-ils sur les résultats de leurs autoévaluations pour améliorer leurs performances ?
- Les élèves comprennent-ils les grands objectifs du portfolio ?
- Les documents que les élèves intègrent à leur portfolio sont-ils significatifs et suffisamment nombreux ?
- Les élèves peuvent-ils classer de façon satisfaisante les documents de leur portfolio ?

Nous ne donnons ces pistes qu'à titre de suggestions. Chaque enseignant ou enseignante sera à même de sélectionner les critères d'évaluation qui correspondent le mieux aux besoins de ses élèves. Rappelons qu'il est préférable, surtout au cours des premières étapes, de limiter le nombre d'éléments à observer. C'est l'expérimentation du portfolio en classe qui déterminera la pertinence des critères pour les élèves de la classe.

L'exploitation de la littérature jeunesse en classe

La littérature jeunesse joue un rôle inestimable non seulement dans l'apprentissage de la lecture et le développement de la compétence à apprécier des œuvres littéraires, mais aussi dans le développement des compétences transversales, et plus particulièrement la mise en œuvre de sa pensée créatrice, la capacité d'exercer un jugement critique, de structurer son identité et de communiquer avec efficacité.

Les thèmes abordés en littérature jeunesse sont nombreux et rejoignent l'ensemble des domaines généraux de formation en permettant aux élèves de réfléchir sur un ensemble de problématiques issues du contact avec différentes œuvres. Développer chez les enfants le goût de la lecture, c'est mettre à leur portée une source intarissable de voies de croissance personnelle, autant intellectuelle ou technique que sociale et émotive. Il n'est pas de connaissance, de savoir-faire ou d'art de vivre que les livres n'enseignent pas, ne serait-ce parfois qu'entre les lignes.

L'accès à des œuvres littéraires permet de développer l'imagination, qui est «la capacité de composer des informations d'origine différente entre elles, pour inventer un comportement, un concept, un objet, une explication. L'exercice de l'imagination permet donc la véritable compréhension des choses et des faits[1]». Comme les enfants ont chacun leurs goûts, leurs rêves, leurs savoirs, leurs peurs, il faut leur permettre de découvrir une grande quantité de livres différents.

En favorisant de nombreuses activités de littérature jeunesse, en incitant les élèves à fréquenter une bibliothèque et en leur donnant accès à une multitude de livres, on encourage leur imagination, on leur permet de contempler le monde dans toute sa complexité, on favorise chez eux l'émergence de questionnements et on les amène à s'interroger sur ce qui les motive, les emballe, les anime. Les activités en littérature jeunesse permettent aux élèves de manipuler les livres, de les feuilleter, de les lire, d'aller avec plaisir jusqu'au bout de la lecture, sans contrainte.

On pourra aménager en classe un coin de lecture qui offrira aux élèves l'occasion de lire quotidiennement les ouvrages qui les intéressent. Le coin de lecture est en quelque sorte une mini-bibliothèque en classe. Il faudra cependant prévoir de multiples occasions d'aller en bibliothèque, scolaire ou municipale. Les élèves qui terminent leurs tâches avant les autres devraient être encouragés à profiter de ces moments de relative liberté pour aller consulter des livres de littérature jeunesse. C'est que ces moments de lecture gratuite se révèlent souvent les occasions les plus propices pour développer le goût de lire.

Afin du moins de vous faciliter la tâche de recensement des volumes, nous avons sélectionné des ouvrages récents de littérature jeunesse qui touchent de près ou de loin tous les thèmes abordés dans *Cyclades*. On s'en servira pour réinvestir la matière, approfondir un sujet, alimenter des discussions ainsi que la réflexion

1. POSLANIEC, Christian et Christine HOUYEL. *Activités de lecture à partir de la littérature de jeunesse*, coll. Pédagogie pratique à l'école, Paris, Hachette Éducation, 2000, p. 14.

personnelle des élèves ou tout simplement pour se divertir intelligemment. Tous ces ouvrages sont adaptés aux intérêts des élèves du troisième cycle du primaire ainsi qu'aux aptitudes propres aux enfants de cet âge.

Comme tous les élèves n'en sont pas exactement au même point, on trouvera des ouvrages de difficulté variable. Soulignons à cet égard que les cotes qu'on a placées à titre indicatif à la suite du bref résumé de chacun des livres (f : facile ; m : moyen ; d : difficile) ne constituent que de simples repères. On doit en effet tenir compte de plusieurs facteurs lorsqu'il est question d'évaluer la difficulté d'un livre : le nombre de pages, le volume et la densité du texte, la construction des phrases, le sujet ainsi que la façon dont il est abordé, la présentation matérielle, etc. De toute façon, chaque élève traite les informations à sa manière et en tire les apprentissages auxquels il est prêt, pourvu qu'on puisse à l'occasion lui donner un coup de main et des encouragements.

Une façon efficace d'encourager les élèves est d'établir une certaine structure pour encadrer la lecture : jeux, comptes rendus de lecture, cercles de lecture, premières critiques littéraires, bref, réinvestissements divers. La difficulté consiste à créer un juste rapport entre cet encadrement — que nous croyons nécessaire au maintien de l'intérêt général et à la progression individuelle — et le contexte ludique et libre qui doit être associé à cette activité de loisir qu'est la lecture. C'est certainement d'une part en invitant les élèves à participer au choix et à l'élaboration des activités que l'on pourra tendre vers ce juste milieu.

Bien que la lecture soit la plupart du temps une activité solitaire et tranquille, elle peut déboucher sur une multitude d'activités interactives stimulantes ; la lecture peut contribuer à développer et à entretenir des liens d'amitié par le biais de partages informels sur un texte, de groupes de lecture ou de correspondance postale ou électronique, par exemple.

Activités à faire en classe

Les activités que l'on peut faire pour mieux connaître la littérature jeunesse sont multiples et variées. Il faudra notamment prévoir des activités d'initiation à l'art de l'auteur pour permettre aux élèves de cerner les éléments littéraires qui sont intéressants à approfondir, ce qui aide aussi à apprécier les œuvres selon un ensemble de facettes.

Des activités pourraient porter sur l'objet qu'est le livre lui-même. Pour s'intéresser à l'organisation des séries, par exemple, on pensera aux collections présentant un même personnage : « Philémon Dandrejean » créé par Hervé Gagnon et Thomas Kirkman-Gagnon, ou « Étamine Léger » créée par Anne Legault par exemple. On observera également les pages de couverture, les illustrations, la grosseur des caractères. Il s'agit de trouver ce qui caractérise certains livres.

D'autres activités peuvent porter sur :

- la structure du récit, en observant différentes manières de présenter les événements;
- la lecture de l'image dans les albums, en s'attardant à leur fonction connotative, explicative, symbolique, humoristique, esthétique;
- les images créées par le texte lui-même, particulièrement dans les textes poétiques, les contes et les légendes;
- les auteurs eux-mêmes, en s'attardant à ce qui caractérise leur écriture, les thèmes choisis, le style de phrases, les personnages, etc.; inviter alors les élèves à lire une série de livres écrits par un même auteur ou une même auteure;
- les faits de langue, en s'attachant à l'analyse de certains passages pour en relever le lexique, les figures de style, le rythme, etc.;
- l'univers décrit dans un ouvrage et les liens que les élèves font avec leur propre univers;
- les valeurs véhiculées dans un ouvrage, les motivations des personnages, la signification des événements.

Toutes ces activités permettent aux élèves d'acquérir une lecture interprétative du texte, ce qui fera d'eux de grands lecteurs, capables de s'identifier aux personnages, de se projeter dans l'action, de vivre d'autres vies par procuration, en injectant leurs propres interprétations, connotations, souvenirs et analyses dans l'action du livre.

L'apprentissage coopératif

La démarche pédagogique de la collection *Cyclades* s'inspire largement de l'apprentissage coopératif, mode d'apprentissage qui s'accorde d'ailleurs parfaitement avec les principes de l'approche constructiviste. Comme on l'a vu, ce mode d'apprentissage s'appuie sur les principes suivants :

- le regroupement des élèves;
- l'interdépendance des membres du groupe pour réaliser une tâche;
- la responsabilité de chaque membre du groupe pour assurer le bon fonctionnement du travail;
- le développement d'habiletés cognitives et d'habiletés de coopération;
- l'évaluation non seulement du résultat de l'activité, mais aussi du fonctionnement du travail en groupe.

À divers moments dans la séquence d'enseignement, on pourra faire appel à l'apprentissage coopératif. Non seulement l'apprentissage coopératif permet-il aux élèves de s'engager à fond dans chaque projet — on sait que les enfants adorent travailler ensemble —, mais les activités coopératives développent également l'estime de soi, donnent un sentiment de contrôle sur la tâche et favorisent l'esprit d'entraide plutôt que la compétition.

Plusieurs études ont par ailleurs démontré que le travail fait en groupe est le plus souvent supérieur au travail fait individuellement, aussi bien pour les tâches simples que pour les tâches complexes.

Discuter en petits groupes de coopération permet aussi aux élèves de mieux développer les stratégies cognitives, car le fait d'échanger avec des camarades amène à identifier les processus cognitifs, à les mettre en application et à réorganiser les connaissances. Compte tenu de l'expertise que développe chaque membre de l'équipe, le groupe de coopération constitue un lieu privilégié pour développer des connaissances à partir de tâches communes.

Le regroupement des élèves

L'apprentissage coopératif, nous l'avons vu, implique d'abord le regroupement des apprenants. Il est préférable de s'en tenir à des groupes d'au plus cinq membres. Et dans bien des cas, nous privilégions le travail deux à deux, qui permettra aux élèves de s'initier graduellement au travail en coopération dans de plus grands groupes.

Les élèves peuvent être jumelés de façon temporaire, aléatoire, selon les besoins ponctuels. On parlera alors de groupes informels. Mais on peut aussi jumeler les élèves de façon permanente pour former des groupes de base, c'est souvent le cas pour mener certains des projets suggérés dans la collection, au moment d'organiser une exposition, de monter une pièce, de créer un magazine, etc. La même distinction s'applique à des groupes plus larges qui peuvent être formés de façon ponctuelle pour répondre aux besoins du moment ou alors de façon permanente.

Dans les groupes informels, créés pour répondre à des besoins immédiats, on se soucie peu de l'hétérogénéité. Ces groupes sont d'ailleurs le plus souvent formés de voisins immédiats pour des raisons pratiques évidentes.

Au début de l'année, on aura largement recours aux groupes informels. L'enseignante ou l'enseignant s'efforcera toutefois de varier la composition de ces groupes pour mieux connaître ses élèves et pour leur permettre d'apprendre à se connaître. Avec le temps, et au fil des observations, on veillera cependant à constituer peu à peu des groupes de base, des recherches ayant démontré que les élèves apprennent mieux dans ces groupes où s'instaurent plus rapidement un climat de confiance et de bonnes méthodes de travail.

Dans les groupes de base, nous conseillons de jumeler des élèves forts ou moyens à des élèves plus lents. Non seulement cela aide-t-il ces derniers, qui voient leurs camarades employer de bonnes stratégies d'apprentissage et qui, se sentant soutenus, ne se laissent pas décourager par la tâche, mais cela profite également aux élèves plus rapides qui intègrent mieux, en les enseignant, les connaissances qu'ils ont acquises. Mais on devra aussi tenir compte d'autres critères pour la formation des groupes de base : le sexe, le caractère, la personnalité, etc.

Par ailleurs, on prendra soin de regrouper physiquement dans la classe les élèves qui forment des groupes de base, et ce, non seulement pour des raisons de commodité, mais aussi pour favoriser ce sentiment d'appartenance au groupe qui est essentiel pour développer les habiletés sociales : respect de soi, respect des autres, tolérance, aptitude à s'exprimer, à résoudre les conflits, etc.

L'organisation du travail en groupe

Nous suggérons à l'occasion que les groupes s'associent les uns aux autres. Ainsi, un groupe formé de deux élèves pourra s'associer à un autre groupe pour présenter des travaux. On évite ainsi une trop longue série de présentations qui finiraient par devenir ennuyeuses. Il arrive également qu'à partir de groupes de départ on reconstitue d'autres groupes, par exemple :

1. Chaque membre du groupe de départ se voit attribuer une partie de la tâche.

2. Pour se préparer, les membres qui partagent une même partie de tâche se regroupent. Au sein de ce nouveau groupe, dit «groupe d'experts», ils développeront une expertise en échangeant et en discutant avec ceux qui ont la même tâche qu'eux.

3. Une fois l'expertise développée, chacun et chacune retourne dans son groupe de départ pour partager avec les autres la partie de tâche qu'il ou elle devait réaliser. De cette façon, tous assimileront les informations et seront en mesure de réaliser l'ensemble de la tâche même s'ils n'en ont exploré qu'une partie.

L'interdépendance des membres

Pour qu'une activité suscite une réelle coopération, il faut créer un contexte d'interdépendance entre les membres d'une même équipe. Une façon simple de créer un climat d'interdépendance positive est de demander aux membres d'un même groupe de remettre une seule production commune ou de partager le même matériel, c'est-à-dire un même texte, un seul manuel, une seule fiche de réponse, etc.

De l'interdépendance des membres des équipes découlera nécessairement la responsabilité individuelle de chaque membre du groupe. C'est en développant l'habileté des élèves à travailler dans un groupe qu'on permettra à chacun et à chacune de se sentir personnellement responsable de son apprentissage et du fonctionnement de l'ensemble de l'équipe.

On attribuera régulièrement des rôles aux élèves. L'attribution d'un rôle particulier à chaque membre du groupe favorisera grandement sa cohésion. On trouvera aux pages 240 à 242 de ce guide des cartes de rôles, avec une brève définition. On aura avantage à les reproduire sur un carton, à les plastifier et à les utiliser chaque fois qu'on fera appel à l'apprentissage coopératif, dans toutes les disciplines, en prenant soin de varier les rôles à chaque communication. On pourra ajouter d'autres rôles selon les besoins. Pour expliquer les rôles aux élèves, il sera utile d'en faire une démonstration en simulant une séance de groupe.

Le développement d'habiletés sociales

Rappelons que l'apprentissage coopératif ne vise pas seulement l'atteinte d'habiletés cognitives, mais aussi le développement d'habiletés sociales, habiletés qui doivent aussi être enseignées. Dans *Cyclades*, nous invitons les enseignantes et enseignants à les aborder avec les élèves en recourant à une démarche d'enseignement explicite. On ciblera donc une habileté à travailler avec les élèves en précisant le **quoi**, le **pourquoi**, le **comment** et le **quand**. Nous toucherons principalement les attitudes suivantes :

- parler à son tour ;
- parler à voix basse ;
- se déplacer sans bruit ;
- écouter ses camarades avec attention ;
- encourager ses camarades ;
- demander de l'aide ;
- aider ses camarades ;
- se répartir les tâches ;
- se concentrer sur la tâche ;
- reformuler les propos de l'autre ;
- exprimer convenablement son désaccord ou sa désapprobation.

Le développement des habiletés sociales est objet d'enseignement, on en évaluera l'atteinte à l'aide des observations réalisées lors du travail en équipe, que ce soit pour effectuer une recherche, réfléchir à un scénario, planifier un projet, échanger en cercles de lecture, au moment des communications orales pour présenter les résultats d'un travail, d'une enquête, d'une expérimentation, d'une recherche, etc.

À plusieurs moments, on invite les élèves à remplir des grilles d'autoévaluation sur leur travail en équipe, à observer la façon de travailler d'autres élèves. Les enseignantes et enseignants rempliront dans certaines situations des grilles d'observation du travail d'équipe de leurs élèves.

On aura aussi avantage à élaborer avec les élèves et à afficher en classe des tableaux qui rappellent les principales attitudes à adopter pour que les communications de groupe se déroulent de façon harmonieuse, par exemple :

- parler à voix basse ;
- faire des gestes appropriés :
  - regarder son ou sa camarade dans les yeux ;
  - se tenir tout près de ses coéquipiers ou coéquipières ;
  - avoir l'air de dire un secret ;

- prononcer des paroles appropriées :
  «Regarde-moi, s'il te plaît»;
  «Parle moins fort»;
  «Approche-toi».

Comme on le constate, l'apprentissage coopératif dépasse largement le simple regroupement des élèves pour faire une tâche. La synergie qui découle de l'apprentissage coopératif contribue à leur réussite :
- en les responsabilisant face à leur apprentissage;
- en leur fournissant de nombreuses occasions de verbaliser leur compréhension d'une notion, d'une démarche ou d'une stratégie;
- en développant des habiletés sociales qui leur seront des plus utiles tout au long de leur vie sur les plans personnel et professionnel.

Il ne s'agit donc pas d'un simple outil de gestion de classe, mais d'une démarche pédagogique consciente orientée résolument vers le développement de la personne.

La pédagogie différenciée

Les classes d'aujourd'hui sont caractérisées par leur hétérogénéité. Les élèves, d'origines diverses, possèdent un bagage d'expériences et de connaissances très diversifié. Ils ont donc des capacités, des rythmes et des processus d'apprentissage, des goûts et des intérêts différents. Avec l'objectif ultime de faire progresser ses élèves au maximum de leurs capacités, on n'a d'autre choix que de tenir compte de cette réalité. Les différences entre les élèves sont en fait enrichissantes et complémentaires pour qui souhaite faire de sa classe une véritable communauté d'apprenants. Le défi réside en la gestion de ces différences.

Il existe plusieurs façons de différencier la pédagogie. Dans les lignes qui suivent, nous mettrons en relief l'apport de la collection *Cyclades* aux différentes formes de différenciation pédagogique en nous inspirant de la théorie véhiculée par le concept. Nous traiterons également des divers outils d'évaluation que nous mettons à la disposition des enseignantes et enseignants afin qu'ils puissent apprécier le développement des compétences des élèves, l'évaluation étant l'instrument premier de la différenciation pédagogique. Mais attardons-nous d'abord à définir le concept de différenciation pédagogique afin d'en avoir une compréhension commune.

Un concept, des définitions

Selon Perraudeau (1997), la différenciation pédagogique se définit globalement comme une diversification des supports et des modes d'apprentissage pour un groupe d'apprenants hétérogènes, mais qui partagent des objectifs communs. Perrenoud (1997)

Nom : _____

Cartes de rôles

1 Découpez les étiquettes.

2 Pliez chaque étiquette au centre en vous guidant sur la ligne de pliage.

3 Prenez l'étiquette qui correspond à votre rôle dans l'équipe.

Plier ici →

Animateur ou animatrice

S'assure que chaque membre de l'équipe participe.

Donne le tour de parole.

Plier ici →

Modérateur ou modératrice

S'assure que les membres du groupe parlent à voix basse et que l'activité se déroule dans le calme.

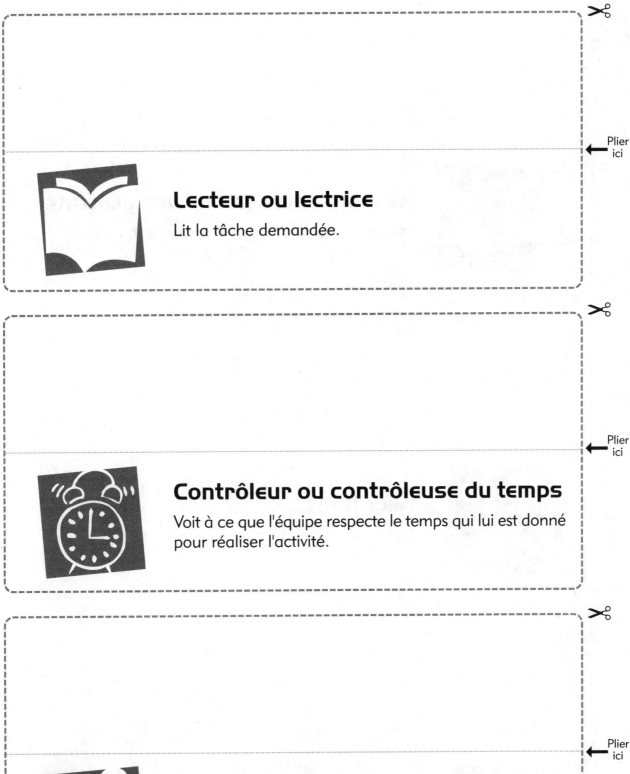

Lecteur ou lectrice

Lit la tâche demandée.

Plier ici

Contrôleur ou contrôleuse du temps

Voit à ce que l'équipe respecte le temps qui lui est donné pour réaliser l'activité.

Plier ici

Intervieweur ou intervieweuse

Pose les questions nécessaires à la réalisation de l'interview.

Plier ici

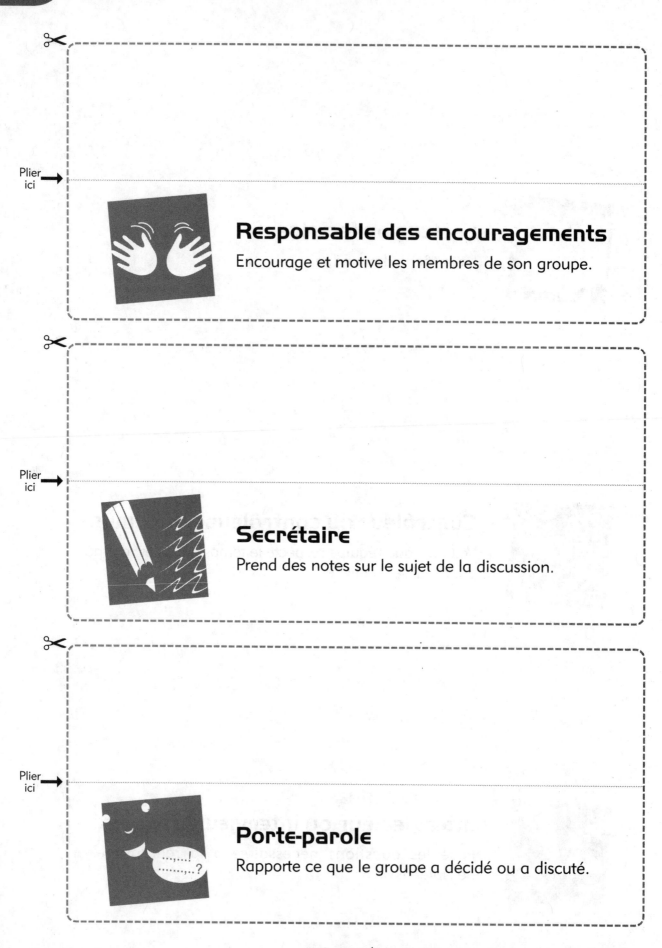

Plier
ici

Responsable des encouragements

Encourage et motive les membres de son groupe.

Plier
ici

Secrétaire

Prend des notes sur le sujet de la discussion.

Plier
ici

Porte-parole

Rapporte ce que le groupe a décidé ou a discuté.

présente une définition plus opérationnelle du concept: «Différencier, c'est rompre avec la pédagogie frontale, la même leçon, les mêmes exercices pour tous; c'est surtout mettre en place une organisation du travail et des dispositifs didactiques qui placent régulièrement chacun, chacune dans une situation optimale. Cette organisation consiste à utiliser toutes les ressources disponibles, à jouer sur tous les paramètres, pour organiser les activités de telle sorte que chaque élève soit constamment ou du moins très confronté aux situations didactiques les plus fécondes pour lui. La pédagogie différenciée pose donc le problème d'amener les élèves non pas à un point déterminé (comme nous le faisons en fonction de nos programmes actuels) mais chacun à son plus haut niveau de compétence.»

Bref, comme le proposait Antoine de la Garandrye il y a déjà plusieurs décennies, différencier la pédagogie revient à respecter le rythme d'apprentissage de l'élève, sa manière propre d'apprendre, en lui procurant les conditions nécessaires à son épanouissement.

Les différentes formes de différenciation pédagogique et les possibilités offertes par *Cyclades*

S'appuyant sur plusieurs auteurs tels que Meirieu et Perraudeau, Caron (2003) distingue plusieurs formes de différenciation pédagogique. Nous présentons ici six d'entre elles en précisant les possibilités qu'offre la collection *Cyclades* au regard de leur mise en œuvre: les différenciations intuitive, planifiée, successive, simultanée, mécanique et régulatrice.

La différenciation **intuitive** n'est pas planifiée; elle fait appel au jugement et à l'expérience de l'enseignante ou de l'enseignant pendant les situations d'apprentissage, et aucun guide du maître ne peut s'y substituer. Il peut s'agir, par exemple, de réduire spontanément la longueur ou la complexité d'une tâche pour un ou une élève qui éprouve des difficultés ou encore de suggérer une façon de communiquer ses découvertes différente de celle proposée au début d'un projet.

La souplesse des situations d'apprentissage dans *Cyclades* permet ce type d'adaptation spontanée qui représente le début d'une pratique de différenciation; les situations sont malléables, adaptables aux besoins particuliers des élèves et des groupes classes. Chacun peut trouver sa place dans les activités que nous proposons. C'est la connaissance des élèves qui guidera l'application des suggestions que nous formulons dans le manuel d'enseignement.

Caron (2003) traite également de la différenciation **planifiée**, une différenciation qui s'inscrit dans une démarche plus consciente et rigoureuse que la différenciation intuitive. En ce qui concerne la collection *Cyclades*, il s'agit de l'ensemble des pistes d'adaptation suggérées dans le manuel d'enseignement afin de rejoindre les particularités de chaque élève. Par exemple, dans certaines situations d'apprentissage, nous suggérons de donner à un ou une élève en difficulté une seule partie de texte à lire et non l'ensemble du texte.

Le défi personnalisé que se fixe l'élève à la suite d'un bilan des apprentissages réalisé au terme d'une tâche constitue un autre exemple de différenciation planifiée.

Dans le cadre de certaines situations, nous proposons également la réalisation de trois tâches différentes pour un même contenu, ce qui permet de guider certains élèves vers la tâche qui leur convient le mieux. La différenciation planifiée est donc une stratégie qui permet de rejoindre différents styles d'apprentissage et différents styles de pensée. Mentionnons finalement que les indications concernant les moments propices pour procéder à l'objectivation des apprentissages avec les élèves s'inscrivent également dans une perspective de différenciation planifiée.

Caron (2003) traite également de la différenciation **successive**, un concept emprunté à Meirieu (1985). Cette forme de différenciation concerne tout le groupe d'élèves : un parcours séquentiel aux objectifs communs, mais une diversification des supports, des outils, des consignes et des démarches utilisés tout au long de ce parcours. Par exemple, dans *Cyclades*, la structure en trois temps des situations d'apprentissage, soit les phases de préparation, de réalisation et d'intégration, fait appel à divers modes d'expression : la parole, l'image, l'écriture, l'informatique, etc. Il en est de même pour les mises en situation dont la nature et les supports sont variés : formulation d'hypothèses, écoute de chansons, manipulations, remue-méninges, observation d'une œuvre, etc.

À ce sujet, précisons que, selon Perraudeau (1997), des mises en situation qui placent les élèves en position de questionnement, d'étonnement et de déstabilisation (conflits sociocognitifs), donc des mises en situation comme celles que l'on trouve dans *Cyclades*, participent à la différenciation pédagogique. Les situations d'apprentissage de la collection sont également élaborées en fonction de l'alternance des modalités de travail : travail collectif et individualisé, travail par dyades ou en sous-groupes. Nos suggestions relativement à la formation des sous-groupes sont diverses ; nous proposons par exemple de regrouper les élèves selon les besoins ou les intérêts, et d'autres fois selon la nature des projets, l'idée étant de varier les modes de regroupement.

Dans les manuels d'enseignement, nous proposons aussi parfois que certains de ces choix reviennent aux élèves eux-mêmes, comme dans le cas de la présentation des découvertes (phase d'intégration), dont le choix du mode d'expression est souvent laissé aux élèves. Voilà un exemple de la *différenciation des productions* évoquée par Caron (2003), une stratégie qui entretient des affinités avec la théorie des intelligences multiples de Gardner (1983), et donc qui respecte la spécificité de chaque élève.

La différenciation **simultanée** est une autre façon de différencier la pédagogie. Selon Gillig (1999), «l'idée de simultanéité signifie qu'au même moment les élèves sont occupés à des tâches différentes, et leur réalisation évoque très précisément le mode de fonctionnement d'une classe où l'on pratique les techniques Freinet ou le travail individualisé type Dottrens» (p. 61). Les plans de travail, les contrats d'apprentissage et le tableau de programmation relèvent donc de ce type de différenciation.

Contrairement à la différenciation successive dont les mesures s'adressent à l'ensemble du groupe, la différenciation simultanée consiste à donner à un ou une élève une tâche qui correspond à ses besoins précis et à ses possibilités ou ressources propres. Il peut s'agir d'exercices portant sur une notion mal assimilée, d'exercices d'entraînement ou encore d'activités d'enrichissement qui représentent un défi ajusté à la mesure d'un ou d'une élève dont le rythme d'apprentissage serait plus rapide. En effet, selon Caron (2003), la pédagogie différenciée concerne aussi ceux qui ont de la facilité à apprendre.

Comme les élèves sont affairés à diverses tâches, on comprend que la différenciation simultanée exige une grande rigueur dans l'encadrement qu'on offre aux élèves. Au regard de cette forme de différenciation, on trouvera des propositions intéressantes dans la section *Réinvestissement* du manuel d'enseignement où sont suggérées des pistes d'activités. Les différents outils de collecte d'information de la collection *Cyclades* (voir la section sur l'évaluation) fournissent les renseignements nécessaires pour que l'enseignante ou l'enseignant puisse cibler les élèves qui profiteraient des suggestions présentes dans cette section. L'un des meilleurs exemples d'application de la différenciation simultanée dans *Cyclades* : les activités en art dramatique au cours desquelles une séquence dramatique, inventée ou non, est élaborée par les élèves. Chacun d'eux a un rôle précis : éclairages, costumes, scénario, etc. Bref, chaque talent particulier y trouve sa place.

Caron (2003) traite d'une autre forme de différenciation, la différenciation **mécanique**, qui consiste à tenir compte d'un ensemble de renseignements que l'on possède sur l'élève pour déterminer les dispositions à prendre, c'est-à-dire le type d'exercices, le temps et les méthodes ou stratégies d'enseignement. Cette forme de différenciation suppose un test diagnostique et le choix de dispositifs appropriés aux résultats obtenus.

Les différents outils de collecte et de consignation de l'information proposés dans l'ensemble de la collection *Cyclades* peuvent servir à poser le diagnostic nécessaire à cette forme de différenciation. Par exemple, en prenant en compte l'ensemble des renseignements contenus dans le journal de bord de l'enseignante ou de l'enseignant, dans le portfolio de l'élève, dans diverses grilles d'observation ainsi que dans certaines réalisations de l'élève, on peut décider de passer plus de temps sur un thème, puisque la durée temporelle n'est présentée qu'à titre indicatif, ou encore de modifier la forme de regroupement que nous proposons.

Mentionnons que l'ordre de présentation des thèmes peut être modifié sans problème. En raison des intérêts de son groupe d'élèves, on peut même décider de modifier le projet associé à un thème. Les situations d'apprentissage dans *Cyclades* se caractérisent par leur souplesse — le maître-mot de la pédagogie différenciée —, tolérant très bien plusieurs formes et degrés d'ajustement.

La dernière forme de différenciation dont nous voulons traiter est la différenciation **régulatrice**, une différenciation qui se passe dans l'action. Selon Caron (2003), «c'est une manière d'explorer les possibilités des élèves avec eux et de répercuter dans la régulation de l'action les approximations de la prise de décision» (p. 92). Il s'agit donc des régulations personnalisées offertes par l'enseignante ou l'enseignant, qu'elles soient proactives, interactives ou rétroactives, sans qu'il y ait eu au préalable une étape systématique de dépistage des besoins. Les indications données dans la section *Outils d'évaluation* des guides, qui précède les grilles d'observation des compétences disciplinaires, donnent fréquemment des indications afin d'orienter les interventions et le type de régulation à produire.

Les diverses formes de différenciation pédagogique constituent des portes d'entrée pour changer les pratiques; elles n'ont pas à être toutes mises en œuvre. L'enseignante ou l'enseignant qui utilise la collection *Cyclades* a au moins la certitude de mettre en place quelques formes de différenciation pédagogique.

L'évaluation comme instrument premier d'une pratique différenciée

Selon l'ensemble des auteurs qui se sont intéressés à la différenciation pédagogique, l'évaluation doit être envisagée comme un pivot essentiel sur lequel repose une pratique différenciée. Chacun des moments au cours desquels elle peut intervenir — avant, pendant ou après l'apprentissage — fournit une mine de renseignements sur lesquels on prend appui afin de différencier l'enseignement: «Une pédagogie qui se soucie de différenciation reconnaît la nécessité de l'évaluation non seulement comme contrôle à l'issue de l'apprentissage mais aussi aux points d'entrée et en cours de déroulement» (Perraudeau, 1997, p. 78).

Ainsi, une évaluation qui intervient avant une situation d'apprentissage permet de diagnostiquer l'état des connaissances et des compétences de l'élève, et donc d'adapter les situations proposées dans *Cyclades*, qui se caractérisent par leur flexibilité. Ce type d'évaluation peut également permettre d'orienter un ou une élève dans l'un des rôles prévus dans une situation qui se réalise de façon collective ou en sous-groupe, de manière à lui permettre de développer des habiletés dans un domaine où l'on a repéré des difficultés.

Les grilles d'observation que nous proposons peuvent être utilisées pendant les activités d'apprentissage. Elles sont différenciées selon les disciplines et les types de compétences. Elles permettent ainsi de suivre le développement de toutes les compétences pour chaque élève et d'apprécier comment elles se construisent et s'enrichissent.

La prise de notes qualitatives (section de droite des grilles d'observation) fournit les informations nécessaires à l'ajustement des interventions auprès d'un ou d'une élève. En ce qui concerne l'évaluation qui intervient après une séquence d'apprentissage, Perraudeau (1997) mentionne qu'on doit créer des temps de retour sur soi, favorisant les évocations, une autre stratégie de différenciation. Les phases d'intégration qui devraient clore chacune des situations d'apprentissage ainsi que les fiches d'autoévaluation qui leur servent de support vont tout à fait dans ce sens.

Les différentes stratégies d'évaluation représentent également d'excellents moyens de différencier la pédagogie. Comme le mentionne Caron (2003), l'entrevue, comme démarche structurée durant laquelle le dialogue permet de mettre en relief la pensée de l'élève sur un aspect précis d'une compétence, s'avère une stratégie de différenciation des plus efficaces. Il en est de même pour le séminaire ou le portfolio, des stratégies d'évaluation qui révèlent les divers processus mis en branle par l'élève; en plus des produits, on y décèle les progrès et le cheminement de chacun des élèves sur une période déterminée.

Donc, tous les outils d'évaluation, dont la finalité est la régulation des apprentissages, sont au service de la différenciation pédagogique. En mettant en évidence les erreurs de l'élève, ses démarches inadéquates ou erronées, les outils d'évaluation permettent de mettre en place des mesures d'aide personnalisées et efficaces.

Bref, si la différenciation pédagogique implique d'offrir des objectifs appropriés, des itinéraires diversifiés et des projets différents, l'ensemble de la collection y répond bien. La diversité des situations suggérées dans *Cyclades* offre la possibilité aux élèves de travailler selon leurs goûts, leurs aptitudes, leur rythme d'apprentissage, leur style cognitif, leur manière personnelle de recevoir et de reconstruire le savoir.

Le caractère transdisciplinaire de la collection est un atout majeur. En effet, plusieurs auteurs, dont Caron (2003) et Perraudeau (1997), suggèrent de définir des tâches globales qui ne morcellent pas les apprentissages. Élaborée en fonction de l'intervention simultanée de cinq disciplines, la collection *Cyclades* représente donc un outil des plus pertinents pour une pratique différenciée.

L'enseignement stratégique

L'importance des connaissances antérieures

L'enseignement stratégique tel que décrit par Jacques Tardif (1992), s'inspirant des découvertes en psychologie cognitive, repose sur la façon dont l'élève construit ses connaissances. Cette construction suppose un processus actif par lequel l'élève élargit ses connaissances en s'appuyant sur celles qu'il a déjà.

Dans les manuels d'enseignement *Cyclades*, lors de la préparation des situations d'apprentissage, on fait le rappel des connaissances de diverses façons : questionnement, élaboration de cartes d'exploration, tempête d'idées, retour sur des situations antérieures, etc. Les connaissances antérieures sont donc ravivées et organisées avant d'aborder les nouveaux apprentissages. De plus, lors de ce rappel, on se rend compte des connaissances erronées des élèves et on cherche à les corriger lors de la réalisation de la situation.

L'organisation des connaissances

La psychologie cognitive a mis en lumière l'importance d'organiser les connaissances acquises à partir des savoirs des élèves, de voir comment ce qu'ils ont appris vient réorganiser :

- les connaissances sur un sujet ou un concept, ce sont les connaissances déclaratives ;
- les façons de faire ou stratégies, qui sont les connaissances procédurales ;
- les connaissances liées à l'action, à la catégorisation ou à la classification, soit les connaissances conditionnelles dont dépend le transfert des apprentissages.

Lors de la réalisation de la situation d'apprentissage, on fournit des outils aux élèves et on modélise au besoin l'utilisation de stratégies ou de procédures en donnant un enseignement explicite de ces dernières. Lors de la phase d'intégration, on s'attarde aux conditions qui ont mené à la réussite et on voit avec les élèves différents contextes où les apprentissages peuvent être réinvestis. À travers une situation complexe qui demande d'utiliser un ensemble de compétences, on observe comment l'élève utilise les stratégies, chacune d'entre elles supposant l'activation de connaissances appropriées.

Pour assurer une réelle appropriation des apprentissages, il faut souvent réorganiser les connaissances dans des schémas, tableaux ou graphiques, et demander aux élèves de donner des définitions personnelles des concepts, d'illustrer leur démarche et leurs observations à l'aide également de schémas, graphiques ou tableaux, d'échanger sur leurs façons de faire en équipe et en grand groupe pour les comparer et s'inspirer de celles des autres.

La métacognition

L'apprentissage implique de nombreux moments de réflexion, des retours sur le contenu des apprentissages et sur les stratégies utiles pour réaliser une tâche ou pour atteindre une compétence. Cette réflexion sur l'acte d'apprendre et sur les apprentissages, la métacognition, mène à une prise de conscience de sa pensée, de ses stratégies cognitives, des obstacles possibles et des façons de les affronter. L'élève identifie donc les facteurs de réussite ou d'échec et acquiert un contrôle sur la tâche ; il peut agir de concert avec l'enseignante ou l'enseignant sur les causes auxquelles il attribue ses réussites ou ses échecs. Dans la collection, lors de la phase d'intégration, on favorise toujours cette réflexion ; on fait un retour avec les élèves, on analyse avec eux les composantes du projet, on évalue la démarche et l'atteinte des objectifs. L'utilisation du portfolio, de grilles d'observation et d'autoévaluation, l'entrevue individuelle et les séminaires en petits groupes permettent également d'analyser les forces et les faiblesses de chacun, et de chercher à améliorer leurs compétences.

La motivation

Enseigner stratégiquement, c'est s'assurer que les élèves sont motivés par ce qu'ils vivent à l'école. En présentant un ensemble de projets avec des défis intéressants et réalistes, dont les buts sont explicites à court et à moyen terme, on favorise l'engagement d'un grand nombre d'élèves. L'apprentissage par projets tel que présenté dans *Cyclades* répond à ce type de préoccupation et assure une adhésion du groupe d'élèves. Lors de la mise en place du projet, à l'étape de la planification, l'enseignante ou l'enseignant et ses élèves précisent explicitement les responsabilités de chacun pour l'ensemble des tâches à accomplir. L'élève peut facilement anticiper les actions à venir et le résultat attendu, il prend de l'assurance et a le sentiment de pouvoir contrôler et réussir le projet.

Le transfert des apprentissages

En plaçant les élèves dans un contexte où ils doivent résoudre les problèmes reliés à la réussite du projet, on leur permet d'activer une multitude de compétences. Ainsi, d'un projet à l'autre, les élèves sont appelés à réinvestir des connaissances et des stratégies en identifiant celles qui seront utiles dans le nouveau contexte. En guidant les élèves, on les aidera à se représenter les données du projet et à imaginer certaines situations qui lui seront associées. On fixera avec eux les critères de réalisation pour qu'ils puissent porter un jugement sur leur travail. Au cours des situations d'apprentissage, il sera nécessaire de faire éclore une série de connaissances spécifiques et de les mettre en lien avec d'autres connaissances, puis de préciser des occasions où l'on pourra les réutiliser.

L'enseignement des stratégies

Comme l'enseignement stratégique n'intervient pas uniquement dans le contenu, mais aussi dans les stratégies cognitives et métacognitives relatives à ce contenu, nous traiterons ici de la façon de les enseigner explicitement.

Cyclades suit la démarche type de l'enseignement stratégique décrite par Jocelyne Giasson (1990; 1995) et Jacques Tardif (1992). Ainsi, les stratégies essentielles sont traitées en quatre étapes.

Le quoi?

On définit, on décrit et on nomme la stratégie à enseigner.

Le pourquoi?

On explique pourquoi cette stratégie est importante et quels avantages on tire à la maîtriser.

Le comment?

On montre aux élèves comment se servir de la stratégie en explicitant ses raisonnements à haute voix, afin de rendre le processus bien transparent. On fait une démonstration claire de la façon de l'utiliser efficacement. En fournissant des indices, en ajustant les rétroactions et en donnant au besoin des explications supplémentaires, on guide les premiers essais des élèves qui s'approprient graduellement le processus, puis l'utilisent de façon autonome.

Le quand?

On précise les circonstances dans lesquelles l'utilisation d'une stratégie sera plus particulièrement utile.

Il est important de procéder à toutes les étapes de l'enseignement stratégique, des recherches ayant notamment mis en évidence l'utilité du «quand» et du «pourquoi» pour favoriser le transfert des connaissances.

On trouvera ci-dessous le déroulement de cet enseignement. Pour amener les élèves à utiliser les stratégies de façon autonome le plus rapidement possible, nous conseillons de leur présenter immédiatement des activités où ils ont l'occasion d'en éprouver l'efficacité à travers un ensemble de pratiques guidées en apprentissage coopératif. En effet, confronter son expérience avec d'autres permet à l'élève de parfaire sa maîtrise des stratégies.

Nous appuyant sur de récentes recherches du domaine de l'enseignement stratégique, nous avons adopté les principes suivants.

- Nous enseignons les stratégies à partir de situations réelles d'apprentissage dans l'ensemble des disciplines et en lien avec les compétences transversales.

- Nous faisons en sorte que les élèves apprennent à utiliser les stratégies dans des tâches de plus en plus complexes.

- Nous simplifions autant que possible les explications et les démonstrations.

- Conscients du temps nécessaire pour maîtriser une nouvelle stratégie, nous profitons de toutes les occasions pour les faire expérimenter et pour faire commenter les résultats de cette expérimentation.

- Afin de maximiser l'intégration de l'utilisation des stratégies, nous favorisons les échanges en équipe et incitons les élèves à partager leurs façons de faire.

Les stratégies en lecture

Stratégies d'identification de mots

Nous ne présenterons pas ici les stratégies qui sont abordées abondamment au premier cycle telles que la reconnaissance globale des mots, le décodage en contexte du mot par association graphophonologique, l'anticipation du mot à partir de ce qui précède et la vérification en recourant aux correspondances graphophonologiques.

Identifier des mots nouveaux en combinant plusieurs sources d'information

Quoi?

Il s'agit d'utiliser diverses stratégies pour parvenir à bien comprendre les mots qui ne nous sont pas familiers.

Pourquoi?

Donner du sens à des mots peu familiers permet de mieux comprendre le texte et d'élargir son vocabulaire. Pour progresser en lecture, les élèves doivent apprendre à donner du sens aux mots nouveaux, de plus en plus nombreux. Notamment, les textes d'information en univers social et en science et technologie présentent régulièrement des mots peu familiers.

Comment?

Faire la démonstration de la façon dont on peut combiner un ensemble d'indices. Expliquer aux élèves qu'ils peuvent:

- regarder à l'intérieur du mot:
  - utiliser la morphologie du mot, sa structure ainsi que les suffixes et préfixes dont il faudra régulièrement assurer l'enseignement;
  - vérifier ce qu'ils connaissent déjà du mot, s'il y a lieu;

- regarder autour du mot pour utiliser le contexte:
  - examiner la phrase ou l'expression dans laquelle se trouve le mot inconnu;
  - observer le contexte général de la partie du texte où le mot apparaît.

Montrer aux élèves la façon de combiner les informations tirées lors des deux étapes pour formuler des hypothèses. Pour appuyer la démonstration, choisir un texte contenant un mot dont les élèves ignorent le sens. Montrer comment on procède soi-même pour en trouver la définition. Au début, on choisira un contexte assez parlant pour que les élèves réussissent facilement à déduire le sens du mot. On passera ensuite à des contextes de moins en moins riches. Il est important que les élèves saisissent qu'il s'agit d'une démarche qui ne fonctionne pas automatiquement. Les étapes peuvent être interchangées. L'essentiel est de découvrir le sens du mot. Plusieurs mots tirés des textes des manuels *Cyclades*, dont certains se retrouvent dans un lexique à la section *Annexes* des guides, peuvent servir à s'approprier cette stratégie.

Au fur et à mesure que les élèves prennent de l'assurance, les inviter à relever des mots nouveaux, à expliquer le sens qu'ils ont donné à ce mot et comment ils ont combiné les indices pour le découvrir.

Lorsque la morphologie et le contexte ne suffisent pas, rappeler d'utiliser un dictionnaire, mais seulement en dernier recours.

Quand?

Cette stratégie peut servir chaque fois que l'élève tombe sur un mot qui lui est inconnu.

La lecture par groupes de mots

Quoi?

Les phrases sont composées de groupes de mots. Pour lire de façon fluide, il est important de trouver ces groupes et de ne pas séparer leurs composantes.

Pourquoi?

Séparer une phrase en groupes de mots, en unités logiques, aide à mieux comprendre les phrases longues. On peut ainsi dégager l'essentiel de la phrase, éliminer les groupes moins importants, isoler les mots porteurs de sens.

Comment?

Préparer une série de dix à vingt phrases qui sont assez longues. Écrire chacune des phrases de trois façons différentes sur trois séries de cartons. Dans la première série de cartons, séparer tous les mots; dans la seconde, découper la phrase en unités logiques; dans la troisième, séparer les groupes de mots de façon incorrecte.

> *L'intensité/des/tremblements/de/terre/se/mesure/avec/une/ échelle/spéciale/appelée/échelle/de/Richter.*

> *L'intensité des tremblements de terre/se mesure/avec une échelle spéciale/appelée échelle de Richter.*

> *L'intensité des/tremblements de/terre se mesure avec une/échelle spéciale appelée échelle/de Richter.*

Lire successivement les trois phrases pour démontrer qu'un bon découpage facilite la lecture. Expliquer et démontrer qu'il est nécessaire de séparer les mots en se fiant à leur sens (ce qui est facile à comprendre) et à l'esthétique (ce qui est agréable à entendre). Faire observer que les signes de ponctuation marquent une division logique des groupes de mots.

Quand?

Cette stratégie devrait servir chaque fois qu'on lit une longue phrase, ce qui rend d'ailleurs la lecture orale plus agréable.

**Trouver
les mots clés**

Trouver les mots clés d'une phrase est une stratégie très importante, car elle amène les élèves à faire de la microsélection, c'est-à-dire à trouver les mots porteurs de sens.

Quoi ?

Il s'agit de lire une phrase et d'y trouver tous les mots qu'il est impossible d'enlever sans occasionner une perte de sens.

Pourquoi ?

En relevant les mots qui sont essentiels à la phrase, on peut retenir ce qui est important et en comprendre rapidement le sens.

– *Plus on devient habile en lecture, plus on lit des textes longs. Quand on lit une histoire de deux, trois ou quatre pages, on ne peut pas se rappeler chaque mot qu'on a lu. Il faut donc choisir les idées et les mots importants. En se rappelant ce qui est important, on s'assure de bien comprendre la suite du texte. Si on retient des détails, des mots qui n'ont pas d'importance, on aura de la difficulté à comprendre.*

Comment ?

Dans un long texte, certaines phrases sont plus importantes que d'autres. De la même façon, dans les phrases, il y a des mots plus importants que d'autres. Donner un exemple :

Un séisme est une secousse rapide et parfois violente qui se produit à la surface de la terre après une libération soudaine d'énergie dans les entrailles du globe.

Amener les élèves à éliminer des mots pour ne garder que ceux qui sont essentiels. Il ne faut pas leur donner ces mots, mais bien discuter avec eux de la possibilité de garder un mot ou de le rayer, l'important étant de voir le lien entre le mot choisi et son utilité pour comprendre la phrase. On pourrait obtenir ceci :

Un séisme est une secousse (rapide et parfois violente) (qui se produit) à la surface de la terre après une libération (soudaine) d'énergie dans les entrailles du globe.

Quand ?

Chaque fois qu'on lit, il est utile de se redire mentalement ce qu'on a compris. Ce qu'on se redit mentalement, c'est ce qui est le plus important, ce sont les mots qui vont aider à comprendre la suite du texte.

Stratégies de gestion de la compréhension

Préciser son intention de lecture, la planifier

Quoi?

Avant de lire un texte, il est essentiel de se donner une intention de lecture. Cela fait partie de la planification de la lecture. On doit tenir compte de la raison qui porte à lire. Si on lit pour chercher une information précise, on ne lit pas de la même façon que si on souhaite se faire une idée globale du texte.

Pourquoi?

En planifiant sa lecture, on choisit la meilleure façon de lire le texte afin d'atteindre le but visé et ainsi de répondre à son intention de lecture. Dans bien des cas, surtout pour les textes d'information, cette stratégie permet de gagner du temps.

Comment?

Présenter à l'aide d'un tableau différentes façons de lire un texte. Simuler chacun des types de lecture.

Cependant, la tâche ou le but visé peut orienter la manière de lire. Par exemple, lorsqu'on ne trouve pas une information, on ralentit son débit de lecture et on peut même finir par s'interroger sur la présence de cette information dans le texte. Il peut aussi arriver qu'on lise lentement un seul passage du texte après l'avoir sélectionné.

Pendant une certaine période, inviter les élèves à se donner une intention de lecture et à décider du type de lecture.

Quand?

Avant une lecture, inviter les élèves à déterminer quel type de lecture est en jeu. Les inciter à toujours tenir compte de leur intention de lecture.

Types de lecture	Intentions de lecture
Lecture rapide, on survole le texte à la recherche d'un mot, d'une expression ou d'une illustration.	Trouver une information précise. Sélectionner une réponse.
Lecture rapide, on cherche quelques mots ou phrases, on cherche un type d'information, l'endroit dans le texte où l'on parle d'un sujet.	Déterminer le sujet d'un texte. Trouver une information explicite ou implicite. Prédire la suite du texte.
Lecture modérée, on lit tous les mots à un rythme normal.	Se distraire. Prédire la suite. Trouver une information explicite ou implicite.
Lecture lente avec relecture, tous les mots sont lus et relus avec attention.	Mémoriser des informations. Résoudre un problème. Étudier le contenu d'un texte. Critiquer un texte. Effectuer une série d'actions. Trouver une information implicite.

Comprendre le schéma du récit

Quoi?

Il s'agit de connaître les principales parties d'une histoire : la situation de départ, l'événement déclencheur qui amène un problème, les tentatives de solution, le dénouement (ou résolution du problème), puis la fin de l'histoire.

Pourquoi?

Reconnaître les parties d'une histoire permet à la fois de mieux comprendre les récits qu'on lit, en anticipant plus facilement leur déroulement, et de créer et rédiger des histoires mieux construites.

Comment?

Les élèves connaissent intuitivement la structure de récit et plusieurs l'ont déjà étudiée au premier cycle. En utilisant la page pédagogique 55 du manuel *Cyclades* A, revoir les phases du récit.

Une situation de départ

Écrire la situation de départ au tableau et indiquer à quelle partie de la phrase correspondent les réponses aux questions *où?*, *qui?* et *quand?*

Quand?	Qui?	Où?

La guerre de Troie terminée, Ulysse, roi d'Ithaque, quitte son navire avec douze de ses compagnons et se rend dans la caverne du cyclope Polyphème.

Un événement déclencheur

Il s'agit d'un changement subit qui met l'histoire en route, qui amène le problème. Cette partie commence souvent par «Un jour».

Le changement et le problème

Le cruel Polyphème empoigne deux compagnons d'Ulysse, les fait cuire et les mange.

Une ou des tentatives pour résoudre le problème

C'est le moment de l'histoire où le personnage réagit au changement.

● 1re tentative

Ulysse offre du vin au Cyclope pour l'enivrer et l'endormir. Il profite du sommeil du monstre pour lui crever l'œil avec un pieu.

● 2e tentative

Ulysse et ses hommes s'attachent ensuite au-dessous des brebis qui sont dans la caverne.

Un dénouement

Le dénouement correspond à la façon dont le problème se résout. Le personnage peut régler lui-même son problème ou recevoir de l'aide.

Le lendemain, le géant aveugle fait sortir ses bêtes sans se douter qu'Ulysse et ses compagnons y sont attachés. Ils rejoignent leur navire.

Une fin

En général, les fins amènent un changement heureux pour le personnage principal. La fin de l'histoire résout définitivement le problème.

Furieux, le cyclope arrache le faîte d'une montagne et le jette à la mer tout près du vaisseau. Il prie Poséidon qu'Ulysse ne regagne jamais sa maison.

Quand?

Chaque fois qu'on lit une histoire, un récit, un conte, une aventure ou une bande dessinée, on peut se servir du schéma du récit pour anticiper l'histoire, mieux la comprendre et retenir plus facilement ses éléments essentiels. Cela permet aussi de bien élaborer le plan d'une histoire que l'on crée soi-même pour l'écrire, la raconter ou la jouer en art dramatique.

Survoler un texte pour anticiper le contenu et orienter sa recherche de sens

Quoi?

Survoler un texte, c'est le parcourir rapidement: lire le titre, les intertitres et observer les illustrations.

Pourquoi?

En survolant un texte, on peut en un coup d'œil savoir s'il s'agit d'un texte d'information ou d'une histoire. Cela permet, de plus, de prévoir le contenu du texte et de s'interroger sur les connaissances qu'on possède déjà sur le sujet.

Comment?

Il faut regarder les illustrations, le titre, les intertitres et l'introduction; chercher à trouver le sujet et à anticiper le contenu.

Faire une analogie avec les météorologues qui prédisent la température à partir d'indices tels que la force des vents, la pression barométrique et le déplacement des dépressions. De la même façon, avant de lire un texte, on doit en prédire le contenu à partir des indices fournis par la présentation.

Quand?

Il faut faire un survol chaque fois qu'on se prépare à lire un texte pour mieux le comprendre.

Comprendre les mots de substitution

Quoi?

Un mot de substitution remplace un mot ou un groupe de mots. Écrire l'exemple de la page pédagogique 129 du manuel *Cyclades* A au tableau :

> *Les gens gardent souvent en mémoire un slogan. Ils le répètent comme une formule magique.*

Les pronoms *ils* et *le* sont des mots de substitution. Ils remplacent les mots *les gens* et *un slogan*. Récrire la phrase avec les répétitions pour comparer les deux phrases. Observer la relative lourdeur de la seconde.

Pourquoi?

Comprendre les mots de substitution permet de saisir les liens entre les mots et les phrases, et de mieux comprendre le texte. Il faut savoir de qui ou de quoi on parle, sans quoi on perd le sens du texte. Reprendre l'exemple précédent en n'inscrivant que la deuxième phrase :

> *[La publicité est rusée.] Elle ne cherche pas vraiment à informer les gens.*

Si on n'écrit que la deuxième phrase au tableau, elle n'a pas de sens, car on ne sait pas ce que représente le pronom *elle*. On a besoin pour la comprendre de la phrase qui précède pour faire de bons liens.

Comment?

Choisir un texte qui met en jeu plus d'un personnage, le travailler en créant une carte sémantique. Identifier dans ce texte les personnages impliqués en relevant les mots de substitution qui les désignent. Expliquer la démarche.

1. Identifier le mot de substitution.
2. Chercher le mot qu'il remplace.
3. Vérifier si on a trouvé le bon mot en le substituant au mot de substitution.

   - La plupart des pronoms sont des mots de substitution.
   - Un groupe de mots peut en remplacer un autre :
     __Arnaud__ disparaît au crépuscule (...). Oriane ordonne qu'on aille chercher __cet étonnant damoiseau__.
   - Un synonyme sert souvent de mot de substitution :
     Arnaud se précipite vers __l'ennemi__. D'un seul coup, il désarçonne __son adversaire__.
   - Un adverbe peut venir remplacer un lieu ou un moment :
     __Le désert__ recèle des trésors cachés. __Là-bas__, l'enfant découvre sa vocation.

Quand?

Il y a des mots de substitution dans tous les textes. Les élèves devront parfois jouer aux détectives pour trouver ce que ces mots remplacent. Les inviter à utiliser des mots de substitution lors de l'écriture de leurs propres textes pour éviter les répétitions.

Comprendre des phrases longues

Quoi?

Comprendre une phrase longue, c'est la découper pour retenir ce qui est essentiel et faire des liens entre les différentes parties du texte et son ensemble.

Pourquoi?

Ces stratégies permettent d'éviter la plupart des problèmes de compréhension qui se posent quand on lit des phrases longues.

Comment?

Faire une démonstration à partir d'une phrase.

Le sapin avait hâte d'être vieux et très grand / pour pouvoir observer la campagne de haut et de loin, / pour accueillir des nids d'oiseaux / et pour ployer majestueusement / sous la force du vent.

Il faut d'abord lire la phrase par groupes de mots (revoir la section *Lire par groupes de mots*). Pour s'aider, on utilise les virgules et les mots de relation.

On redit chaque partie dans ses mots:

Le sapin était pressé de grandir, il voulait regarder au loin, avoir des nids d'oiseaux et se plier à cause du vent.

On trouve l'information principale:
Le sapin avait hâte de grandir.

On résume la phrase dans ses mots:
Le sapin avait hâte de grandir pour faire comme les sapins plus vieux.

Quand?

On peut utiliser cette stratégie chaque fois qu'on lit une longue phrase dans un texte.

Se faire des images ou se parler dans sa tête pendant la lecture

Quoi?

Cette stratégie consiste à s'arrêter à peu près à chacun des paragraphes qu'on lit pour se redire ou revoir ce qui s'est passé.

Pourquoi?

Cette stratégie permet de bien suivre une histoire, d'en visualiser le déroulement ou de réentendre le récit.

Comment?

Choisir un conte ou une légende et s'arrêter constamment lors de sa lecture pour se demander ce qu'on retient, ce qu'on voit ou ce qu'on entend dans la séquence. Voici un résumé de la démarche:

1. Lire un paragraphe ou une section du texte.
2. Se représenter mentalement la séquence des actions comme s'il s'agissait d'un film ou d'une scène réelle.
3. Poursuivre sa lecture en appliquant la même démarche pour tous les paragraphes ou pour toutes les séquences.

Quand?

Cette stratégie est utile chaque fois qu'on lit un texte qui présente une série d'actions: les récits, les contes, les légendes, les biographies ou certains textes courants comme des modes d'emploi.

Les mots de relation (ou marqueurs de relation)

Quoi?

Les mots de relation, ou marqueurs de relation, établissent une relation logique entre des mots, des phrases, des idées. Les mots de relation ne peuvent donc pas être employés seuls; ils n'ont de sens que s'ils établissent une relation entre des mots ou des phrases, que s'ils unissent deux éléments. Ils peuvent exprimer des relations de temps, de lieu, de cause, de conséquence, etc. Ces mots sont invariables.

Pourquoi?

On trouve des marqueurs de relation dans presque toutes les phrases et, pour bien saisir leur sens, il faut comprendre le type de rapport que chacun établit. Ces mots aident notamment à comprendre le déroulement des actions dans un récit ou l'ordre dans lequel des événements se sont produits. Ils permettent également de comprendre où, comment et pourquoi ils se sont produits. Les mots de relation établissent des liens dans les phrases et entre les phrases.

Comment?

Demander aux élèves d'expliquer le sens du mot *relation*; «être en relation» signifie *être en lien, être uni, être en rapport*. Établir des liens avec les mathématiques. Voici comment faire pour reconnaître un mot ou marqueur de relation:

1. D'abord, chercher le mot qui établit une relation logique entre des mots (ou groupe de mots) ou des phrases, un mot qui n'a pas de sens s'il est employé seul.
2. Chercher ensuite les parties qui sont unies par le lien logique.
3. Enfin, trouver quel type de relation est créé.

Faire une démonstration à l'aide des phrases de la page 140 du manuel *Cyclades* A. Utiliser un transparent. Dire à haute voix le raisonnement mental qu'on pourrait tenir sur un mot de relation en analysant un passage.

Quand?

Cette stratégie est utile dans tous les cas où l'on ne comprend pas une phrase ou un texte. Il faut alors se demander si on a bien compris les liens et s'efforcer de saisir le sens des mots de relation.

Établir des liens entre les phrases

Quoi?

Les phrases d'un texte sont toujours unies les unes aux autres par des liens logiques, mais ceux-ci ne sont pas toujours exprimés par des mots de relation. On a alors souvent avantage à vérifier sa compréhension en essayant d'employer un mot de relation qui explicite le lien.

Pourquoi?

Les auteurs qui savent bien écrire ne précisent pas toujours les liens entre les phrases par des mots de relation, car le texte deviendrait lourd. Mais, si on veut s'assurer de comprendre ce que les auteurs ont voulu dire, il peut être utile de préciser certains liens.

Comment?

Travailler à partir d'un exemple:

> *Le danger est proche. Il faut veiller.*

Inviter les élèves à expliciter le lien entre ces deux phrases en employant un mot de relation approprié, puis faire préciser ce lien. (Il s'agit d'un lien de conséquence qui pourrait être exprimé par les mots de relation *alors, ainsi, par conséquent, de sorte que...*).

Quand?

On a avantage à utiliser cette stratégie pour vérifier le lien logique qui n'est pas exprimé de façon explicite par un mot de relation.

Dégager le sujet d'un paragraphe

Quoi?

Cette stratégie consiste à trouver de quoi il est question dans un paragraphe.

Pourquoi?

Cette stratégie permet de vérifier sa compréhension, de mieux retenir l'information, de trouver plus facilement l'idée principale d'un paragraphe.

Comment?

Pour dégager le sujet d'un paragraphe, il faut:

* se demander de quoi parle le paragraphe;
* résumer le sujet en un seul mot ou en une expression.

Appliquer ces conseils à quelques paragraphes d'un texte d'information afin de bien modeler la stratégie.

Quand?

On utilise cette stratégie lorsqu'on lit un texte d'information.

Trouver l'idée principale d'un paragraphe

Interroger les élèves sur l'idée principale. S'ils confondent le sujet et l'idée principale, faire la distinction entre les deux. Inscrire les éléments de définition au tableau.

Quoi?

L'idée principale explicite d'un paragraphe est une phrase qui résume l'information importante d'un paragraphe.

Pourquoi?

Trouver l'idée principale d'un paragraphe permet de mieux le comprendre, de retenir l'information la plus importante.

Comment?

Donner la démarche suivante:

1. Trouver le sujet du paragraphe.

2. Choisir la phrase qui dit ce qui est le plus important sur ce sujet, celle qui renseigne le plus sur le sujet du paragraphe. Cette phrase est souvent au début du paragraphe. Il peut arriver qu'elle se situe ailleurs.

3. Valider son choix en vérifiant si les autres phrases se rattachent à la phrase choisie, si elles viennent l'expliquer ou donner un exemple ou des détails. Si la majorité des autres phrases se rattachent à cette idée, il s'agit bien de l'idée principale; si ce n'est pas le cas, il faut essayer d'autres phrases.

Donner un exemple avec un texte d'information qui contient plusieurs paragraphes. S'assurer qu'ils contiennent une idée principale explicite.

Quand?

Il est important de repérer l'idée principale quand on lit des textes d'information, surtout quand on a de la difficulté à comprendre un paragraphe. Les élèves peuvent s'en servir pour organiser leurs connaissances lors d'une recherche, par exemple.

Si l'idée principale n'est pas formulée explicitement, il faut la déduire et la formuler dans ses propres mots.

Se poser des questions pendant la lecture

Quoi?

Cette stratégie consiste à formuler une ou plusieurs questions après avoir identifié les moments importants du texte.

- *Je pense à ce que je viens de lire; je me rappelle le schéma du récit; je pense aux personnages; je m'interroge sur ce que je pense du texte et des personnages. J'essaie d'imaginer des questions dont la réponse est dans le texte, dans le texte et dans ma tête ou dans ma tête seulement.*

Pourquoi?

Se poser des questions en cours de lecture permet de cerner les moments importants d'un récit, d'y réagir et de vérifier si on a bien compris ce qu'on vient de lire. Si on réussit à formuler des questions pertinentes et à y répondre, on s'assure qu'on a bien compris ce qu'on vient de lire et qu'on comprendra bien la suite du récit. Si on n'arrive pas à trouver de réponses satisfaisantes aux questions qu'on se pose, il faut relire des passages du texte. Cela aide aussi à répondre aux questions des évaluations en lecture, car on répond plus facilement à des questions qu'on s'est déjà soi-même posées.

Comment?

Pour se poser de bonnes questions, on sélectionne les éléments importants dans la portion de texte qu'on lit et on choisit des mots clés : *Qui? Quoi? Quand? Pourquoi? Qu'est-ce que?* Quant aux réponses, on les trouve dans le texte, dans le texte et dans sa tête ou seulement dans sa tête.

Donner un exemple avec un conte qui se découpe bien en trois sections. Lire une première section et demander aux élèves de poser les questions qui leur viennent en tête. Discuter de la formulation et du type de questions et de la façon d'y répondre. Lire la deuxième section, puis poser des questions pour faire ressortir de quelle façon on sélectionne des éléments importants pour la compréhension du texte. Passer à la troisième section. Cette fois, laisser les élèves se poser eux-mêmes des questions deux à deux. En discuter ensuite avec eux.

Quand?

Quand on lit, il faut constamment se poser des questions pour s'assurer que l'on comprend bien et pour déceler rapidement ses incompréhensions.

Se rappeler une partie du texte

Quoi?

Il s'agit de faire le rappel en une ou deux phrases des éléments importants du texte en s'appuyant sur le schéma du récit.

Pourquoi?

Se rappeler une partie du texte permet de mieux comprendre et de mieux retenir ce qu'on lit. Cela aide aussi à dégager l'essentiel d'une histoire.

Comment?

Demander aux élèves de chercher à dégager l'essentiel du ou des paragraphes du récit qu'ils viennent de lire. À partir de quelques sections du texte, illustrer les grands principes de cette stratégie. Celle-ci consiste à :

1. Trouver ce qui est important. Pour bien cerner la situation de départ, chercher au début les références aux personnages, au

lieu et à l'époque où se situe l'histoire. Poursuivre la lecture pour trouver l'élément déclencheur, puis la première tentative de solution, etc.

2. Éliminer les détails.

3. Ne pas répéter ce qui a déjà été dit.

Quand?

On utilise cette stratégie à la fin d'une partie importante du récit pour bien se rappeler l'histoire, à la fin d'un passage qu'on a trouvé plus difficile à comprendre ou avant de poursuivre une lecture qu'on avait interrompue pendant un certain temps.

Clarifier ses incompréhensions

Quoi?

Clarifier ses incompréhensions, c'est prendre conscience qu'on ne comprend pas bien un mot ou une idée du texte et tenter de remédier immédiatement à cette situation.

– *Il nous arrive parfois de ne pas bien comprendre un passage du texte que nous lisons. Il faut alors chercher tout de suite la source de notre problème. Il peut s'agir d'un mot important que nous ne connaissons pas, d'une tournure de phrase qui nous est peu familière, d'une phrase négative que nous n'avons pas perçue, etc.*

Pourquoi?

Clarifier ce qu'on ne comprend pas permet de résoudre sur-le-champ les problèmes de compréhension. Il ne sert à rien de continuer à lire si on a mal compris un passage, parce que tout ce qu'on lit par la suite peut être biaisé par une mauvaise interprétation.

Comment?

Pour faire la démonstration de cette stratégie, se placer dans une équipe d'élèves, utiliser un texte d'information qui contient certains mots et certaines idées un peu difficiles à comprendre. Après la lecture, commenter le passage en rappelant les stratégies.

– *Je ne sais pas très bien ce que signifie tel mot. Je regarde le mot lui-même, mais je ne trouve pas d'indice. Je regarde alors autour du mot. Plus loin, je vois un mot ou un passage qui m'éclaire sur le sens du mot.*

– *Un deuxième mot n'est pas clair pour moi: «ensemencer», par exemple. Je regarde le mot lui-même et je reconnais le mot «semence», donc «semer». Ce mot doit vouloir dire que l'on sème des choses.*

Lorsqu'on ne comprend pas une idée, il faut relire la phrase, regarder après et avant, se faire des images mentales ou se redire dans ses mots ce qu'on a lu, et penser à ce qu'on sait déjà sur le sujet. Éventuellement, on peut demander de l'aide.

Quand?

On utilise cette stratégie lorsqu'on ne comprend pas un mot ou une idée dans un paragraphe.

Évaluer sa démarche en lecture	En plus des stratégies d'identification de mots et de gestion de la compréhension, on trouve en lecture les stratégies d'évaluation de la démarche. Il est en effet essentiel que l'élève puisse décrire et expliquer la démarche de lecture, faire des liens entre celle-ci et son intention de lecture. Il faut également qu'il s'interroge sur l'efficacité des stratégies et qu'il parvienne à s'évaluer comme lecteur. Les phases d'intégration des situations d'apprentissage portent généralement sur ces aspects.

Stratégies liées aux autres compétences exploitées dans *Cyclades*

D'autres stratégies sont nécessaires dans les autres compétences de français, dans les autres disciplines et pour développer les compétences transversales. Nous donnerons un bref aperçu des stratégies, en écriture, en communication orale et pour apprécier une œuvre littéraire.

Les stratégies en écriture

Cinq types de stratégies soutiennent l'écriture d'un texte. Les stratégies de planification, de mise en texte, de révision, de correction et d'évaluation.

La planification	Lors de la planification d'un texte, on doit se rappeler des expériences antérieures pour être en mesure d'anticiper le chemin à parcourir. On s'inspire de déclencheurs pour trouver des idées, puis on précise son intention d'écriture et on pense à d'éventuels destinataires. Il faut se donner des moyens d'évoquer le contenu possible du texte, d'en anticiper le déroulement ou l'organisation : une carte d'exploration, un croquis, un schéma, un plan ou tout autre support pertinent.
La mise en texte	Au moment de la mise en texte, on mobilise un ensemble de stratégies. On rédige le texte à partir des idées formulées mentalement, on s'appuie sur les données de la situation d'écriture, soit le contexte, l'intention et les destinataires. Il faut relire plusieurs fois la partie rédigée pour enchaîner la suite, ajouter au fur et à mesure les idées qui viennent, jouer avec son texte et déplacer des idées au besoin.

La révision	Après un premier jet, on passe à la révision du texte en s'interrogeant sur sa pertinence. Au besoin, on reformule des passages et on réfléchit aux modifications à apporter. On cherche de l'aide, on relit ou on fait lire son texte par des pairs pour obtenir des suggestions d'amélioration sur le plan de la structure, du contenu, de la langue. On sélectionne les améliorations qui semblent appropriées. On modifie le texte en utilisant diverses opérations syntaxiques, tels l'ajout, le retrait, le déplacement, le remplacement de mots ou de phrases. On doit lire le texte plusieurs fois.
La correction	Il faut ensuite faire la correction du texte en laissant des traces qui témoignent du questionnement et qui servent de rappel. On consulte des outils de référence, tels les dictionnaires, les listes orthographiques, les tableaux de conjugaison, les pages grammaticales, et on demande de l'aide pour compléter les corrections. On peut utiliser le correcteur d'un traitement de texte, mais en demeurant conscient de ses limites et de ses pièges.
L'évaluation	Enfin, on utilise des stratégies d'évaluation de la démarche. Lors de la phase d'intégration, on demande à l'élève de décrire sa démarche, de vérifier l'atteinte de son intention d'écriture, de se prononcer sur l'efficacité des stratégies retenues et de s'évaluer comme scripteur.

Les stratégies en communication orale

Les situations d'apprentissage de la collection *Cyclades* ont été élaborées en tenant compte des quatre blocs de stratégies de communication orale mises de l'avant dans le Programme de formation de l'école québécoise : les stratégies d'exploration, de partage, d'écoute et d'évaluation. Les élèves apprennent à s'exprimer de manière adaptée et efficace, à écouter les autres, à tenir compte des situations et des interlocuteurs, à réfléchir à leur propre discours et au discours de leurs camarades. Le rôle de l'enseignante ou de l'enseignant est d'écouter, de reformuler les propos entendus et de questionner pour permettre aux élèves de progresser dans la reconstruction de tous les types de discours.

Les stratégies d'exploration	On doit s'assurer que les élèves comprennent bien l'enjeu de chaque situation d'apprentissage afin qu'ils puissent donner du sens à leur prise de parole. À cet effet, on spécifie la tâche langagière requise pour chaque situation. Ainsi, les élèves peuvent adapter leur conduite discursive selon leur intention de communication et le type de discours requis par la situation. Par exemple, les élèves doivent expliquer et argumenter pour faire connaître des découvertes en science ou encore réciter des poèmes pour divertir des auditeurs. De même, on tient compte des connaissances antérieures des élèves auxquelles on greffe de nouveaux mots ou de nouvelles expressions (réseaux sémantiques, cartes d'exploration, etc.).

Comme le souligne le Programme, la communication orale «contribue à la construction de la pensée personnelle grâce à l'apport d'autrui». La phase d'exploration consiste à élaborer sa pensée en consolidant ses idées. Plusieurs situations permettent ce travail de réflexion. Une fois les idées précisées, les élèves peuvent se centrer sur celles qu'ils retiennent et se préoccuper de la manière de les exprimer. Parler nécessite de prendre des risques de formulation, ce qui implique des hésitations et des maladresses. Les situations proposées dans la collection incitent les élèves à oser prendre ces risques. Ceux qui s'expriment souvent et avec facilité tout comme ceux qui sont timides, qui s'expriment peu ou qui maîtrisent moins bien le langage oral y trouveront leur place.

Les stratégies de partage

On invite les élèves à structurer leurs énoncés afin de communiquer de façon adaptée et efficace. Pour ce faire, on leur propose souvent de noter leurs idées dans un carnet. De même, on les invite à recourir à des éléments prosodiques appropriés à la situation (intonation, débit, volume, rythme). On les encourage à reformuler leurs propos pour s'adapter à leurs interlocuteurs et pour mieux exprimer leur pensée. Du coup, ils apprennent à choisir les mots justes.

Les stratégies d'écoute

Les situations permettent aux élèves de se familiariser avec le langage non verbal si important en communication orale. Ils apprendront à l'utiliser et à l'interpréter. Ils reformuleront et répéteront les propos entendus afin de s'assurer qu'ils les comprennent bien.

Les stratégies d'évaluation

Plusieurs travaux montrent que la maîtrise de la langue orale ne se fait pas sans réflexion sur le langage. Pour favoriser cette réflexion, *Cyclades* propose souvent de filmer les élèves en action lors d'échanges. Ceci permet aux élèves de prendre du recul et de réfléchir aux stratégies qui interviennent dans la construction de la compétence langagière orale. De même, ils peuvent analyser les énoncés qu'ils produisent et ceux qu'ils entendent. Pour garder des traces de leurs performances, les élèves remplissent des grilles d'évaluation qu'ils placent dans leur portfolio.

Les stratégies liées à l'appréciation d'œuvres littéraires

Pour apprécier des œuvres littéraires, on doit développer une ouverture à l'expérience littéraire. Cela exige d'apprendre à être à l'écoute de ses propres sentiments et émotions, de faire des liens avec ses propres expériences et avec d'autres œuvres, de se représenter mentalement le contenu de l'œuvre, de distinguer le réel de l'imaginaire. On demandera aussi aux élèves d'analyser le traitement de la langue et d'en constater les effets, d'échanger et de partager leur expérience d'appréciation avec d'autres, de se questionner à propos d'une œuvre et de chercher à pousser le plus loin possible leur compréhension.

Liste orthographique

Thèmes 1 à 10

à l'endroit
à l'extérieur
à peu près
abandonner
abattre
abondance
aborder
absence
absent
  absente
accident
accusation
accuser
achat
achète
acheteur
  acheteuse
achever
activité
actuel
  actuelle
adieu
admettre
admiration
admirer
adopter
affreux
  affreuse
affrontement
affronter
afin de
agaçant
  agaçante

agacer
âge
agent
  agente
agir
aigu
  aiguë
aiguille
allumer
allumette
allure
ambulance
âme
amener
amitié
analyse
ancien
  ancienne
animateur
  animatrice
animation
anneau
année-lumière
  années-lumière
annonce
annoncer
apeuré
  apeurée
apparaître
appel
appeler
applaudir
apporter

apprendre
après
aptitude
arbalète
architecte
architectural
  architecturale
  architecturaux
architecture
argent
arme
armée
arranger
article
artisan
  artisane
aspect
asphalte
asseoir (s')
assez
assiette
assister
assommer
assurer
atmosphère
attentif
  attentive
attention
attirer
au secours
aubaine
auberge
aucun
  aucune

augmentation
augmenter
auparavant
auprès
auprès de
aussitôt
auteur
  auteure
autrefois
avancer
avenir
aventure
averti
  avertie
avis
avocat
  avocate
baisser
balai
balance
balayer
banque
base
bataille
bâtiment
bâtir
battre
beauté
besoin
bête
bibliothèque
bijou

bizarre

blesser

blessure

boîte

bonhomme
  bonshommes

bourg

brave

braver

brigands

brillant
  brillante

brûler

brusquement

ça

cabane

calme

caméra

camp

canadien
  canadienne

capitaine

caractère

caractéristique

catapulte

cathédrale

ce

cédérom ou CD-ROM

célèbre

celui
  celle

celui-ci
  celle-ci

celui-là
  celle-là

cent (n.)

centre

cependant

certain
  certaine

certainement

cerveau

ces

c'est

c'est-à-dire (c.-à-d.)

ceux
  celles

chaleur

chance

chanceux
  chanceuse

changement

changer

charte

château

chauffage

chauffeur
  chauffeuse

chauve

chêne

chevalier

chœur

chômage

chorégraphie

chronologique

ciment

cimetière

cinéma

clair
  claire

clairement

classique

clé

clef

clerc

climat

climatogramme

clôture

clown

coffre

colère

collant
  collante

combat

combattre

commande

commander

commettre

compagnie

compétition

complet
  complète

complètement

comportement

composer

composition

compter

conclure

conclusion

conduite

confiance

congèle

congeler

connaissance

conquête

conscience

conseil

conseiller
  conseillère

conséquence

consommateur
  consommatrice

consommation

consommer

construction

construire

conte

coquillage

cordonnier
  cordonnière

correct
  correcte

correctement

correction

correspondance

correspondant
  correspondante

correspondre

corvée

couler

coupable

courageux
  courageuse

couronne

cours

court métrage

coûter

couturier
  couturière

couvercle

couvert
  couverte

couverture

couvrir

craie

craindre

créer

crier

critique

crochet

croix

croquer

cru
  crue

cueillette

cuir

culpabilité

curieux
  curieuse

cyberdépendance

cyberdépendant
  cyberdépendante

danger

dangereux
  dangereuse

débarquer

début

déchet

déchirer

décidé
  décidée

déclarer

décoration

décorer

décrire

dedans

défaut

défendre

défense

défilé

définition

dégager

déguisé
  déguisée

déguisement

déguiser

dehors

densité

déposer

déranger

dès

dès que

désastre

descendre

descente

désert

désir

désirer

désormais

destination

détruire

diamant

dictionnaire

difficile

difficulté

digestion

diminuer

dîner

direction

diriger

distance

distant
  distante

divers
  diverse

divertir

divertissement

divorce

divorcé
  divorcée

documentaire

dollar

donjon

dont

doré
  dorée

doucement

droit

drôle

échapper

économie

économique

écorce

écran

écraser

écrier (s') (être)

écrire

écrit
  écrite

écriture

écrivain
  écrivaine

édifice

égal
  égale
  égaux

égalité

égoïste

eh bien !

élaborer

élan

électricien
  électricienne

électricité

électrique

élément

élever

éloigner

émission

emploi

employé
  employée

employer

emporter

emprunter

ému
  émue

en même temps

endormir

endroit

énergie

enfuir (s') (être)

engager

enluminure

ennemi
  ennemie

enregistrer

ensorceler

entier
  entière

entourer

entrée

entre-temps

entretenir

envahisseur

envers

envie

environ

environnement

épais
  épaisse

époque

épreuve

ériger

escalier

espace

espèce

espérer

espoir

essai

étrange

étrangement

étroit
  étroite

étudier

éviter

exact
  exacte

examiner

excellent
  excellente

exiger

explication

expliquer

exploser

exposer

exposition

exprès

expression

extérieur

extraterrestre

fabrication

fabriquer

façon

faible

faim

fameux
  fameuse

fantaisie

fantastique

fatiguer

faux
  fausse

faveur

favorable

favori
  favorite

féodal
  féodale
  féodaux

fermé
  fermée

fermer

fidèle

film

fin (n.)

fixer

flamme

flatter

flèche

fleur

flocon

flotter

force

forêt

former

fortifier

fortune

foule

fournir

foyer

franc
  franche

frapper

front

frontière

fuir

fuite

furieux
  furieuse

fusée

gagnant
  gagnante

gagner

gai
  gaie

galaxie

galerie

garagiste

garantir

garde

gâté
  gâtée

gâter

géant
  géante

gelée

geler

général
  générale
  généraux

généralement

gentil
  gentille

géographie

géographique

geste

glissant
  glissante

glissoire

gloire

golfe

gourmand
  gourmande

goût

goûter

goutte

gouvernement

grâce

grandeur

gratuit
  gratuite

grève

grimper

guérir

guerre

guetter

guide

habile

habileté

habitation

habitudes

hanté
  hantée

hâte

hein !

hélas

hélicoptère

héros
  héroïne

hésiter

heureusement

hibou

histogramme

historique

hôpital
  hôpitaux

hôtel

humain
  humaine

humeur

idée

illégalité

imaginaire

imagination

imaginer

immédiatement

immense

immobile

impatient
  impatiente

importance

imprimer

impulsif
  impulsive

incendie

indice

infirmier
  infirmière

informateur
  informatrice

information

informatique

informer

inforoute

inquiet
  inquiète

inscrire

installer

instant

instantané
  instantanée

instruction

instruire

interactif
  interactive

interroger

interviewer

intrigue

inutile

inviter

irréel
  irréelle

italien
  italienne

jadis

jeter

jugement

jusqu'à

jusque

justice

kilomètre (km)

kiosque

la plupart

là-bas

là-haut

lancer

langue

larme

laser

lavabo

le leur
la leur

le mien
la mienne

le nôtre
la nôtre

le sien
la sienne

le vôtre
la vôtre

légal
légale
légaux

léger
légère

libérer

librairie

libre

lieu

lire

livrer

lointain
lointaine

longtemps

louer

lourd
lourde

lutte

mademoiselle (m^lle)
mesdemoiselles
(m^lles)

magnétoscope

magnifique

maintenant

manette

maquette

marchand
marchande

marché

marée

marguerite

mariage

marraine

masque

masse

média

mener

menteur
menteuse

mentir

merveilleux
merveilleuse

mesure

mesurer

météorologie

météorologue

métro

mets

mettre

mille

million

miroir

misère

mission

mode

modèle

moderne

moitié

monastère

moniteur
monitrice

montagneux
montagneuse

montréalais
montréalaise

monument

monumental
monumentale
monumentaux

moquer (se) (être)

moteur

musicien
musicienne

mystérieux
mystérieuse

naître

national
nationale
nationaux

naturellement

navette

niaiseux
niaiseuse

n'importe comment

n'importe où

n'importe quel
n'importe quelle

n'importe qui

n'importe quoi

nœud

nombre

nombreux
nombreuse

nommer

nouvelle (n.)

objet

obligation

obscur
obscure

obscurité

observation

observer

occasion

occuper

odeur

œuvre

œuvrer

offre

offrir

orbital
orbitale
orbitaux

orbite

orgueil

original
originale
originaux

oser

ôter

où

ouate

oublier

outil

outillage

outiller

ouvert
ouverte

ouvrage

ouvrager

ouvrier
ouvrière

paie (paye)

palais

palpitant
palpitante

parachutiste

paradis

paraître

pareil
pareille

parfait
parfaite

parfaitement

parmi

parole

participer

passage

passé

passion

pâte

pâtisserie

pâtissier
  pâtissière

patron
  patronne

patrouille

payer

paysan
  paysanne

peigne

peigner

peintre

pendre

pente

percer

perdrix

perfection

perfectionner

période

permettre

permis
  permise

permission

personnage

phénomène

photographier

pierre

pilule

pince

pinceau

pique-nique

pire

planète

plat
  plate

plâtre

pleur

pleurer

pleuvoir

plier

plupart (la)

plus tôt

plusieurs

plutôt

poème

poésie

poète

police

policier
  policière

polluer

pollution

pompier
  pompière

population

portrait

posséder

poursuite

poursuivre

poussière

pratique

précéder

précieux
  précieuse

préférer

présence

presser

prévenir

prince
  princesse

principal
  principale
  principaux

principe

prison

procès

prochain
  prochaine

production

produire

produit

professeur
  professeure

profiter

profond
  profonde

profondément

programme

programmer

projectile

promeneur
  promeneuse

promettre

prononcer

propriétaire

protection

protéger

prouver

province

provision

prudemment

prudence

public (n.)

public
  publique

publicitaire

publicité

qualité

quant à

quart

quartier

quel
  quelle

quelque chose

quelquefois

quelques-uns
  quelques-unes

quelqu'un
  quelqu'une

qu'est-ce que

qu'est-ce que c'est

questionnaire

quitter

quoique

raccourcir

radio

radis

raide

rail

ramasser

rapidement

rapporter

rare

rayon

réalisation

réaliser

réalité

recevoir

réchauffer

recherche

récit

récompense

reconnaître

recueil

réel
  réelle

réellement

référence

refuser

regard

regarder

regretter

relever

religieux
  religieuse

relire

remède

remercier
remettre
remise
remonter
remplacer
remplir
renseignement
repasser
répéter
répondre
réponse
reprocher
réserver
réservoir
resplendir
restaurant
résultat
retirer
rêve
réveiller
réveillon
révéler
rêver
réviser
revoir
riche
richesse
ridicule
rire
roman
saint
  sainte
sang
sauce
sauf
sauf (adj.)
  sauve
sauvage
scène
science-fiction
seconde

seconde (s)
secours
secret
  secrète
secrétaire
s'écrier
sécuritaire
seigneur
semblable
semer
sens
sensation
sensible
sentiment
sentir
séparer
sérieux
  sérieuse
serpent
serveur
  serveuse
servir
serviteur
seulement
sève
siècle
siffler
signification
s'il te plaît
s'il vous plaît (s.v.p.)
silence
silencieux
  silencieuse
silencieusement
simple
simplement
slogan
social
  sociale
  sociaux

soif
soigner
soin
soit
sol
solaire
soleil
solution
sombre
somme
sonorité
sorcellerie
sortie (n.)
soucoupe
souffle
souffler
souffrance
souffrir
souhait
souhaiter
soulever
source
sourire
souterrain
spatial
  spatiale
  spatiaux
spécial
  spéciale
  spéciaux
sportif
  sportive
statue
stéréo
stéréotype
style
styliser
suisse
suite
suivant
  suivante

suivre
supermarché
superstition
supporter
supporter
surprenant
  surprenante
surprise
sursauter
système
talent
talentueux
  talentueuse
tandis que
tantôt
taper
tas
technique
technologie
technologique
tel
  telle
téléspectateur
  téléspectatrice
téléviseur
télévision
température
tendre
tendrement
tendresse
terrestre
terrible
texte
théâtre
thermomètre
tiède
titre
ton (n.)
tort
tôt

total (n.)
  totaux
tout à coup
tout de suite
trait
transformation
transformer
tribunaux
triste
tristesse
troupe
type
unique

uniquement
univers
urgence
vacances
vague
vaillant
  vaillante
vaisseau
valeur
valeureux
  valeureuse
valoir
végétation

vendre
vétérinaire
victime
vide
vidéo
vidéocassette
vieillard
vieillir
vierge
vieux, vieil
  vieille
vif
  vive

vin
violence
vis
vocabulaire
voile
voix
volcan
volume
vôtre (le, la)
vrai
  vraie
vraiment

Bibliographie

Section générale

ARPIN, Lucie et Louise CAPRA. *L'apprentissage par projets*, Montréal, Chenelière/McGraw-Hill, 2001, 258 p.

BÉLAIR, Louise. *L'évaluation dans l'école, Nouvelles pratiques*, coll. Pratiques et enjeux pédagogiques, Paris, ESF, 1999, 126 p.

BLACKBURN, Pierre. *Connaissance et argumentation*, Québec, ERPI, 1992, 488 p.

CARON, Jacqueline. *Apprivoiser les différences. Guide sur la différenciation des apprentissages et la gestion des cycles*, Montréal, Les Éditions de la Chenelière, 2003, 596 p.

CARON, Jacqueline. *Quand revient septembre. Guide sur la gestion de classe participative, vol. 1*, Montréal, Les Éditions de la Chenelière, 1994, 464 p.

CARON, Jacqueline. *Quand revient septembre. Recueil d'outils organisationnels, vol. 2*, Montréal, Les Éditions de la Chenelière, 1994, 456 p.

CHAMBERLAND, Gilles et Guy PROVOST. *Jeu, simulation et jeu de rôle*, Sainte-Foy, Les Presses de l'Université du Québec, 1996, 178 p.

CLEMMONS, J., L. LAASE, D. COOPER, N. AREGLADO et M. DILL. *Portfolios in the Classroom, a Teacher's Sourcebook*, New York, Scholastic Professionnal Books, 1993, 124 p.

COHEN, Élisabeth G. (traduction de Fernand Ouellet). *Le travail de groupe: stratégies d'enseignement pour une classe hétérogène*, Montréal, Les Éditions de la Chenelière, 1994, 208 p.

COLLECTIF (sous la direction de Marie-France DANIEL et Michael SCHLEIFER). *La coopération dans la classe*, Montréal, Les Éditions Logiques, 1996, 312 p.

COLLECTIF MORISSETTE-PÉRUSSET. *Vivre la pédagogie du projet collectif*, Montréal, Chenelière/McGraw-Hill, 2000, 144 p.

CRAHAY, Marcel. *L'école peut-elle être juste et efficace? De l'égalité des chances à l'égalité des acquis*, Bruxelles, De Boeck Université, 2000, 456 p.

DE VECCHI, G. *Aider les élèves à apprendre*, Paris, Hachette Éducation, 2000, 244 p.

DORÉ, Louise, Nathalie MICHAUD et Liberata MUKARUGAGI. *Le portfolio. Évaluer pour apprendre*, Montréal, Chenelière/McGraw-Hill, 2002, 148 p.

FARR, Roger et Bruce TONE (adaptation française de Pierrette Jalbert). *Le portfolio au service de l'apprentissage et de l'évaluation*, Montréal, Chenelière/McGraw-Hill, 1998, 196 p.

GARDNER, Howard. *Les intelligences multiples*, coll. Psychologie, Paris, RETZ, 1996, 244 p.

GARDNER, Howard. *Intelligence et école*, coll. Psychologie, Paris, RETZ, 1996, 356 p.

GILLIG, Jean-Marie (éd.). *Les pédagogies différenciées. Origines, actualité, perspectives*, Paris, Bruxelles, De Boeck Université, 1999, 256 p.

GOUPIL, Georgette. *Portfolios et dossiers d'apprentissage*, Montréal, Chenelière/McGraw-Hill, 1998, 78 p.

GUAY, Marie-Hélène. «La pédagogie de projet au Québec. Une pratique pédagogique aux multiples visages», *Québec français*, n° 126, été 2002, p. 60-79.

HOWDEN, Jim et Huguette MARTIN. *La coopération au fil des jours: Des outils pour apprendre à coopérer*, Montréal, Chenelière/McGraw-Hill, 1997, 264 p.

HOWDEN, Jim et Marguerite KOPIEC. *Structurer le succès*, Montréal, Chenelière/McGraw-Hill, 1999, 188 p.

JASMIN, Danielle. *Le conseil de coopération: Un outil pédagogique pour l'organisation de la vie de classe et la gestion des conflits*, Montréal, Chenelière/McGraw-Hill, 1994, 124 p.

JONNAERT, P. *Compétences et socioconstructivisme*, Bruxelles, De Boeck Université, 2002, 108 p.

KAGAN, Spencer. *Cooperative Learning*, San Juan Capistrano, Kagan Cooperative Learning, 1994.

LAFORTUNE, Louise et Colette DEAUDELIN. *Accompagnement socio-constructiviste: Pour s'approprier une réforme en éducation*, coll. Éducation-Intervention, Sainte-Foy, Presses de l'Université du Québec, 2001, 212 p.

LAFORTUNE, Louise et Lise SAINT-PIERRE. *L'affectivité et la métacognition dans la classe*, Montréal, Les Éditions Logiques, 1996, 384 p.

LASNIER, Louise. *Réussir la formation par compétences*, Montréal, Guérin, 2000, 488 p.

MEIRIEU, Philippe. *L'école, mode d'emploi: des méthodes actives à la pédagogie différenciée*, Paris, ESF, 1992, 188 p.

MEIRIEU, Philippe. *Pédagogie différenciée et conseil méthodologique.* Dans GILLIG (éd.). *Les pédagogies différenciées. Origines, actualité, perspectives*, Paris, Bruxelles, De Boeck Université, 1999, p. 169-177.

PERRAUDEAU, Michel. *Les cycles de différenciation pédagogique*, Paris, Armand Colin, 1997, 176 p.

PERRENOUD, Philippe. *Construire des compétences dès l'école*, coll. Pratiques et enjeux pédagogiques, Paris, ESF, 1999, 128 p.

PERRENOUD, Philippe. *Pédagogie différenciée: des intentions à l'action*, coll. Pédagogies, Paris, ESF, 1997, 196 p.

QUÉBEC (Gouvernement), MINISTÈRE DE L'ÉDUCATION. *Programme de formation de l'école québécoise*, Québec, Gouvernement du Québec, 2001, 356 p.

SOUSA, David A. (traduction de Gervais Sirois). *Un cerveau pour apprendre*, Chenelière/McGraw-Hill, 2002, 324 p.

TARDIF, Jacques. *Le transfert des apprentissages*, coll. Théories et pratiques dans l'enseignement, Montréal, Les Éditions Logiques, 1999, 228 p.

TARDIF, Jacques. *Pour un enseignement stratégique: l'apport de la psychologie cognitive*, coll. Théories et pratiques dans l'enseignement, Montréal, Les Éditions Logiques, 1992, 476 p.

Français

Communication orale

CHAVANON, Agnès. *Former des enfants conteurs*, Paris, Hachette Éducation, 2000, 96 p.

LE CUNFF, Catherine, Patrick JOURDAIN et le Groupe Oral-Créteil. *Enseigner l'oral à l'école primaire*, Paris, Hachette Éducation, 1999, 224 p.

Didactique du français

BISAILLON, Jocelyne. *Enseigner une stratégie de révision de textes à des étudiants en langue seconde, faibles à l'écrit : un moyen d'améliorer les productions écrites*, Québec, Faculté des lettres de l'Université Laval, CIRAL, 1991, 162 p.

CAUCHON, Jocelyne. «Soutenir un élève dans l'apprentissage de la grammaire du texte», *Québec français*, Hiver 2003, n° 128, p. 67 à 69.

NADEAU, Marie et Sophie TRUDEAU. *Grammaire du deuxième cycle. Pour apprendre, s'exercer et consulter*, Boucherville, Graficor, 2001, 298 p.

NIQUET, Gilberte. *Enseigner le français : Pour qui ? Comment ?*, coll. Pédagogies pour demain, Paris, Hachette, 1991, 224 p.

PERRONNET, Jean-Michel. *Devinettes pour dire, lire, écrire*, Paris, Hachette Éducation, 2001, 224 p.

PRÉFONTAINE, Clémence et Monique LEBRUN (dir.). *La lecture et l'écriture : enseignement et apprentissage*, coll. Théories et pratiques dans l'enseignement, Montréal, Les Éditions Logiques, 1992, 354 p.

PRÉFONTAINE, Clémence. *Écrire et enseigner à écrire*, coll. Théories et pratiques dans l'enseignement, Montréal, Les Éditions Logiques, 1998, 382 p.

Culture littéraire

BRUN-COSME, Nadine, Gérard MONCOMBLE et Christian POSLANIEC. *Dire, lire, écrire*, Toulouse, Milan, 1993, 230 p.

CAUSSE, Rolande. *Qui a lu petit lira grand*, coll. La Grande Ourse, Paris, Plon, 2000, 274 p.

CHAILLEY, Maguy et Marie-Claude CHARLÈS. *La télévision pour lire et pour écrire*, Paris, Hachette Éducation, 1993, 160 p.

CHARPENTREAU, Jacques. *Jouer avec les poètes*, coll. Fleur d'encre, Paris, Hachette jeunesse, 2002, 284 p.

CHRISTOPHE, Suzanne et Claude GROSSET-BUREAU. *Jeux poétiques et langue écrite*, Paris, Bordas, 2000, 160 p.

COLLECTIF (sous la direction de Monique NOËL-GAUDREAULT et Évelyne TRAN). *Vademecum pour la littérature de jeunesse*, numéro hors série, Montréal, Les publications Québec Français, 2002, 108 p.

DECRÉAU, Laurence. *Ces héros qui font lire*, Paris, Hachette Éducation, 1994, 144 p.

GUÉRETTE, Charlotte. *Au cœur de la littérature d'enfance et de jeunesse*, Québec, Les Éditions La Liberté inc., 1998, 270 p.

LAULEY, France et Catherine PORET. *Littérature : mythes, contes et fantastiques (cycle 3)*, coll. Enseigner aujourd'hui, Paris, Bordas pédagogie, 2002, 127 p.

LÉON, Renée. *La littérature de jeunesse à l'école*, Paris, Hachette Éducation, 1994, 240 p.

POSLANIEC, Christian et Christine HOUYEL. *Activités de lecture à partir de la littérature de jeunesse*, coll. Pédagogie pratique à l'école, Paris, Hachette Éducation, 2000, 352 p.

POSLANIEC, Christian. *Vous avez dit littérature ?*, Paris, Éditions Hachette Éducation, 2002, 222 p.

POSLANIEC, Christian. *Donner le goût de lire*, Paris, Éditions du Sorbier, 2001, 248 p.

Écriture

BERGERON, Réal. « Relire son texte pour détecter et résoudre des problèmes de cohérence. Un défi de taille pour les scripteurs en apprentissage », *Québec français*, Hiver 2003, n° 128, p. 55 à 57.

BOYER, Jean-Yves, Jean-Paul DIONNE et Patricia RAYMOND (dir.). *La production de textes*, Montréal, Les Éditions Logiques, 1995, 332 p.

CHRISTOPHE, Suzanne et Claude GROSSET-BUREAU. *Jeux poétiques et langue écrite*, Paris, Bordas, 2000, 160 p.

COLLECTIF sous la direction de Réal BERGERON et de Godelieve DE KONINCK, *La grammaire au cœur du texte*, Les publications Québec français, numéro hors série, 1999, 120 p.

CONAIRE, Claudette-Marie et Patricia Mary RAYMOND. *Le point sur la production écrite en didactique des langues*. Québec, CEC. 1994, 145 p.

CORAN, Pierre et Pascal LEMAÎTRE. *L'atelier de poésie*, coll. Le grand livre de l'école, Tournai, Casterman, 1999, 110 p.

FABRE, Claudine. *Les brouillons d'écoliers ou l'entrée dans l'écriture*, coll. TEM : texte en main, Grenoble, Éditions L'atelier du texte / Ceditel, 1990, 233 p.

GROUPE ÉVA. *De l'évaluation à la réécriture*, Paris, INRP et Hachette Éducation, 1996, 264 p.

GROUPE ÉVA. *Évaluer les écrits à l'école primaire*, Paris, INRP et Hachette Éducation, 1991, 240 p.

HOPPER, Christophe et Christian VANDERDOPE. *Aides informatisées à l'écriture*, Montréal, Les Éditions Logiques, 1995, 228 p.

JOLIBERT, Josette et LE GROUPE DE RECHERCHE D'ÉCOUEN. *Former des enfants producteurs de textes*, Paris, Hachette Éducation, 1988-1994, 160 p.

JOLIBERT, Josette, Christine STRAIKI, Liliane HERBEAUX et LE GROUPE DE RECHERCHE D'ÉCOUEN. *Former des enfants lecteurs et producteurs de poèmes*, Paris, Hachette Éducation, 1992, 144 p.

MAILLÉ, Myriam et Pascal LEMAÎTRE. *À vos plumes*, coll. Les heures de bonheur, Tournai, Casterman, 1996, 52 p.

PERRAUDEAU, Michel. *Les ateliers d'écriture à l'école primaire*, Paris, Albin Michel, 1994, 128 p.

REUTER, Yves. *Enseigner et apprendre à écrire*, coll. Pédagogies, Paris, ESF, 1996, 182 p.

ROCHE, Anne, Andrée GUIGUET et Nicole VOLTZ. *L'atelier d'écriture : éléments pour la rédaction du texte littéraire*, Paris, Nathan, 2000, 150 p.

RODARI, Gianni (traduction de Roger Salomon). *Grammaire de l'imagination : introduction à l'art d'inventer des histoires*, coll. Contre-allée, Paris, Rue du monde, 1997, 224 p.

Langue

CAMPANA, Marc et Florence CASTINCAUD. *Comment faire de la grammaire*, Paris, ESF, 1999, 124 p.

CHARTRAND, Suzanne G. (dir.). *Pour un nouvel enseignement de la grammaire*, Montréal, Les Éditions Logiques, 1995, 448 p.

CHARTRAND, Suzanne G. et Claude SIMARD. *Grammaire de base*, Saint-Laurent, ERPI, 2000, 328 p.

GOMBERT, Jean-Émile. *Le développement métalinguistique*, Paris, PUF, 1990, 296 p.

LÉON, Renée. *Enseigner la grammaire et le vocabulaire à l'école*, Paris, Hachette Éducation, 1998, 176 p.

NADEAU, Marie et Sophie TRUDEAU. *Grammaire du troisième cycle. Pour apprendre, s'exercer et consulter*, Boucherville, Graficor, 2003, 330 p.

PARET, Marie-Christine. «La «grammaire» textuelle. Une ressource pour la compréhension et l'écriture des textes», *Québec français*, Hiver 2003, n° 128, p. 48 à 50.

POTHIER, Béatrice. *Comment les enfants apprennent l'orthographe: Diagnostic et propositions pédagogiques*, Paris, Retz, 1996, 200 p.

VIAU, Roland. *La motivation dans l'apprentissage du français*, Saint-Laurent, ERPI, 1999, 162 p.

Lecture

COLLECTIF (sous la direction de Jean-Yves BOYER, Jean-Paul DIONNE et Patricia RAYMOND). *Évaluer le savoir-lire*, Montréal, Les Éditions Logiques, 1994, 318 p.

COLLECTIF (sous la direction de Michel FAYOL, Jacques DAVID, Daniel DUBOIS et Martine RÉMOND. *Observatoire national de la lecture*, ministère de l'Éducation nationale et ministère de la Recherche). *Maîtriser la lecture, poursuivre l'apprentissage de la lecture de 8 à 11 ans*, Paris, Les Éditions Odile Jacob, 2000, 356 p.

GIASSON, Jocelyne. *Les textes littéraires à l'école*, Boucherville, Gaëtan Morin, 2000, 272 p.

GIASSON, Jocelyne. *La lecture: de la théorie à la pratique*, Boucherville, Gaëtan Morin, 1995, 334 p.

GIASSON, Jocelyne. *La compréhension en lecture*, Boucherville, Gaëtan Morin, 1990, 256 p.

JOLIBERT, Josette, Catherine CRÉPON et LE GROUPE DE RECHERCHE D'ÉCOUEN. *Former des enfants lecteurs. Tome 1*, Paris, Hachette Éducation, 1984, 128 p.

JOLIBERT, Josette, Catherine CRÉPON et LE GROUPE DE RECHERCHE D'ÉCOUEN. *Former des enfants lecteurs de textes. Tome 2*, Paris, Hachette Éducation, 1994, 96 p.

MARTIN, Michel. *Jeux pour lire*, Paris, Hachette Éducation, 1999, 240 p.

PELTIER, Michel. *Apprendre à aimer lire*, Paris, Hachette Éducation, 1995, 160 p.

PIGALLET, Philippe. *Méthodes et stratégies de lecture*, coll. Formation permanente en sciences humaines, Paris, ESF, 1996, 168 p.

ARTS
Général

ARDOUIN, Isabelle. *L'éducation artistique à l'école*, coll. Pratiques et enjeux pédagogiques, Paris, ESF, 2000, 126 p.

Arts plastiques

CANTIN, Claudette, Danièle RICHARD et Thérèse TRUDEL. *Rudiments d'arts plastiques*, coll. Multi-arts, Montréal, Centre éducatif et culturel, 1990, 264 p.

COLLECTIF (sous la direction de Moniques RICHARD et Suzanne LEMERISE). *Les arts plastiques à l'école: exploration de nouveaux territoires*, coll. Théories et pratiques dans l'enseignement, Montréal, Les Éditions Logiques, 1998, 354 p.

COLLECTION R. TAVERNIER. *Les arts plastiques à l'école : Découvertes et expression*. Cycles 1 et 2, Baume-les-Dames, Bordas, 2001, 128 p.

LAGOUTTE, Daniel. *Enseigner les arts plastiques*, Paris, Hachette Éducation, 1994, 222 p.

Manuel des artistes : toutes les techniques des arts plastiques, Paris, Nathan, 1982, 318 p.

PAOLORSI, Serge et Alain SAEY. *Les arts plastiques à l'école : 73 fiches d'activités du CP au CM2*, Paris, Retz, 1999, 168 p.

SADARNAC, Viviane et Jean-Pierre TEXIER. *Sensibilisation aux arts plastiques*, Paris, Temps apprivoisé, 1988, 168 p.

Art dramatique

BEAUCHAMP, Hélène. *Apprivoiser le théâtre*, Montréal, Les Éditions Logiques, 1997.

FÉRAL, Josette. *Mise en scène et jeu de l'acteur*, Montréal, Éditions Jeu Lansman, 1997.

HÉRIL, Alain et Dominique MÉGRIER. *60 exercices d'entraînement au théâtre : à partir de 8 ans*, Paris, Retz, 1992, 128 p.

HÉRIL, Alain et Dominique MÉGRIER. *Entraînement à l'improvisation théâtrale, 60 exercices commentés à partir de 8 ans*, Paris, Retz, 1999, 128 p.

LANDIER, Jean-Claude et Gisèle BARRET. *Expression dramatique : Théâtre*, Paris, Hatier, 1999, 240 p.

PAGE, Christiane. *Éduquer par le jeu dramatique*, Paris, ESF, 1997, 126 p.

PERRIER, Jean et Denise CHAUVEL. *50 jeux pour l'expression vocale et corporelle : 4-10 ans*, Paris, Retz, 2001, 126 p.

RIVAIS, Yak. *Rythme et jeux de langage : de la maternelle au collège*, Paris, Retz, 1997, 112 p.

ST-JACQUES, Diane. *L'attitude créative en activités dramatiques*, Montréal, Les publications de la faculté de l'éducation et l'Université de Montréal, 1991.

WALTER, Gisela. *Théâtre d'enfants. Comment monter un spectacle*, Paris, Casterman, 1995.

Science et technologie

AMERICAN ASSOCIATION FOR THE ADVANCEMENT OF SCIENCE. *Benchmarks for Science Literacy*, Toronto, Oxford University Press, 1993, 418 p.

BINGHAM, Jane. *Le livre des expériences*, Londres, Éditions Usborne, 1996, 64 p.

BONAN, Jean-Pierre. *Enseigner la physique à l'école primaire*, Paris, Hachette Éducation, 1998, 256 p.

BUSQUE, Laurier. *Le centre d'investigation : du jeu à l'expérience : stratégie pédagogique pour l'enseignement des sciences*, Ottawa, Presses de l'Université d'Ottawa, 1992, 180 p.

CAILLÉ, André. *L'enseignement des sciences de la nature au primaire*, Sainte-Foy, Presses de l'Université du Québec, 1995, 354 p.

CHAUVEL, Denise et Pascal CHAUVEL. *Les sciences de la nature au cycle 2*, Paris, Retz, 2001, 160 p.

COLLECTIF. *Le petit débrouillard. 66 expériences faciles à réaliser*, coll. Les petits débrouillards, Sillery, Québec Science Éditeur, 1987, 124 p.

COLLECTIF. *66 nouvelles expériences pour les petits débrouillards*, coll. Les petits débrouillards, Sillery, Québec Science Éditeur, 1983, 138 p.

CONNOR, S. et J. EBENEZER. *Learning to Teach Science. A Model for the 21ˢᵗ Century*, É.-U., Merrill Press, 1998, 390 p.

DEUNFF, Jeannine, Pierre ANTHEAUME, Michel DUPONT et Maurice MAUREL. *Découverte du vivant et de la terre*, Paris, Hachette Éducation, 1995, 336 p.

DE VECCHI, G. et A. GIORDAN. *L'enseignement scientifique: comment faire pour que «ça marche»?*, Nice, Z. éditions, 1994, 222 p.

DRIVER, R., GUESNE, E. et A. THIBERGIEN. *Children Ideas in Science*, Royaume-Uni, Open University Press, 1985, 208 p.

FOUREZ, G. *Alphabétisation scientifique et technique*, Belgique, De Boeck Université, 1994, 218 p.

GUICHARD, Jack et Jeannine DEUNFF (dir.). *Comprendre le vivant: la biologie à l'école*, Paris, Hachette Éducation, 2001, 250 p.

LAFFERTY, P. *Force et mouvement*, coll. Passion des sciences, Paris, Gallimard, 1993, 64 p.

LAROCQUE, Bernard. *J'aime les expériences*, coll. Les petits débrouillards, Saint-Lambert, Héritage Jeunesse, 1989, 96 p.

LAROCQUE, Bernard. *Encore des expériences!*, coll. Les petits débrouillards, Sillery, Québec Science Éditeur, 1985, 118 p.

MARTINAND, Jean-Louis, Aline COUÉ et Michel VIGNES. *Découverte de la matière et de la technique*, Paris, Hachette Éducation, 1995, 256 p.

NEWMARK, Ann. *La chimie*, coll. Passion des sciences, Paris, Éditions Gallimard, 1993, 64 p.

SAUL, W., J. REARDON, A. SCHMIDT, C. PEARCE, D. BLACKWOOD et M. DICKINSON BIRD, *Science Workshop*, Heinemann Educational Books, 1993.

THOUIN, Marcel. *Problèmes de sciences et technologie pour le préscolaire et le primaire*, Sainte-Foy, MultiMondes Éd., 1999, 664 p.

ZARKA, Yves. *Enseigner la biologie à l'école primaire*, Paris, Hachette Éducation, 1996, 208 p.

Univers social

À la découverte des institutions parlementaires du Québec. Assemblée nationale du Québec, 1992. [Document pédagogique].

BAKKEN, Edna. *L'Alberta*, coll. À la découverte du Canada, Montréal, Grolier, 1998. 128 p.

BARABY, Anne-Marie *et al.* Nations autochtones du Québec, Québec, Gouvernement du Québec/Ministère du Conseil exécutif/Sagmai, 1984, 171 p.

BEAULIEU, Alain. *Les autochtones du Québec. Des premières alliances aux revendications contemporaines*, Montréal/Québec/Rennes, Fides/Musée de la civilisation/Musée de Bretagne, 2000, 124 p.

BOURDON, Yves et Jean LAMARRE. *Histoire du Québec: une société nord-américaine*, Laval, Beauchemin, 1998, 320 p.

BRAULT, Jean-Rémi (dir). *Montréal au XIXᵉ siècle, Des gens, des idées, des arts, une ville*, Actes du colloque organisé par la Société historique de Montréal, Montréal, Leméac, 1990, 270 p.

CARDIN, Jean-François, Raymond BÉDARD et René FORTIN. *Le Québec: héritages et projets*, Laval, Éditions HRW, 1994, 502 p.

CARDINAL, Marie-Josée. *Montréal d'est en ouest*, Laval, Les 400 coups, 1999 [1995], 52 p.

CHARTRAND, Jean-Pierre. *Le Canada, un pays en évolution*, Montréal, Lidec, 1994, 555 p.

CHARTRAND, Luc, Raymond DUCHESNE et Yves GINGRAS. *Histoire des sciences au Québec*, Montréal, Boréal, 1987, 487 p.

Collectif Clio. *L'histoire des femmes au Québec depuis quatre siècles*, Montréal, Le Jour, 1992 [1982], 646 p.

COMBESQUE, Marie Agnès (dir.). *Introduction aux droits de l'homme*, Paris, Syros Jeunesse/Amnesty International, 1998, 207 p.

COMBRES, Elisabeth et Florence THINARD. *Mondes rebelles junior*, Paris, Éditions Michalon, 2001, 129 p.

COOK, Ramsay *et al. Histoire générale du Canada*, Sous la direction de Craig Brown; édition française sous la direction de Paul-André Linteau, Montréal, Boréal, 1988, 694 p.

CÔTÉ, Louise, Louis TARDIVEL et Denis VAUGEOIS. *L'indien généreux. Ce que le monde doit aux Amériques*, Montréal, Boréal, 1992, 287 p.

COUTURIER, Jacques Paul *et al. Un passé composé. Le Canada de 1850 à nos jours*, Moncton, Éditions d'Acadie : Regroupement des universités de la francophonie hors-Québec, 1996, 418 p.

DE BLIJ, H.J. et Peter O. MULLER. *Régions du monde*, Mont-Royal, Modulo, 1998, 452 p.

DICKINSON, John A. et Brian YOUNG. *Brève histoire socio-économique du Québec*, Sillery, Septentrion, 1995 [1992], 383 p.

DICKINSON, John A. et Brian YOUNG. *Diverse pasts: a history of Quebec and Canada*, Toronto, Copp Clark, 1995 (2ᵉ éd.), 420 p.

Dictionnaire biographique du Canada, Sainte-Foy, Presses de l'Université Laval. (Disponible en ligne : www.biographi.ca/fr)

DUPONT, Jean-Claude. *Les Amérindiens au Québec : culture matérielle*, Sainte-Foy, Éditions Dupont, 1994 (2ᵉ éd. revue et corrigée), 63 p.

EMMOND, Kenneth D. *Le Manitoba*, coll. À la découverte du Canada, Montréal, Grolier, 1998, 128 p.

FERRETTI, Lucia. *Brève histoire de l'Église catholique au Québec*, Montréal, Boréal, 1999, 203 p.

FRANCIS, R. Douglas, Richard JONES et Donald B. SMITH. *Origins. Canadian History to Confederation*, Toronto, Harcourt Canada, 2000 (4ᵉ éd.), 512 p.

GAGNON, Hervé, Valerie E. KIRKMAN et Carmen ALLISON. *Histoire du Québec et du Canada, des Premières Nations à nos jours. Espace, économies et société*, tome 2, Laval, Beauchemin, 1998, 180 p.

GARROD, Stan, Fred MCFADDEN et Rosemary NEERING. *Canada, growth of a nation*, Toronto, Fitzhenry & Whiteside, 1980, 304 p.

HACKER, Carlotta. *À la découverte de l'histoire du Canada*, Saint-Lambert, Héritage Jeunesse, 2002, 72 p.

HARDY, Jean-Pierre. *La vie quotidienne dans la vallée du Saint-Laurent (1790-1835)*, Sillery, Septentrion/Musée canadien des civilisations, 2001, 174 p.

L'état du monde junior, Encyclopédie historique et géopolitique, Paris, La Découverte, 2002, 192 p.

L'Histoire. Paris, Société d'éditions scientifiques, 1978. (Index de ce périodique disponible en ligne www.histoire.presse.fr)

LACOURSIÈRE, Jacques, Jean PROVENCHER et Denis VAUGEOIS. *Canada-Québec (1534-2000)*, Sillery, Septentrion, 2000, 591 p.

LAHAISE, Robert (dir.). *Le Devoir, reflet du Québec au 20ᵉ siècle*, La Salle, HMH, 1994, 504 p. (Cahiers du Québec, Collection Communications : CQ 110)

LAMONDE, Yvan. *Histoire sociale des idées au Québec, 1760-1896*, Montréal, Fides, 2000, 565 p.

Les Amérindiens et les Inuits du Québec : onze nations contemporaines, Québec, Secrétariat aux affaires autochtones, 2001, 32 p.

LESSARD, Michel. *Antiquités du Québec. Vie sociale et culturelle*, Montréal, Éditions de l'Homme, 1995, 380 p.

LESSARD, Michel. *Les objets anciens du Québec. La vie domestique*, Montréal, Éditions de l'Homme, 1994, 335 p.

LESSARD, Michel. *Meubles anciens du Québec : quatre siècles de création*, Montréal, Éditions de l'Homme, 1999, 543 p.

LESSARD, Michel. *Montréal métropole du Québec. Images oubliées de la vie quotidienne 1852-1910*, Montréal, Les Éditions de l'Homme, 1992, 303 p.

LESSARD, Michel. *Québec, ville du Patrimoine mondial. Images oubliées de la vie quotidienne 1858-1914*, Montréal, Les Éditions de l'Homme, 1992, 256 p.

LINTEAU, Paul-André, René DUROCHER et Jean-Claude ROBERT. *Histoire du Québec contemporain*, Tome I : *De la confédération à la crise (1867-1929)*, coll. Boréal compact, Montréal, Boréal, 1989, 758 p.

LINTEAU, Paul-André, René DUROCHER, Jean-Claude ROBERT et François RICARD. *Histoire du Québec contemporain*, Tome II : *Le Québec depuis 1930*, coll. Boréal compact, Montréal, Boréal, 1989. 834 p.

LINTEAU, Paul-André. *Histoire de Montréal depuis la Confédération*, Montréal, Boréal, 1992, 608 p.

MARGOSHES, Dave. *La Saskatchewan*, coll. À la découverte du Canada, Montréal, Grolier, 1998, 128 p.

MARTIJN, Charles A. *Les Micmacs et la mer*, Montréal, Recherches amérindiennes au Québec, 1986, 343 p.

MATHIEU, Jacques et Jacques LACOURSIÈRE. *Les mémoires québécoises*, Sainte-Foy, Presses de l'Université Laval, 1991, 383 p.

NANTON, Isabel *et al*. *La Colombie-Britannique*, coll. À la découverte du Canada, Montréal, Grolier, 1998, 143 p.

NOËL, Michel. *Amérindiens et Inuits : guide culturel et touristique du Québec*, Saint-Laurent, Éditions du Trécarré, 1996, 239 p.

NOËL, Michel. *Le Québec amérindien et inuit*, Québec, Éditions Sylvain Harvey, 1997, 58 p.

NOLL, Mark. A. *A History of Christianity in the United States and Canada*, Grand Rapids, Michigan, William B. Eerdmans, 1992, 576 p.

O'CONNOR, Maureen. *L'égalité des droits*, coll. Les droits de l'homme, Bonneuil-les-Eaux/Montréal, Gamma/École Active, 2000, 45 p.

PALARDY, Jean. *Les meubles anciens du Canada français*, Ottawa, Pierre Tisseyre, 1971 [1963], 411 p.

PORTER, John R. (dir.). *Un art de vivre. Le meuble de goût à l'époque victorienne au Québec*, Musée des beaux-arts de Montréal, 1993, 527 p.

PROVENCHER, Jean. *Chronologie du Québec, 1534-1995*, Montréal, Boréal, 1997 [1991], 365 p.

PROVENCHER, Jean. *Les Quatre Saisons dans la vallée du Saint-Laurent*, Montréal, Boréal, 1996, 605 p.

PROVOST, Michelle. *Nunavik : la terre où l'on s'installe*, coll. Les Premières nations, Boucherville/Québec, Graficor/Ministère de l'éducation et Musée de la civilisation, 1988, 40 p.

RAY, Arthur J. *I Have Lived Since the World Began. An Illustrated History of Canada's Native People*, Toronto, Lester Publishing/Key Porter Books, 1996, 398 p.

ROY, Marcel et Dominic ROY. *Je me souviens. Histoire du Québec et du Canada*, Saint-Laurent, ERPI, 1995, 534 p.

SHEMIE, Bonnie. *Ainsi s'est construit le Canada*, Toronto, Tundra Books, 2002, [s.p.].

SIMARD, Jean. *Les arts sacrés au Québec*, Ottawa, de Mortagne, 1989, 319 p.

SIMPSON, Danièle. *G'mtgiminu, notre terre : les Micmacs du Québec*, coll. Les Premières nations, Boucherville/Québec, Graficor/Ministère de l'éducation et Musée de la civilisation, 1999, 40 p.

STELTZER, Ulli. *Inuit, the North in transition*, Chicago, University of Chicago Press, 1985 [1982], 216 p.

TRUDEL, Jean et Jean SIMARD (dir.). *Le Grand héritage. L'Église catholique et la société du Québec*, Québec, Musée du Québec/Gouvernement du Québec, 1984, 2 volumes.

VOISINE, Nive (dir.). *Histoire du catholicisme québécois*. Vol. 2 : *Les XVIIIe et XIXe siècles*, tome 1 : *Les années difficiles (1760-1839)* et tome 2 : *Réveil et consolidation (1840-1898)*; vol. 3 : *Le XXe siècle*, tome 1 : *1898-1940* et tome 2 : *De 1940 à nos jours*, Montréal, Boréal, 1984.

WHITEHEAD, Ruth Holmes. *Elitekey : Micmac material culture from 1600 A.D. to the present*, Halifax, Nova Scotia Museum, 1980, 84 p.

Annexe 1.1

Épisode 1 : Le procès

André PAYETTE

Enchaînés et entourés d'une impressionnante escouade de brigadiers, Ammön et Klïma furent amenés à l'agora du tribunal galactique pour subir leur procès. Ou plutôt pour entendre leur condamnation, car cette cour était une sinistre farce. Le juge ? Amov, commandant cruel et sanguinaire, un des pires bandits de la galaxie. Les jurés ? Un ramassis de soldats errants qu'on avait rassemblés à la hâte et qui, pour la plupart, ne comprenaient pas un mot de la langue officielle. Tout autour, dans les gradins, une foule nombreuse et bruyante que des gardes armés avaient bien de la peine à contenir.

Maître Mümm, la vieille avocate de la défense, fit tout ce qu'elle put pour sauver les jeunes accusés. À bout de souffle, après une savante et vaine plaidoirie, elle s'effondra dans son fauteuil, vidée de toute force. Les dictateurs, elle le savait bien, ne connaissaient qu'une seule loi : celle de la terreur. Ils avaient brutalement supprimé les droits et libertés dans toute la galaxie.

Ammön et Klïma furent presque soulagés quand le juge rendit sa sentence :

«Toi, Ammön, fils unique de ce général traître dont nous ne prononcerons plus jamais le nom, tu es reconnu coupable de haute trahison. Toi, Klïma, princesse déchue du royaume d'Avona, dernière fille survivante de cette impératrice traîtresse dont nous ne prononcerons plus jamais le nom, tu es, toi aussi, reconnue coupable de haute trahison. Nous vous condamnons à l'exil à perpétuité.»

Le verdict fut accompagné d'un épouvantable vacarme. À ce tumulte s'ajoutaient les cris assourdissants du kiapo qui virevoltait rageusement au-dessus de la tête de Klïma.

Les brigadiers enfermèrent les jeunes condamnés dans un dépotoir d'animoïdes en attente de leur déportation prévue pour le jour même. Pourquoi dans ce lieu étrange ? Sans doute pour

les isoler des autres prisonniers, car les dictateurs gardaient une crainte respectueuse pour la fille et le fils des anciens dirigeants de la galaxie.

Curieusement, les brigadiers permirent aux condamnés de prendre tout ce qu'ils voulaient dans le dépotoir avant d'embarquer dans la capsule de déportation. Klïma et Ammön choisirent d'instinct un objet de forme indescriptible, tout cassé, auquel ils s'attachèrent tout de suite.

Klïma : Tu as vu ça, Ammön ? C'est assez étrange comme objet.

Ammön : Tu as raison, Klïma. C'est bizarre. Comment on va l'appeler ?

Peut-être parce qu'il avait l'air aussi misérable qu'eux, ils l'appelèrent « la chose », tout simplement, car ils étaient incapables de lui trouver un autre nom. L'avenir allait leur prouver qu'ils avaient fait un excellent choix.

Nom : _____

Quand j'ai discuté en équipe

Évalue ta participation à la discussion en te donnant une note sur 5.

Pendant la discussion d'équipe...

J'ai respecté le sujet de la discussion.

1   2   3   4   5

J'ai écouté les opinions émises par d'autres.

1   2   3   4   5

J'ai parlé à mon tour.

1   2   3   4   5

J'ai laissé les autres s'exprimer.

1   2   3   4   5

J'ai demandé des clarifications.

1   2   3   4   5

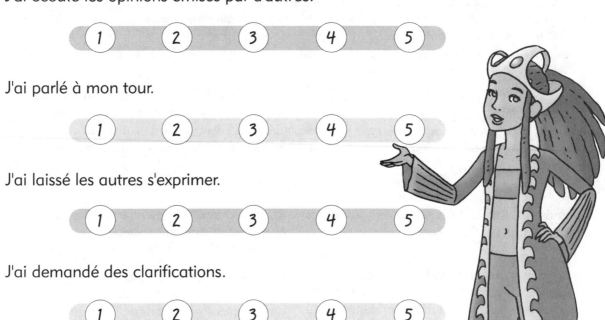

J'ai encouragé les autres à parler.

1   2   3   4   5

J'ai donné mon opinion sur le sujet.

1   2   3   4   5

J'ai tenu mon rôle.

1   2   3   4   5

Nom : _____

Félix Leclerc

Lis cette courte biographie.

Félix Leclerc est un des plus grands artistes québécois du 20e siècle. Il est à la fois auteur, conteur, dramaturge, poète et chansonnier.

Leclerc est né à La Tuque. Son père était commerçant de bois. C'est le sixième d'une famille de onze enfants. Son enfance est heureuse. Il commence des études classiques en 1928, mais le manque d'argent, en cette période de crise économique, le force à les abandonner en 1932.

Il devient alors annonceur à la radio de Québec, puis de Trois-Rivières. Par la suite, il écrit des textes pour des séries radiophoniques à Radio-Canada. Les textes sont publiés dans trois recueils : *Andante*, *Allegro* et *Adagio*.

Félix Leclerc aborde plusieurs thèmes : la nature, le rêve, la vie, la solitude, la mort, l'amour, le pays. Ses textes racontent souvent la vie des gens simples et l'amour du pays. Il est d'abord populaire en France, dès son premier tour de chant en 1950. Il reçoit en 1951, 1958 et 1973 le Grand prix du disque de l'Académie Charles-Cros qui est en France une des plus grandes distinctions qu'un chanteur peut recevoir. Il revient au Québec en 1953, s'installe sur l'île d'Orléans une dizaine d'années plus tard. Le public québécois l'apprécie de plus en plus et le reconnaît comme un pionnier de la chanson québécoise.

Félix Leclerc est décédé le 8 août 1988. Son œuvre, toujours actuelle, a contribué à renforcer l'identité des Québécois.

Nom : _____

Exemple de compte rendu

Ce modèle t'aidera à dresser des comptes rendus des conseils de coopération.

Conseil de coopération
21 septembre 2005

Ordre du jour

1. Retour sur le conseil précédent ✓
2. Félicitations et remerciements ✓
3. J'ai un problème avec... ✓
4. Les casiers (Isabelle) ✓
5. Routine au début de la journée (André) ✓
6. Messages clairs (Joëlle) ✓
7. Responsabilités dans la classe (Isabelle)
8. Notre semaine (Isabelle)

Compte rendu

1. On utilisera des feuilles autocollantes qu'on peut placer sur le journal mural pour écrire les messages.
2. Pas de félicitations ni de remerciements.
3. On profite des messages affichés pour retravailler les messages clairs et ainsi couvrir ce point déjà à l'ordre du jour.
4. Loi n° 2 : Il ne faut rien laisser traîner autour des casiers.
5. Pour commencer la journée, on met de la musique douce, on s'installe à sa place après avoir défait son sac, puis on lit ce qu'on veut pendant 10 minutes.
6. On a travaillé ce point au moment où l'on a exprimé les messages. Il faut désigner la personne à qui s'adresse le message, puis nommer le comportement agréable ou le comportement reproché, puis exprimer ce qu'on ressent. Dans le cas de situations désagréables, il faut vérifier si l'autre a compris.

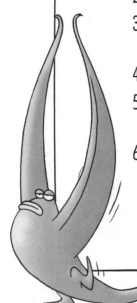

Mots d'orthographe

à l'endroit
accusation
accuser
allumer
appel
appeler
article
aspect
au secours
avis
avocat
  avocate
battre
brave
célèbre
charte
combat
commande
conduite
conséquence
coupable
cours
crochet
culpabilité
défendre
défense

définition
déposer
déranger
difficile
divorce
divorcé
  divorcée
droit
égal
  égale
  égaux
égalité
eh bien !
employer
entier
  entière
épreuve
exiger
façon
front
gâter
guérir
humain
  humaine
illégalité
information
informatique

inforoute
interroger
intrigue
jugement
justice
la plupart
légal
  légale
  légaux
libérer
libre
menteur
  menteuse
misère
n'importe comment
obligation
observation
participer
passé
pente
photographier
plat
  plate
poursuite
principal
  principale
  principaux

principe
procès
prononcer
propriétaire
protection
protéger
public
  publique
quartier
raccourcir
rare
refuser
répondre
réponse
riche
sécuritaire
seulement
social
  sociale
  sociaux
souffle
tribunaux
troupe
victime
vide
violence
voile

Lexique

Acquittement : renvoi d'un accusé reconnu non coupable. Ant. : condamnation.

Adresse (au jury) : expression des vœux d'une assemblée.

Archipel : ensemble d'îles.

Asphyxie : trouble qu'occasionne l'arrêt de la respiration.

Barre : lieu où comparaissent les témoins et où plaident les avocats.

Britannique : de Grande-Bretagne.

Capituler : se rendre à un ennemi.

Carcan : collier de fer fixé à un poteau pour exposer publiquement un criminel.

Concéder : donner.

Conviction (pièce à) : objet à la disposition de la justice pour fournir un élément de preuve dans un procès.

Crédible : que l'on peut croire.

Débrider : ôter la bride (la monture, le mors et les rênes) d'une bête.

Délibérer : discuter pour prendre une décision.

Dépouille : corps humain après sa mort.

Disculper : prouver l'innocence de quelqu'un.

Exhumé : ôté de la terre.

Impartial : qui n'a pas de parti pris, juste, neutre.

Infraction : violation d'une loi, délit.

Inhospitalier : où les conditions de vie sont difficiles, milieu peu accueillant.

Léguer : donner, transmettre par testament.

Mandat : pouvoir et devoir de faire quelque chose au nom d'une autre personne ou instance, ici la justice.

Perpétration : accomplissement.

Perpétuité (à) : pour toujours.

Plaidoirie : exposé oral qui défend une cause en justice.

Préliminaire : qui précède la matière principale, qui sert à éclaircir.

Présomption : supposition que l'on tient pour vraie jusqu'à preuve du contraire.

Primauté : caractère de qui est le premier, de ce qui prime.

Purgatoire : lieu où les âmes des morts vont le temps que leurs fautes ou péchés soient pardonnés dans la religion catholique.

Relique : partie d'un corps ou d'un objet gardée précieusement pour sa valeur symbolique, historique et plus souvent religieuse.

Seigneurie : domaine qui appartient à un seigneur, un maître, à l'époque de la Nouvelle-France.

Unanime : qui exprime un accord de tous.

Vague : flou, ni clair ni précis.

Verdict : jugement.

Voûté : courbé.

Bibliographie

Documentaires

ALLEMAND-BAUSSIER, Sylvie. *Un copain pas comme les autres*, coll. Oxygène, ill. d'Olivier Tossan, Paris, De la Martinière jeunesse, 2000, 106 p. Une réflexion sur la supposée différence des personnes qui ont des attitudes bizarres ou un handicap. De la même auteure : *Les handicaps*.   Cote : m

BINET, Laurence. *Marie contre les mauvaises fées*, coll. J'accuse !, Paris, Syros jeunesse, 1999. Comment se soigner alors qu'on vit dans la rue et qu'on n'a pas accès à la salle d'attente d'un médecin ?   Cote : d

BONNET, Michel. *Des enfants et des lucioles*, Voisins-le-Bretonneux, Rue du Monde, 1999, 242 p. Un ouvrage qui nous rappelle que la majorité des enfants qui peuplent la terre souffrent de beaucoup de façons.   Cote : d

COMBRES, Elisabeth et Florence THINARD. *Mondes rebelles junior : encyclopédie des conflits de la planète*, Paris, Michalon jeunesse, 2001, 130 p. Un ouvrage très instructif. Avec la participation de Médecins du monde.   Cote : d

HOESTLAND, Joe, Zarina KHAN et Nathalie CAMIER. *Les droits des hommes et des enfants*, coll. Mégascope, Paris, Nathan, 2000, 64 p. De belles photos percutantes tirées de situations passées et actuelles navrantes. Un point de vue historique et social accessible. Cote : d

LABBÉ, Brigitte et Michel PUECH. *La justice et l'injustice*, coll. Les goûters philo, ill. de Jacques Azam, Toulouse, Milan, 2000, 40 p. Cette collection aborde des thèmes subjectifs par des mises en scène et des exemples simples qui favorisent la discussion. Dans la même collection : *Les chefs et les autres, Libre et pas libre, Ce qu'on sait et ce qu'on ne sait pas, Pour de vrai et pour de faux, Le bien et le mal*.   Cote : f

LA ROCHE SAINT-ANDRÉ, Anne de et Brigitte VENTRILLON. *Mon copain a volé : interdiction du vol*, coll. Autrement junior/Société, Paris, Autrement, 2001, 48 p. Dans la même collection : *J'ai été racketté, Pourquoi je vais à l'école ?*   Cote : m

O'CONNOR, Maureen. *L'égalité des droits*, coll. Les droits de l'homme, Bonneuil-les-Eaux, Gamma/Montréal, École active, 2000, 46 p. Dans la même collection : *La liberté de penser, La liberté d'expression, Les droits des travailleurs*.   Cote : m

SAINT-MARS, Dominique de. *Le petit livre pour dire non à la violence*, ill. de Serge Bloch, Paris, Bayard-Astrapi, 1998, 32 p. Sur les risques de la violence. Dans la même collection : *Le petit livre pour dire non à la maltraitance... à l'intolérance et au racisme*.   Cote : f

SERRES, Alain. *Le grand livre des droits de l'enfant*, ill. de Pef, Voisins-le-Bretonneux, Rue du Monde, 1999, 92 p. Un bilan de la situation des enfants dans le monde avec le texte intégral de la Convention des droits de l'enfant.   Cote : m

VIVET, Pascale. *Les enfants maltraités*, coll. Les essentiels Milan, Toulouse, Milan, 1998, 64 p. Pour réfléchir à ce sujet toujours d'actualité.   Cote : m

Fiction

ADLER, Carole S. *La sœur de mon frère*, Paris, Castor poche Flammarion, 1997, 220 p. L'arrivée d'une jeune Coréenne adoptée dans sa nouvelle famille.   Cote : m

AGNANT, Marie-Célie. *Alexis, fils de Raphaël*, coll. Atout, Montréal, Hurtubise HMH, 2000, 222 p. Un adolescent prend conscience d'atrocités dont sont victimes des gens tout aussi innocents que lui. De la même auteure : *Alexis d'Haïti*.   Cote : m

CAMUS, William. *Un os au bout de l'autoroute*, coll. Livre de poche jeunesse, Paris, Hachette, 1996. Une fiction qui met en lumière des conflits entre Amérindiens et Blancs. Du même auteur : *La grande peur*.   Cote : d

CARTER, Forrest. *Pleure, Géronimo*, coll. Folio, Paris, Gallimard, 1997, 332 p. L'histoire du dernier chef Apache et de la disparition d'une civilisation.   Cote : d

DAVID, François. *L'enfant volé*, coll. Aventure, ill. d'Hugues Micol, Paris, Nathan, 1999, 116 p. Un bébé tsigane a été volé... L'enfant grandit dans sa riche famille. Un jour, ses parents l'amènent jusque dans un camp tsigane...   Cote : m

DIMEY, Dominique. *C'est le droit des enfants !*, coll. Un livre, une voix, ill. de Jacques Blanpain, Arles, Actes Sud junior, 1999, 44 p. Un enfant qui fait un voyage imaginaire découvre la vie misérable de milliers d'enfants : solitude, travail forcé, violence, pauvreté extrême, esclavage, conflits religieux, guerre et autres abus. Un livre-disque parrainé par l'Unicef.   Cote : f

DUMONT, Virginie. *J'ai peur du Monsieur*, coll. Les histoires de la vie, ill. de Madeleine Brunelet, Arles, Actes Sud junior, 1997, 48 p. Sous forme de fiction, on soulève la délicate question de la violence envers les enfants.   Cote : m

DUPONT, Jean-Claude. *Les trésors cachés*, Sainte-Foy, Éditions J.-C. Dupont, 1999, 180 p. Des légendes. Du même auteur : *Légendes amérindiennes*, *Légendes de la Gaspésie et des Iles-de-la-Madeleine*, *Légendes du Saint- Laurent*, *Légendes du cœur du Québec*, *Légendes des villages*, *Légendes de l'Amérique française*.   Cote : m

FINE, Anne. *Mon amitié avec Tulipe*, coll. Médium, Paris, École des loisirs, 1998, 196 p. La fille d'un gérant de grand hôtel développe une amitié ambivalente avec une autre fillette. On aborde la maltraitance, la haine, la violence, le malaise.   Cote : d

GODDEN, Rumer. *La petite fille à la roulotte*, coll. Folio junior, Paris, Gallimard, 1998, 154 p. Une petite gitane qui vit dans une roulotte avec sa grand-mère est marginalisée par les élèves de son école.   Cote : m

GONZALEZ, José Luis. *Le voleur volé : pièce en deux tableaux*, coll. Le théâtre de Guignol, ill. de Sophie Dutertre, Paris, Seuil, 1998, 42 p. Guignol est mêlé à une cocasse histoire de vol.   Cote : m

GRENIER, Christiane. *Faut-il brûler Jeanne ?*, ill. de Nicolas Wintz, Paris, Nathan, 1999, 200 p. Un récit de science-fiction qui reprend l'histoire de Jeanne d'Arc.   Cote : d

HENRY, Jean-Marie. *La cour couleurs*, coll. La poésie, Voisins-le-Bretonneux, Rue du Monde, 1998, 62 p. Une anthologie de poèmes contre le racisme, avec une préface d'Albert Jacquart.   Cote : m

HERZHAFT, Gérard. *À Chicago, un harmonica sanglote le blues*, Paris, Seuil, 2000, 186 p. Aux États-Unis, dans les années 1950, une histoire de délinquance, de ghetto noir, de rivalité, de racisme.   Cote : d

HOESTLAND, Jo. *Coup de théâtre à l'école*, coll. J'aime lire, ill. de Claude et Denise Millet, Paris, Bayard jeunesse, 2003, 42 p. À l'école, on monte *Blanche-Neige* en pièce de théâtre. Une petite Africaine doit jouer le rôle principal. Ça ne fait pas l'affaire de tout le monde!
                    Cote: f

MAGORIAN, Michelle. *Bonne nuit, M. Tom*, coll. Folio junior, ill. de Johanna Kang, Paris, Gallimard, 1998, 348 p. En 1939, les enfants de Londres sont évacués vers les campagnes pour échapper aux bombardements. Un garçon est confié à un vieil homme bourru. Ils s'apporteront beaucoup de réconfort.   Cote: d

MATIVAT, Daniel. *La maudite*, coll. Chacal, Saint-Laurent, Pierre Tisseyre, 1999, 136 p. Un roman fantastique où l'on retrouve la Corriveau.   Cote: d

NÖSTLINGER, Christine. *Mini détective*, coll. Bibliothèque rose/Mini, Paris, Hachette jeunesse, 1999, 92 p. Un petit détective épris de justice est à la recherche de voleurs.   Cote: f

ROGER, Marie-Sabine. *Pitié pour les voleurs!*, coll. Comme la vie, ill. de Stéphane Girel, Paris, Casterman, 2002, 106 p. Qui eût cru que pour rendre service on pouvait devenir voleur et même assassin... De la même auteure: *Le mystère Esteban*.   Cote: m

SAUERWEIN, Leigh (choix des textes et traduction). *Contes de l'Ouest américain: les aventures de Pecos Bill*, coll. Neuf, ill. d'Arthur Robbins, Paris, École des loisirs, 2002, 124 p. Des histoires de cow-boys et de hors-la-loi.   Cote: m

STAPLES, Suzanne Fisher. *Un ciel d'orage*, coll. Page blanche, Paris, Gallimard, 2000, 292 p. Dans une ferme de Virginie, le fils d'un propriétaire et une Noire descendante d'esclaves sont amis... jusqu'à la découverte d'un meurtre.   Cote: d

TIBET. *À la recherche du taon perdu*, coll. Les aventures de Chick Bill, Bruxelles, Lombard, 1999, 46 p. Une BD essoufflante sur des faux-monnayeurs.   Cote: m

Jean de La Fontaine

Fables [enregistrement sonore], coll. Livre-audio Coffragants, musique d'Alexandre Stanké, A. Stanké, 2002. Trois disques compacts avec la collaboration d'Albert Millaire.

Les fables de La Fontaine, coll. Fables et contes classiques, Paris, Éditions du Korrigan, 2001.

Fables, ill. de Lionel Koechlin, Paris, Seuil jeunesse, 2002, 76 p.

Fables, coll. Folio junior, Paris, Gallimard jeunesse, 2002, 126 p.

Anthologie des fables de La Fontaine choisies et lues par Michel Leeb, ill. de Philippe de Kemmeter, Paris, Éditions du Layeur, 2001. Livre et disque compact.

Les plus belles fables, ill. de Carlos Busquets, Paris, EDL, 2001, 128 p.

Fables de La Fontaine, ill. Rebecca Dautremer, Paris, Magnard, 2001, 62 p.

Fables de La Fontaine, coll. Milan poche cadet; Éclats de rire, ill. de Frédéric Pillot, Toulouse, Milan, 2001.

Fables, ill. de François Crozat, Toulouse, Milan, 2000, 62 p.

Fables, texte intégral, ill. de Born Adolf, Paris, Gründ, 2000, 586 p.

Fables de La Fontaine, texte intégral, ill. de Gustave Doré, Mont-Royal, Phidal, 2000, 446 p.

Les fables de Jean de La Fontaine illustrées par Gustave Doré, Montréal, Agence du livre, 2000, 480 p.

Sites Internet

La justice, les procès, la Cour
www.tribunaux.qc.ca/c-quebec/index-cq.html
www.justice.gouv.qc.ca/francais/tribunaux/quebec/quebec.htm
www.justice.gouv.qc.ca/francais/tribunaux/quebec/civil.htm

La légende de la Corriveau
www.legrenierdebibiane.com/trouvailles/legendes/corriveau/page_titre.html

Les légendes du Québec
pages.infinit.net/paule11/recherche-1.htm
www.dromadaire.com/catsansun/legendesduquebec

La conquête de 1763 et ses suites
www.nlc-bnc.ca/2/18/h18-2002-f.html
www.iquebec.ifrance.com/canada1820/laconquete.htm
pages.infinit.net/histoire/quebech2-a.html
pages.infinit.net/historia/loyaliste.html
www.canadiana.org/citm/imagepopups/c002834_f.html
www.archiv.umontreal.ca/P0000/P0154.htm

Guerre de l'indépendance américaine
yansanmo.no-ip.org:8080/educatio/ecole/histoire/histoire3_2.htm
fr.encyclopedia.yahoo.com/articles/ni/ni_2330_p0.html

Les fables de La Fontaine
www.callisto.si.usherb.ca/~gisweb/gis/fables/cigalefourmi3/fable.htm
www.dogstory.net/fables.htm

Félix Leclerc
www.geocities.com/leclerc_felix/

Droits de l'enfant
www.droitsenfant.com/
www.mes-droits-enfant.com/
afides.org/RDE/73/droits-enfant.html

Épisode 2 : La déportation

Claude Morin, André Payette

Dans la navette de déportation automatisée qui les propulse vers Hybridian, leur planète d'exil, Klïma et Ammön sont hantés par des images de créatures étranges et par des visions de leurs parents et amis qui sont disparus. À travers les hublots de leur cellule, ils aperçoivent au loin des silhouettes qui se déplacent lentement dans une brume bleutée. Il y a des créatures luisantes au teint verdâtre, de longs androïdes à trompes et des dizaines de mollusques rampants aux mille ventouses.

Ammön : Mais qu'est-ce qui se passe ?

Klïma : Le kiapo a senti quelque chose. Écoute.

Ammön : On dirait un Trek !

Klïma : Un quoi ?

Ammön : Un Trek. Tu sais, ces petits combattants féroces qui vivent dans les forêts vierges de la planète Mitrak.

Klïma : Ils ont lutté bravement contre les troupes des dictateurs. Mais ils ont dû perdre le combat, eux aussi.

Ammön : Écoute. Ils l'ont enfermé dans une cellule. Ils en ont peur, Klïma. Si une occasion se présente, ce Trek sera un bon allié pour nous.

Klïma : Ammön ! Regarde, c'est incroyable !

Ammön : Ma parole ! La chose se transforme en kiapo !

Klïma : Mais je ne comprends pas. Comment est-ce possible ?

Ammön : D'après moi, Klïma, notre chose est un animoïde psychomimétique.

Klïma : Mais les dictateurs les ont tous fait détruire, tu le sais bien !

Ammön : Eh bien, celui-là leur a échappé, Klïma. Et il a l'air bien plus perfectionné que tous ceux dont j'ai entendu parler.

Klïma : Écoute ce chant. On dirait que notre petit kiapo essaie de faire du charme à son nouvel ami...

Ammön : Ça prouve que la chose a fait une imitation parfaite. Regarde le battement d'ailes. Regarde les couleurs. Qui pourrait reconnaître le vrai kiapo ? C'est extraordinaire !

Tu vois, Klïma, la chose peut reprendre sa forme initiale en une fraction de seconde. Il faudra que nous apprenions à bien nous concentrer mentalement pour guider ses futures transformations. Tu te rends compte à quel point ça pourra nous être utile ?

Klïma : Je sais, Ammön. Nous aurons tout le temps qu'il faut pour faire des exercices de concentration. Ammön, qu'est-ce qui se passe encore ?

Ammön : Notre pauvre kiapo a l'air bien mal en point. Il ne bouge presque plus. Qu'est-ce qu'on peut faire ?

Klïma caressa doucement le brave animal pour le calmer et elle devina bien vite l'origine de son étrange malaise. Un coup d'œil au hublot confirma sa terrible intuition, car toutes les créatures se tordaient de douleur.

Klïma : J'ai peur que nous soyons tous en danger, Ammön. Les dictateurs ne veulent pas nous exiler, mais nous éliminer.

Nom : _____

Ce que je pense du projet

Remplis cette fiche de réflexion et réévalue tes idées au fil du projet.

Titre du projet : _____

Date : _____

Ce projet m'intéresse parce que… _____

_____

Il ne m'intéresse pas parce que… _____

_____

Ce qui m'intéresse le plus dans ce projet, c'est… _____

_____

Ce qui m'intéresse le moins dans ce projet, c'est… _____

_____

Mes interrogations par rapport à ce projet sont… _____

_____

Je crois pouvoir bien participer à ce projet parce que… _____

_____

Je crois avoir de la difficulté à participer à ce projet parce que… _____

_____

Mes suggestions pour ce projet sont… _____

_____

_____

_____

Je me rallie à ce projet. *Signature :* _____

Nom : _____

Grille d'observation de la discussion

Observe un ou une camarade et remplis cette grille.

Nom de l'élève observé(e) : _____

Nom de l'observateur ou de l'observatrice : _____

	Presque toujours	Souvent	Presque jamais
L'élève parle à son tour, sans interrompre les autres.	☐	☐	☐
L'élève regarde les autres lorsqu'ils parlent et lorsqu'il ou elle leur parle.	☐	☐	☐
L'élève dit ce qu'il ou elle a compris des propos des autres.	☐	☐	☐
L'élève pose des questions pour mieux comprendre.	☐	☐	☐

Voici ce que je retiens de la discussion : _____

_____

_____

_____

_____

_____

Nom : _____

Ma façon de lire

Remplis cette fiche de réflexion sur la lecture.

Est-ce que j'aime la lecture ?

Oui ◯   Non ◯   Moyennement ◯

Pourquoi ? _____

À quelle fréquence je lis et quand ? _____

Le genre de livre que je préfère est... _____

Un exemple : _____

Je peux prévoir ce qui va arriver dans un texte.

La plupart du temps ◯   Souvent ◯   Rarement ◯

Explique : _____

Je pose facilement des questions sur un texte.

Oui ◯   Non ◯   Moyennement ◯

Explique : _____

Je peux dire dans mes mots ce que j'ai compris de ma lecture.

La plupart du temps ◯   Souvent ◯   Rarement ◯

Explique : _____

Pour me choisir un roman, je... _____

Voilà où je me situe lorsque je lis un roman :

débutant ◯   intermédiaire ◯   avancé ◯   expert ◯

Ce que je pense de ma façon de lire : _____

_____

Un point que j'aimerais améliorer : _____

_____

Pendant la lecture partagée

Remplir cette grille d'observation pour quelques élèves à la fois

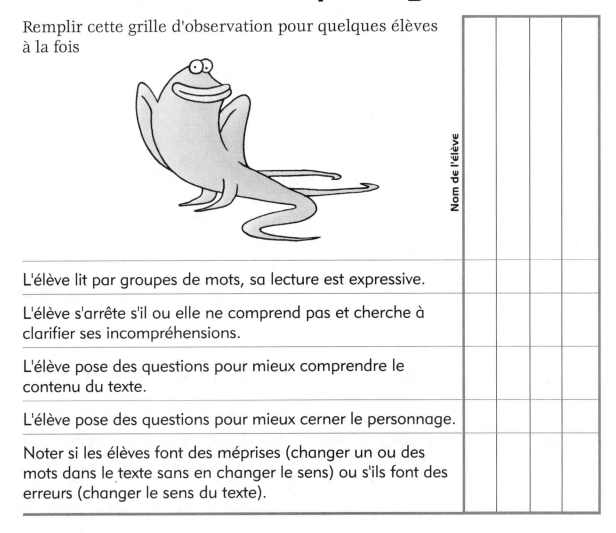

	Nom de l'élève		
L'élève lit par groupes de mots, sa lecture est expressive.			
L'élève s'arrête s'il ou elle ne comprend pas et cherche à clarifier ses incompréhensions.			
L'élève pose des questions pour mieux comprendre le contenu du texte.			
L'élève pose des questions pour mieux cerner le personnage.			
Noter si les élèves font des méprises (changer un ou des mots dans le texte sans en changer le sens) ou s'ils font des erreurs (changer le sens du texte).			

COMMENTAIRES

_____

_____

_____

_____

_____

_____

Nom : _____

Fiche de présentation du roman

Remplissez cette fiche qui vous aidera à présenter un roman.

Écrivez la référence de votre roman (auteur, titre, collection, illustrateur, lieu d'édition, maison d'édition, année de parution, nombre de pages).

_____

_____

Qui est ou qui sont les personnages principaux ? _____

_____

Où se déroule l'histoire ? _____

Quelle est la mission, la quête ou le but du ou des personnages principaux ?

_____

_____

Nommez une tâche qu'ils doivent accomplir ou une épreuve qu'ils doivent traverser.

_____

Identifiez des éléments magiques, surnaturels ou irréels dans cette histoire.

_____

_____

Racontez cette histoire rapidement. _____

_____

_____

Avez-vous aimé ce livre ? Dites pourquoi. _____

_____

Ce livre ressemble-t-il à d'autres livres, histoires ou films que vous avez déjà vus, lus ou entendus ? Dites lesquels et ce qu'il y a de commun.

_____

_____

_____

Mots d'orthographe

à l'extérieur
achever
affreux
  affreuse
affrontement
affronter
afin de
aiguille
allumette
apeuré
  apeurée
apparaître
appeler
aptitude
aspect
assommer
aussitôt
aventure
beauté
bête
brave
braver
brillant
  brillante
ça
caractère
celui
  celle
ces
c'est
chœur
chorégraphie
cimetière
clé
clef
commander
congeler
conte
coquillage
couler
courageux
  courageuse
créer
critique

danger
dangereux
  dangereuse
débarquer
dedans
défaut
défilé
dégager
déguisé
  déguisée
déguiser
dehors
dès
dès que
diamant
difficulté
divers
  diverse
élan
emporter
ennemi
  ennemie
entourer
environnement
épais
  épaisse
étrange
étroit
  étroite
explication
exposer
faible
fantaisie
fantastique
film
fin (n.)
former
frontière
géant
  géante
golfe
guetter
hanté
  hantée

hibou
humeur
imaginaire
imagination
imaginer
informer
inutile
irréel
  irréelle
là-bas
le leur
  la leur
le mien
  la mienne
le nôtre
  la nôtre
le sien
  la sienne
le vôtre
  la vôtre
libre
lieu
livrer
longtemps
magnifique
marché
mentir
merveilleux
  merveilleuse
miroir
mission
mode
mystérieux
  mystérieuse
naître
n'importe où
objet
observer
orgueil
palais
palpitant
  palpitante
paradis
passion

pâte
percer
personnage
poursuivre
presser
prince
  princesse
principal
  principale
  principaux
prison
promettre
qualité
quitter
réellement
regretter
rêve
réveiller
rêver
sang
secret
  secrète
serpent
sève
social
  sociale
  sociaux
souffler
surprise
tandis que
tendre
tendrement
tendresse
terrible
tiède
titre
tout à coup
trait
triste
tristesse
vaillant
  vaillante
vieillard
voix

Lexique

Amour courtois : amour chevaleresque, généreux, poli, poétique, admiratif des chevaliers envers les femmes au Moyen Âge.

Anthracite : gris foncé comme la houille (combustible fossile) qui porte ce nom.

Bicéphale : qui a deux têtes.

Chancelant : qui va perdre l'équilibre.

Chuintement : son sifflant comme le cri de la chouette.

Cithare : lyre, instrument de musique à cordes pincées.

Colimaçon (en) : en spirale.

Conspirateur : qui participe à une entente secrète contre quelqu'un ou quelque chose.

Consumer (les ennemis) : détruire par le feu.

Convive : qui prend un repas avec d'autres personnes.

Dédale : lieu rempli de petits chemins et de détours, labyrinthe.

Démembrer : ôter les membres.

Dépecer : mettre en pièces, en morceaux.

Électrode : conducteur d'électricité.

Émacié : très maigre.

Émaner : provenir, se dégager d'une chose, d'un endroit.

Empaler : transpercer le corps d'un pieu, d'un bâton long et pointu.

Encombre : obstacle, embûche, difficulté.

Entrailles : intestins.

Faîte : sommet.

Foncièrement : profondément, absolument.

Geôlier : surveillant d'une prison.

Granit : roche cristalline.

Hybride : qui provient d'un croisement de deux espèces.

Incrédule : méfiant.

Initié : qui a eu une initiation, à qui on a révélé un secret.

Insuffler : donner (du courage, de la force…).

Lugubre : triste, sinistre.

Mage : devin, magicien, genre de sorcier.

Mansarde : pièce avec un mur incliné.

Parcheminé : plissé et desséché comme du parchemin (peau d'animal séchée qu'on utilisait autrefois comme papier).

Pieuse : religieuse.

Polyvalent : qui peut faire plusieurs choses, qui a plusieurs usages.

Proscrire : interdire.

Prostré : abattu, sans force.

Prunelle : pupille de l'œil.

Pseudonyme : nom d'emprunt qu'on peut utiliser pour rester anonyme, inconnu.

Serti : fixé, enchâssé.

Succomber : céder, ne pas résister (à la tentation, par exemple).

Suspicieusement : avec méfiance.

Syntonisé : réglé à une fréquence déterminée, à un poste de radio.

Tumultueux : agité, remuant.

Vampiriser : en mordant sa victime au cou, en parlant d'un vampire, enlever sa personnalité à une personne et la mettre sous sa dépendance.

Vouer sa vie à : consacrer sa vie à quelque chose.

Bibliographie

Documentaires

CAHEN, Philippe. *Halloween, le guide*, Paris, Presses du management, 2000, 120 p. Des décorations, des costumes et des recettes dont on pourra s'inspirer.   Cote : m

DAVIDSON, Marie-Thérèse. *Sur les traces d'Ulysse*, coll. Sur les traces, Paris, Gallimard jeunesse, 2001, 128 p. Une vue d'ensemble du contexte de cette légende.   Cote : m

HÉRIL, Alain et Dominique MÉGRIER. *60 exercices d'entraînement au théâtre : à partir de 8 ans*, Paris, Retz, 1992, 128 p. Pour diversifier les activités de préparation aux séquences dramatiques en classe.   Cote : m

MAGGIPINTO, Donata. *Fêter l'Halloween : petits plats et friandises, idées de décorations*, Paris, Artémis, 2001, 96 p. Un ouvrage simple et bien illustré.   Cote : f

MAJOR, Henriette et Claude LAFORTUNE. *L'évangile en papier*, Montréal, Fides, 1997, 94 p. Un classique pour apprendre des techniques comme le pliage et le collage.   Cote : m

MOTTA, Patricia. *Citrouilles en liberté : 18 décors*, Paris, Massin, 2000, 60 p. Des idées de décors d'Halloween dont on explique la fabrication étape par étape.   Cote : m

OLLIVIER-PIKETTI, Aurore. *Tout pour fêter Halloween*, coll. Faites vous-même/Passion, Paris, D. Carpentier, 1999, 80 p. De bonnes idées macabres bien adaptées pour le troisième cycle. De la même auteure : *Le pêle-mêle d'Halloween, petits décors faciles*.   Cote : m

WIÉNER, Magali. *Le théâtre à travers les âges*, coll. Castor doc junior, ill. de Jean-Marie Michaud, Paris, Castor poche Flammarion, 2000, 184 p. Une petite histoire du théâtre.   Cote : d

Fiction

BERGERON, Lucie. *La proie des ombres*, coll. Libellule, ill. de Bruno St-Aubin, Saint-Lambert, Dominique et compagnie, 1998, 128 p. Dans une boutique de farces et attrapes, Jeanne et son ver de terre passent des moments qu'ils ne sont pas près d'oublier.   Cote : f

BERNARDINI, Jean-Charles. *Les larmes de la libellule*, coll. Le cercle magique, ill. d'Edmond Baudoin, Paris, Mango jeunesse, 2002, 62 p. Pour sauver une princesse, un jeune Japonais affronte diverses épreuves, comme Nacha.   Cote : m

CAUCHY, Nicolas. *Le voyage d'Ulysse*, ill. de Morgan, Paris, Gautier-Languereau, 1999, 42 p. Une adaptation de l'*Odyssée*.   Cote : m

CÔTÉ, Denis. *Les otages de la terreur*, coll. Roman jeunesse, ill. de Stéphane Poulin, Montréal, La courte échelle, 1998, 96 p. Trois amis se sont pris au piège terrible d'une maison qui leur semble maléfique. Du même auteur sur le thème de la peur : *Le parc aux sortilèges*.   Cote : m

CHRÉTIEN de TROYES. *Perceval ou Le roman du Graal*, coll. Folio junior, Éd. spéciale, ill. de Gismonde Curiace, Paris, Gallimard, 1997, 256 p. Pour lire quelques extraits ou le texte entier de ce grand classique.   Cote : d

CROSSLEY-HOLLAND, Kevin. *Arthur, La pierre prophétique* (vol. 1), *À la croisée des chemins* (vol. 2), Paris, Hachette jeunesse, 2002, 596 p. Pour les passionnés.   Cote : d

GLOT, Claudine. *Sur les traces du roi Arthur*, coll. Sur les traces, ill. de Philippe Munch, Paris, Gallimard jeunesse, 2001, 126 p. Pour mieux connaître ce personnage.   Cote : m

GRIMAUD, Michel. *Le tyran d'Axilane*, coll. Folio junior, ill. de Nathaële Vogel, Paris, Gallimard jeunesse, 1998, 144 p. Un livre de science-fiction sur une quête difficile.   Cote : d

HOMÈRE. *Voyages et aventures d'Ulysse : extraits de l'Odyssée*, coll. Folio junior/Édition spéciale, Paris, Gallimard jeunesse, 1999, 294 p. Des extraits palpitants.   Cote : d

JONG, Romano. *Les aventures d'Alice au pays du merveilleux ailleurs*, coll. Avis de tempête, Paris, Au bord des continents, 2002, 160 p. Une adaptation de ce grand classique de Lewis Caroll.   Cote : d

KÉRILLIS, Hélène. *L'extraordinaire voyage d'Ulysse*, ill. d'Erwan Fages, Paris, Hatier, 1998, 94 p. De la même auteure : *Arthur et l'enchanteur Merlin*.   Cote : m

MAROIS, André. *Un ami qui te veut du mal*, coll. Boréal junior, ill. de Gérard Dubois, Boréal, 1999, 112 p. Lors d'une colère, un garçon brise un miroir d'où sort un personnage qui lui mènera la vie dure.   Cote : m

MAROIS, Carmen. *Le fantôme de Mesmer*, coll. Picote et Galatée/Bilbo jeunesse, ill. de France Brassard, Boucherville, Québec/Amérique, 1993, 110 p. Une histoire de sorcières, de fantômes et de bandits. De la même auteure : *Un dragon dans la cuisine, Le piano de Beethoven, Les Botero, L'idée de Saugrenue*. Sous son pseudonyme Anne Richter : *La malédiction de l'île des Brumes, Cauchemar dans la ville, L'inconnu du cimetière*, etc.   Cote : m

MARTEL, Julie. *Le château d'amitié*, coll. Jeunesse-pop/Fantastique épique, Montréal, Médiapaul, 1998, 136 p. Une jeune magicienne doit aller à la conquête d'un royaume et affronter de puissants adversaires.   Cote : d

MORPUGO, Michael. *Le roi Arthur*, coll. Folio junior, ill. de Michael Foreman, Paris, Gallimard, 1998, 240 p. Les aventures des chevaliers de la Table ronde.   Cote : d

OVAZZA, Maud. *Les chevaliers de la Table ronde*, coll. L'histoire illustrée, ill. de Jean-Noël Rochat, Rennes, Ouest-France, 2001, 60 p. L'histoire légendaire de ces chevaliers.   Cote : m

PETIT, Richard. *Le labyrinthe du cyclope*, coll. Votre passepeur pour un horrible cauchemar, Repentigny, Les presses d'or, 2002, 106 p. Un livre dont vous êtes le héros.   Cote : f

SANSCHAGRIN, Joceline. *Le cercle des magiciens*, coll. Roman jeunesse, ill. de Pierre Pratt, Montréal, La courte échelle, 1998, 96 p. Wondeur doit combattre un dragon pour récupérer le bracelet qui lui fera retrouver ses pouvoirs.   Cote : f

SAVOIE, Jacques. *Le plus beau des voyages*, coll. Roman jeunesse, ill. de Geneviève Côté, Montréal, La courte échelle, 1997, 90 p. Deux histoires en une : celle d'Ulysse et celle de deux enfants que cette aventure classique passionne.   Cote : m

SHAN, Darren. *L'assistant du vampire*, coll. La saga de Darren Shan, Paris, Pocket jeunesse, 2001, 218 p. Entouré de personnages de cirque peu rassurants comme l'homme-loup et la femme-serpent, l'assistant du vampire finira-t-il par se décider à boire du sang ? Dans la même collection : *Parade de monstres* et *Les égouts du diable*.   Cote : d

VALLON, Jacqueline. *L'histoire d'Ulysse et du cyclope*, ill. de Maurice Pommier, Paris, Gallimard, 1998, 38 p. Une version assez courte de cette aventure d'Ulysse.   Cote : m

VOGLINO, Alex et Sergio GIUFFRIDA. *Le roi Arthur, Lancelot et Perceval*, coll. Les chevaliers de la Table ronde : roman breton, ill. de Franco Viguazia, Paris, Serges Média, 2001, 156 p. L'histoire de ces personnages. Dans la même collection : *La quête du Graal*.   Cote : m

Sites Internet

Récits fantastiques et leurs auteurs
www.livresse.com/Repertoire/sciencefiction.htm
www.sdm.qc.ca/txtdoc/sf/jeu/SANSCHAGRINJOCE.html
www.ac-rouen.fr/pedagogie/equipes/lettres/seq4_AES/fantastique/ecrire.htm

Carmen Marois
www.litterature.org/ile32000.asp?numero=329
www.cybersciences-junior.org/recits/3/index.asp

Bram Stoker et Dracula
www.saveurs.sympatico.ca/ency-voy/roumanie/dracula.htm
www.geocities.com/grenouille_qui_reve/litterature/stoker.html

Mary Shelley et Frankenstein
fr.wikipedia.org/wiki/Mary_Shelley

Ulysse, Homère
ulysse31.saitis.net/odyssee.htm

Personnages de la Table ronde
perso.wanadoo.fr/lpalavaur/Fantasy/chevaliers.htm
membres.lycos.fr/pfv/Graalintro.shtml

Défilé (comment préparer un défilé)
www.maquilasolidarity.org/francais/defiledemode.htm

Charles Baudelaire
www.poetes.com/baud/
users.telenet.be/gaston.d.haese/baudelairefr.html
perso.wanadoo.fr/maurice.ulis/Charles_Baudelaire.htm

Épisode 3 : Le laboratoire

Claude MORIN, André PAYETTE

La navette de déportation poursuit son voyage dans l'espace intergalactique. Elle devrait atteindre Hybridian, la planète d'exil, dans moins de trois jours. Mais restera-t-il des survivants à bord? Plus rien ne bouge dans ce vaisseau sinistre. Les gardes d'Amov l'ont quitté depuis moins 10 heures, abandonnant les prisonniers à leur triste sort. Klïma consacre ses dernières énergies à trouver des solutions pour que la navette, plongée dans une obscurité presque totale, ne devienne pas un tombeau spatial.

Ammön: Ma parole, je me suis évanoui. Mais qu'est-ce que tu fais, Klïma?

Klïma: J'analyse les données bioniques de tous les passagers depuis des heures... Amov a programmé un arrêt progressif des régénérateurs. Si je ne réussis pas à recréer une atmosphère viable, nous allons périr.

Ammön: Mais où est passée la chose?

Klïma: Elle est là, devant moi. Elle est transformée en laboratoire d'analyse. Quelle puissance incroyable! Regarde. Niveau de gestrone?... Cent huit omégas, c'est insuffisant... Niveau d'interleukons?... Oh là là! C'est beaucoup trop! Et ça augmente. Je comprends que tous les autres se soient évanouis. Mais que faire? Hum! Je vais essayer quelque chose...

Ammön: Klïma, notre kiapo est mort?!

Klïma: Non, pas encore, mais regarde ses indices vitaux. Il ne pourra plus tenir très longtemps.

Ammön: Tu crois qu'il a besoin de plus d'interleukons?

Klïma: J'en suis sûre. Mais pour les autres, les Treks notamment, ce serait fatal. Tu vois le problème? Il faut composer une atmosphère qui nous convienne à tous. Une dose d'inféron, peut-être? Allons-y!... Non. Ça ne fonctionne pas du tout. La chose me propose une liste de gaz plus neutres. Et si je combinais ces trois-là?

Ammön: Je suis tout étourdi, Klïma!

Klïma: C'est bon signe. Je crois que nous avons réussi!

Ammön: Le kiapo bat des ailes. Il a repris conscience.

Klïma: On dirait que les autres aussi reprennent du mieux.

Ammön: Toutes les cellules se sont ouvertes. Crois-tu que c'est un autre piège d'Amov?

Klïma: Non, Ammön. La chose nous a libérés, tout simplement. Écoute son message... Atmosphère compatible GHRK... Commandes de bord sous contrôle... Coordonnées spatio-temporelles à confirmer... Nouvel itinéraire proposé: les Cyclades.

Ammön: L'archipel des Libertés? Mais les dictateurs ont détruit ces îles, non?!

Klïma: Eh bien! on dirait qu'ils ont menti, Ammön. Il faut absolument atteindre cet archipel. En attendant, allons faire connaissance avec nos amis.

Ammön et Klïma parcourent les longs corridors de la navette pour rencontrer les prisonniers qu'ils ont libérés. Il faudra maintenant trouver à s'entendre avec des créatures qui viennent de toutes les régions de la galaxie.

Nom : _____

Ce que je pense du projet

Remplis cette fiche de réflexion avant, pendant et après le projet.

Titre du projet : _____

Date : _____

Avant le projet

Ce qui m'intéresse le plus dans ce projet : _____

_____

Ce qui m'intéresse le moins : _____

Mes interrogations par rapport au projet : _____

Mes suggestions : _____

Pendant le projet

Je respecte les délais.

Toujours ◯   Souvent ◯   Parfois ◯   Rarement ◯

Je consulte la planification.

Toujours ◯   Souvent ◯   Parfois ◯   Rarement ◯

Un aspect que je veux améliorer avant la fin du projet : _____

_____

Après le projet

Mes apprentissages : _____

Mes regrets : _____

Mes réussites : _____

Nom : _____

Réciter un poème

Évalue la récitation de ton coéquipier ou de ta coéquipière.

Mon coéquipier ou ma coéquipière...

- [ ] a mémorisé le poème.

- [ ] prononce bien les mots difficiles.

- [ ] varie le volume et le ton de sa voix (murmure, chuchotement, voix forte, voix naturelle).

- [ ] prend l'intonation voulue pour réciter les phrases déclaratives, exclamatives ou interrogatives.

- [ ] a un bon débit (ne parle ni trop vite ni trop lentement).

- [ ] accentue un son, un mot ou un groupe de mots pour les faire ressortir.

- [ ] tient compte de la ponctuation et des paragraphes en faisant des pauses où il le faut.

Cotes

A = Excellent   C = Bien
B = Très bien   D = À améliorer

Nom : _____

Grille d'appréciation d'une BD

Remplis cette fiche d'appréciation.

Titre : _____

Auteur ou auteure du texte : _____

Illustrateur ou illustratrice : _____

Maison d'édition et collection : _____

Type de bande dessinée :   Humoristique ◯   Réaliste ◯

Résumé de l'histoire : _____

_____

Combien de points je donne sur 5 pour le scénario de la bédé ? ◯

Justification : _____

Combien de points je donne sur 5 pour les dessins ? ◯

Justification : _____

Mon personnage préféré : _____

Raisons : _____

Le passage qui me plaît le plus : _____

Raisons : _____

Il s'agit bien d'une bédé de science-fiction, car... _____

_____

J'ai relevé les valeurs et les stéréotypes suivants : _____

_____

Sur 5, mon appréciation globale de la bédé : ◯

Nom : _____

Fiches signalétiques des planètes

Fie-toi à ces renseignements pour écrire ton dépliant publicitaire.

MERCURE

Composition de l'atmosphère (%) :		Période orbitale (jours terrestres)	88
Hélium 42	Sodium 42	Période de rotation (heures terrestres)	59
Oxygène 15	Autres 1	Jour solaire (jours terrestres)	176
Température moyenne (°C)	179	Distance du Soleil (km)	57 910 000
Température maximale (°C)	427	Diamètre équatorial (km)	4 878
Température minimale (°C)	−173	Inclinaison de l'axe (degrés)	0,0
Gravité (m/s^2)	3,7	Pression atmosphérique (bars)	10^{-15}

Beaucoup d'informations sur Mercure proviennent de la sonde *Mariner 10* qui a survolé la planète en 1973.

VÉNUS

Composition de l'atmosphère (%) :		Période de rotation (jours terrestres)	−243
Gaz carbonique (CO_2)	96	Jour solaire (jours terrestres)	176
Azote	4	Distance du Soleil (km)	108 200 000
Température moyenne (°C)	482	Diamètre équatorial (km)	12 103
Gravité (m/s^2)	8,87	Inclinaison de l'axe (degrés)	4
Période orbitale (jours terrestres)	224	Pression atmosphérique (bars)	92

Les premières données et images de Vénus nous ont été transmises par la sonde *Mariner 10* qui a survolé la planète en 1974. *Pioneer Venus 1* a pris des photos de la face cachée de Vénus en 1978 et Magellan en a fait en 1990 une cartographie détaillée. Les vents violents à sa surface peuvent atteindre 360 km/h et la pression atmosphérique équivaut à 90 fois celle de la Terre.

Nom:

TERRE

Composition de l'atmosphère (%):

Azote	77
Oxygène	21
Autres	2

Température moyenne (°C)	15
Gravité (m/s^2)	9,78

Période orbitale (jours terrestres)	365,25
Période de rotation (heures terrestres)	23,93
Distance du Soleil (km)	149 600 000
Diamètre équatorial (km)	12 756
Inclinaison de l'axe (degrés)	23,45
Pression atmosphérique (bars)	1,014

MARS

Composition de l'atmosphère (%):

Gaz carbonique	95	Argon	1,6
Azote	3	Oxygène	0,13

Température moyenne (°C)	−63
Température maximale (°C)	20
Température minimale (°C)	−140
Gravité (m/s^2)	3,72

Période orbitale (jours terrestres)	687
Période de rotation (heures terrestres)	24,6
Distance du Soleil (km)	227 940 000
Diamètre équatorial (km)	6 786
Inclinaison de l'axe (degrés)	25,2
Pression atmosphérique (bars)	0,007

En 1965, la sonde *Mariner 4* a retransmis 22 images de Mars. En 1976, avec *Viking 1* et *2*, des analyses du sol martien ont produit des données intrigantes sur la composition du sol, sans toutefois révéler la présence de traces de vie. Les biologistes estiment que les radiations ultraviolettes et la sécheresse du sol ne sont pas propices à la vie.

JUPITER

Composition de l'atmosphère (%):

Hydrogène	90
Hélium	10

Température maximale (°C)	120
Gravité (m/s^2)	22,88

Période orbitale (jours terrestres)	4 333
Période de rotation (jours terrestres)	0,41
Distance du Soleil (km)	778 330 000
Diamètre équatorial (km)	142 984
Inclinaison de l'axe (degrés)	0,7
Pression atmosphérique (bars)	1 000

Lorsque la sonde *Voyager 1* est passée près de Jupiter en 1979, elle a transmis des photos et des données de la planète, mais aussi des satellites dont on a pu apprécier l'aspect pour la première fois.

Nom : _____

SATURNE

Composition de l'atmosphère (%) :		Période orbitale (années terrestres)	29,5
Hydrogène	94	Période de rotation (heures terrestres)	10,3
Hélium	6	Distance du Soleil (km)	1 429 400 000
Température atmosphérique		Diamètre équatorial (km)	120 536
moyenne (°C)	–125	Inclinaison de l'axe (degrés)	25
Gravité (m/s²)	9,0	Pression atmosphérique (bars)	1 000

Beaucoup de nos connaissances sur Saturne proviennent de l'information retransmise par la sonde *Voyager 2* qui a survolé la planète en 1980 et 1981. Les vents à l'équateur atteignent 1800 km/h. À mesure qu'on se déplace vers son centre, l'hydrogène gazeux, sous l'effet de la pression, devient liquide, puis métallique.

URANUS

Composition de l'atmosphère (%) :		Période orbitale (années terrestres)	84
Hydrogène	85	Période de rotation (heures terrestres)	–18
Hélium	12	Distance du Soleil (km)	2 870 990 000
Méthane	3	Diamètre équatorial (km)	51 118
Température atmosphérique		Inclinaison de l'axe (degrés)	98
moyenne (°C)	–210	Pression atmosphérique (bars)	1 000
Gravité (m/s²)	7,7		

Quand *Voyager 2* est passé près d'Uranus, en 1986, ses anneaux ont été photographiés et mesurés, et on a découvert deux autres petits anneaux.

Nom : _____

NEPTUNE

Composition de l'atmosphère (%) :

Hydrogène	85
Hélium	13
Méthane	2

Température maximale (°C)	−153
Température minimale (°C)	−193
Gravité (m/s^2)	11,0

Période orbitale (années terrestres)	164
Période de rotation (heures terrestres)	16,11
Distance du Soleil (km)	4 504 300 000
Diamètre équatorial (km)	49 528
Inclinaison de l'axe (degrés)	28
Pression atmosphérique (bars)	1 000

C'est le méthane qui donne à Neptune sa couleur bleue. Des vents violents de 2000 km/h soufflent à sa surface, dans le sens contraire de sa rotation, ce qui donne aux nuages neptuniens des aspects de cirrus. La sonde *Voyager* a permis de découvrir six des huit lunes de Neptune.

PLUTON

Composition de l'atmosphère (%) :

Azote	98
Méthane	0,3

Température maximale (°C)	−203
Gravité (m/s^2)	0,4

Période orbitale (années terrestres)	249
Période de rotation (jours terrestres)	−6,4
Distance du Soleil (km)	5 913 520 000
Diamètre équatorial (km)	2 300
Inclinaison de l'axe (degrés)	123
Pression atmosphérique (bars)	10^{-6}

Pluton est composée de 50 % à 75 % de roc et d'azote solide. Le méthane solidifié indique que la température de Pluton est sous les 203 °C.

SOLEIL

Composition de l'atmosphère (%) :

Hydrogène	92,1
Hélium	7,9

Température moyenne (°C)	6 000
Période de rotation (jours terrestres)	27
Diamètre équatorial (km)	1 400 000
Pression atmosphérique (bars)	0,000 8

Au centre du Soleil, la température est de 15 000 000 °C; la pression est si intense (340 milliards de fois la pression atmosphérique terrestre) qu'il se produit des réactions nucléaires. Les taches solaires qu'on peut apercevoir à sa surface (ne jamais regarder le Soleil !) sont des zones plus «froides» (4000 °C) où il y a de forts champs magnétiques. Des jets verticaux de gaz, les macrospicules, atteignent près de 40 000 km de hauteur et certaines protubérances ont plusieurs centaines de milliers de kilomètres.

Nom : _____

Habitats extraterrestres et adaptations

Choisis parmi les caractéristiques des habitats suivants et écris les caractéristiques des vivants qui pourraient s'y trouver.

Conditions générales

Ardues et changeantes ☐ _____

Stables et clémentes ☐ _____

Type de milieu ambiant

Aquatique ☐

Peu de courant ☐ _____

Beaucoup de courant continu ☐ _____

Terrestre ☐

Pierreux ☐ _____

Force gravitationnelle

Forte ☐ _____

Faible ☐ _____

Sablonneux ☐ _____

Boueux ☐ _____

Arboricole ☐ _____

Pression atmosphérique ou hydrostatique

Forte ☐ _____

Moyenne ☐ _____

Température ambiante

Élevée ☐ _____

Moyenne ☐ _____

Froide ☐ _____

Nom : _____

Faune et flore

Abondance de proies mobiles ☐

Carnivore ☐

Mode de prédation dans un habitat peuplé de proies...

lentes ☐ _____

qui se cachent ☐ _____

à peau sensible ☐ _____

plus grosses que soi ☐ _____

_____

Abondance de proies fixes ☐

Végétarien ☐

Mode d'alimentation

Absorbe continuellement des plantes microscopiques ☐ _____

_____

Arrache et broute des plantes basses ☐ _____

_____

Mange des fruits ☐ _____

Mode de défense dans un habitat peuplé de prédateurs...

à peau sensible ☐ _____

à peau coriace ☐ _____

à grosses dents ☐ _____

imprudents ☐ _____

dotés d'une mauvaise vision ☐ _____

lents ☐ _____

volants ☐ _____

rapides ☐ _____

Nom : _____

Taux d'humidité (terrestre seulement)

Humide ☐ _____

Sec ☐ _____

Taux d'oxygène (aquatique seulement)

Élevé ☐ _____

Faible ☐ _____

Luminosité

Très lumineux ☐ _____

Moyen ☐ _____

Ombragé ☐ _____

Qualité nutritive du milieu

Riche ☐ _____

Pauvre ☐ _____

_____

Densité de la population

Individus nombreux ☐ _____

_____

Individus épars ☐ _____

Individus solitaires ☐ _____

Habitats extraterrestres et adaptations

Copie de l'enseignante ou de l'enseignant.

Conditions générales

Ardues et changeantes : *petite taille*

Stables et clémentes : *taille moyenne ou grosse*

Type de milieu ambiant

Aquatique

Peu de courant : *corps fusiforme, membres palmés*

Beaucoup de courant continu : *corps de forme plutôt circulaire, membres tentaculaires*

Terrestre

Pierreux : *membres pour marcher, pieds durs*

Force gravitationnelle

Forte : *6 à 10 membres courts et forts*

Faible : *2 à 4 membres sauteurs*

Sablonneux : *membres très courts, corps vermiforme, déplacement par reptation*

Boueux : *corps de forme quelconque, membres palmés*

Arboricole : *plusieurs membres préhensiles, quelques-uns sauteurs*

Pression atmosphérique ou hydrostatique

Forte : *forme aplatie*

Moyenne : *possibilité d'ailes ou d'ailerons*

Température ambiante

Élevée : *peau écailleuse ou recouverte entièrement d'une carapace*

Moyenne : *peau lisse et mince*

Froide : *peau poilue, corps enrobé de graisse protectrice*

Faune et flore

Abondance de proies mobiles

Carnivore

Mode de prédation dans un habitat peuplé de proies...

lentes : *poursuit et absorbe*

qui se cachent : *fouine et broute continuellement*

à peau sensible : *injecte un poison et avale en entier*

plus grosses que soi : *attaque en meute et déchire en morceaux*

Abondance de proies fixes

Végétarien

Mode d'alimentation

Absorbe continuellement des plantes microscopiques :

adaptation pour recueillir ces plantes

Arrache et broute des plantes basses :

adaptation pour couper et broyer ces plantes

Mange des fruits : *adaptation pour cueillir et manger ces fruits*

Mode de défense dans un habitat peuplé de prédateurs...

à peau sensible : *aiguilles*

à peau coriace : *cornes*

à grosses dents : *carapace*

imprudents : *poison*

dotés d'une mauvaise vision : *camouflage*

lents : *course*

volants : *creuse des terriers*

rapides : *vie en troupeau*

Taux d'humidité (terrestre seulement)

Humide : *grandes ouvertures pour la respiration*

Sec : *petites ouvertures pour la respiration*

Taux d'oxygène (aquatique seulement)

Élevé : *vaisseaux sanguins sous la peau, corps mince à plusieurs endroits*

Faible : *branchies pouvant extraire l'oxygène de l'eau*

Luminosité

Très lumineux : *deux yeux performants ou plusieurs petits yeux*

Moyen : *deux petits yeux et un autre sens beaucoup plus développé*

Ombragé : *aucun œil, deux autres sens très développés*

Qualité nutritive du milieu

Riche : *consomme d'autres êtres vivants, couleur autre que verte*

Pauvre : *consomme d'autres êtres vivants et a la possibilité de fabriquer sa propre nourriture à partir de la lumière (il est donc de couleur verte)*

Densité de la population

Individus nombreux : *reproduction sexuée (deux sexes ou plus), ponte d'œufs*

Individus épars : *reproduction sexuée hermaphrodite*

Individus solitaires : *reproduction par parthénogenèse*

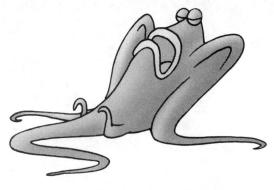

Nom : _____

Grille de révision

Utilise cette fiche pour te guider dans la révision et la correction de ton texte.

Vérifie tes idées et leur organisation

- Est-ce que mon texte a un titre ?

- Est-ce que mon texte respecte bien l'intention de communication, soit la description d'un monde (autre que celui de la Terre) dans lequel seraient présentes les conditions nécessaires à la vie ?

- Est-ce que le sujet de mon texte est subdivisé en différents aspects ?

Vérifie tes phrases et tes mots

- Est-ce que mes phrases sont bien formulées ?

- Est-ce que les mots que j'emploie sont précis et variés ?

Vérifie les accords dans le groupe du verbe et les accords dans le groupe du nom

- Est-ce que j'ai bien distingué les verbes à l'infinitif des verbes conjugués ?

- Est-ce que j'ai bien fait les accords dans les groupes du nom ?

Corrige ton texte et diffuse-le

- Améliore quelques phrases (ajoute, retranche, déplace, substitue).

- Fais une dernière révision.

Mots d'orthographe

à peu près
activité
agaçant
  agaçante
ambulance
analyse
anneau
année-lumière
  années-lumière
apporter
asseoir (s')
atmosphère
auberge
avancer
baisser
base
bibliothèque
brillant
  brillante
brusquement
capitaine
caractéristique
celui-ci
  celle-ci
cent (n.)
centre
certain
  certaine
ceux
  celles
chauve
chronologique
clair
  claire
clairement
clôture
commettre
compter
congèle
congeler
connaissance
conquête
cordonnier
  cordonnière
couturier
  couturière
croix

début
déguisé
  déguisée
densité
descendre
destination
digestion
distance
distant
  distante
divorce
écraser
électricité
ému
  émue
en même temps
entrée
escalier
espace
étudier
exploser
expression
extraterrestre
fameux
  fameuse
flamme
fortune
fuir
fusée
galaxie
galerie
gelée
goût
grandeur
guide
hâte
imagination
indice
inquiet
  inquiète
interactif
  interactive
inviter
jusqu'à
jusque
kilomètre (km)
kiosque

là-haut
laser
lointain
  lointaine
maintenant
manette
marguerite
merveilleux
  merveilleuse
mesure
mesurer
mille
million
mission
modèle
moitié
moteur
national
  nationale
  nationaux
nombre
obscur
  obscure
obscurité
observation
observer
occasion
orbital
  orbitale
  orbitaux
orbite
oser
outil
pareil
  pareille
perdrix
pilule
planète
pleur
plusieurs
police
poussière
production
programme
programmer
protection
quart

quel
  quelle
radis
rapporter
rayon
réaliser
reconnaître
réel
  réelle
référence
regretter
remonter
reprocher
rêve
révéler
rêver
roman
sauce
science-fiction
seconde (s)
semblable
sensation
siècle
soif
solaire
soleil
sonorité
sortie (n.)
soucoupe
souffrance
spatial
  spatiale
  spatiaux
stéréo
stéréotype
suisse
système
tantôt
terrestre
titre
type
univers
vaisseau
valeur
vieillir
vis
volume

Lexique

Astéroïde : petit corps céleste.

Atrophié : qui a diminué par manque d'exercice, d'apport nutritif, etc.

Audible : que l'on peut entendre.

Cacophonie : ensemble de sons inharmonieux.

Caqueter : jacasser; c'est aussi le cri des poules.

Chaire : poste de professeur le plus élevé à l'université.

Champ gravitationnel : espace où se manifeste un phénomène d'attraction vers la Terre.

Champ magnétique : espace où se manifeste un phénomène d'aimantation.

Cryogénie : conservation par le froid.

Densité : qualité de ce qui est compact.

Électrode : conducteur électrique dans ce cas appliqué sur une partie de l'organisme.

Fulgurant : rapide comme l'éclair.

Hormis : à part.

Masse : quantité de matière d'un corps, d'un objet.

Mégalopole : très grande ville.

Monitorage : technique de surveillance médicale électronique.

Myriade : très grand nombre.

Orbite : trajectoire courbe d'un corps céleste.

Radiation : énergie propagée sous forme d'ondes; émission de rayons lumineux.

Sarcophage : cercueil.

Satellite : corps céleste qui gravite autour d'une planète.

Sertir : insérer une pierre dans un bijou.

Sonde : engin cosmique non habité lancé pour étudier certains aspects du milieu interplanétaire.

Stellaire : qui se rapporte aux étoiles.

Supersonique : supérieur au son (plus vite que le son, par exemple).

Ultime : dernier.

Voûte : région supérieure arrondie.

Bibliographie

Documentaires

CANNAT, Guillaume. *Cap sur le système solaire*, coll. KaléiDoc 9-12 ans, Paris, Nathan, 2002, 42 p. Un dossier informatif, des tests, des anecdotes et un jeu.   Cote : f

CRUZALÈBES, Pierre *et al. L'astronomie : tout ce qu'on sait, comment on le sait*, Paris, De la Martinière jeunesse, 2002, 188 p. Planètes, astéroïdes, trous noirs, comètes, etc.   Cote : d

GALLAVOTTI, Barbara. *Le système solaire*, coll. La bibliothèque des découvertes, ill. d'Alessandro Bartolozzi, Paris, La gerboise, 2000, 40 p. Des informations claires sur les planètes et autres corps célestes ainsi que sur les véhicules spatiaux, la vie des astronautes, etc.   Cote : f

HOLLAND, Simon (traduit par Ariane Bataille). *Dans l'espace*, coll. Plein les yeux, Saint-Laurent, ERPI, 2002, 46 p. Des réponses simples à des questions courantes sur divers aspects de l'espace.   Cote : f

JOHNSTONE, Michael. *L'espace : de l'Antiquité à nos jours*, coll. Le journal du temps, Paris, Épigones, 2002, 32 p. Pour découvrir l'histoire de la conquête de l'espace : théories, découvertes, exploits, succès, échecs et catastrophes.   Cote : m

KALMAN, Bobbie. *L'adaptation au milieu*, coll. Petit monde vivant, Mont-Royal, Banjo, 2002, 32 p. Des notions de base pour mieux comprendre ce qui fait qu'une forme de vie est possible dans un habitat donné. Beaucoup d'autres titres dans la même collection.   Cote : f

LABOUZE, Xavier. *Sommes-nous seuls dans l'Univers?*, coll. Les essentiels Milan junior/sciences, Toulouse, Milan, 2000, 32 p. Sur l'exploration de la vie extra-atmosphérique. Dans la même collection : *L'espace, une aventure sans limites*.   Cote : m

MONGES, Philippe. *La conquête du ciel, des premières fusées aux stations spatiales*, coll. Cogito, ill. de Christine Adam, Paris, De la Martinière jeunesse, 2000, 76 p. Des explications claires et des dessins précis.   Cote : m

PARKER, Steve et Nicholas HARRIS. *Science & Univers*, coll. Le monde en images, Paris, Succès du livre, 2002, 64 p. Beaucoup de notions importantes liées à l'espace et au système solaire.   Cote : d

RANZINI, Giancula. *Le système solaire*, Chamalières, Proxima, 2002, 96 p. Présentation et analyse des planètes et des objets célestes de notre système solaire, évocation des explorations spatiales.   Cote : m

REINAGLE, Damon J. *L'aventure spatiale*, coll. Le dessin par l'exemple, Cologne, Evergreen, 2000, 64 p. Pour apprendre à dessiner des véhicules spatiaux, des extraterrestres.
                    Cote : f

RICHARDSON, Hazel. *Comment construire une fusée et devenir un crack en sciences*, ill. de Scoular Anderson, Cologne, Könemann, 2000, 96 p. Des trucs pour construire une fusée miniature qui fonctionne.   Cote : m

URBAIN, Jean-Pierre. *Le livre du ciel*, ill. de Jacques Goldstyn, Montréal, Les 400 coups, 2002, 168 p. Plus de 60 activités pour rendre les notions scientifiques plus concrètes. Cote : f

Fiction

CHABIN, Laurent. *Serdarin des Étoiles*, coll. Papillon, ill. de Nathalie Dion, Saint-Laurent, Pierre Tisseyre, 1998, 80 p. Serdarin, qui prétend venir d'une autre planète, est marginalisé par les enfants de son âge. Un roman triste et touchant.   Cote : f

CHRISTIN, Pierre. *Par des temps incertains*, coll. Valérien, agent spatio-temporel, ill. de J.-C. Mézières, Paris/Montréal, Dargaud, 2001, 58 p. Une BD de science-fiction.   Cote : m

JULIEN, Susanne. *Robin et la vallée perdue*, coll. Papillon/Robin, Montréal, Pierre Tisseyre, 2002, 140 p. Un surprenant voyage dans le temps. Dans la même collection : *Dure journée pour Robin*.   Cote : m

LELOUP, Roger. *La pagode des brumes*, coll. Yoko Tsuno, Paris, Dupuis, 2001, 46 p. Une BD de science-fiction. Dans la même collection : *La jonque céleste*, *La proie de l'ombre* et bien d'autres.   Cote : m

ROUY, Maryse. *Prisonniers dans l'espace*, coll. Gulliver, Montréal, Québec Amérique jeunesse, 2000, 96 p. Des terroristes assaillent Cap Canaveral. À cause d'eux, ce seront les enfants des astronautes qui partiront à la place de leurs parents.   Cote : d

STRASSER, Tod. *Piégé dans le corps d'un extraterrestre !*, coll. Délires, Paris, Bayard jeunesse, 2002, 166 p. Jack est pris dans le corps d'une créature qui s'empiffre en regardant la télé...   Cote : m

TREMBLAY, Alain Ulysse. *Mon père est un Jupi*, coll. Roman jeunesse, ill. de Céline Malépart, Montréal, La courte échelle, 2002, 92 p. Avec un père Jupi astrophysicien et une mère terrienne, deux frères se considèrent comme des Jupi-terriens.   Cote : f

VERNE, Jules. *De la Terre à la Lune*, coll. Folio junior, ill. de Montant, Paris, Gallimard jeunesse, 2001, 290 p. Une réédition de ce grand classique. Du même auteur : *Autour de la Lune*, *Voyage au centre de la Terre*, *Vingt milles lieues sous les mers*, etc.   Cote : d

VIAU, Emmanuel *et al. La tête dans les étoiles : six histoires d'espace*, coll. Z'azimut, Paris, Fleurus, 2002, 184 p. De l'enquête au gag en passant par le tourisme dans l'espace et les extraterrestres.   Cote : d

WELLS, Hébert Georges. *Les premiers hommes dans la Lune*, coll. Folio junior, ill. de Willi Glasauer, Paris, Gallimard jeunesse, 2000, 226 p. Un grand classique. Du même auteur : *L'île du docteur Moreau*, *L'homme invisible*, *La guerre des mondes*.   Cote : d

Poésie

CAUSSE, Rolande. *Couleurs, lumières et reflets*, coll. Des poèmes plein les poches, ill. de Georges Lemoine, Arles, Actes Sud junior, 2001, 78 p. Un recueil de poèmes lumineux. Cote : f

CHARPENTREAU, Jacques. *Demain, dès l'aube*, coll. Fleurs d'encre, ill. de Michel Charrier, Paris, Hachette jeunesse, 2002, 286 p. Une anthologie de 100 poèmes pour la jeunesse. Cote : m

HENRY, Jean-Marie. *Naturellement*, coll. La poésie, Voisins-le-Bretonneux, Rue du monde, 1999, 56 p. Une anthologie de poésie sur la nature, l'humain et son environnement avec une préface d'Hubert Reeves.   Cote : m

HOESTLANDT, Jo. *Mes petites étoiles*, coll. Milan poche cadet, ill. d'Olivier Latyk, Toulouse, Milan, 2000, 38 p. De la poésie facile.   Cote : f

Sites Internet

L'Agence spatiale canadienne
www.space.gc.ca/asc/fr/default.asp

Les planètes et l'espace
www.neufplanetes.org/
www.allolespace.com/

Les sondes spatiales (en anglais)
spacescience.nasa.gov/missions/index.htm

Les fusées
www.astrosurf.com/apollo25/astronaut/numero8_1.html
www.forum-social.supelec.fr/site/bls/bls/fusee.htm
www.streamingbox.com/arianespace/v2/launcher.php?langue=fr

Les expériences de Stanley Miller
www.fundp.ac.be/bioscope/1950_miller/miller.html

Épisode 4 : Survivre ensemble

Claude MORIN, André PAYETTE

Tous les prisonniers de la navette furent libérés. Plusieurs d'entre eux étaient restés emprisonnés dans leur cellule pendant des mois, et ils avaient subi de la part des gardes des traitements très cruels. Dans ce contexte, la petite fête qu'avaient organisée Klïma et Ammön avait provoqué une explosion de joie et tissé en quelques heures de solides liens d'amitié entre des créatures si différentes les unes des autres.

Klïma : Fêtons notre libération, les amis. À la santé des braves Treks !

Ammön : À la santé des Amigones !

Klïma : À la santé des Tabloux, des Bers, des Tédos, des Avoniens ! À la santé de tous les ennemis de la dictature !

Ammön : Je vous annonce officiellement, mes amis, que Klïma et moi avons décidé de lutter contre le régime des dictateurs. Ceux d'entre vous qui accepteront de nous suivre recevront un code de reconnaissance. Les autres seront installés sur une planète sécuritaire que la chose s'efforce en ce moment même de trouver.

La fête se poursuivit pendant des heures dans la navette que Klïma avait rebaptisée « Cycléus », en souvenir de son père disparu.

* * *

Depuis des jours, la chose était aux commandes du vaisseau, qui poursuivait sa route dans l'espace. Sur ce point, il n'y avait aucun souci à se faire. Après avoir complètement redéfini ses données de vol, la chose en avait pris le contrôle total. Mais Ammön restait préoccupé par les réserves de vivres et d'énergie qui diminuaient rapidement. Après avoir tenu un conseil avec l'ensemble des passagers, Ammön adopta rapidement une série de mesures visant à épargner les ressources de la navette.

- Strict rationnement des aliments solides et des plasmas.

- Mise en hibernation des créatures hibernables, comme les Bers et les Tabloux.

- Réduction au strict minimum des dépenses énergétiques des autres passagers.

Tous acceptèrent sans discuter ces conditions de vie un peu difficiles. Les Bers et les Tabloux se figèrent en quelques minutes. Les autres se plongèrent dans un demi-sommeil en attendant de nouvelles instructions. Dans le silence presque total de la navette, on ne distinguait plus que les bruits rassurants de la chose, qui analysait des milliards de données pour trouver la planète idéale. Puis vint l'étrange proposition de la chose...

Ammön : TCK-3045, dans l'amas M-51. Mais elle se trouve tellement loin, cette planète !

Klïma : Quelques semaines de voyage, nous assure la chose. Comment est-ce possible, Ammön ?

Ammön : Nous emprunterons un trou de ver, un couloir dans l'espace-temps, Klïma. Nous voyagerons dans l'Univers à une vitesse que personne n'a encore jamais expérimentée. Ça fait peur, tu ne trouves pas ?

Klïma : Mais j'ai confiance en la chose, Ammön. Donnons-lui notre accord.

Après avoir donné leur accord, Ammön et Klïma entendirent quelques sons étranges dans la navette, puis tout se passa vraiment très vite...

Nom : _____

Écrire une lettre

Pour bien écrire la lettre de demande, je vérifie...

Oui

Le lieu et la date (en haut, à gauche)
- J'ai indiqué le lieu ?
- J'ai écrit la date ?

Le ou la destinataire (en haut, à gauche)
- J'ai écrit son nom et sa fonction ?

L'appel
- J'ai mis une formule de politesse pour adresser ma lettre au destinataire ? (Cher..., Chère..., Monsieur le Directeur, Madame la Directrice, etc.)

Le contenu du message
- J'ai fait plusieurs paragraphes ?
- J'ai précisé ce que je demandais ?
- J'ai donné une raison pour justifier ma demande ?

La salutation
- J'ai utilisé une formule de politesse à la fin ?
- J'ai signé ma lettre ?

L'orthographe
- J'ai utilisé les majuscules au début des phrases ?
- J'ai utilisé les majuscules pour les noms propres de personnes et les noms de lieux ?
- J'ai accordé les mots dans les groupes du nom ?
- J'ai accordé les verbes avec leur sujet ?
- J'ai vérifié l'orthographe des mots ?

Nom : _____

Grille d'observation : table ronde

Observe un ou une camarade qui participe à la table ronde. Évalue quelques aspects de la discussion en attribuant une note sur 5 et donne un exemple qui appuie ton évaluation.

Note

Adopte une posture d'écoute.

_____

Regarde ses interlocuteurs.

_____

Accueille avec respect les propos qui divergent des siens.

_____

Émet des idées claires ou ajuste ses propos pour être bien compris ou comprise.

_____

Pose des questions pour mieux comprendre ses interlocuteurs.

_____

Est expressif ou expressive (mots ou gestes).

_____

Maîtrise bien les aspects techniques de la discussion : élocution, vitesse, intensité du débit.

_____

Suit les règles convenues pour le bon fonctionnement des échanges (attendre son tour pour parler, signifier par un geste que l'on veut prendre la parole).

_____

Nom : _____

Une enquête sur l'argent de poche

Les jeunes Nord-Américains de ton âge sont bien plus riches que ne l'étaient ceux des générations précédentes. Leur pouvoir d'achat se calcule en milliards de dollars; ils forment donc un groupe tout à fait intégré à notre société de consommation. C'est pourquoi ils sont une cible privilégiée pour les fabricants de produits, commerçants et publicistes.

Cet argent dont disposent les jeunes de ton âge vient en majeure partie de l'argent de poche que leur donnent leurs parents. Que dirais-tu de faire une enquête sur ce sujet si important sur le plan individuel, familial et social ? Travaille avec tes camarades pour interroger le plus grand nombre de jeunes possible. Mettez ensuite en commun les données que vous aurez recueillies pour les analyser. Voici quelques pistes pour élaborer vos questionnaires.

Enquête sur l'argent de poche

● Est-ce que les parents donnent de l'argent de poche ? Si oui, combien ?

_____

● À partir de quel âge en moyenne les jeunes reçoivent-ils de l'argent de poche ?

_____

● Qui décide de la somme accordée et des éventuelles augmentations ?

_____

● Cette somme est-elle considérée comme suffisante ou insuffisante par les jeunes ?

_____

● Est-ce que l'argent de poche est versé de façon régulière, chaque semaine par exemple ?

_____

● Quel jour l'argent de poche est-il le plus souvent donné ?

_____

● Est-ce que la somme accordée a un lien avec la réussite scolaire ?

Nom : _____

● *La somme accordée est-elle fixe? Y a-t-il parfois des extras en cas de besoins particuliers?*

_____

● *Les jeunes doivent-ils justifier leurs dépenses auprès de leurs parents ou sont-ils tout à fait responsables de leurs dépenses?*

_____

● *Qu'est-ce que les jeunes achètent principalement avec leur argent de poche (magazines, vêtements, collations, billets de cinéma, disques, etc.)?*

_____

● *Est-ce que les jeunes dépensent leur argent de poche pour répondre à des envies immédiates ou font-ils des achats de façon réfléchie?*

_____

● *Est-ce qu'une part de l'argent de poche doit être consacrée à des dépenses utilitaires (repas à l'école, transport, fournitures scolaires, etc.)?*

_____

● *Est-ce que certains jeunes doivent faire des tâches domestiques en échange de cet argent de poche? Si oui, quelles sont ces tâches (ranger sa chambre, faire la vaisselle, épousseter les meubles, laver la voiture, etc.)?*

_____

● *La somme donnée en argent de poche varie-t-elle de façon importante en fonction de l'âge des jeunes?*

_____

● *Est-ce que les filles et les garçons reçoivent en moyenne la même somme d'argent?*

_____

Votre enquête pourra aussi porter sur l'argent qui provient d'autres sources : cadeaux des parents ou grands-parents, activités remunérées (garder les enfants, distribuer les journaux, tondre la pelouse, etc.).

Présentez certaines de vos données de façon visuelle sous forme de graphiques et de schémas clairs. Faites le portrait des jeunes consommateurs d'aujourd'hui.

Nom : _____

Évaluation du rapport d'enquête

En équipe, évaluez le rapport d'enquête que vous avez soumis à votre enseignante ou enseignant.

Noms des coéquipiers : _____

_____

_____

	Excellent	Très bien	À améliorer	À reprendre
La page couverture	☐	☐	☐	☐
La table des matières	☐	☐	☐	☐
Les histogrammes, les diagrammes circulaires	☐	☐	☐	☐
Les traces du calcul de la moyenne	☐	☐	☐	☐
La qualité du français écrit :				
• l'accord des noms dans les groupes du nom	☐	☐	☐	☐
• l'accord des verbes conjugués	☐	☐	☐	☐
L'aspect général (soigné, aéré)	☐	☐	☐	☐

Nom : _____

Grille d'observation de la discussion

1 Grille à remplir par l'enseignante ou l'enseignant.

	Nom de l'élève			
Présente son point de vue.				
Réagit aux propos des autres de façon respectueuse.				
Pose des questions pour obtenir des éclaircissements ou des précisions.				
Attend son tour pour parler.				
S'exprime de façon non verbale.				
S'ajuste au langage non verbal de son interlocuteur ou interlocutrice.				
Réinvestit le vocabulaire tiré de ses lectures.				
Fait preuve de souplesse et modifie ses perceptions au contact de celles des camarades.				

2 Réactions de l'élève face à ces observations :

_____

_____

_____

3 Défi personnel. Voici un aspect à améliorer pour les prochaines discussions :

_____

et voici quels sont les moyens que je vais utiliser pour y arriver :

_____

_____

_____

Nom : _____

Mes réflexions
pendant le projet

Explique tes réponses en donnant un exemple.

		Toujours	Souvent	Parfois	Rarement
1	Je participe aux échanges sur le projet.	⬜	⬜	⬜	⬜
	_____				
2	Je m'assure de bien comprendre ce qu'il faut faire.	⬜	⬜	⬜	⬜
	_____				
3	Je suis enthousiaste.	⬜	⬜	⬜	⬜
	_____				
4	Je fais part de mes idées et de mes sentiments.	⬜	⬜	⬜	⬜
	_____				
5	J'utilise plusieurs sources documentaires pour faire mes recherches.	⬜	⬜	⬜	⬜
	_____				
6	Je travaille efficacement sans perdre de temps.	⬜	⬜	⬜	⬜
	_____				
7	Je respecte la période de temps allouée pour l'activité.	⬜	⬜	⬜	⬜
	_____				
8	Je travaille bien.	⬜	⬜	⬜	⬜
	_____				
9	Je me donne des défis et j'essaie de les relever.	⬜	⬜	⬜	⬜
	_____				

Voici un aspect que j'aimerais améliorer avant la fin du projet :

_____

_____

Nom :

Le père Noël selon le North Pole Institute

Lis ce texte, puis propose des tests pour mettre les arguments de la scientifique à l'épreuve.

Cette semaine, la professeure Elf du North Pole Institute a bien voulu nous accorder une entrevue afin d'expliquer les résultats de ses plus récentes recherches sur l'existence du père Noël.

Jean Sceptique : Bonjour, madame Elf...

Professeure Elf : Appelez-moi professeure Elf, s'il vous plaît...

J.S. : Oh, pardon... Professeure Elf, votre institut a publié dans Internet les résultats d'une recherche prouvant que le père Noël existe vraiment...

P.E. : C'est tout à fait juste.

J.S. : Quels sont vos arguments ?

P.E. : Eh bien ! Cela saute aux yeux ! Les preuves abondent ! Par exemple, les cadeaux. Oui, je sais, certains prétendent que ce sont les parents qui les placent sous l'arbre quand les enfants sont couchés, et je suis sûre que certains le font, mais ce sont là des exceptions.

J.S. : Vous croyez que la plupart des cadeaux sont apportés par le père Noël ?

P.E. : Ha ! Ha ! Vous savez, mon cher, en vieillissant, les enfants perdent leur capacité à s'émerveiller. Ils deviennent, comment dirais-je, blasés. Mais pour ceux qui, comme moi, ont su garder leur âme d'enfant, le père Noël existe toujours. Les preuves sont là, mais les adultes refusent de les voir.

J.S. : Vous parlez bien de preuves...

P.E. : Bien sûr. Par exemple, tous les enfants du monde, même ceux dont les parents sont pauvres, reçoivent des cadeaux. Comment expliquer cela autrement que par l'existence d'un père Noël ?

J.S. : Mais c'est faux. La fête de Noël telle qu'on la connaît ici n'est pas du tout célébrée de la même façon dans d'autres pays, avec des cadeaux apparaissant par magie. On se les offre.

P.E. : Peu importe ! Ici, c'est comme cela que ça se passe ! Même les plus démunis reçoivent leur juste part... comme nos études l'ont démontré.

J.S. : Comment expliquez-vous qu'une seule personne puisse, en une seule nuit, parcourir toute cette distance ? À quelle vitesse ce traîneau devrait-il voler ?

P.E. : Très vite, c'est évident. Mais la vitesse orbitale de la navette spatiale n'est-elle pas de 27,869 kilomètres à l'heure ?

J.S. : Voyons donc! Et quelle grandeur de traîneau faudrait-il au père Noël pour transporter tous ces jouets?

P.E. : Sans doute un peu plus grand qu'on l'illustre dans les albums, mais ça n'a pas vraiment d'importance, puisque les rennes ont des pouvoirs magiques.

J.S. : Et quelle masse cela représente-t-il sur une toiture?

P.E. : Mais puisque le traîneau vole!

J.S. : Et comment expliquer que le père Noël aurait le temps de se déplacer de foyer en foyer pour livrer sa marchandise?

P.E. : Mais il ne s'arrête pas pour manger les biscuits et boire le lait qu'on laisse pour lui dans chaque demeure, mon vieux. Mais qui vous a décerné un diplôme en science, que diable?

J.S. : Et comment fait-il pour...

P.E. : Mais tous ces «comment»!!! Je ne le sais pas, moi... Après tout, ce ne sont que des détails. Ce n'est pas parce qu'on ne connaît pas chaque détail qu'on doit rejeter l'idée du père Noël!

J.S. : Mais...

P.E. : Vous cherchez toujours la petite bête noire. Ceux qui ne veulent pas voir ne verront jamais.

J.S. : Pourquoi ne l'aperçoit-on jamais volant dans le ciel?

P.E. : C'est faux! Beaucoup l'ont aperçu, mais ils hésitent à en parler à cause de personnes comme vous. Plusieurs croient avoir eu une hallucination, mais la plupart ont surtout peur d'être ridiculisés. Regardez : nous avons des images ici que nos caméras cachées ont prises du père Noël l'an passé. On le voit clairement ici accroupi sous un sapin. N'avez-vous jamais vu de votre vie de preuve plus flagrante? Et ici, un rayon lumineux zébrant le ciel étoilé du 24 décembre...

J.S. : Vous êtes professeure en quoi au juste?

P.E. : Oh! Jeune fripon! Ça c'est une attaque personnelle! Je refuse de répondre à vos questions impertinentes! Je retourne à mes travaux. Et pour vos lecteurs que ça intéresse, envoyez vos dons au North Pole Institute afin d'appuyer les lutins nécessiteux du père Noël dont les emplois sont menacés par les grandes compagnies de jouets...

Nom : _____

Un théâtre de lecteurs

Évalue la présentation d'une autre équipe. Colorie la section de l'élève que tu examines :

en rouge si tu juges un aspect de sa présentation excellente;

en bleu si c'est très bien;

en vert si c'est bien;

en jaune si tu juges qu'il y a place à beaucoup d'amélioration.

NOMS DES ÉLÈVES

Élève 1 : _____ Élève 4 : _____

Élève 2 : _____ Élève 5 : _____

Élève 3 : _____ Élève 6 : _____

L'élève articule clairement, on comprend tous les mots.
Élève   ①   ②   ③   ④   ⑤   ⑥

L'élève parle assez fort.
Élève   ①   ②   ③   ④   ⑤   ⑥

L'élève articule clairement.
Élève   ①   ②   ③   ④   ⑤   ⑥

L'élève joue avec sa voix et laisse transparaître l'émotion.
Élève   ①   ②   ③   ④   ⑤   ⑥

L'élève se tient correctement et adopte un bonne posture.
Élève   ①   ②   ③   ④   ⑤   ⑥

L'élève tient compte de l'autre et fait une légère pause avant de dire sa partie.
Élève   ①   ②   ③   ④   ⑤   ⑥

Par son intonation et sa mimique, l'élève tient compte du personnage qu'il ou elle doit jouer.
Élève   ①   ②   ③   ④   ⑤   ⑥

Nom : _____

Un flocon de neige

Suis les étapes de réalisation de ce flocon de neige.

1 Découpe 14 lanières de papier.

2 Colle une lanière pour former un cercle.

4 Colle-les ensemble autour du cercle.

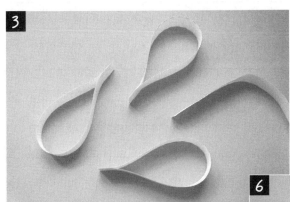

3 Colle six languettes en forme de goutte d'eau.

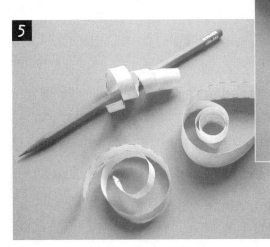

6 Colle les rubans frisés pour décorer ton flocon.

5 Frise sept languettes à l'aide d'un crayon.

Mes élèves pendant la discussion

Remplir cette grille pour quelques élèves à la fois.

Comportements	Nom de l'élève			
Adopte une attitude d'ouverture.				
● Établit un contact visuel avec l'autre.				
● Prend une posture d'écoute.				
Fait progresser la discussion.				
● Approuve les propos de son interlocuteur ou interlocutrice.				
● Reformule ses propos.				
● Demande des explications.				
Utilise le langage non verbal.				
● Fait des gestes et adopte des attitudes expressives.				
Formule ses propos pour être compris.				
● Utilise des mots précis, vus dans ses lectures.				
● Utilise le vocabulaire du registre standard.				
● Fait des phrases bien structurées.				
Maîtrise les aspects techniques de la communication.				
● Adopte une vitesse d'élocution adéquate.				
● Parle assez fort.				
● Articule bien les mots.				

Cotes: 1. Jamais   2. Presque jamais   3. Assez souvent   4. Presque toujours   5. Toujours

Objectif à atteindre pour une prochaine situation de communication :

_____

Moyens d'y parvenir ou stratégie à mettre en œuvre :

_____

Nom : _____

Mes réflexions après le projet

Remplis cette fiche de réflexion pour faire le point sur le projet.

Titre du projet : _____

En faisant ce projet, j'ai appris : _____

Je pourrais réinvestir les connaissances et habiletés suivantes dans un futur projet : _____

Pour apprendre, j'ai... _____
_____

J'ai gardé des traces de ce projet, par exemple : _____
_____

Mes regrets : _____

Mes satisfactions : _____

Mes insatisfactions : _____

Pour mieux réussir le prochain projet, je me propose de _____
_____
_____

Mots d'orthographe

achat
acheter
acheteur
  acheteuse
activité
agaçant
  agaçante
annonce
apporter
argent
asseoir (s')
attentif
  attentive
attention
attirer
aubaine
augmentation
augmenter
avenir
averti
  avertie
baisser
banque
besoin
boîte
bonhomme
  bonshommes
brusquement
calme
chance
chanceux
  chanceuse
changement
changer
chauffage
cinéma
commettre
comportement
composer
conclure
conclusion
connaissance
consommateur
  consommatrice
consommation
consommer
court métrage

coûter
croix
curieux
  curieuse
cyberdépendance
cyberdépendant
  cyberdépendante
début
descendre
désir
digestion
diriger
divertir
divertissement
documentaire
dollar
économie
économique
écran
écraser
électricité
émission
emprunter
ému
  émue
entrée
étudier
exploser
faim
fameux
  fameuse
fermé
  fermée
fermer
fortune
fournir
franc
  franche
fuir
gagnant
  gagnante
garantir
gâté
  gâtée
gourmand
  gourmande
goût

gratuit
  gratuite
guide
habitudes
hâte
histogramme
idée
immédiatement
impulsif
  impulsive
informateur
  informatrice
information
inforoute
inquiet
  inquiète
instant
instantané
  instantanée
inviter
marchand
  marchande
média
mener
n'importe quel
  n'importe quelle
nommer
nouvelle (n.)
occasion
oser
ouvert
  ouverte
ouvrage
paie (paye)
paraître
pareil
  pareille
pâtisserie
payer
phénomène
population
prochain
  prochaine
production
produit
public
  publique

publicitaire
publicité
questionnaire
radio
réalisation
réaliser
regarder
remplacer
remplir
renseignement
reprocher
résultat
retirer
réveillon
révéler
seconde
semblable
siècle
silence
silencieux
  silencieuse
silencieusement
simple
slogan
soif
somme
souffrance
spécial
  spéciale
  spéciaux
sportif
  sportive
suite
suivant
  suivante
supermarché
tantôt
technologie
technologique
téléviseur
total (n.)
  totaux
transformation
transformer
type
vendre
vieillir

Lexique

Chronique (malade) : qui est malade longtemps.

Clavarder : discuter de façon virtuelle avec des internautes, des mots « clavier » et « bavarder ».

Contremaître : personne qui supervise des ouvriers.

Cote d'écoute : nombre de personnes, évalué en pourcentage, ayant écouté ou regardé une émission à un moment déterminé.

Denrée : produit alimentaire.

Disparate : composé d'éléments différents, sans harmonie. Syn. : hétéroclite.

Enseigne : tableau, affiche.

Escarmouche : petite lutte quelconque.

Essor : envol, élan, croissance.

Exécrer : haïr.

Exigu : très petit, étroit.

Gladiateur : dans la Rome antique, homme qui se battait contre un animal féroce ou contre un autre homme, en guise de spectacle.

Insalubre : qui ne respecte pas les conditions d'hygiène.

Lard : gras de porc.

Loufoque : farfelu, bizarre.

Orphie : long poisson marin.

Perspicacité : qualité d'une personne qui se rend compte de choses qui sont difficiles à percevoir.

Piètre : mauvais, médiocre.

River : fixer, garder attaché.

Solliciter : attirer, tenter, prier avec insistance.

Tarasque : animal fabuleux, genre de dragon.

Vestiges : restes, ruines.

Bibliographie

Documentaires

ALBERTINI, Jean-Marie. *Le monde des sous*, coll. Aux couleurs du monde, Paris, Circonflexe, 1998, 32 p. Un ouvrage de vulgarisation pour connaître l'origine de la monnaie et son évolution jusqu'à nos jours.   Cote : m

AUSTER, Paul. *Le Noël d'Auggie Wren*, coll. Les grands livres, ill. de Jean Claverie, Arles, Actes Sud, 1998. Le récit émouvant d'un journaliste qui passe un Noël avec une vieille dame pauvre et solitaire, à Brooklyn.   Cote : d

CLAYSSEN, Virginie. *Zoom sur les médias*, coll. Zoom, Paris, Hachette jeunesse, 2002, 48 p. Pour avoir une vue d'ensemble des médias de notre société de consommation, de leur passé et de leur avenir. Dans la même collection : *Zoom sur les télécommunications*, *Zoom sur Internet*, *Zoom sur l'argent*.   Cote : m

JAFFÉ, Laura et Laure SAINT-MARC. *Vivre ensemble, l'argent : guide pour un enfant citoyen*, coll. Vivre ensemble, Paris, Bayard, 1998, 54 p. Trois récits, trois documents (*C'est quoi, avoir envie ?*, *Est-ce que je peux tout avoir ?*, *Qu'est-ce qui a de la valeur ?*) et trois jeux-tests pour évaluer son attitude par rapport à l'argent.   Cote : f

LABBÉ, Brigitte et Michel PUECH. *Le travail et l'argent*, coll. Les goûters philo, ill. de Jacques Azam, Toulouse, Milan, 2000, 40 p. Une piste de réflexion sur le sujet qu'amènent diverses mises en situation et exemples simples.   Cote : f

LA ROCHE SAINT-ANDRÉ, Anne de. *C'est trop cher : pourquoi la pauvreté*, Paris, Autrement, 2002, 48 p. Pour sensibiliser les jeunes à ce problème de société.   Cote : m

PLATT, Richard. *Médias et communication*, coll. Planétoscope, Paris, Nathan, 2000, 96 p. Pour en savoir plus sur les médias, sur les métiers qui y sont reliés, sur les nouvelles technologies.   Cote : m

SAVAGE, Candace. *Mages et sorciers : du phénomène magique à l'explication scientifique*, Montréal, Hurtubise HMH, 2002, 80 p. Un ouvrage intéressant qui rappelle l'évolution de la conception des phénomènes observables, de l'alchimie à l'approche scientifique.   Cote : m

Fiction

BERGERON, Alain. *L'arbre de joie*, coll. Ma petite vache a mal aux pattes, ill. de Dominique Jolin, Saint-Lambert, Soulières, 1999, 46 p. Une courte histoire sur l'importance de l'entraide dans la période des fêtes.   Cote : f

CHICHEPORTICHE, Josette. *Loulou a des projets*, coll. Bibliothèque rose, ill. de Catel, Paris, Hachette, 2002, 124 p. Loulou veut s'acheter des patins à roues alignées. C'est pourquoi elle fait du gardiennage.   Cote : m

COLLECTIF. *La bûche de Noël : contes traditionnels du Québec*, coll. Atout, Montréal, Hurtubise HMH, 1999, 92 p. Cinq contes colorés pour se mettre dans l'ambiance des fêtes.

                                                                                          Cote : d

DICKENS, Charles. *Un chant de Noël*, coll. Chefs-d'œuvres universels, ill. de William Geldart, Paris, Gallimard jeunesse, 1999, 108 p. Dans ce grand classique, un homme réapprend ce qu'est l'esprit de Noël et du partage. Cote: m

EHO, Jérôme. *Alerte aux kidnapubs!*, ill. de Valopops, Paris, J'ai lu jeunesse, 2002, 88 p. Un enfant enquête pour retrouver des mannequins vedettes de publicité qui ont été kidnappés. Cote: f

GAUTHIER, Bertrand. *Bonne année, Ani Croche*, coll. Roman jeunesse, ill. de Gérard Frischeteau, Montréal, La courte échelle, 2003, 90 p. Un Noël mouvementé au sein d'une famille recomposée. Cote: f

GEORGES, Karoline. *L'itinérante qui venait du Nord*, ill. de Catherine Côte, Montréal, Leméac jeunesse, 2003, 46 p. Une centenaire sans abri qui a simplement faim vit de curieuses aventures qui font réfléchir au partage. Cote: f

JANSSENS. *La télé rend flou*, coll. Les zappeurs, ill. d'Ernst, Paris, Dupuis, 2001, 48 p. Dans cette BD, la télé et le zapping sont prétextes à une foule de gags drôles et critiques. Dans la même collection: *Je passe à la télé, Zappez manège, Complètement accros*, etc. Cote: m

LOU, Virginie et PÉRIGOT. *Noyeux Joël!*, coll. Les Pacom, Paris, Fayard, 2001, 38 p. Un livre rigolo sur la consommation et la publicité qui entourent Noël. Dans la même collection, sur le thème de la consommation: *Doukipudonktan?* Cote: m

MWANKUMI, Dominique. *Prince de la rue*, coll. Milan poche junior/Tranche de vie, Paris, L'école des loisirs, 1999, 104 p. Un jeune Congolais qui dort chaque nuit dans une boîte en carton se découvre un talent. Un livre plein d'espoir. Cote: d

NORRISS, Andrew. *Millionnaire à onze ans*, coll. Cascade, ill. de Michel Riu, Paris, Rageot, 2000, 156 p. Un roman qui donne l'occasion de réfléchir à tout ce qui entoure l'argent: le pouvoir d'achat, les banques, le crédit, les biens, etc. Cote: m

NÖSTLINGER, Christine. *Mini rencontre le père Noël*, coll. Bibliothèque rose, ill. de Claire Le Grand, Paris, Hachette jeunesse, 2000, 88 p. Une histoire bien collée au thème. Cote: f

POUSTIS, Jacques. *Joyeux anniversaire!*, coll. Castor poche, Paris, Flammarion, 1999, 110 p. Dans l'île Merveilleuse, un instituteur explique ce qu'est l'argent. Alors les enfants s'inventent une monnaie, ce qui provoque l'arrivée de beaucoup de problèmes. Un livre humoristique. Cote: m

ROCARD, Ann. *Le père Noël a des ennuis et 10 autres pièces de Noël*, coll. Théâtre, ill. de Jean-Noël Rochut, Paris, Temps apprivoisé, 1995, 96 p. Onze pièces à monter en classe. Cote: m

ROSS, Pat. *Les inséparables et le secret de Noël*, coll. Folio cadet, ill. de Marylin Hafner, Paris, Gallimard jeunesse, 1999, 104 p. Une courte histoire de Noël, un test de réflexion sur les cadeaux, quelques informations sur Noël et des jeux. Cote: f

SAINT-MARS, Dominique de. *Max et Lili veulent tout tout de suite!*, coll. Max et Lili/Ainsi va la vie, ill. de Serge Bloch, Fribourg, Calligram, 2000, 46 p. Une BD sur les pièges de la publicité et de la consommation. Cote: f

TIBO, Gilles. *Noémie, la clé de l'énigme*, coll. Bilbo jeunesse, ill. de Louise-Andrée Laliberté, Montréal, Québec Amérique jeunesse, 1996, 176 p. Noémie et sa vieille amie madame Lumbago se retrouvent mêlées à une histoire d'argent et de caisse populaire. Cote: m

Sites Internet

Famille et enfance Québec

www.mfe.gouv.qc.ca/famille/statistiques/

Statistique Canada

www.statcan.ca/francais/Pgdb/

Noël

www.culture/noel/franc/noel.htm

www.contes.net/contes/noel/noel-c.html

www.alianwebserver.com/societe/noel/traditions.htm

Épisode 5 : Le chantier

Claude Morin, André Payette

Habilement piloté par la chose, le Cycléus traversa sans encombre la minuscule faille polaire du bouclier magnétique de TCK-3045, la planète Jaune. Ammön et Klïma furent les premiers à sortir de la navette pour explorer les environs. Ils furent suivis des Treks, des Bers, des farouches Tabloux, puis de tous les autres qui réussirent finalement à surmonter leurs craintes. Tous constatèrent vite que l'atmosphère de cette planète, malgré son étrange luminosité, était des plus agréables, toute chaude et vivifiante. Aussi, Ammön et Klïma ne s'étonnèrent pas qu'elle soit habitée. C'est du moins ce que leur avait dit la chose, même si pour l'instant ils ne voyaient aucune forme de vie connue.

Ammön et Klïma décrirent rapidement à leurs camarades les tâches à effectuer. Il faudrait construire sur la planète une base d'habitation permanente, concevoir des systèmes de communication intergalactiques indéchiffrables, trouver de nouvelles sources de ravitaillement en vivres et en énergie. Et il faudrait aussi transformer le Cycléus en un véritable vaisseau d'exploration galactique. Des tâches à première vue irréalisables pour une soixantaine d'individus tout au plus. Mais Klïma était convaincue qu'ils pourraient mener à bien cette mission.

Klïma : Je pars explorer les alentours avec la chose, Ammön. Si cette planète est vraiment habitée, nous ramènerons de l'aide, je te l'assure.

Ammön : C'est très risqué, Klïma. Et s'il t'arrivait malheur ? Nous serions tous perdus.

Klïma : Je fais confiance à la chose, Ammön. Ne crains rien. Nous reviendrons vite.

Et la princesse partit aussitôt avec une vingtaine de Treks, des guerriers redoutables, ce qui rassurait un peu Ammön.

* * * * *

Pendant l'absence de Klïma, qui dura plus de cinq lunes, Ammön amorça toutes sortes de travaux grâce aux connaissances des camarades qui étaient restés avec lui. Les Bers, spécialistes en géologie, trouvèrent dans les environs des métaux automorphiques qui fourniraient d'excellents alliages pour la transformation du

Cycléus. Des Tédos experts en cosmodiététique et en endoculture réussirent à cultiver des composés végétaux qui comblaient déjà amplement tous les besoins alimentaires du groupe. Et grâce à l'incroyable habileté technique des Tabloux, Ammön réussit à remettre à neuf tous les circuits et tous les générateurs du Cycléus.

À la fin d'une autre journée épuisante, Ammön aperçut au loin une forme familière.

Ammön : Ah ! mon cher kiapo ! Comme je suis content de te revoir. Nos camarades sont de retour, les amis. Et Klïma aussi ! Ils sont enfin de retour !

Klïma arriva quelques minutes plus tard, escortée des Treks et d'une foule d'étranges créatures.

Klïma : Voici les habitants de cette planète, Ammön. D'après la chose, ils communiquent entre eux par une sorte de langage qui reste mystérieux pour moi.

Ammön : Ils obéissent peut-être à un genre de programme, comme beaucoup d'animoïdes ?

Klïma : En fait, ils obéissent à la chose, Ammön. Ces créatures sont toutes pareilles, mais leur taille varie énormément. Comme tu le vois, il y en a de gigantesques et de minuscules. Grâce à ces créatures commandées par la chose, nous pourrons broyer des rochers, creuser des mines, extraire des minerais précieux, soigner des malades, construire des abris...

Ammön : Et reconstruire le Cycléus, Klïma.

Klïma : Bien sûr. Nous nous y mettrons dès demain !

Nom : _____

Planifier une émission de télévision

Remplis cette fiche de préparation.

Préparation de l'émission

Voici le projet d'émission sur lequel je souhaite travailler :

1er choix _____

2e choix _____

3e choix _____

Titre de l'émission : _____

Nom des coéquipiers : _____

Pour préparer cette émission, voici les tâches que je dois faire avec mes coéquipiers :

_____

_____

_____

Voici les tâches que je dois préparer individuellement :

_____

_____

J'évalue ma participation à l'émission

	Toujours	Souvent	Parfois	Rarement
J'ai participé aux discussions en équipe.	☐	☐	☐	☐
J'ai fait ma part de travail.	☐	☐	☐	☐
J'ai rassemblé le matériel nécessaire.	☐	☐	☐	☐
J'ai respecté les délais fixés.	☐	☐	☐	☐

Voici un aspect dont je suis fier ou fière :

_____

Voici un aspect que j'aimerais améliorer :

_____

Nom : _____

Apprécier une émission de télévision

Remplis cette fiche d'appréciation.

Titre de l'émission : _____

Membres de l'équipe : _____

Les présentateurs s'expriment dans une langue correcte.

Ils prononcent bien tous les mots.

Ils utilisent de bonnes expressions.
Exemple : _____

Ils utilisent des mots justes.
Exemple : _____

J'ai bien compris l'ensemble du message.

Les accessoires (images, décors, illustrations) étaient bien choisis.

Voici une chose que je retiens de l'émission :

_____

_____

_____

Mes élèves en situation de communication

Remplir cette grille pour quelques élèves à la fois.

	Nom de l'élève				
Écoute les autres avec intérêt en répétant, en reformulant ou en vérifiant ce qui a été dit.					
Exprime ses sentiments et ses doutes.					
Pose des questions pour obtenir des éclaircissements.					
Exprime son point de vue.					
Parle à son tour.					
N'interrompt pas les autres.					
Répond aux questions.					
Articule les mots correctement.					
Utilise une langue correcte.					
Prend des risques de formulation.					
Présente son sujet clairement.					
Utilise de bonnes structures de phrases.					
Utilise un vocabulaire précis.					

Cotes : 1. Se développe aisément, sans vraiment nécessiter de soutien. 3. En bonne voie de se développer, mais nécessite un soutien occasionnel.
2. Se développe assez bien avec peu de soutien. 4. Se développe difficilement et nécessite un soutien constant.

Lecture partagée

Remplir cette grille pour quelques élèves à la fois.

	Nom de l'élève			
A une lecture fluide et fait des pauses adéquates.				
Lit trop lentement, de façon saccadée.				
Lit trop vite, sans faire de pauses.				
Fait des erreurs qui nuisent au sens de la phrase.				
Fait des méprises. Le texte a du sens, mais certains mots ne sont pas exacts.				
S'arrête pour revenir sur un passage difficile.				
Bute sur certains mots, mais essaie de se corriger.				
Lit avec une bonne intonation.				
Aide son ou sa partenaire à comprendre le texte.				
Pose des questions pour obtenir des éclaircissements.				

COMMENTAIRES

Nom : _____

Listes des secteurs d'activités

Lis ces listes de domaines qui emploient de la main-d'œuvre regroupés selon le secteur d'activités.

Les industries primaires

- L'agriculture
- La pêche
- Les mines et les carrières
- Le pétrole et le gaz naturel
- L'industrie forestière

Construire

- La construction résidentielle
- La construction non résidentielle
- Les travaux publics

Gérer l'économie

- Les services administratifs
- L'immobilier
- La gestion financière
- Les services des ventes et d'approvisionnement
- Les compagnies d'assurances
- Les banques
- Les caisses

Transporter

- L'avion
- Le train
- Le transport maritime
- Le transport en commun
- Le transport routier

Produire des biens

- La métallurgie
- L'électricité
- Les pâtes et papier
- Le textile
- Les aliments et boissons
- La mécanique
- Les appareils électriques
- L'imprimerie
- Le meuble
- L'habillement

Nom : _____

S'organiser comme société

- L'armée
- L'administration des lois
- L'administration publique
- L'administration de la justice
- La sécurité

S'occuper d'éducation et de culture

- L'éducation
- La recherche
- Les langues
- La musique
- La production artistique
- Les arts visuels
- L'histoire

Assurer la communication

- Les télécommunications et le multimédia
- La presse écrite et parlée
- La publicité
- L'édition

Organiser les services de santé et le bien-être

- L'hébergement et la restauration
- Les services personnels (coiffure, gardiennage…)
- Les soins de santé
- Les services paramédicaux
- Le tourisme
- Les sports et loisirs

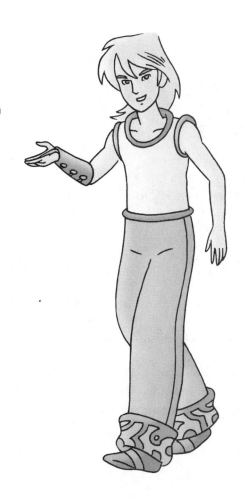

Nom : _____

Mon personnage et son occupation

Remplis cette fiche de présentation.

Titre du roman ou de la BD : _____

Auteur ou auteure : _____

Illustrateur ou illustratrice : _____

Maison d'édition : _____

Mon personnage : _____

Son métier, sa profession ou son occupation : _____

Les qualités de mon personnage pour l'exercer : _____

_____

Ce que cette occupation permet dans l'ouvrage :

• situer l'action dans un ou plusieurs lieux (les énumérer) :

_____

_____

• interagir avec d'autres personnages (comment ?) :

_____

_____

• apporter des solutions aux problèmes (lesquelles ?) :

_____

_____

• rendre le personnage crédible, drôle, effrayant (comment ?) :

_____

Nom : _____

Ma façon de lire

Réfléchis à ta façon de lire.

J'aime lire.	☐	☐	☐
Je lis tous les jours à la maison.	☐	☐	☐
Je pense que je suis un bon lecteur ou une bonne lectrice.	☐	☐	☐
Je peux utiliser des stratégies pour comprendre un mot nouveau.	☐	☐	☐
Je peux lire sans hésiter.	☐	☐	☐
Je peux poser des questions sur un texte.	☐	☐	☐
Je peux dire dans mes propres mots ce que je comprends d'un texte.	☐	☐	☐
Je peux donner mon opinion sur un texte.	☐	☐	☐
Je peux prévoir ce qui va arriver dans une histoire.	☐	☐	☐
Je peux faire des hypothèses sur les informations contenues dans un texte.	☐	☐	☐

Voici un aspect que j'aimerais améliorer en lecture

_____

_____

_____

Mots d'orthographe

abandonner

actuel
  actuelle

agacer

agent
  agente

âme

animateur
  animatrice

animation

annoncer

apprendre

assez

aucun
  aucune

caméra

cédérom ou CD-ROM

celui-là
  celle-là

cerveau

chauffeur
  chauffeuse

clown

compagnie

conseiller
  conseillère

cordonnier
  cordonnière

couturier
  couturière

couvercle

croquer

déchet

décrire

déguisement

descente

difficile

diminuer

divertir

économie

économique

écrier (s') (être)

électricien
  électricienne

électrique

émission

emploi

employé
  employée

employer

en même temps

enregistrer

entre-temps

expliquer

fatiguer

flatter

fuite

garagiste

geler

goûter

grève

habile

habileté

hein !

imaginer

infirmier
  infirmière

information

informer

inscrire

interroger

interviewer

lancer

louer

magnétoscope

moniteur
  monitrice

musicien
  musicienne

n'importe qui

occuper

original
  originale
  originaux

ôter

parachutiste

pâtissier
  pâtissière

patron
  patronne

patrouille

peintre

période

pinceau

pleurer

police

policier
  policière

pompier
  pompière

pratique

produire

professeur
  professeure

protéger

public
  publique

quelque chose

réaliser

réalité

réel
  réelle

relever

réserver

réviser

sauf

secrétaire

semer

sérieux
  sérieuse

serveur
  serveuse

siffler

social
  sociale
  sociaux

soigner

souffrir

suite

supporter

taper

téléspectateur
  téléspectatrice

télévision

uniquement

vétérinaire

vidéo

vidéocassette

Lexique

Ablation : action d'enlever un organe ou une tumeur.

Aéronautique : qui a rapport à la navigation aérienne.

Appoint (revenu d') : revenu supplémentaire.

Aqueducs : système de canaux.

Boréal : du nord.

Concéder : accorder, octroyer.

Corroyeur : ouvrier qui prépare les cuirs.

Cosmopolite : où il y a des personnes de plusieurs pays.

Démographie : science statistique des populations humaines.

Dynamo : machine transformant l'énergie mécanique en énergie électrique.

Équarri : taillé sommairement en un bloc.

Fonctionnaire : personne qui travaille pour l'État.

Invalidité : état de maladie ou d'infirmité qui empêche de travailler.

Minoterie : industrie qui transforme les grains en farine.

Naval : qui a rapport à la navigation.

Pasteurisation : action de chauffer un liquide pour détruire les microbes.

Permanent : stable, durable.

Pneumatique : science qui étudie les propriétés de l'air et des gaz.

Précaire : dont la durée est incertaine.

Radiothérapie : traitement médical à l'aide de rayons X.

Raffinerie : industrie où l'on rend une substance plus pure.

Régime de retraite : garantie qui permet à des personnes assurées de bénéficier d'une pension dans des conditions et à un âge déterminés.

Sanitaire : relatif à la santé.

Savane : grande plaine à la végétation rare dans la zone tropicale.

Semis : jeunes plants provenant de graines.

Statique : qui ne progresse pas.

Bibliographie

Documentaires

BAFFERT, Sigrid. *Ces ouvriers aux dents de lait*, coll. J'accuse, Paris, Syros/Amnesty international, 2001, 132 p. Un manifeste contre l'exploitation actuelle de la force de travail des enfants.   Cote : m

BEAUMONT, Émilie. *L'imagerie des métiers*, Paris, Fleurus, 1999, 124 p. Une revue des principaux métiers.   Cote : f

BURG, Dominique. *Les métiers*, coll. Ma première encyclopédie, Paris, Larousse, 2000, 92 p. Une autre revue de métiers courants.   Cote : f

CLAYSSEN, Virginie. *Zoom sur les médias*, coll. Zoom, Paris, Hachette jeunesse, 2002, 48 p. Une vue d'ensemble des médias, de leur passé et de leur avenir. Dans la même collection : *Zoom sur les télécommunications*.   Cote : m

COMITÉ SECTORIEL DE MAIN-D'ŒUVRE DES INDUSTRIES DES PORTES ET FENÊTRES, DU MEUBLE ET DES ARMOIRES DE CUISINE. *Réussir son avenir*, Montréal, Ma carrière inc., 2000, 162 p. Un ouvrage qui fait le point sur un secteur très délimité.   Cote : d

DESLOGES, Yvon et Alain GELLY. *Le canal Lachine : du tumulte des flots à l'essor industriel et urbain*, 1860-1950, Sillery, Septentrion/Ottawa, Parcs Canada, 2002, 214 p. La construction du canal, la navigation, les usines, les gens, le tout illustré de photos.   Cote : d

DUBUC, Jean-Guy. *Émilie Tavernier-Gamelin, la meilleure amie des pauvres*, ill. de Gilles Archambault, Montréal, Carte blanche, 2002, 32 p. La biographie d'une sœur de la Providence qui a contribué à soulager la misère des Montréalais vers 1800.   Cote : f

FOX, Deborah. *Le journal télévisé*, coll. Le monde au travail, Paris, L'élan vert/Montréal, Hurtubise HMH, 2000, 30 p. Divers métiers de l'information. Dans la même collection : *La réalisation d'un film, L'hôpital pour enfants, La construction automobile, La compagnie aérienne, La clinique vétérinaire, L'édition d'un livre, L'hôtel restaurant*.   Cote : f

FRANCKE, Jeanne *et al. Femmes au travail*, coll. Les nouvelles connaissances usuelles, Montréal, Lettre en main, Centrale des syndicats du Québec, Fédération des syndicats de l'enseignement, 2001, 36 p. Les rôles selon les sexes, la discrimination. Dans la même collection : *Le syndicalisme, Le lait*.   Cote : d

GODARD, Philippe. *La vie des enfants travailleurs pendant la révolution industrielle*, coll. La vie des enfants, Paris, Sorbier, 2001, 50 p. En présentant la situation des enfants européens qui travaillaient au 19e siècle, cet ouvrage donne un aperçu de la façon dont les choses se passaient en Amérique du Nord à la même époque.   Cote : m

GRAHAM, Ian. *L'énergie hydraulique*, coll. Les énergies en question, Bonneuil-les-Eaux, Gamma/Montréal, École active, 2000, 48 p. Pour mieux connaître les perspectives futures de cette énergie.   Cote : f

GUIBERT, Françoise de. *À nous la terre ? L'environnement et l'homme*, coll. Autrement junior Société, Paris, Autrement, 2002, 48 p. Des informations sur les ressources naturelles avec des anecdotes, des citations et des exemples pour comprendre comment on en est arrivés là.   Cote : m

HERRING, Peter. *Les trains: les modèles qui ont fait l'histoire et la légende*, coll. Prestige, Paris, Solar, 2000, 168 p. Pour mieux connaître l'histoire des chemins de fer.   Cote: d

JASMIN, Yves et Guy GRANGER. *100 ans d'actualités, 1900-2000, La Presse*, Montréal, La Presse, 1999, 366 p. Des coupures de presse sur l'histoire du XXe siècle.   Cote: d

LABBÉ, Brigitte et Michel PUECH. *Le travail et l'argent*, coll. Les goûters philo, ill. de Jacques Azam, Toulouse, Milan, 2000, 40 p. Une réflexion sur cet aspect assez central du travail qu'est l'argent.   Cote: f

LAMMING, Clive. *Les grands trains*, Paris, Larousse, 2001, 238 p. L'histoire des chemins de fer depuis 1830.   Cote: d

LAROCHELLE, Wilfrid. *Avez-vous la tête de l'emploi pour le travail manuel?*, Sainte-Foy, Septembre/Montréal, Projets Alpha et Oméga, 1999, 168 p. Une exploration de divers métiers manuels. De la même maison d'édition: *Folles du génie! Les filles et les carrières en ingénierie, Filles de défis! Les filles et les carrières non traditionnelles*.   Cote: d

McQUARRIE, John. *Montréal au fil du temps*, Ottawa, Magic Light pub, 2002, 202 p. Un livre d'histoire pratique.   Cote: d

NOPPEN, Luc. *Du chemin du Roy à la rue Notre-Dame: mémoires et destins d'un axe est-ouest à Montréal*, Québec, Ministère des Transports, 2001, 176 p. Un survol de la conception et de la construction des routes, de l'économie, de la condition sociale des gens au fil du temps.   Cote: d

PIETTRE, Pauline. *Le siècle de la révolution industrielle*, coll. Regards junior: un voyage dans le temps et l'histoire, ill. de Xavier Mussat, Paris, Mango jeunesse, 2003, 48 p. Un voyage très instructif dans le passé.   Cote: m

PINAUD, Florence. *Je suis parfumeur créateur*, coll. Le plus beau métier du monde, Paris, Éditions du Cerf, 1998, 80 p. Pour entrer en contact avec un métier peu connu. Dans la même collection: *Je suis luthier*.   Cote: m

PLATT, Richard. *Médias et communication*, coll. Planétoscope, Paris, Nathan, 2000, 96 p. Des informations sur les médias, sur les métiers qui y sont reliés, sur les nouvelles technologies.   Cote: m

POLLOCK, Steve. *L'écologie, une science pour l'environnement*, coll. Les yeux de la découverte, Paris, Gallimard, 2003, 64 p. Pour mieux connaître cette science et les métiers qui s'y rattachent. Dans la même collection: *Médias et communication*.   Cote: m

PRIOR, Katherine. *Les droits des travailleurs*, coll. Les droits de l'homme, Bonneuil-les-Eaux, Gamma/Montréal, École active, 2000, 46 p. Une introduction à cet aspect politique du monde du travail.   Cote: d

VAISMAN, Anne *et al. Quels métiers, quel avenir? Le livre de l'orientation des métiers*, coll. Ados, Paris, De la Martinière, 1998, 292 p. Une revue de métiers et de professions. De la même auteure: *Quel métier pour plus tard?*   Cote: d

WARD, Brian. *L'histoire de la médecine: la médecine à travers les âges et autour du monde*, coll. Explorons l'histoire, Bonneuil-les-Eaux, Gamma/Montréal, École active, 2001, 64 p. L'évolution d'une profession.   Cote: m

Fiction

BARCELO, François. *Premier boulot pour Momo de Sinro*, coll. Bilbo, Québec Amérique jeunesse, 1998, 120 p. Le monde du travail, ce n'est pas de la tarte. C'est ce que découvre Momo, qui veut se payer des patins à roues alignées.   Cote : f

BEAUCHEMIN, Yves. *Alfred sauve Antoine*, coll. Bilbo jeunesse, Montréal, Québec/Amérique, 1996, 170 p. Pour connaître toute l'histoire de ces deux compagnons. Du même auteur : *Antoine et Alfred, Alfred et la lune cassée*.   Cote : f

BEAUVAIS, Daniel. *Ajurnamat! On n'y peut rien!*, coll. Roman jeunesse, Saint-Damien-de-Brandon, Soleil de Minuit, 2002, 220 p. Une histoire touchante qui présente un infirmier inoubliable de la baie d'Ungava.   Cote : d

DÉCARY, Marie. *Le combat des chocolats*, coll. Roman jeunesse; Rose Néon, ill. de Pierre Brignand, Montréal, La courte échelle, 2003, 94 p. Entre la pastille rose chocolatée qui rend les gens heureux et la pastille bleue qui rend les gens productifs, Rose Néon n'hésite pas à choisir la première. Pour défendre ce choix, elle fera tout ce qu'il faut !   Cote : m

EHRET, Miche. *7 récits des premiers trains*, coll. Castor poche, ill. de Daniel Pudles, Paris, Père Castor Flammarion, 1999, 86 p. Des nouvelles inspirées des chemins de fer.   Cote : m

GAGNON, Hervé et Thomas KIRKMAN-GAGNON. *2 heures du matin, rue de la Commune : une enquête de Philémon Dandrejean, détective privé*, Sherbrooke, GGC Éditions, 2002, 266 p. Un roman policier qui met une profession captivante au premier plan.   Cote : m

GREER, Mylen. *La maison de Méphisto*, ill. de Marc-Étienne Paquin, Saint-Alphonse-de-Grandby, Éditions de la Paix, 2003, 72 p. Un groupe d'amis découvre que la maison voisine n'est pas inoccupée; des personnes y subissent un esclavage qu'il faut faire cesser. Une intrigue amusante.   Cote : m

GRÉGOIRE, Fabian. *Les enfants de la mine*, coll. Archimède, Paris, L'école des loisirs, 2003, 46 p. Un récit fictif qui se fonde sur la véritable histoire du XIXe siècle, avec des photos d'époque.   Cote : m

JANSSENS. *La télé rend flou*, coll. Les zappeurs, ill. d'Ernst, Paris, Dupuis, 2001, 48 p. Dans cette BD, la télé est prétexte à une foule de gags drôles et critiques. Dans la même collection : *Je passe à la télé, Zappez manège, Complètement accros*, etc.   Cote : m

JOLY, Fanny. *Fast-food, c'est fou!*, coll. Marion et Charles, Délires, ill. de Catel, Paris, Bayard, 2001, 90 p. L'histoire folle d'un emploi d'été.   Cote : m

LEBLANC, André. *Arrivés à bon port*, coll. Mémoire d'images, Montréal, Les 400 coups, 2003, 38 p. Un docu-fiction avec de belles photos d'archives.   Cote : f

PERREAULT, Danièle. *Le garçon aux mille métiers*, coll. Impact jeunesse, ill. de Nadia Berghella, Lac Beauport, Académie Impacts, 2001, 40 p. Curieusement, avant même d'entrer à la maternelle, Jonas a déjà exercé 1000 métiers... Une fiction à large portée écrite par une psychologue.   Cote : f

TREMBLAY, Alain Ulysse. *Le don de Jonathan*, coll. Roman jeunesse, ill. de Céline Malépart, Montréal, La courte échelle, 2003, 86 p. Jonathan a hérité son amour de la science de son père disparu.   Cote : f

Sites Internet

Les métiers autrefois

www.prologue.qc.ca/

> Ce site reconstitue la vie dans une seigneurie du Bas-Canada au milieu du 19e siècle. On y présente une galerie de personnages qui exercent différents métiers. Un site interactif stimulant.

collections.ic.gc.ca/sthenri/index1.htm

> Le site *Vivre en ville Saint-Henri* fait découvrir ce quartier ouvrier au début du 20e siècle. Plusieurs photos et illustrations.

www.bnquebec.ca/illustrations/accueil.htm

> Ce site de la bibliothèque nationale du Québec présente des revues anciennes, dont plusieurs illustrations intéressantes pour présenter des métiers, des manufactures ou des usines.

www.musee-mccord.qc.ca/

> Au site du musée Mc Cord, dans la section *Expositions virtuelles*, l'exposition *Deux quotidiens se rencontrent* présente de très belles images de Montréal à la fin du 19e siècle et l'exposition *Les clefs de l'histoire* présente plusieurs circuits thématiques, dont un qui s'intéresse aux villes et aux métiers en mutation.

Métiers et professions

www.monemploi.com/

www.cursus.qc.ca/

www23.hrdc-drhc.gc.ca/2001/f/groups/index.shtml

www.geocities.com/metiers_quebec2/alphabetique.html

L'eau

www.stephanoise-eaux.fr/

www.reseau-tee.net/net-eau.htm

lasource.nbed.nb.ca/six/eau/recherche.htm

Épisode 6 : La prise d'assaut d'Avona

André Payette

En l'année galactique 1111, le royaume d'Avona fut assiégé pendant des mois par les troupes sanguinaires de Van Bau, dit le Cruel. Les habitants de la grande forteresse, pourtant jugée imprenable, étaient désespérés. Ayant épuisé leurs réserves de grain, les prospères Avoniens étaient aux prises avec une terrible famine et une épidémie de fièvre qui décimait la population.

Pourquoi Van Bau avait-il réussi à s'approprier le royaume alors que toutes ses tentatives précédentes avaient échoué ? Sans doute à cause d'une arme nouvelle, le canon à feu, qui avait embrasé une bonne partie de la ville fortifiée. Mais aussi à cause de la faiblesse du roi Bagon le Chauve qui s'était entouré de chefs de guerre incompétents et corrompus. Mal entraînés et mal dirigés, les soldats du royaume, de fiers combattants naguère si redoutés, avaient été incapables de défendre la forteresse contre les assauts répétés de l'ennemi. Les troupes étaient désorganisées et la population civile, affaiblie et déprimée, ne songeait plus qu'à se rendre au tyran Van Bau pour abréger ses souffrances.

Tout semblait bien perdu pour le royaume quand, un jour, une jeune femme vêtue d'une étrange tenue de combat demanda audience au roi. Bagon le Chauve accepta, intrigué par la détermination de la combattante et de sa milice de jeunes gens en haillons.

Ancêtre Klïma : Votre majesté, j'ai vu en rêve votre couronne déposée sur une carcasse de broutante dévorée par les vers. Puis j'ai aperçu sept arcs-en-ciel au-dessus de votre château. J'y ai vu un signe : votre royaume peut encore être sauvé si vous me laissez diriger vos armées.

Le roi : Tu es si jeune... Et qui es-tu ? Je ne te connais pas.

Ancêtre Klïma : Mes compagnons m'appellent Céliane. Nous sommes du peuple des montagnes, là-haut, où vous n'avez jamais daigné vous rendre. Vous ne connaissez de nous que les lourds impôts que vous prélevez chaque année dans nos villages. Les gens de votre cour nous méprisent, mais nous avons mille fois plus de connaissances qu'eux. Nous connaissons l'air, l'eau, la terre et le feu. Nous sommes la dernière chance du royaume.

Le roi : Mais que pourrez-vous faire contre les machines de guerre et les canons de feu de Van Bau ? C'est insensé !

Un jeune homme se détacha du groupe de miliciens.

Ancêtre Ammön : Céliane vous l'a dit, votre majesté. Nous connaissons les éléments et les forces. Avec notre science, nous vaincrons l'ennemi.

* * * * *

Il ne fallut que onze jours à Céliane et à ses jeunes soldats et ingénieurs pour écraser les armées de Van Bau. Des tonnes de pierre et des torrents de boue réduisirent en miettes les machines de guerre du Cruel. Sous la conduite de la jeune combattante, les armées du roi repoussèrent les soldats ennemis jusqu'aux confins du royaume.

À la mort de Bagon le Chauve, qui survint au cours de l'année suivante, Céliane devint reine d'Avona. La première reine d'une dynastie qui allait régner sur toute la galaxie pendant presque mille ans.

Nom : _____

Ma démarche de lecture

Colorie les portions de pastilles selon tes habitudes de lecture.

Je cherche à comprendre ce que je lis en cours de lecture.

Je crée des images dans ma tête pendant que je lis.

Pour comprendre les mots peu familiers,

a) je regarde à l'intérieur du mot. ⊕

b) je regarde autour du mot. ⊕

c) j'utilise le dictionnaire. ⊕

Je vérifie ensuite si le mot découvert a du sens dans le contexte de la phrase ou du texte.

Je redis dans mes mots ce que j'ai lu.

J'établis des liens entre :

a) ce que le texte m'apprend et ce que je savais déjà sur le sujet.

b) le texte que je viens de lire et d'autres textes que j'ai déjà lus. ⊕

Je réagis en disant ce que j'aime ou ce que je n'aime pas dans le texte et en exprimant les réflexions qu'il m'inspire.

Après cette réflexion, voici le défi que je me propose de relever et les moyens que je me donnerai pour y parvenir :

_____

_____

_____

_____

Nom : _____

Évaluation de la discussion

Évalue la discussion de groupe qui a servi à planifier
le projet en cochant ce qui convient.

	Toujours	Souvent	Parfois	Rarement
Est-ce que chaque élève a pu :				
parler suffisamment et régulièrement ?	☐	☐	☐	☐
être écouté sans se faire interrompre ?	☐	☐	☐	☐
s'opposer en proposant une opinion différente ?	☐	☐	☐	☐
changer d'avis en se laissant influencer par de bonnes idées émises par les autres ?	☐	☐	☐	☐
Est-ce que le groupe a su :				
consulter l'opinion de chaque élève ?	☐	☐	☐	☐
tirer profit des bonnes idées émises ?	☐	☐	☐	☐
planifier un projet qui répondait aux objectifs énoncés ?	☐	☐	☐	☐

Commentaires sur mes propres comportements pendant la discussion :

_____

_____

_____

_____

Nom : _____

Ma démarche de recherche

Remplis cette fiche pour améliorer tes méthodes de recherche.

1 Quelles étapes de ta recherche d'information as-tu trouvées plus difficiles à réaliser ?

   a) dans Internet : _____

   b) en bibliothèque : _____

2 Quand tu cherches une information précise, te sers-tu :

   a) de la table des matières ? _____

   b) de l'index ? _____

3 Selon toi, qu'as-tu le mieux réussi dans cette recherche d'information ?

_____

4 Quelle forme d'aide aurais-tu aimé recevoir au cours de ta démarche ?

   a) Fonctionnement des moteurs de recherche :

_____

   b) Fonctionnement du classement à la bibliothèque :

_____

   c) Utilisation des encyclopédies :

_____

5 En quoi ta recherche d'information a été utile pour la rédaction de ton texte ?

_____

6 Qu'as-tu appris sur le Moyen Âge grâce à tes recherches ?

_____

7 Quelles questions te poses-tu encore ? Comment vas-tu y répondre ?

_____

Nom : _____

Un théâtre de lecteurs

Inviter les élèves à colorier les cases selon les critères suivants : 1. À retravailler beaucoup ; 2. À améliorer ; 3. À améliorer un peu ; 4. Presque parfait.

L'élève tient le rôle de : _____

L'élève articule clairement et on comprend tous les mots.

| 1 | 2 | 3 | 4 |

L'élève parle assez fort et on entend tous les mots.

| 1 | 2 | 3 | 4 |

L'élève joue avec sa voix et laisse transparaître l'émotion.

| 1 | 2 | 3 | 4 |

L'élève se tient correctement et son corps adopte un bonne posture.

| 1 | 2 | 3 | 4 |

L'élève tient compte de l'autre et laisse une légère pause avant de dire sa partie.

| 1 | 2 | 3 | 4 |

L'élève tient compte du personnage qu'il ou elle doit jouer et de son caractère en choisissant sa voix et sa mimique.

| 1 | 2 | 3 | 4 |

Nom : _____

Ma réaction au roman

Aide-toi de tes notes pour remplir cette fiche d'appréciation personnelle.

Titre du roman : _____

1 Rappel de l'intrigue du roman : Résume l'histoire en quelques mots.

_____

_____

2 Associations personnelles : Le roman te fait-il penser à quelqu'un ou à certains aspects de ta vie personnelle ?

_____

_____

3 Thèmes du roman : Quels sont les thèmes abordés dans le roman ? Qu'est-ce que l'auteur ou l'auteure essaie de te dire ?

_____

_____

4 Analyse du style : Quelles parties de l'histoire sont vraisemblables ? invraisemblables ? Quelle atmosphère se dégage de l'histoire ?

_____

_____

5 Comparaison avec d'autres romans : En quoi cette histoire ressemble-t-elle à d'autres histoires que tu as lues ou entendues ? En quoi est-elle différente ?

_____

_____

6 Évaluation globale : As-tu aimé cette histoire ? Pourquoi ? Y a-t-il un passage ou un événement qui t'a plu particulièrement ?

_____

_____

Nom : _____

Critique d'une tapisserie célèbre

Remplis cette fiche d'appréciation.

Nom de l'ouvrage : _____

Nom du créateur ou de la créatrice de l'ouvrage et brève présentation :

_____

_____

Date de sa confection (si elle est connue) : _____

Endroit où on peut la voir aujourd'hui : _____

Aperçu de ce que l'ouvrage représente : _____

_____

Ce que j'aime dans cet ouvrage : _____

Explication : _____

Ce que j'aime moins : _____

Explication : _____

Commentaires techniques (couleurs dominantes, tons, organisation de l'espace, message, attitude des personnages, etc.) :

_____

_____

_____

Appréciation globale : _____

_____

Nom : _____

Mon plan de travail

Résume en quelques mots les principaux éléments de ton récit.

Personnages principaux

_____

Personnages secondaires

_____

Où / Quand

_____

Situation de départ

_____

Événement déclencheur

_____

1re péripétie

_____

2e péripétie

_____

Dénouement

_____

Fin de l'histoire

_____

Nom : _____

Mon processus d'écriture

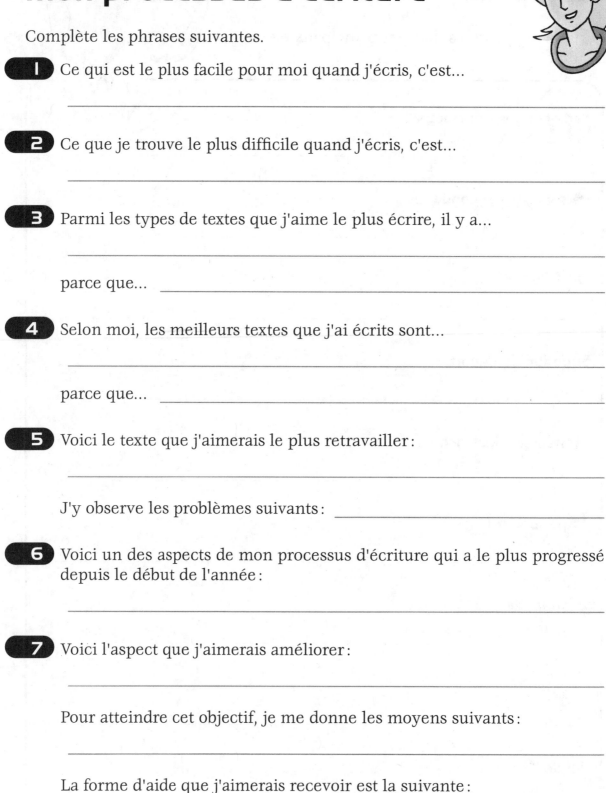

Complète les phrases suivantes.

1 Ce qui est le plus facile pour moi quand j'écris, c'est...

_____

2 Ce que je trouve le plus difficile quand j'écris, c'est...

_____

3 Parmi les types de textes que j'aime le plus écrire, il y a...

_____

parce que... _____

4 Selon moi, les meilleurs textes que j'ai écrits sont...

_____

parce que... _____

5 Voici le texte que j'aimerais le plus retravailler :

_____

J'y observe les problèmes suivants : _____

6 Voici un des aspects de mon processus d'écriture qui a le plus progressé depuis le début de l'année :

_____

7 Voici l'aspect que j'aimerais améliorer :

_____

Pour atteindre cet objectif, je me donne les moyens suivants :

_____

La forme d'aide que j'aimerais recevoir est la suivante :

_____

Nom :_____

Plan d'architecte

Réponds à ces questions pour planifier la fabrication de ton château.

1. Combien de tours ton château aura-t-il ? _____

2. Seront-elles rondes ou carrées ? (Indique leur emplacement sur ton schéma.) _____

3. Combien y aura-t-il de murs d'enceinte ? _____

4. Feras-tu des hourds ou des mâchicoulis ? Si oui, combien ?

   _____

5. Quelle sera la forme du donjon ?

   _____

6. Combien d'étages aura-t-il ? (Indique leur emplacement sur ton schéma.)

   _____

7. Indique les dimensions des structures de ton château selon une échelle que tu auras déterminée.

   a) hauteur des tours : _____

   b) diamètre des tours : _____

   c) hauteur du mur d'enceinte :_____

   d) hauteur du donjon : _____

   e) diamètre ou côté du donjon : ___

   f) largeur du fossé :_____

   g) dimensions du pont-levis : _____

8. Ton château comprendra-t-il d'autres bâtiments ? Si oui, nomme-les et indique leur emplacement et leurs dimensions dans ton schéma.

   _____

Schéma

Nom :

Un trébuchet

Reproduis cette maquette et teste son efficacité.

Mots d'orthographe

abattre

âge

allure

amener

ancien
  ancienne

après

arbalète

arme

armée

artisan
  artisane

assiette

autrefois

balai

bataille

bijou

bourg

brigands

calme

catapulte

centre

château

chêne

chevalier

clerc

combattre

compétition

conscience

construction

correct
  correcte

corvée

couvert
  couverte

croix

cru
  crue

déchirer

dîner

donjon

échapper

écrire

endormir

enluminure

entourer

entretenir

envahisseur

époque

éviter

féodal
  féodale
  féodaux

fidèle

flèche

force

forêt

fortifier

foule

furieux
  furieuse

garde

goutte

guerre

hélas

installer

jadis

langue

lourd
  lourde

maquette

mariage

monastère

naturellement

n'importe quoi

où

ouvrier
  ouvrière

palais

paysan
  paysanne

pendre

permettre

pierre

pince

posséder

précéder

précieux
  précieuse

projectile

prouver

quelquefois

raide

recevoir

religieux
  religieuse

revoir

saint
  sainte

sauf (adj.)
  sauve

s'écrier

seigneur

sens

servir

serviteur

soin

sorcellerie

souhait

suivant
  suivante

superstition

tas

tort

valeureux
  valeureuse

vieux, vieil
  vieille

vin

vrai
  vraie

Lexique

Adouber : remettre solennellement son armure à un nouveau chevalier.

Arborer (un visage hautain) : afficher, montrer.

Archère : dans les fortifications, ouverture pour le tir.

Assujetti : qui est sous la domination d'une personne, d'un groupe.

Cantique : poème religieux chanté.

Courtine : rideau de lit.

Daigner : vouloir bien.

Déloyauté : manque de bonne foi, de loyauté.

Destrier : cheval de bataille.

Effilé : mince et allongé.

Enceinte : ce qui entoure un espace fermé et en interdit l'accès.

Enluminures : ornements colorés, souvent dorés, des manuscrits anciens.

Escorter : accompagner pour protéger, surveiller ou faire honneur.

Flamand : de la Flandre, une région qui s'étend au nord de la France et de la Belgique.

Ganglion : petit renflement de certains nerfs.

Grégoriens (chants) : chants religieux qui ont été codifiés par un pape appelé Grégoire.

Gué : endroit d'une rivière où l'on peut passer sans perdre pied.

Haubert : cotte de mailles, une tunique faite de petits anneaux de fer.

Heaume : casque d'armes du Moyen Âge.

Huche : grand coffre de bois.

Impétueux : vif, emporté, fougueux.

Lacérer : mettre en pièces, déchirer.

Laïc : qui n'appartient pas au clergé, à un ordre religieux.

Lande : étendue de terre où ne poussent que certaines plantes sauvages, plaine.

Mercier : qui vend des articles de couture.

Outré : indigné.

Paillasse : grand sac bourré de paille qui forme un lit.

Pelletier : qui prépare ou vend des fourrures.

Preux : brave, vaillant.

Rempart : muraille entourant un château fort.

Rudimentaire : élémentaire, simple, peu développé.

Scriptorium : salle où les moines copient des manuscrits à la main.

Sénéchal : officier, chef de la justice.

Sobriété : retenue, modération; absence de recherche.

Stoïque : qui reste maître de soi.

Tonnelier : qui répare ou fabrique des tonneaux.

Treuil : cylindre horizontal sur lequel s'enroule un câble et qui sert à élever des fardeaux.

Tumeur : masse de cellules qui se développe sur un tissu ou un organe, augmentant leur volume.

Vassaux (vassal) : personnes liées à un seigneur et lui devant des services personnels.

Virulent : violent et rapide.

Bibliographie

Documentaires

DOUSTALY-DUNYACH, Anne. *Le Moyen Âge*, coll. Les essentiels Milan, Toulouse, Milan, 2000, 64 p. Une plaquette peu illustrée mais regorgeant d'informations.   Cote : f

BEFFEYTE, Renaud. *Les machines de guerre au Moyen Âge*, Rennes, Ouest-France, 2000, 32 p. Une brochure pour les mordus, avec photos en couleurs de reconstitutions de scènes d'époque.   Cote : m

DELAIN, Flore. *Les chevaliers du Moyen Âge : anthologie*, coll. Étonnants classiques, Paris, Flammarion, 2001, 96 p. Un recueil de textes sur les chevaliers qui datent d'avant l'an 1500, avec un dossier-jeu.   Cote : d

GRANT, Neil. *Comment on vivait au Moyen Âge*, coll. Entrez..., Paris, Gründ, 2002, 46 p. Une brève introduction à la vie quotidienne du monde médiéval. Dans la même collection : *Le Moyen Âge, Forts et châteaux, Les chevaliers*.   Cote : f

ICHER, François. *Apprentis et compagnons au Moyen Âge*, coll. La vie des enfants, Paris, Sorbier, 2002, 46 p. La vie quotidienne des jeunes apprentis et leur apprentissage du métier de charpentier, boulanger, cordonnier, et bien d'autres. Dans la même collection : *La vie des écoliers au Moyen Âge*.   Cote : f

LANGLEY, Andrew. *Vivre au Moyen Âge*, coll. Les yeux de la découverte, Paris, Gallimard, 2002, 72 p. Plusieurs aspects de la vie des chevaliers, paysans, artisans et membres du clergé : regroupements, habitation, repas, divertissements, travail... Dans la même collection : *Le temps des chevaliers, Le temps des châteaux forts*.   Cote : f

DEARY, Terry. *Les misères du Moyen Âge*, coll. Quelle histoire !, ill. de Martin Brown, Toulouse, Milan jeunesse, 2003, 128 p. Les mœurs et coutumes des gens du Moyen Âge. Dans la même collection : *Les chevaliers*.   Cote : m

MICHAUX, Madeleine. *Serfs et seigneurs au Moyen Âge*, coll. Les essentiels Milan junior, Toulouse, Milan, 2000, 32 p. Plusieurs facettes de la vie quotidienne des serfs, des seigneurs et des paysans.   Cote : f

Fiction

BRISOU-PELLEN, Evelyne. *Le secret de l'homme en bleu*, coll. Folio junior, Paris, Gallimard jeunesse, 2003. Le huitième roman de la série « Les aventures de Garin Troussebœuf », un jeune scribe du Moyen Âge.   Cote : d

COLLECTIF. *La poésie médiévale : petite anthologie*, coll. Il suffit de passer le pont, ill. d'Olivier Charpentier, Paris, Mango jeunesse, 2001, 44 p. Des poèmes d'autrefois.   Cote : m

GRENIER, Christiane. *Faut-il brûler Jeanne ?*, ill. de Nicolas Wintz, Paris, Nathan, 1999, 200 p. Un récit de science-fiction qui s'inspire de l'histoire de Jeanne d'Arc.   Cote : d

HONAKER, Michel. *Le bourreau de la pleine lune*, coll. Hors piste, Paris, Gallimard jeunesse, 2002. En 1245, des pendus apparaissent. L'énigme doit être résolue.   Cote : d

ICHER, François. *Il était une fois les cathédrales : les plus belles légendes autour de leur construc-tion*, ill. de Maurice Pommier, Paris, De la Martinière jeunesse, 2001, 138 p. Plusieurs his-toires bien illustrées.   Cote : m

MASSARDIER, Gilles. *Contes et récits des héros du Moyen Âge*, coll. Contes et légendes, ill. de Joann Sfar, Paris, Nathan, 1999, 258 p. Plusieurs récits de l'univers médiéval. Du même auteur : *Les fabuleuses histoires de Merlin et du roi Arthur*, *Héros et rois du Moyen Âge : une histoire*.   Cote : d

MCMULLAN, Kate. *Le nouvel élève*, coll. L'école des massacreurs de dragons/Folio cadet, ill. de Bill Basso, Paris, Gallimard jeunesse, 2002, 104 p. Mouton noir de sa famille, un petit garçon est accepté dans une école où sa vie va changer. Dans la même collection : *La vengeance du dragon*, *La caverne maudite*, *Une princesse pour Wiglaf*.   Cote : f

TÉNOR, Arthur. *Le bouffon de chiffon*, coll. Les chevaliers en herbe/Folio cadet, Paris, Gallimard jeunesse, 2002, 118 p. Un bouffon reprend vie grâce à une formule magique : humour, suspense, frissons. Dans la même collection : *Le monstre aux yeux d'or*.   Cote : f

Sites Internet

Calligraphie et enluminures

perso.club-internet.fr/cbelouin/-www. script-art.com

La Dame à la licorne

www.licornedecluny.com/docdamlicorn.htm

Les leviers

www.inrp.fr/lamap/activites/accueil.html

www.lescale.net/machines/

www.science-tech.nmstc.ca/francais/schoolzone/basesurmachines2.cfm#family

Épisode 7 : Planète en détresse

Claude MORIN, André PAYETTE

Les appareils de détection de la base avaient enregistré une énorme explosion dans la galaxie. Grâce à la chose, Ammön fut bientôt en mesure de la localiser avec précision.

Ammön : Ça vient de Tourouk, la grande planète ferreuse.

Klïma : Que s'est-il passé, Ammön ?

Ammön : D'après la chose, la planète a été frappée par une immense météorite. La puissance de la collision a été incroyable... Oui, kiapo, nous essaierons de faire quelque chose. Mais je doute que des gens aient pu survivre à un tel cataclysme.

Klïma : Restons à l'écoute, Ammön. Au moindre signe de vie, nous interviendrons.

* * * * *

Ammön dirigeait une flotte de dix-huit vaisseaux bien équipés pour le sauvetage. La flotte se tenait maintenant à bonne distance de la planète dévastée, à 10 000 kilomètres nautiques de ses anneaux gazeux. De forts vents balayaient la planète qui s'enveloppa d'une épaisse couche de poussière grise.

Ammön : Écoutons encore une fois, mes amis. Le signal est si faible...

Ammön : D'accord. Allons-y. Mais soyons très prudents. Nous prenons d'énormes risques.

* * * * *

Guidée par le flair du kiapo, Longlok, la chef des Treks, ouvrait la marche de sa petite troupe dans les entrailles de la cité qui s'était complètement effondrée. Sur l'écran du vaisseau principal, Ammön suivait avec angoisse le travail des sauveteurs. Il était renversé par l'agilité et l'endurance des Treks qui arrivaient à se frayer un chemin dans les décombres en surmontant les pires obstacles.

Après trois jours de fouilles, l'effort des sauveteurs fut récompensé.

Les quelques centaines de survivants furent embarqués dans les vaisseaux. À la vue des rescapés, Ammön ressentit une grande joie.

Ammön commanda le retour des vaisseaux à la vitesse oméga 7. Il prit là une excellente décision. Quelques minutes plus tard, deux météorites grosses comme des lunes frappèrent encore Tourouk. La planète explosa dans l'espace en libérant une immense boule de feu.

Nom : _____

Planification du magazine

Remplis cette fiche pour planifier le projet thématique 7.

1 Mes idées personnelles...

Pour le contenu du magazine : _____

_____

_____

Pour la facture du magazine : _____

_____

_____

2 Les idées retenues par l'équipe...

En ce qui a trait au contenu du magazine : _____

_____

_____

En ce qui a trait à la facture du magazine : _____

_____

_____

3 Voici un aperçu de la table des matières du magazine :

_____

_____

4 Voici les tâches à réaliser pour la création du magazine (souligne celles dont tu seras personnellement responsable) :

_____

_____

_____

Nom : _____

Analyse d'un magazine

Remplis cette fiche sur divers aspects d'un magazine qu'on trouve sur le marché.

Titre du magazine : _____

Numéro : _____   Date de parution : _____

Nombre de pages : _____   Groupe d'âge visé : _____

1   Caractéristiques de la facture du magazine (papier, reliure, format, etc.) :

_____

_____

_____

2   Principaux sujets abordés dans le magazine (contenu) :

_____

_____

3   Entoure les chroniques présentées par le magazine :

critiques (de livres, de disques compacts, etc.) ◆ capsules d'humour

courrier du lecteur ◆ tests ◆ sondages ◆ concours

horoscope ◆ reportages ◆ nouveautés (musique, livres, vidéos, etc.)

Autres : _____

4   Ce qui donne envie de le lire :

_____

5   Quelques mots sur l'iconographie du magazine (images et photos) :

_____

_____

Nom : _____

Mon rôle dans l'équipe

Apprécie ta façon de jouer chaque rôle
dans ton équipe. Cela t'aidera à
te donner des défis.

Les rôles	Toujours	Souvent	Parfois	Rarement
Comme animateur ou animatrice...				
• Je m'assure que tous les membres de l'équipe participent.	☐	☐	☐	☐
• Je donne le tour de parole.				
• Je relance la discussion en posant des questions.				
Comme contrôleur ou contrôleuse du temps...				
• Je m'assure que l'équipe respecte le temps qui lui est accordé pour réaliser l'activité.	☐	☐	☐	☐
Comme secrétaire...				
• Je rappelle aux membres de l'équipe les décisions qui ont été prises au cours de la réunion précédente.	☐	☐	☐	☐
• Je prends en note l'essentiel des discussions.				
• Je me préoccupe de la qualité de la langue écrite en écrivant mes notes.				
Comme porte-parole...				
• Je rapporte à l'ensemble du groupe les réflexions de mon équipe ainsi que les décisions que nous avons prises.	☐	☐	☐	☐
• Je m'exprime clairement, dans un français qui convient à la situation de communication.				
Comme modérateur ou modératrice...				
• Je m'assure que les membres de l'équipe parlent à voix basse en évitant de déranger les autres.	☐	☐	☐	☐
• Je m'assure que l'activité se déroule dans le calme.				
• Je rappelle la tâche à faire ou le sujet de la discussion lorsque les membres de l'équipe s'en écartent.				

Nom : _____

Ma recherche d'information

Réponds aux questions suivantes.

> Voici la catastrophe que notre équipe a choisie : _____
>
> J'étais responsable des informations sur... _____

1 Quelles étapes de ta recherche d'information ont été difficiles à réaliser ? Explique.

_____
_____

2 Est-ce que le fait d'écrire des questions précises sur un aspect lié à la catastrophe a facilité ta recherche d'information ? De quelle façon ?

_____
_____

3 Parmi les informations que tu as recueillies, comment as-tu sélectionné celles qui étaient pertinentes pour rédiger ton article ?

_____

4 Qu'as-tu le mieux réussi au cours de cette recherche d'information ? Sur quel plan te sens-tu le plus à l'aise ?

_____

5 Quelle aide aurais-tu souhaité recevoir au cours de la démarche ? Y a-t-il des techniques ou des outils de recherche avec lesquels tu es moins à l'aise ?

_____

6 Quelles découvertes as-tu faites au cours de cette recherche d'information ?

_____

7 Y a-t-il des informations tirées de tes recherches qui ont modifié tes idées de départ sur la catastrophe que tu as choisie ?

_____

Note : Garde des traces de tes sources d'information en t'inspirant de l'annexe 7.6.

Nom : _____

Modèles de références bibliographiques

Suis ces modèles pour écrire tes références bibliographiques.

Un livre

VAN ROSE, Susanna. *La colère des volcans*, coll. Les yeux de la découverte, Paris, Gallimard, 2002, 72 p.

Nom de l'auteur ou de l'auteure, prénom, titre du livre, collection, lieu d'édition, maison d'édition, année d'édition, nombre de pages.

Un article de revue

AUDET, Marie. «Comment atteindre l'objectif zéro faute?», Revue québécoise de grammaire, vol. 8, n° 4, décembre 1993, p. 35-48.

Nom de l'auteur ou de l'auteure, prénom, titre de l'article (entre guillemets), titre de la revue (souligné ou en italiques), volume de la revue, numéro de la revue, mois et année de publication, pagination de l'article.

Un cédérom

Découvre la vie! (cédérom). Chambery : Génération 5
2000, PC 486 mini, MAC OS 7.5, 1 cédérom.

Titre du cédérom (souligné), cédérom (entre parenthèses), lieu d'édition, maison d'édition (changer de ligne), année d'édition, configuration (indication des noms des ordinateurs et de leurs spécifications techniques), nombre de cédéroms.

Un site Internet

Société du Musée canadien des civilisations.
Musée virtuel de la Nouvelle-France
URL : http://www.civilisations.ca/vmnf/vmnff.asp
Site consulté le 15 avril 2002.

Nom de l'auteur, de l'auteure ou de l'organisme qui a créé le site (changer de ligne), nom du site (changer de ligne), adresse du site (URL :) souligné (changer de ligne), date à laquelle on consulte le site. Le nom du site est indiqué à la page d'accueil d'un site. Il ne faut mettre ni virgule ni point à la fin de l'adresse, car on pourrait penser que le signe de ponctuation fait partie de la référence. Il faut indiquer la date de consultation, car les sites évoluent ou disparaissent au fil du temps.

Nom : _____

Évaluation de la présentation

Évalue une autre équipe en répondant aux questions suivantes.

Nom des présentateurs : _____

Nom des évaluateurs : _____

Type de catastrophe dont il est question dans l'exposé : _____

1 Est-ce que l'équipe a bien expliqué sa démarche ? Commente.

_____

_____

2 Est-ce que l'équipe a bien fait ressortir les conséquences de la catastrophe naturelle pour la population qui l'a subie ?

_____

_____

3 Est-ce que les dessins ou schémas ont bien appuyé les explications ?

_____

4 La présentation était-elle originale ? Explique.

_____

_____

5 Est-ce que les membres de l'équipe ont ajusté le volume de leur voix, le débit, l'intonation et le rythme en fonction de la situation de communication ?

_____

_____

6 Est-ce que les élèves ont bien articulé les mots, assez pour être compris ?

_____

7 Commentaires de l'enseignante ou de l'enseignant :

_____

_____

Nom : _____

Instruments météorologiques

Remplis cette fiche sur un instrument de mesure utilisé en météorologie.

Nom de l'instrument : _____

Inventeur ou inventrice : _____

Année de l'invention : _____

À quoi cet instrument sert-il ? _____

_____

Explique son fonctionnement : _____

_____

_____

_____

_____

Qu'est-ce que cette invention a changé ? Pourquoi est-elle importante ?

_____

_____

Illustre cet instrument :

au début de son invention   aujourd'hui

Note tes sources de référence : _____

_____

Nom : _____

Cartes de rôles pour l'enseignement réciproque

Lis la description de ton rôle.

Responsable du rappel de texte

- Pendant la lecture, fais-toi des images ou relève les moments les plus importants.
- Fais des dessins ou écris quelques mots pour t'aider à faire le rappel.
- Donne le rappel du passage tout de suite après la lecture individuelle.

Responsable des questions sur le texte

- Pendant la lecture, imagine deux questions portant sur les personnages et les événements du texte.
- Écris les questions dans ton cahier de français.
- Pose les questions aux autres membres de l'équipe.

Responsable des éclaircissements

- Pendant la lecture, interroge-toi au sujet des mots, expressions ou idées plus difficiles.
- Écris les mots difficiles ou identifie les passages difficiles dans ton cahier de français.
- Demande de l'aide pour comprendre ces passages.

Responsable des prédictions

- Demande à tes équipiers de faire des prédictions sur le texte avant de le lire.
- Écris les prédictions dans ton cahier de français.
- Fais des prédictions après la lecture de chacun des passages et note-les dans ton cahier.
- Compare les prédictions avec celles qui ont été faites avant la lecture.

Nom :

Travailler en équipe

Remplis cette fiche d'évaluation.

Nom des coéquipiers :

1 Au cours de cette situation, comment qualifierais-tu ton travail en équipe ?

Très intéressant ◯   Assez intéressant ◯   Intéressant ◯

Peu intéressant ◯   Pas intéressant du tout ◯

Explique :

2 Selon toi, est-ce qu'on a tenu compte de tes idées ? Explique.

3 Qu'as-tu fait pour participer activement ?

4 Quels ont été tes rapports avec les membres de ton équipe ?

J'ai entretenu de bons rapports avec tout le monde. ◯

J'ai entretenu de bons rapports avec quelques-uns d'entre eux. ◯

J'ai eu des problèmes avec tous les membres de l'équipe. ◯

5 Donne-toi un défi pour améliorer ton travail en équipe au cours de ce projet.

Nom : _____

Ma façon de lire

Remplis cette fiche de réflexion sur la lecture.

Est-ce que j'aime la lecture ?

Oui ◯   Non ◯   Moyennement ◯

Pourquoi ? _____

À quelle fréquence je lis et quand ? _____

Le texte que j'ai préféré dans ce thème est... _____

parce que : _____

Je peux prévoir ce qui va arriver dans un texte.

La plupart du temps ◯   Souvent ◯   Rarement ◯

Explique : _____

Je pose facilement des questions sur un texte.

Oui ◯   Non ◯   Moyennement ◯

Explique : _____

Je peux dire dans mes mots ce que j'ai compris de ma lecture.

La plupart du temps ◯   Souvent ◯   Rarement ◯

Explique : _____

Quelles stratégies de lecture dois-je encore développer ? _____

_____

Ce que je pense de ma façon de lire : _____

_____

Un aspect que j'aimerais améliorer : _____

_____

Mots d'orthographe

abondance

accident

adieu

ambulance

appel

assister

assommer

balance

balayer

blessure

brûler

canadien
  canadienne

cependant

chaleur

climat

climatogramme

coffre

complet
  complète

conseil

correctement

couverture

craindre

cueillette

décidé
  décidée

désastre

désert

direction

dont

écorce

élément

endroit

énergie

envers

environnement

escalier

espèce

exact
  exacte

exposition

faux
  fausse

fleur

flocon

foyer

général
  générale
  généraux

géographie

géographique

glissant
  glissante

gouvernement

hélicoptère

hôpital
  hôpitaux

immédiatement

immense

incendie

instant

larme

lutte

marée

météorologie

météorologue

métro

montagneux
  montagneuse

moquer (se) (être)

nœud

odeur

ouate

parfait
  parfaite

permis
  permise

plâtre

pleuvoir

plier

polluer

pollution

prévenir

province

provision

quelques-uns
  quelques-unes

rail

rapidement

réchauffer

remède

réservoir

seconde (s)

secours

sensible

s'il vous plaît (s.v.p.)

soit

souffle

souhaiter

suivre

sursauter

technique

température

terrestre

thermomètre

tôt

urgence

vague

végétation

vieux, vieil
  vieille

volcan

vraiment

Lexique

Accablé : fatigué, écrasé, excédé.

Acculé : mis dans l'impossibilité d'agir ou de faire autrement.

Asphyxie : étouffement par manque d'air.

Blizzard : vent glacial accompagné de tempêtes de neige.

Calamité : catastrophe, malheur.

Cataclysme : grand bouleversement de la surface du globe, catastrophe.

Circonscrire : renfermer dans certaines limites.

Constitution : ensemble de la morphologie d'une personne, par exemple une faible constitution correspond à un corps plutôt faible et vulnérable à la maladie.

Consumer : détruire, anéantir.

Cor de chasse : instrument à vent pour émettre des signaux, des appels.

Cratère : orifice supérieur d'un volcan.

Croûte terrestre : zone superficielle de la Terre, épaisse d'environ 35 km. Syn. : écorce terrestre.

Crue des rivières : gonflement d'un cours d'eau.

Dépêcher (une personne) : envoyer en toute hâte.

Dépression (d'une colline) : aplatissement naturel ou accidentel.

Dépression (cyclonique) : diminution de pression.

Diamètre : longueur de la ligne droite passant au milieu d'une forme sphérique.

Diluvien : du mot *déluge*, qui a rapport à une quantité d'eau abondante.

Écorce terrestre : voir *croûte terrestre*.

Embâcle : amoncellement de glaçons dans un cours d'eau, pouvant provoquer des inondations.

Engorger (s') : s'obstruer, s'embarrasser.

Éruption volcanique : émission violente de pierrailles, de vapeurs, de laves, de cendres.

Faisceau lumineux : rayons lumineux.

Flanc (d'une montagne) : côté.

Fortune (de) : improvisé avec les moyens qu'on a sous la main.

Fuseau horaire : chacune des 24 portions sphériques tracées à la surface des globes avec les pôles pour extrémités, permettant d'établir l'heure légale selon les lieux.

Fusion : passage de l'état solide à l'état liquide sous l'effet de la chaleur.

Goyave : fruit exotique.

Hectare : mesure de superficie égale à 10 000 mètres carrés.

Hypothermie : abaissement de la température du corps.

Immuabilité : qu'on ne peut mouvoir ou bouger.

Inculte : qui n'est pas cultivé.

Infect : qui sent mauvais, qui goûte mauvais.

Lit (d'un lac) : creux du sol où il y a de l'eau.

Magnitude : quantité d'énergie d'un séisme mesurée selon l'échelle de Richter.

Monoxyde de carbone : gaz toxique.

Nappe d'eau : vaste étendue d'eau terrestre ou souterraine.

Noyau (de notre planète) : partie centrale du globe terrestre.

Oriflamme : bannière en forme de flamme.

Paroxysme : degré le plus haut.

Prospecteur : chercheur de ressources naturelles des mines, l'or, par exemple.

Pylône : support en charpente métallique d'une ligne électrique.

Quiétude : calme.

Réserve faunique : territoire réglementé pour la sauvegarde des animaux.

Sapeur : pompier.

Sévir : se faire sentir vivement; dans d'autres contextes, punir avec rigueur.

Sinistré : qui a subi un sinistre, c'est-à-dire un fait dommageable.

Stagner : ne faire aucun progrès, aucun mouvement.

Torrent : cours d'eau violent.

Toundra : climat froid caractérisé par une formation végétale discontinue de lichens et d'arbustes.

Bibliographie

Documentaires

AMELIN, Michel. *Les fureurs de la Terre : une histoire*, coll. Mégascope, Paris, Nathan, 1999, 62 p. Une histoire suivie d'un texte documentaire et d'activités pour mieux comprendre les phénomènes abordés.   Cote : f

BUNDEY, Nikki. *Le vent et les hommes*, coll. Le climat et la vie, Bonneuil-les-Eaux, Gamma/Montréal, École active, 2001, 32 p. Des expériences éclairantes. Dans la même collection : *Le vent et la Terre, La pluie et les hommes, La pluie et la Terre, La neige et les hommes, La neige et la Terre.*   Cote : m

DESJOURS, Pascal. *Les saisons et les climats : des expériences faciles et amusantes*, coll. Science en poche ; Les petits Débrouillards, ill. d'Anouck Ricard, Paris, Albin Michel jeunesse, 2001, 76 p. Des expériences à reproduire et à modifier. Dans la collection Les petits Débrouillards : *Les volcans, une puissance incontrôlable.*   Cote : m

FECHER, Sarah *et al. Les catastrophes naturelles*, coll. Absolument renversant !, Anjou, Les presses d'or, 2000, 32 p. Un relevé de catastrophes naturelles brièvement expliquées.
Cote : f

HALLEY, Ned. *Le grand livre des catastrophes*, Saint-Lambert, Héritage, 2000, 64 p. Des catastrophes naturelles, historiques, écologiques et futures.   Cote : m

OUELLET, Marie-Claude. *Atlas de la météo*, Montréal, Québec Amérique jeunesse, 2003, 80 p. Des réponses à des questions courantes sur la météo, dont beaucoup portant sur les catastrophes naturelles, le tout appuyé d'expériences éclairantes.   Cote : m

RODEN, Katie. *Fléaux*, coll. Sur les traces..., Bonneuil-les-Eaux, Gamma/Montréal, École active, 1998, 40 p. Un ouvrage informatif sur les épidémies.   Cote : f

STEEDMAN, Scott. *Les volcans*, coll. Fenêtres, ill. de Carolyn Scare, Paris, Épigones, 1998. Des explications sur l'activité volcanique.   Cote : m

SUTHERLAND, Lin. *Volcans et tremblements de terre*, coll. Larousse-explore, ill. de Richard Bonson, Paris, Larousse, 2000, 64 p. Des informations intéressantes sur ces catastrophes naturelles.   Cote : m

VAN ROSE, Susanna. *La colère des volcans*, coll. Les yeux de la découverte, Paris, Gallimard, 2002, 72 p. Beaucoup d'informations et d'illustrations. Dans la même collection : *Cyclones et tornades.*   Cote : m

VENTURI, Bianca *et al. Planète Terre*, Paris, Atlas, 2001, 238 p. Un livre informatif dense avec une section importante sur les volcans et autres catastrophes naturelles.   Cote : d

Fiction

BOUCHARD, Michel Marc. *Les manuscrits du déluge*, coll. Théâtre, Montréal, Leméac, 2003, 84 p. L'inondation a éparpillé les manuscrits qu'écrivaient des personnes âgées pour transmettre leur mémoire. Une réflexion sur la valeur des choses du passé qui peuvent se perdre.   Cote : d

BROUTIN, Christian. *Comptines du temps qu'il fait*, coll. Les petits bonheurs, Arles, Actes sud junior, 2001, 62 p. Des comptines inspirées de la météorologie.   Cote : f

CAHOUR, Chantal. *De l'eau plein les bottes*, coll. Cascade, ill. de Michel Rius, Paris, Rageot, 2001, 152 p. Une inondation, c'est souvent un moment où l'entraide et le partage aident à surmonter le malheur.   Cote : m

CHABAS, Jean-François. *Baa,* coll. Aventures, Paris, Casterman, 2000, 134 p. Des criminels rendus en Alaska risquent de subir les contrecoups d'une avalanche.   Cote : m

CHARTRAND, Lili. *Malédiction, farces et attrapes !*, coll. Boréal junior, ill. de Jacques Hébert, Montréal, Boréal, 2000, 134 p. Un récit où la sécheresse sévit...   Cote : m

DAUDET, Alphonse. *Lettres de mon moulin*, coll. Le livre de poche jeunesse; Contes et merveilles, ill. de Rozier-Gaudriault, Paris, Hachette jeunesse, 2002, 310 p. Du même auteur : *Le petit Chose, La chèvre de monsieur Séguin*, etc.   Cote : m

DE GROOT. *Y a du génie dans l'air !*, coll. Léonard, ill. de Turk, Bruxelles, Le Lombard, 2003, 48 p. Un des innombrables titres de cette série amusante et géniale.   Cote : f

DELAUNOIS, Angèle. *La tempête du siècle*, coll. Papillon; C'est la vie, ill. de Romi Caron, Saint-Laurent, Pierre Tisseyre, 1998, 152 p. Une évocation de la tempête de verglas du mois de janvier 1998.   Cote : d

DILLON, Jack. *L'avalanche*, coll. Bibliothèque verte; Alerte! Paris, Hachette jeunesse, 2000, 154 p. Une avalanche surgit pendant une journée de planche à neige. Dans la même collection : *L'éruption volcanique, Tempête en mer, L'ouragan, Le feu de forêt, Le tremblement de terre*.   Cote : m

DRESSLER, Sophie. *Force 10 ! Avis de tempête*, coll. Archimède, Paris, L'école des loisirs, 2003, 46 p. Une histoire documentaire qui nous en apprend beaucoup sur le vent, la tempête et les prévisions météorologique.   Cote : m

FAURE-POIRÉE, Colline. *L'eau en poésie*, coll. Folio junior, Paris, Gallimard, 1999, 140 p. Des poésies classiques qui s'inspirent de cet élément naturel qu'est l'eau.   Cote : d

FRANQUIN. Les BD *Gaston Lagaffe*.

GREG. Les BD *Achille Talon*.

LONDON, Jack. *L'appel de la forêt*, Paris, Hachette, 2002, 184 p. Du même auteur : *Croc-Blanc, L'amour de la vie, Le loup de mer*, etc.   Cote : d

NOËL, Michel. *La ligne de trappe*, coll. Atout, Montréal, Hurtubise HMH, 1998, 174 p. Quatre personnes survivent à un accident d'avion dans les conditions climatiques extrêmes du Grand Nord.   Cote : m

TIBO, Gilles. *Noémie, Le château de glace*, coll. Bilbo, ill. de Louise-Andrée Laliberté, Québec Amérique jeunesse, 1998, 192 p. Les déboires de Noémie et de sa vieille amie madame Lumbago durant la tempête de verglas de 1998.   Cote : m

Sites Internet

La météo

meteo.ec.gc.ca/canada_f.html

Mots clés de recherche Internet en anglais : *hurricane*, *flood*, *volcano*, *earthquake*, *world*, *tracking*

Tempêtes tropicales

www.nhc.noaa.gov/

National Weather Service ; des informations et des cartes sur les tempêtes en cours.

Inondations

www.dartmouth.edu/~floods/

Darmouth Flood Observatory, School of Earth Science and Geography ; ce site contient des informations sur les inondations en cours et récentes : causes, personnes déplacées, décès, etc.

Volcans

volcanoes.usgs.gov/

Smithsonian Institute ; des rapports hebdomadaires d'activité volcanique avec descriptions et cartes.

Tremblements de terre

earthquake.usgs.gov/recenteqsww/index.html

US Geological Survey (www.usgs.gov/) ; publication d'une carte mondiale et d'informations hebdomadaires sur les tremblements de terre.

Épisode 8 : Les figurines du zernat

Claude MORIN, André PAYETTE

Klïma hésita quelques secondes, puis elle avança dans le vide au-dessus d'un précipice qui semblait sans fond.

Ammön : Klïma, reviens, je t'en prie ! Quittons cette damnée planète !

Klïma : Suis-moi, Ammön. Tu vois bien qu'il n'y a pas de danger.

Ammön : Mais comment en être sûr ? Que fais-tu de ces rapaces noirs qui volent sur notre gauche ? Et des éboulements de la grosse montagne ? Et de ces siphons qui engloutissent des arbres entiers ? Rien de cela n'est vrai, je suppose ! Je ne sais plus où j'en suis, moi !

Klïma : Les rapaces et les éboulements sont le fruit de l'imagination du zernat. Mais les siphons, eux, sont bien réels. Il faudra faire attention. Apprends à distinguer les choses, Ammön. Ne fais pas comme le kiapo qui s'effraie de tout !

Ammön : Merci de me comparer au kiapo. Je suis un homme du réel, moi. J'aime les choses franches, solides, les choses qui existent vraiment. Je n'ai rien à faire des sornettes du zernat.

Malgré ses réticences, Ammön continua à suivre Klïma dans un univers troublant de vrais et de faux dangers. Klïma marchait en silence, avec une concentration extrême. Mais cette marche était terriblement épuisante pour Ammön, peu familier avec le monde imaginaire.

Dans la forêt pétrifiée où ils avaient pénétré à la nuit tombée, Ammön et Klïma furent hantés par une suite d'apparitions fantomatiques : une tête d'alopan géant crachant le feu, une horde de guerriers palmés en déroute, un rampant à sept queues et un immense cimetière de tripèdes momifiés.

Ammön et Klïma atteignirent la grotte du zernat au milieu de la nuit. Après une longue période de silence, le grand sage prononça enfin les précieuses paroles que Klïma était venue recueillir, comme son père l'avait fait jadis.

Le zernat : Sachez, princesse, retrouver dans la mémoire de votre enfance les secrets de votre avenir. Vous y trouverez les clés qui guideront votre chemin. À votre intention, j'ai taillé ces six figurines. Animez-les pour écrire le roman de votre vie. C'est votre tâche la plus urgente.

Une fois ces paroles dites, le zernat se recroquevilla sur lui-même et se figea comme une statue de pierre.

Nom : _____

Chacun son genre

Remplis ce tableau pour bien décrire le genre romanesque
que tu étudies en équipe.

Genre romanesque étudié	
Origine	
Évolution	
Exemples	
Objectifs	
Caractéristiques	
Thèmes traités	
Livres appartenant à ce genre	

Mes élèves en équipe

Remplir cette grille pour
quelques élèves à la fois.

z z z z

	Nom de l'élève				
Présente son point de vue.					
Articule bien les mots.					
Utilise une langue correcte.					
Parle respectueusement à ses camarades.					
Regarde les autres.					
Écoute attentivement.					
Pose des questions pour résoudre des problèmes de compréhension.					
Répond aux questions qui lui sont posées.					
Parle à son tour.					
Se déplace sans faire de bruit.					
Parle à voix basse.					
Encourage ses camarades.					
Partage l'information.					
Tient son rôle.					
Réinvestit le vocabulaire de ses lectures.					
Utilise un vocabulaire précis.					
Exprime ses doutes, ses sentiments et ses impressions.					

Nom : _____

Standard ou familier ?

Écris la réponse qui convient à côté des expressions fautives
et cherche d'autres exemples pour chaque section du tableau.

	Langage familier	Langage standard
Prononciation	In ordinateur	Un ordinateur
	Y s'en vont.	
	Tois gommes (3)	
	Quat' crayons	
Genre de certains noms commençant par une voyelle	Un annonce	Une annonce
Formes verbales, structures interrogatives	T'en veux-tu?	En veux-tu?
	Y veulent-tu?	
Vocabulaire	C'est le fun.	C'est agréable.

Nom : _____

Écrire...

Complète les phrases qui suivent.

1. Selon moi, ce qu'il y a de formidable dans le métier d'écrivain ou d'écrivaine, c'est...

   _____

   En revanche, ce métier a l'inconvénient de... _____

   _____

2. J'éprouve du plaisir lorsque j'écris, car... _____

   _____

3. Ce que je trouve difficile lorsque j'écris, c'est... _____

   _____

4. J'écris pour les raisons suivantes : _____

   _____

5. Voici ce qui m'inspire lorsque j'écris... _____

   _____

6. Le plus beau texte que j'ai écrit s'adressait à... _____

   _____

   Il parlait de... _____

7. Le plus beau texte que j'ai reçu a été écrit par... _____

   _____

   Il s'agissait de... _____

8. Selon moi, les mots ont le pouvoir de... _____

   _____

9. Pour être plus à l'aise lorsque j'écris, j'aimerais améliorer cet aspect : _____

   _____

Nom : _____

Des œuvres, un auteur ou une auteure

Pour chacun des romans de cet auteur ou de cette auteure, discute avec tes coéquipiers de chacun des aspects suivants.

> **Nom de l'auteur ou de l'auteure :** _____

1 De quel type de roman s'agit-il ? (Roman d'aventures, historique, etc.)

_____

2 Quels thèmes sont abordés dans le roman ? Quels sous-thèmes sont abordés ?

_____

3 Quels types de personnages sont mis en scène ? Sont-ils stéréotypés ? Quels sont leurs traits de caractère ? Leur aspect physique ? Leurs actions ?

_____

4 Où et quand l'action se situe-t-elle ?

_____

5 Quelle est la structure narrative de l'histoire ? Quelle est son intrigue ? Comment l'histoire se termine-t-elle ?

_____

6 Quelle atmosphère se dégage du roman ? Quel est le moment de tension le plus intense ?

_____

7 Quelles valeurs sont véhiculées dans l'histoire ?

_____

8 Quel est le style d'écriture de l'auteur ou de l'auteure ? Quels effets provoque-t-il ? Est-ce qu'il y a de longues descriptions ou davantage de phrases courtes ?

_____

9 Quel intérêt présente l'intrigue ? Et le roman en général ?

Nom : _____

Feuille de rôle

Animateur ou animatrice de la discussion

Prépare une liste de questions sur cette partie du livre. Elles serviront de base de discussion dans ton équipe. Ne te préoccupe pas des détails. Tu dois aider les autres à discuter de ce qui est important dans le livre et à exprimer leurs réactions. Pour trouver des questions, sers-toi des pensées, des impressions et des sentiments qui te viennent pendant la lecture. Dresse la liste des questions pendant ou après la lecture. Tu peux t'inspirer des questions ci-dessous.

Livre : _____

Pages à lire : _____ à _____

Questions ou sujets possibles

1. _____
   _____

2. _____
   _____

3. _____
   _____

4. _____
   _____

Exemples de questions à poser

- Comment vous êtes-vous sentis en lisant cette partie du livre ?
- À quoi avez-vous pensé pendant la lecture ?
- Quelles questions vous sont venues à l'esprit à la fin de la lecture ?
- Qu'est-ce qui vous a surpris le plus dans cette partie ?
- Que va-t-il se passer ensuite dans cette histoire ?

Nom : _____

Feuille de rôle

Maître ou maîtresse des passages

Choisis quelques passages du texte que ton équipe aimerait entendre lire à haute voix. Il s'agit de permettre aux autres de se souvenir d'une partie intéressante, amusante ou intrigante du texte. Choisis d'abord les passages qui valent la peine d'être retenus et prépare-toi à les présenter. Tu peux les lire toi-même, demander à un autre membre de l'équipe de le faire pour toi ou les faire lire silencieusement et en discuter ensuite avec l'équipe.

Livre : _____

Pages à lire : _____ à _____

Pages	Raisons du choix	Façons de les présenter
1. _____	_____	_____
	_____	_____
2. _____	_____	_____
	_____	_____
3. _____	_____	_____
	_____	_____
4. _____	_____	_____
	_____	_____

Voici des raisons de choisir un passage

- Le passage te semble important.
- Le passage te semble amusant.
- Le passage décrit bien certaines réalités.
- Le passage est surprenant.
- Le passage est stimulant.
- Le passage met les lecteurs sur une piste.

Nom : _____

Feuille de rôle

Maître ou maîtresse des liens

Tu dois faire des liens entre le livre à lire et la vie réelle. Cela signifie que tu établis des relations entre le récit et ta vie personnelle, ce qui t'arrive à l'école, ce qui se passe ailleurs dans le monde ou ce qui se passait ou se passera à une autre époque. Tu peux aussi indiquer les liens que tu fais avec d'autres livres du même genre, du même auteur ou de la même auteure, ou encore avec un film que tu as déjà vu. Tu peux partager avec ton équipe tous les liens que tu fais. Il n'y a pas de mauvaise réponse.

Livre : _____

Pages à lire : _____ à _____

Liens entre le livre et la vie réelle

1. _____

   _____

2. _____

   _____

3. _____

   _____

4. _____

   _____

5. _____

   _____

Nom : _____

Feuille de rôle

Maître ou maîtresse des mots

Cherche des mots qui te semblent importants dans la lecture de cette partie. Si tu vois des mots inconnus ou inhabituels, souligne-les, tu les écriras à la fin de ta lecture. Cherche leur définition dans le dictionnaire ou ailleurs. Tu peux également sélectionner des mots que tu connais, mais qui te semblent importants dans le texte, ou encore des mots qui sont employés de façon inhabituelle. Prépare-toi à les présenter aux autres et à en discuter avec eux.

Livre : _____

Pages à lire : _____ à _____

Page et paragraphe	Mot	Définition
1. _____ _____	_____	_____ _____ _____
2. _____ _____	_____	_____ _____ _____
3. _____ _____	_____	_____ _____ _____
4. _____ _____	_____	_____ _____ _____
5. _____ _____	_____	_____ _____ _____

Nom : _____

Feuille de rôle

Illustrateur ou illustratrice

Réalise un dessin en rapport avec le texte que tu viens de lire. Tu peux faire un dessin réaliste, des bonshommes allumettes ou un graphique. Ce dessin peut porter sur un passage du livre, sur un souvenir que le texte t'a rappelé ou sur un sentiment que tu as éprouvé. Tu peux ajouter des mots à ton dessin. Quand ce sera ton tour de participer, tu peux montrer ton dessin aux autres sans parler. Ils essaieront de voir ce qu'il représente et de le relier aux idées qu'ils ont eues pendant leur lecture. Quand tous auront parlé, tu pourras dire ce que représente ton dessin, d'où cette idée t'est venue et ce qu'il signifie pour toi.

Livre : _____

Pages à lire : _____ à _____

Nom : _____

Observation d'une séquence dramatique

Apprécie la présentation de tes pairs en remplissant cette fiche.

Nom de l'observateur ou de l'observatrice : _____

N° de l'équipe d'acteurs : _____   N° de l'équipe de soutien : _____

1 Les acteurs bougent bien et leurs gestes sont en lien avec les émotions qu'ils cherchent à exprimer.

1 2 3 4 5 6 7 8 9 10

Commentaires : _____

2 On comprend bien tous les acteurs.

1 2 3 4 5 6 7 8 9 10

Commentaires : _____

3 Les acteurs ne se nuisent pas; ils ne parlent pas en même temps.

1 2 3 4 5 6 7 8 9 10

Commentaires : _____

4 Les accessoires sont bien choisis.

1 2 3 4 5 6 7 8 9 10

Commentaires : _____

5 Voici un aspect que j'aime particulièrement dans l'improvisation :

_____

6 Voici un aspect que l'équipe devrait améliorer :

_____

Nom : _____

Séquence dramatique : ma participation

Remplis cette fiche de réflexion sur ta participation à la séquence dramatique.

1. Comme acteur ou actrice, j'ai joué le rôle de : _____

2. Voici une émotion que je voulais transmettre pendant l'improvisation :

   _____

3. Voici une idée que j'ai eue pour bien jouer le personnage :

   _____

4. J'ai participé à l'élaboration des accessoires.

   (1) (2) (3) (4)

   Voici une chose que j'ai réalisée : _____

5. J'ai donné mon avis au cours des discussions en équipe.

   (1) (2) (3) (4)

   Voici une opinion que j'ai donnée : _____

6. Mon jeu exercice préféré est : _____

   Parce que... _____

7. Le jeu exercice que j'aime le moins est : _____

   Parce que... _____

8. Voici un aspect dont je suis fier ou fière : _____

   _____

9. Voici un aspect que j'aimerais améliorer : _____

   _____

Nom : _____

Mon travail de rédaction

Mets un ✗ dans la bonne case.

	Oui	Non
J'ai trouvé un titre original pour mon roman et pour chacun de mes chapitres.	☐	☐
J'ai divisé chacun des chapitres en paragraphes.	☐	☐
J'ai utilisé au moins une technique d'écriture observée chez des auteurs pour susciter l'intérêt des lecteurs.	☐	☐
Les personnages que je mets en scène sont bien définis (caractéristiques physiques et psychologiques, émotions, motivations).	☐	☐
J'ai ajouté des marqueurs de relation entre les paragraphes et entre les phrases.	☐	☐
Le point de vue du narrateur ou de la narratrice est le même du début à la fin.	☐	☐
J'ai vérifié l'orthographe lexicale de certains mots.	☐	☐
J'ai vérifié l'orthographe grammaticale en utilisant une méthode de relecture (affiche).	☐	☐
J'ai vérifié la ponctuation des dialogues (deux-points, guillemets, tirets).	☐	☐
J'ai trouvé un vocabulaire évocateur et varié (dictionnaire des synonymes.	☐	☐
J'ai amélioré plusieurs phrases en faisant des opérations syntaxiques (ajouter, déplacer, substituer, supprimer).	☐	☐
Je crois avoir relevé le défi personnel que je m'étais fixé.	☐	☐

Nom: _____

La création de mes camarades

Apprécie l'œuvre de deux camarades à l'aide de crayons de couleurs différentes.

1 Souligne ce que tu observes dans cette œuvre réalisée à l'aide de la technique du papier découpé ou ajouré.

a) Les formes

des formes arrondies   des formes angulaires

b) Les lignes

courbes, droites, horizontales, verticales, obliques, brisées, circulaires, larges, étroites, courtes, longues, autres: _____

c) Les couleurs

des couleurs primaires   des couleurs secondaires

des couleurs chaudes   des couleurs froides

d) Les effets visuels

des textures   des motifs

e) L'organisation de l'espace

de la superposition   de l'énumération

de la juxtaposition   de la symétrie

de l'alternance

2 Réponds à ces questions plus subjectives.

a) En regardant cette création plastique, quel sentiment éprouves-tu?

_____

b) Cette œuvre traduit-elle un message? Que comprends-tu? Quel lien peut-on établir avec le poème?

_____

_____

c) Cette œuvre te fait-elle penser à une autre que tu connais? Laquelle? En quoi est-elle semblable?

_____

_____

Nom : _____

Appréciation d'un tableau

Remplis cette fiche d'appréciation d'une création plastique.

Nom de l'artiste : _____ Style : _____

Titre de l'œuvre examinée : _____

Date de sa réalisation : _____

Endroit où on la trouve (ex. : musée) : _____

1. Le tableau représente : _____

2. Décris les caractéristiques de l'œuvre.

    a) Les formes : _____

    b) Les lignes : _____

    c) Les couleurs : _____

    d) L'organisation et la représentation de l'espace : _____

3. Commentaire sur la technique utilisée : _____

4. Ce que je ressens face à ce tableau : _____

    Ce que je pense que l'artiste a voulu exprimer : _____

5. Ce que j'aime dans ce tableau : _____

    Raison : _____

6. Ce que j'aime moins dans ce tableau : _____

    Raison : _____

7. Appréciation globale du tableau : _____

8. Brève présentation de l'artiste : _____

    _____

Mots d'orthographe

aborder

admettre

agir

amitié

arme

auparavant

auteur
  auteure

bibliothèque

bizarre

camp

certainement

colère

complètement

conseiller
  conseillère

correction

correspondance

correspondant
  correspondante

correspondre

couvrir

déclarer

désir

dictionnaire

doré
  dorée

écrit
  écrite

écriture

écrivain
  écrivaine

ensorceler

envie

espérer

étrangement

exprès

fantastique

faveur

fournir

généralement

grâce

héros
  héroïne

historique

imaginer

immobile

imprimer

librairie

lire

marraine

mets

navette

nouvelle (n.)

œuvre

oublier

parfaitement

passage

permis
  permise

pique-nique

plupart (la)

poème

poésie

poète

portrait

préférer

principal
  principale
  principaux

profiter

quelques-uns
  quelques-unes

quelqu'un
  quelqu'une

recherche

récit

recueil

relire

remercier

richesse

roman

sauvage

sentiment

silence

sol

soulever

source

surprenant
  surprenante

tel
  telle

texte

titre

ton (n.)

vacances

vierge

vif
  vive

vocabulaire

Lexique

Adversité : malheur.

Âge d'or : temps heureux, de grand succès (ici, du roman policier).

Air du temps : les idées, les manières d'une époque.

Amnésie : perte de mémoire.

Anticipation (roman d') : où l'action se passe dans le futur.

Archives : papiers importants concernant l'histoire d'une famille, d'une ville, etc.

Augure : présage, genre de prédiction.

Aurochs : bœuf sauvage d'Europe.

Byzantin : de Byzance, capitale de l'empire romain d'Orient

Chiromancien : diseur de bonne aventure.

Converger : tendre vers le même point.

Crève-cœur : désappointement.

Cyrillique : se dit de l'alphabet slave (serbe, russe, bulgare, ukrainien, etc.).

Départir (se) : se défaire.

Déposition : déclaration d'un témoin en justice.

Dramaturge : auteur dramatique.

Élucider : éclaircir, expliquer.

Énième : qui est à un rang indéterminé, mais grand. Syn. : ixième.

Enluminures : fins dessins ornant les manuscrits anciens.

Épopée : récit d'aventures héroïques.

Excentrique : original, non conventionnel.

Filière : réseau.

Giberne : ancienne boîte à cartouches des soldats.

Grimoire : livre des magiciens et des sorciers.

Hagard : qui a une expression égarée, farouche.

Hébraïque : qui concerne les Hébreux, un peuple du Moyen-Orient ancien.

Hiéroglyphe : chacun des signes de l'écriture des anciens Égyptiens.

Hune : plate-forme de navires.

Hurluberlu : étourdi, écervelé.

Idéogramme : signe qui exprime l'idée et non les sons d'un mot; on dessine par exemple un oiseau plutôt que d'écrire le mot *oiseau*.

Incunable : ouvrage qui date de l'origine de l'imprimerie, avant 1500.

Intemporel : qui échappe au temps.

Joncher : couvrir le sol en quantité.

Missel : livre qui contient les prières de la messe.

Mutant : être vivant en transformation.

Olographe : se dit d'un testament écrit à la main par le testateur.

Omettre (omis) : ne pas mentionner ou faire.

Papyrus : manuscrit écrit sur l'écorce de plantes, qui remonte à l'Égypte ancienne.

Parchemin : peau d'animal traitée pour faire des documents écrits.

Persan : de la Perse, ancien royaume situé sur le territoire actuel de l'Iran.

Piètre : sans valeur, mauvais.

Poterne : porte secrète.

Précurseur : qui vient avant.

Prose : texte qui n'est pas en vers.

Psautier : recueil des psaumes de la Bible.

Recouvrer : retrouver, rentrer en possession de (la mémoire, la santé, etc.).

Résoudre (résolut) : décider.

Sanscrit : langue sacrée et littéraire de l'Inde.

Saugrenu : bizarre, ridicule.

Séminaire : établissement scolaire religieux.

Subjugué : charmé, conquis, fasciné.

Tangible : concret, que l'on peut toucher.

Télékinésie : mouvement d'objets sans contact.

Télépathie : communication par la pensée.

Tentacules : appendices mobiles comme celles d'une pieuvre.

Trilogie : ensemble de trois œuvres.

Utopie : pays imaginaire où règne un gouvernement idéal.

Vermoulu : piqué de vers.

Voûte : plafond de forme arrondie.

Bibliographie

Documentaires

BROOKFIELD, Karen. *L'écriture et le livre*, coll. Les yeux de la découverte, Paris, Gallimard, 64 p. Une foule d'informations bien illustrées sur le livre et l'écriture.   Cote : m

CLAYSSEN, Virginie. *Zoom sur les médias*, coll. Zoom, Paris, Hachette jeunesse, 2002, 48 p. Pour avoir une vue d'ensemble des médias, qui diffusent notamment de la publicité. Dans la même collection : *Zoom sur les télécommunications, Zoom sur Internet*.   Cote : m

COPPENS, Bruno et Pascal LEMAÎTRE. *L'atelier des mots*, coll. Le grand livre, Paris, Casterman, 2002, 108 p. Des exercices pratiques et des jeux sur les mots pour se lancer dans l'écriture.   Cote : f

DELOBBE, Karine. *Marcel Pagnol : une vie, une œuvre*, coll. Écritoires, Mouans-Sartoux, REMF, 2003, 60 p. Une sympathique biographie de ce grand auteur.   Cote : m

HOURTELLE, Colette *et al. Le roman policier*, coll. Regards sur les lettres, Mouans-Sartoux, PEMF, 2002, 64 p. Une petite histoire du roman policier.   Cote : d

MANFRÉDO, Stéphane. *La science-fiction : aux frontières de l'homme*, coll. Découvertes/Littérature, Paris, Gallimard, 2000, 144 p. Pour plus de détails sur ce genre plutôt prisé.   Cote : d

Fiction et poésie

BARCELO, François. *Première enquête pour Momo de Sinro*, coll. Bilbo jeunesse/Momo de Sinro, Montréal, Québec Amérique jeunesse, 2002, 142 p. Dans la même collection : *Premier voyage, Première blonde, Premier trophée pour Momo de Sinro*.   Cote : f

BRIÈRE, Paule. *Pouah ! du poison !*, coll. Les enquêtes de Joséphine la Fouine, ill. de Jean Morin, Montréal, Boréal, 2002, 54 p. Joséphine doit résoudre une énigme d'empoisonnement. Un roman policier amusant. Dans la même collection : *La voleuse et la fourmi, Au loup !, C'est de la triche !, Vol chez maître Corbeau*.   Cote : f

BROUILLET, Chrystine. *Les pirates*, coll. Les enquêtes de Catherine et Stéphanie, Montréal, La courte échelle, 2001, 94 p. Dans la même collection : *Le vol du siècle, La montagne noire, Le complot*.   Cote : f

CAMPBELL, Johanna. *Le secret du rocker*, coll. Cœur Grenadine, Paris, Bayard, 2001, 142 p. Un roman d'amour actuel qui dévoile les secrets du cœur tendre d'un rocker. Dans la même collection : *Le garçon de mes rêves, Échec et maths, Juste un ami*, etc.   Cote : d

CHABIN, Laurent. *L'écrit qui tue*, coll. Atout, Montréal, Hurtubise HMH, 2002, 154 p. Un suspense captivant où le jeune Zach est poursuivi à la fois par la police et par des criminels. Du même auteur : *La planète des chats, Secrets de famille, La conspiration du siècle, Vengeances, la valise du mort*, etc.   Cote : d

CORAN, Pierre. *L'atelier de poésie*, coll. Le grand livre de l'école, ill. de Pascal Lemaître, Tournai, Casterman, 1999, 110 p. Un ouvrage destiné aux enfants et aux enseignants pour découvrir la poésie en jouant avec le langage oral et écrit. Du même auteur : *Chats qui riment et rimes à chats, Animalicieux : comptines, Comptines... pour délier les langues à nœuds, pour garder la cadence, pour ne pas bredouiller*, et bien d'autres.   Cote : m

GAGNON, Hervé et Thomas KIRKMAN-GAGNON. *2 heures du matin, rue de la Commune*, coll. Philémon Dandrejean détective privé, Sherbrooke, GGC éditions, 2002, 266 p. Dans la même collection : *Le mystère du manoir de Glandicourt*.   Cote : d

HASSAN, Yaël. *Momo, petit prince des bleuets*, coll. Tempo, Paris, Syros, 2003, 110 p. Pendant les vacances, Mohammed se découvre une passion pour les livres, qu'il partage avec un vieil homme fantaisiste. Du même auteur : *De l'autre côté du mur, Lettres à Dolly, Petit roman portable, Un jour, un jules m'@imera*, etc.   Cote : m

HENRY, Jean-Marie. *Il pleut des poèmes : anthologie de poèmes minuscules*, coll. La poésie, ill. de Zaü, Paris, Rue du monde, 2003, 54 p. Deux cents courts textes, dont des haïkus. Dans la même collection : *Le tireur de langue : poèmes*.   Cote : f

LANDRY, Chantale. *Les 111 histoires d'Augustine Chesterfield : Le gardien des vœux secrets*, coll. Chat de gouttière, ill. de Céline Malépart, Saint-Lambert, Soulières, 2002, 194 p. Augustine rêve de partir. On exauce son vœu, mais elle devra visiter 111 villes. Ce roman présente ses aventures avec un fauteuil parlant dans les trois premières villes. Un univers fantastique amusant. De la même auteure : *Sa majesté des gouttières*.   Cote : m

LATULIPPE, Martine. *Julie et le visiteur de minuit*, coll. Bilbo jeunesse/Julie, ill. de May Rousseau, Montréal, Québec Amérique jeunesse, 2002, 68 p. Julie se fait raconter une histoire de loups-garous. Depuis, elle soupçonne son voisin d'en être un... Dans la même collection : *Julie et le serment de la Corriveau*.   Cote : f

MARTEL, Julie. *À dos de dragon*, coll. Jeunesse-pop Fantastique épique/Les changelins, Montréal, Médiaspaul, 2002, 158 p. Un dragon demande l'aide d'une famille de lutins pour retrouver un bijou. Une aventure rocambolesque et féerique.   Cote : m

McGAUGHREAN, Geraldine. *Les plus belles histoires d'amour*, ill. de Jane Ray, Paris, Gauthier-Languereau, 2000, 110 p. Treize classiques, dont *Tristan et Iseut* et *Roméo et Juliette*.   Cote : m

OUIMET, Josée. *Le secret de Marie-Victoire*, coll. Atout/Histoire, Montréal, Hurtubise HMH, 2000, 148 p. Un roman historique mettant en vedette les filles du roi. Dans la même collection : *L'orpheline de la maison Chevalier, Le moussaillon de la Grande-Hermine*.   Cote : d

ROUY, Maryse. *L'insolite coureur des bois*, coll. Atout/Histoire, Montréal, Hurtubise HMH, 148 p. Un roman historique qui se passe en 1753, en Nouvelle-France. Dans la même collection : *La chèvre de bois, Jordan apprenti chevalier, La revanche de Jordan, Jordan et la forteresse assiégée*.   Cote : d

TURGEON, Élaine. *Une histoire tout feu tout flamme*, coll. Bilbo jeunesse/Flavie, ill. de Michel Rouleau, Montréal, Québec Amérique jeunesse, 2002, 104 p. Depuis qu'il y a eu un incendie au club vidéo, les clients qui ont été témoins de l'affaire prennent les caractéristiques des héros des films qu'ils étaient en train de choisir. Un roman fantastique. Dans la même collection : *Une histoire à dormir debout*.   Cote : m

VIGNEAULT, Gilles. *Songo et la liberté*, Québec, Musée du Québec, 2002, 42 p. Un conte magnifique de Vigneault illustré d'œuvres de Jean-Paul Riopelle.   Cote : f

VOILIER, Claude. *Les Cinq en croisière*, coll. Bilbo rose/Le Club des Cinq, Paris, Hachette, 2003, 156 p. Dans ce roman d'aventures du Club des Cinq, un garçon très surveillé en croisière sur la Méditerranée finit par disparaître. Dans la même collection : *Le Club des Cinq en péril, Les Cinq et le secret du vieux pont, Les Cinq à la télévision*, etc.   Cote : m

Sites Internet

Œuvres de Chagall
www.guggenheimcollection.org/site/artist_work_lg_28_1.html
www.guggenheimcollection.org/site/artist_work_lg_28_3.html

Enluminures
classes.bnf.fr/dossier/index,htm
www.parchemin.fr.st/
www.multimania.com/ikyo/
argolance.free.fr/
geens.free.fr/

Épisode 9 : Un architecte génial

André PAYETTE

Le moral était au plus bas chez les alliés de la planète jaune. C'est que leurs vaisseaux d'espionnage avaient découvert les fondements de la formidable puissance militaire des dictateurs : la station galactique KDK. Il s'agissait d'une structure colossale aux dimensions presque planétaires, inattaquable et dotée d'une puissance de feu dépassant tout ce qu'on avait pu imaginer jusque-là. Alertés, Ammön et Klïma écoutèrent avec effroi le compte rendu d'Amorad, qui avait été chargée de la mission de reconnaissance.

Amorad : Jetez un coup d'œil à ces projections, mes altesses. Ici, dans le bras occidental, 300 rampes de lancement de missiles laser à courbures contrôlées. Là, à droite, sous la grande coupole, des milliers de chasseurs Zig et des centaines de destroyers galactiques Ravage. Au centre, les huit immenses passerelles reliant les deux modules de la station galactique. Dans ces tubes géants travaillent jour et nuit des milliers de techniciens et d'ouvriers spécialisés, de toutes les origines, que les dictateurs ont réduits à l'esclavage.

Ammön : Je dois bien admettre, Amorad, que cette station galactique, aussi terrible qu'elle soit pour nous et nos alliés, est magnifique.

Amorad : Hélas oui ! votre altesse. Une pure merveille sur le plan architectural. Cette station a été conçue par un architecte de génie, sans aucun doute. Mais le plus terrible, c'est qu'elle est indestructible.

Klïma : Rien n'est vraiment indestructible, Amorad, vous le savez comme moi. Nous trouverons bien une faille dans cette gigantesque construction.

Amorad : Je le voudrais bien, votre altesse. Mais tout est fait en praxal, un nouvel alliage à la fois souple et résistant, capable de résister à des températures et à des pressions extrêmes. Et plus on pénètre profondément

dans la station, plus les structures métalliques sont denses et solides. Nous croyons, mais comment savoir vraiment, que le cœur énergétique de la station se trouve tout au centre du module gauche, où l'on a enregistré des rayonnements biomisaux de plus de 10 millions d'agars.

Ammön : Il nous faudrait une force de frappe mille fois plus grande que celle que nous possédons pour songer à attaquer KDK, n'est-ce pas, Amorad ?

Klïma : Mais il y a bien une solution. Je me refuse à croire que nous ne pourrons pas abattre cette dictature sanguinaire, Ammön.

Ammön : Quoi ? Et où sont les entrées ? Et les sorties ? (...) La chose m'assure qu'elle pourrait désactiver la majeure partie des systèmes de protection de KDK. Lorsque nous aurons mis au point les chrones, nous pourrons y infiltrer nos nouveaux chasseurs.

Klïma : Mais d'où la chose tient-elle tous ces renseignements, Ammön ?

Eh oui ! C'est bien la chose qui avait conçu cette base révolutionnaire, pour assurer la protection des habitants de la galaxie. Jamais elle n'avait pensé qu'elle passerait un jour aux mains des dictateurs. La chose promit aux alliés de faire tout son possible pour neutraliser son œuvre, et même la détruire s'il le fallait.

Nom: _____

Notre album

Remplis cette fiche pour t'aider à planifier et à évaluer le projet.

Partie 1: Planifier l'album

1 Nos idées d'éléments à placer dans l'album:

_____

_____

_____

2 Nos idées pour l'organisation de la sortie:

_____

_____

_____

3 Nos idées de mise en pages:

_____

_____

_____

4 Les idées que nous avons retenues:

_____

_____

_____

5 Les tâches que je dois effectuer:

_____

_____

_____

Nom : _____

Partie 2 : Bilan du projet

1 Comment as-tu abordé le projet ?

| Sans enthousiasme ⃝ | Avec enthousiasme ⃝ | Avec beaucoup d'enthousiasme ⃝ |

Explique ta réponse : _____

_____

2 Comment qualifierais-tu le travail que tu as fait au cours de ce projet ?

| Très satisfaisant ⃝ | Satisfaisant ⃝ | Pas satisfaisant du tout ⃝ |

Explique ta réponse : _____

_____

3 Que penses-tu de ta participation au travail d'équipe ? As-tu aidé les membres de ton équipe ? As-tu demandé de l'aide lorsque tu en avais besoin ?

_____

_____

4 Quelle est l'activité qui t'a le plus apporté de satisfaction ? Explique.

_____

_____

5 Quand tu fais un travail de recherche, qu'est-ce qui te procure le plus de satisfaction ?

_____

_____

6 Qu'as-tu appris au cours de ce projet ?

_____

_____

Nom : _____

Notre travail en équipe

Colorie le nombre de pointes qui correspond à la note que tu donnerais sur 4 à ton équipe et complète les énoncés des numéros 7 et 8.

1   Chaque élève a réalisé sa tâche.

2   Chaque élève a travaillé en respectant l'échéancier fixé.

3   Nous nous sommes entraidés les uns les autres.

4   Nous avons demandé de l'aide à nos coéquipiers au besoin.

5   Nous nous sommes régulièrement encouragés.

6   Nous travaillons dans le respect de chacun.

7   Voici quelque chose dont nous sommes fiers par rapport au travail d'équipe :

_____

_____

8   Voici un défi que nous aimerions relever :

_____

_____

Nom : _____

Analyse des textes descriptifs

Évalue le travail de tes coéquipiers en donnant une note sur 5 pour chaque aspect du travail.

	Coéquipier 1	Coéquipier 2	Coéquipier 3
L'introduction est appropriée.	☐	☐	☐
L'élève situe le monument dans son contexte (époque, année de construction, pays, utilité ou fonction du bâtiment).	☐	☐	☐
L'élève décrit l'aspect physique du bâtiment, les matériaux qui le composent.	☐	☐	☐
L'élève donne des détails sur la construction (histoire, technique de construction, personnes qui ont contribué à la construction).	☐	☐	☐
L'élève explique son choix et l'importance de la construction pour lui ou elle ou pour l'humanité.	☐	☐	☐
La mise en pages est appropriée, les images sont claires et en rapport avec le texte.	☐	☐	☐

Mots d'orthographe

absence

admettre

admiration

admirer

architecte

architectural
architecturale
architecturaux

architecture

armée

asphalte

assurer

auprès

bâtiment

bâtir

blesser

cabane

cathédrale

ciment

classique

conseiller
conseillère

construire

craie

cuir

décoration

désirer

détruire

direction

diriger

édifice

élaborer

élever

enfuir (s') (être)

environ

ériger

escalier

espoir

examiner

fabrication

fabriquer

favorable

fixer

flotter

gagner

glissoire

grimper

habitation

hésiter

hôtel

imagination

impatient
impatiente

instruction

lavabo

magnifique

mettre

moderne

montréalais
montréalaise

monument

monumental
monumentale
monumentaux

œuvre

œuvrer

offre

original
originale
originaux

oser

outil

outillage

outiller

ouvrage

ouvrager

parfait
parfaite

perfection

perfectionner

permission

pire

plus tôt

profond
profonde

promeneur
promeneuse

prudemment

quant à

qu'est-ce que

quoique

ramasser

remettre

restaurant

ridicule

sentir

signification

simple

solution

souterrain

statue

style

styliser

superstition

talent

talentueux
talentueuse

tout à coup

unique

vif
vive

Lexique

Applique : objet décoratif fixé à un mur.

Aspiration à : mouvement vers un idéal, un désir.

Banni : expulsé de sa patrie, exilé.

Biscornu : d'une forme irrégulière, bizarre, extravagante.

Clin (revêtement en) : construction dans laquelle les matériaux se recouvrent l'un l'autre à la manière des ardoises.

Comble : partie supérieure d'un bâtiment.

Consacrer (un temple) : dédier à Dieu par une cérémonie.

Corniche : moulure couronnant un mur, un piédestal.

Denier : ancienne monnaie.

Élaboré : compliqué, complexe.

Enceinte : ce qui entoure un espace fermé et en interdit l'accès.

Entablement : couronnement mouluré d'une porte, d'une fenêtre.

Exil : expulsion de gens hors de leur patrie ou obligation de vivre éloigné d'un lieu que l'on regrette.

Exubérance : surabondance, extravagance.

Fastueux : riche, majestueux.

Fronton : ornement d'architecture au-dessus de l'entrée principale d'un édifice.

Gothique : forme d'art qui s'est épanouie en Europe du 12e siècle jusqu'à la Renaissance, au 15e siècle.

Habitacle : demeure, cabine, espace assez grand pour une personne.

Horde : troupe.

Imbu : rempli, satisfait à l'extrême de soi-même.

Inopiné : inattendu.

Jonc : plante à tige qui pousse dans les lieux humides.

Mandat : mission, fonction.

Minaret : tour d'une mosquée.

Monumental : imposant comme un monument.

Orfèvrerie : art, commerce ou ouvrage de l'orfèvre, qui travaille l'or et l'argent.

Pétrifié : frappé de stupeur.

Pilastre : pilier carré dans une construction.

Postiche : faux, mis à la place de quelque chose qui n'existe pas ou plus.

Pylône : support d'une construction en charpente métallique ou en béton.

Saillie : partie d'un bâtiment qui avance sur le plan d'un mur, comme un balcon.

Sidérurgie : ensemble des techniques qui permettent de travailler le fer, les fontes, les aciers.

Statut (social) : position dans la hiérarchie sociale.

Travée : espace compris entre deux points d'appui d'un ouvrage de construction.

Treillis : ouvrage formé de branches de bois entrecroisées.

Truelle : spatule pour étendre le mortier.

Vacant : vide, inutilisé.

Vannerie : objets en osier; art de les fabriquer.

Verrières : fenêtres ou portes garnies de verre ou de vitraux.

Vertigineuse : qui donne le vertige.

Vestiges : restes, traces du passé.

Voûte : ouvrage de maçonnerie qui a la forme d'un arc formé de pierres qui s'appuient les unes sur les autres.

Bibliographie

Documentaires

ASH, Russell. *Les 7 merveilles du monde et autres monuments extraordinaires*, ill. de Richard Bonson, Paris, Gallimard jeunesse, 2003, 64 p. Une brève présentation d'importants monuments du patrimoine mondial.   Cote : m

BERNIER, Robert. *Un siècle de peinture au Québec : nature et paysage*, Montréal, Éditions de l'Homme, 1999, 352 p. Une rétrospective des peintres qui ont marqué le 20e siècle au Québec. Du même auteur : *La peinture au Québec depuis les années 1960*.   Cote : d

CÔTÉ, Alain. *Un patrimoine incontournable : sélection de 29 biens culturels*, Québec, Commission des biens culturels du Québec, 2000, 70 p. Des lieux historiques et des monuments historiques du Québec.   Cote : m

DELOBBE, Karine. *L'architecture*, coll. Histoire d'un art, Mouans-Sartoux, PEMF, 2002, 34 p. Une brève introduction à cet aspect central de la construction.   Cote : f

DESLOGES, Yvon et Alain GELLY. *Le canal Lachine : du tumulte des flots à l'essor industriel et urbain, 1860-1950*, Sillery, Septentrion/Ottawa, Parcs Canada, 2002, 214 p. La construction du canal, la navigation, les usines, les gens, le tout illustré de photos.   Cote : d

DOHERTY, Gillian et Anna CLAYBOURNE. *Peuples du monde, avec liens Internet*, Londres, Usborne/Saint-Lambert, Héritage jeunesse, 2002, 96 p. Des pistes de recherche pour le volet de l'album sur le patrimoine mondial.   Cote : m

ERLANDE-BRANDENBURG, Alain. *Notre-Dame de Paris*, Paris, J.-P. Gisserot, 2001, 32 p. Pour mieux connaître cette impressionnante cathédrale.   Cote : m

FOURNIER, Claude. *Raconte-moi la Nouvelle-France, raconte-moi le Québec*, ill. de Marie-José Raymond, Saint-Paul-d'Abbotsford, Rose films, 2003, 46 p. Une brève histoire du Canada jusqu'à 1763.   Cote : f

FRIEDMAN, Debra. *Objectif, photos : idées et bricolage*, coll. Artisanat, Markham, Scholastic, 2003, 40 p. Une introduction à la photo.   Cote : f

GAGNON, Hervé *et al. Histoire du Québec et du Canada, des Premières Nations à nos jours : espace, économie et société*, Laval, Beauchemin, 1998, 2 vol. Du même éditeur : *Histoire du Québec : une société nord-américaine* (d'Yves Bourdon).   Cote : d

GLANCEY, Jonathan. *Histoire de l'architecture*, Montréal, Libre expression, 2001, 240 p. Pour approfondir certaines facettes de l'architecture.   Cote : d

GODIN, Colette. *Montréal, la ville aux cent clochers : regards des Montréalais sur leurs lieux de culte*, coll. Images de société, Saint-Laurent, Fides/Montréal, Centre d'histoire de Montréal, 2002, 112 p. Un ouvrage réalisé à la suite d'un concours de photographie organisé par le Centre d'histoire de Montréal.   Cote : m

HACKER, Carlotta. *À la découverte de l'histoire du Canada*, ill. de John Mantha, Saint-Lambert, Héritage, 2002, 72 p. Une introduction à notre histoire.   Cote : f

KANTOROWSKI, Frédéric. *L'encyclopédie du Canada 2000*, Montréal, Stanké, 2000, 2638 p.
Un ouvrage de référence utile.   Cote : d

KENT, Peter. *Comment ont été construits les plus beaux monuments : pyramides, cathédrales, ponts, gratte-ciel*, Paris, Gallimard jeunesse, 2002, 46 p. Des explications simples.   Cote : f

LACOURSIÈRE, Jacques, Jean PROVENCHER et Denis VAUGEOIS. *Canada-Québec : synthèse historique, 1534-2000*, Sillery, Septentrion, 2000, 592 p.   Cote : d

LAPOINTE, Pierre. *Les premiers ministres du Canada-Uni et les gouverneurs généraux du régime, 1840-1867*, coll. L'histoire avec un visage, Lévis, À mains nues, 1999, 30 p. Pour le volet sur les personnages marquants. Dans la même collection : *Les premiers ministres du Canada, 1867-1999, Les femmes ministres à l'Assemblée nationale du Québec, 1962-1999.*   Cote : m

LEIER, Manfred. *100 merveilles du monde : le patrimoine naturel et architectural des 5 continents*, Paris, Succès du livre, 2002, 208 p. Pour le volet de l'album sur le patrimoine mondial, plusieurs monuments, édifices et lieux exceptionnels.   Cote : d

MacAULAY, David. *Les grandes constructions*, coll. Archimède, Paris, L'École des loisirs, 2002, 192 p. Un livre qui touche à plusieurs types de constructions.   Cote : d

MARREY, Bernard. *La tour Eiffel*, coll. Itinéraires, Paris, Éditions du Patrimoine, 2001, 64 p. Un livre consacré à cette incontournable tour. Dans la même collection : *Le pont du Gard, Les alignements de Carnac, temples néolithiques.*   Cote : m

McQUARRIE, John. *Montréal au fil du temps*, Ottawa, Magic Light pub, 2002, 202 p. Un livre d'histoire pratique.   Cote : d

MILLARD, Anne. *Une ville au fil du temps*, coll. Beaux livres, Montréal, Hurtubise HMH, 1999, 34 p. Du campement primitif aux villes contemporaines, on voit comment les événements de l'histoire influent sur les lieux.   Cote : f

PROVENCHER, Jean. *Les quatre saisons dans la vallée du Saint-Laurent*, Boréal, Montréal, 1988. Un ouvrage intéressant où l'on trouve des photos de vieilles maisons, des dessins, des gravures de paysages, des œuvres de plusieurs peintres.   Cote : d

PUTNAM, James. *Pyramides éternelles*, coll. Les yeux de la découverte, Paris, Gallimard, 2002, 72 p. Beaucoup de photos et d'illustrations. Dans la même collection : *Rome conquérante, Mémoire de l'Égypte, Lumières de la Grèce, Le temps de châteaux forts.*   Cote : m

RENAULT, Christophe. *Les styles de l'architecture et du mobilier*, coll. Gisserot-patrimoine, ill. de Christophe Lazé, Paris, J.-P. Gisserot, 2000, 128 p. Pour approfondir cet aspect de la construction.   Cote : d

SHEMI, Bonnie. *Ainsi s'est construit le Canada*, Toronto, Tundra Books, 2002, 40 p. Un rapide survol de l'édification du Canada.   Cote : f

VERGARA, L. et G. M. D. TOMASELLA. *Reconnaître les styles architecturaux*, Paris, De Vecchi, 2001, 164 p. Pour approfondir cet aspect de la construction.   Cote : d

WILSON, Pierre. *Montréal par ponts et traverses*, Montréal, Pointe-à-Callière/Musée d'archéologie et d'histoire de Montréal, 1999, 94 p. La conception et la construction des ponts de Montréal.   Cote : d

Document électronique

Dictionnaire biographique du Canada, Toronto, Université de Toronto/Québec, Presses de l'Université Laval, 2000, 1 disque laser produit par TMJames Multimedia Services inc. Une version électronique de ce dictionnaire existe aussi version papier.

Fiction et poésie

BATTUT, Éric. *Pour un bouquet*, coll. L'art en page, Mont-Prés-Chambord, Bilboquet, 2003, 40 p. Des œuvres graphiques et poétiques inspirées par les fleurs.   Cote : f

CHARPENTREAU, Jacques. *La ville en poésie*, coll. Folio junior, Paris, Gallimard jeunesse, 2000, 136 p. Une anthologie sur le thème de la ville.   Cote : d

CORAN, Pierre. *Le jardin des peintres : les fruits et légumes dans l'art*, coll. Art, images et mots, Tournai, La Renaissance du livre, 2002, 50 p. Des œuvres inspirées d'une même thématique.   Cote : f

ICHER, François. *Il était une fois les cathédrales : les plus belles légendes autour de leur construction*, ill. de Maurice Pommier, Paris, De la Martinière jeunesse, 2001, 138 p. Plusieurs histoires bien illustrées.   Cote : m

LASSERRE, Hélène. *Énigme à Notre-Dame : livre-jeu*, coll. Menez l'enquête, ill. de Gilles Bonotaux, Paris, Les Livres du Dragon d'or, 2002, 44 p. Au Moyen Âge, une enquête criminelle.   Cote : f

MIRANDE, Jacqueline. *Simon, bâtisseur de cathédrale*, coll. Voyage au temps de, Paris, Flammarion, 2001, 124 p. Un roman historique qui se campe au Moyen Âge.   Cote : m

OBIN. *Dédalo-délires : un livre-jeu de labyrinthes*, Paris, Nathan, 2002, 32 p. Pour s'amuser tout en concevant mieux ce que sont les labyrinthes. Dans la même collection : *Dédalo-dingue, sauvetage dans l'espace*.   Cote : f

POUCHAIN, Martine. *Meurtres à la cathédrale*, coll. Folio junior, ill. de Gilbert Morel, Paris, Gallimard jeunesse, 2000, 202 p. Un drame policier lié à la conception et à la construction de Notre-Dame. Suivi de : *La fête des fous*.   Cote : d

WALCKER, Yann. *L'alphabet des grands peintres : 82 peintres, 82 œuvres, 82 poèmes*, ill. de Maurice Pommier, Paris, Gallimard, 1998, 88 p. Un bel ouvrage original et stimulant.   Cote : m

Sites Internet

Patrimoine québécois, régions du Québec

www.tourisme.gouv.qc.ca/francais/index.html

www.cbcq.gouv.qc.ca/index.html

Patrimoine mondial

whc.unesco.org/nwhc.fr/pages/home/pages/homepage.htm

whc.unesco.org/nwhc.fr/pages/doc/events.fr/review.htm#debut

Biographies de figures marquantes du Canada

www.assnat.qc.ca/fra/Membres/notices/index.html

www.nlc-bnc.ca/8/2/r2-201-f.html

www.nlc-bnc.ca/2/18/h18-2300-f.html

www.bilan.usherb.ca/

Poésie pour enfants

www.clicksouris.com/

www.carpier.com/pluiedetoiles.com/auteurs.php

www.jecris.com/poemes.html

superluciole.free.fr/

franceWeb.fr/poesie/enfants/index.html

Reproductions d'œuvres de peintres québécois

www.lespeintresquebecois.com

www.artimage.org/html/index.html

Épisode 10 : Le pouvoir de la comédie

Claude MORIN, André PAYETTE

Depuis des heures, l'amphithéâtre était plein à craquer. Une foule enthousiaste de Rosaliens s'était rassemblée pour assister à la représentation de la dernière pièce de son idole, le grand Shekspil, poète, historien, romancier et dramaturge, le plus prodigieux créateur de la galaxie.

Shekspil avait tenu à présenter sa dernière pièce dans sa cité natale. Cela avait grandement indisposé le ministère de la Culture et de la Propagande, qui aurait préféré que la pièce soit jouée à Ankora, siège central de la dictature. « Pur caprice », avait-on répété en haut lieu. Mais les dictateurs avaient dû se plier aux désirs du grand maître.

Le dictateur Amov avait exigé une place au premier rang de l'amphithéâtre, en compagnie de sa cour et de ses gardes. C'est que la pièce, considérée comme l'événement culturel le plus important de l'année, serait diffusée aux quatre coins de la galaxie. Et le dictateur ne voulait surtout pas rater l'occasion de projeter l'image d'un grand protecteur des arts et des lettres.

Le titre de la pièce, *Pigotan, le roi des Bouboulans*, laissait les spectateurs un peu perplexes. Pigotan ? Quel nom pour un personnage ! Le nom d'un gros dindon bleuâtre à la cervelle grosse comme un pois. Des bouboulans ? De gros légumes jaunâtres à chair molle, insipides et nauséabonds, qui ne sont connus que d'une poignée de savants botanistes. La salle s'obscurcit peu à peu et les trois coups retentirent…

Le rideau s'ouvrit sur une énorme bête plumée à la démarche gauche qui se déplaçait en tous sens sur la scène en grommelant de façon ridicule.

Suivirent sur scène une vingtaine de personnages en forme de gros légumes jaunes, armés de petits gourdins ridicules. Pigotan vociférait pour les faire mettre en rang, mais les sottes créatures étaient si empêtrées qu'elles n'arrivaient qu'à se bousculer les unes les autres en se donnant de solides coups de gourdin.

Bouillant de rage, l'énorme Pigotan se tourna vers le public.

Et alors, par un des effets de mise en scène dont Shekspil avait le secret, on vit la tête du gros dindon Pigotan se transformer peu à peu pour prendre les traits d'Amov, et tous reconnurent dans les gros légumes ses principaux ministres.

Amov : Arrêtez-le ! Arrêtez Shekspil ! Fermez les rideaux ! Fermez les rideaux !

Le dictateur en furie avait envoyé ses gardes sur scène, mais les acteurs s'étaient maintenant mêlés à la foule qui les acclamait bruyamment.

Des soldats hébétés sur la scène. Les cris d'Amov étouffés par une foule en délire. Un indescriptible désordre dans l'amphithéâtre. Et dehors, une population révoltée. Le grand Shekspil avait ravalé la dictature au rang d'une sinistre farce.

Mes élèves en équipe

Remplir cette grille en observant
quelques élèves à la fois.

	Nom de l'élève				
Écoute ses camarades avec attention.					
Exprime ses idées et utilise des arguments pertinents.					
Exprime ses doutes, ses sentiments et ses impressions.					
Regarde les autres.					
Attend son tour pour parler.					
Pose des questions pour obtenir des éclaircissements.					
Rappelle à l'occasion les paroles de ses interlocuteurs.					
S'exprime dans une langue correcte.					
Précise sa pensée et situe ses interlocuteurs.					
S'en tient au sujet de la discussion.					

COMMENTAIRES

Nom : _____

Je planifie ma recherche

Remplis cette fiche de planification.

Je travaille en équipe avec _____

_____

Voici mon sujet de recherche _____

Voici des questions que je me pose _____

_____

_____

_____

_____

_____

Voici deux sources d'information _____

_____

_____

_____

J'ai trouvé ces sources d'information en... _____

_____

Voici des actions à poser dans le cadre de ma recherche

_____

_____

_____

_____

_____

Nom : _____

Une recherche sur le théâtre

Remplis cette fiche d'évaluation d'un ou d'une camarade pendant sa présentation.

Au cours de sa présentation, l'élève...

Parle assez fort pour se faire entendre.

Articule clairement.

Utilise un vocabulaire précis.

S'exprime avec facilité (n'hésite pas, ne s'arrête pas, ne lit pas un texte).

Présente son sujet et situe le contexte de sa recherche.

Donne des informations intéressantes.

Utilise un support visuel.

A une présentation dynamique.

Nom : _____

Pour jouer un personnage

Entoure le nombre de cœurs qui correspond à
ton appréciation du jeu d'un acteur ou
d'une actrice de l'équipe que tu observes.

La voix

L'élève parle fort et on l'entend bien.

L'élève peut moduler (faire monter ou descendre sa voix) pour marquer les émotions.

L'élève peut changer sa voix au besoin.

L'élève prononce bien chacun des mots.

L'élève imite la voix de son personnage (vieux,
fou, paresseux, etc.).

Le corps

L'élève bouge facilement, les mouvements sont
adaptés.

L'élève s'exprime par différents gestes (bouger les
bras, lever les épaules, avancer une jambe, etc.).

L'élève exécute des mouvements précis et on
voit bien tous les mouvements.

La psychologie des personnages

L'élève émet des sons liés à l'action de son
personnage.

L'élève émet des sons liés aux émotions de
son personnage.

L'élève fait des gestes liés à son personnage.

L'élève adopte une démarche qui convient à
son personnage.

Nom: _____

Autoévaluation de la discussion

Explique chacune de tes réponses en donnant un exemple.

1. J'ai écouté mes camarades avec intérêt en répétant, en reformulant ou en vérifiant leurs propos.

   Oui ☐   Non ☐   Parfois ☐

2. J'ai exprimé mes doutes et mes sentiments.

   Oui ☐   Non ☐   Parfois ☐

3. J'ai posé des questions.

   Oui ☐   Non ☐   Parfois ☐

4. J'ai exprimé mon point de vue.

   Oui ☐   Non ☐   Parfois ☐

5. J'ai manifesté mon accord ou mon désaccord face aux propos de mes camarades.

   Oui ☐   Non ☐   Parfois ☐

6. J'ai attendu mon tour pour parler.

   Oui ☐   Non ☐   Parfois ☐

7. J'ai évité de couper la parole à mes camarades.

   Oui ☐   Non ☐   Parfois ☐

Mots d'orthographe

absent
  absente
adopter
aigu
  aiguë
applaudir
arranger
athlète
auberge
auprès de
c'est-à-dire (c.-à-d.)
chômage
collant
  collante
composition
confiance
couronne
crier
critique
décorer
désormais
divertir
doucement

drôle
égoïste
éloigner
engager
essai
excellent
  excellente
extérieur
favori
  favorite
frapper
gai
  gaie
gentil
  gentille
geste
gloire
grandeur
habile
heureusement
importance
instruire
italien
  italienne

jeter
léger
  légère
mademoiselle (m^lle)
  mesdemoiselles
  (m^lles)
masque
masse
niaiseux
  niaiseuse
nombreux
  nombreuse
offrir
parmi
parole
peigne
peigner
personnage
plutôt
présence
profondément
programme
prudence
public (n.)

qu'est-ce que c'est
récompense
regard
remise
repasser
répéter
resplendir
rire
scène
séparer
s'il te plaît
simplement
sombre
sourire
supporter
théâtre
tout de suite
troupe
valoir

Lexique

Accès de colère : crise de colère.

Aigrefin : escroc.

Appas : attraits, charmes physiques.

Avaricieux : avare, pingre, près de ses sous.

Basse : voix grave masculine.

Bicorne : chapeau à deux pointes.

Bouche (d'une salle) : entrée.

Calicot : toile de coton.

Caméléon : personne qui se transforme facilement et rapidement selon le contexte dans lequel elle se trouve, comme l'animal du même nom.

Canevas : plan d'un ouvrage littéraire.

Capuce : capuchon des Capucins (des religieux).

Cavatine : air musical court.

Collerette : collet large.

Cubisme : courant artistique qui représente la réalité par des formes cubiques.

Discourir : parler.

Distorsion : déformation.

Drainer : entraîner.

Draveur : personne préposée au flottage du bois.

Dupe : que l'on peut tromper (duper) facilement.

Empreint : marqué.

Estrade : scène de spectacle surélevée.

Fantasque : capricieux, sujet à des sautes d'humeur.

Fatidique : marqué par le destin.

Figuratif : en art, qui représente une forme réelle (objet, personnage, plante...).

Fiole : petite bouteille de verre.

Fourbe : trompeur, menteur, rusé.

Friponnerie : action malicieuse faite en vue de tromper.

Halo : cercle lumineux.

Hasarder (se) : se risquer à faire quelque chose qui n'est pas sûr.

Implacable : inflexible, acharné.

Ingénue : rôle de jeune fille naïve.

Jeune premier : jeune qui occupe le rôle d'amoureux.

Lorgnon : lunettes sans branches.

Loufoque : bizarre, ridicule, farfelu.

Menuet : ancienne danse ou air instrumental.

Noble : d'une classe sociale aisée, éduquée.

Nonchalance : laisser-aller, manque de rigueur.

Panoplie : ensemble d'accessoires.

Paroissiale : de la paroisse, du village.

Parvis : place qui s'étend devant les portes d'une église.

Pavaner (se) : marcher d'une manière fière en espérant être admiré.

Pédant : personne qui fait étalage de son savoir.

Répertoire : liste de pièces qu'on peut jouer.

Rouer de coups : battre, donner plusieurs coups.

Rudoyé : traité avec rudesse, de façon indélicate.

Saccadé : brusque, irrégulier.

Singer : imiter.

Tréteau : théâtre de saltimbanques.

Vocation : mission.

Zizanie : trouble, confusion.

Bibliographie

BAILLY, Anne-Sophie. *Instruments de musique à réaliser soi-même*, coll. Petit artiste, Evry, MFG Atelier, 2001, 64 p. Des idées de bricolages pour les musiciens du spectacle.   Cote : f

BOIVIN, Dominique, Christine ERBÉ et Philippe PRIASSO. *La danse moderne*, coll. Carnets de danse, Paris, Gallimard jeunesse musique/Cité de la musique, 1998, 48 p. Les exercices d'exploration de ce livre pourraient inspirer les danseurs du spectacle.   Cote : f

BONNABEL, Anne-Marie et Marie-Lucile MILHAUD. *À la découverte du théâtre*, coll. À la découverte de, Paris, Ellipses-Marketing, 2000, 126 p. Histoire et critique du théâtre à travers les siècles.   Cote : d

COLE, Alison. *La perspective, profondeur et illusion*, coll. Les yeux de la découverte, Paris, Gallimard, 2003, 64 p. Des explications claires illustrées par des créations d'illustres artistes.   Cote : m

FAVARO, Patrice et Françoise MALAVAL. *Le grand livre des petits spectacles : exercices ludiques*, coll. Le Grand livre, ill. de Théodora Ramaekers, Bruxelles, Casterman, 2002, 126 p. Des jeux et des exercices faciles pour les acteurs en herbe.   Cote : f

MORRISSON, Caterine. *40 exercices d'improvisation théâtrale*, coll. Les carnets d'ateliers, Spectacles, Arles, Actes Sud junior, 2001, 62 p. Des idées d'exercices très utiles pour improviser et se mettre dans l'ambiance du jeu scénique. De la même auteure : *35 exercices d'initiation au théâtre. 1. Le corps, 2. La voix, le jeu.*   Cote : f

MOUGET-RENAULT, Madeleine. *Commedia dell'arte*, coll. Regards sur les lettres, Mouans-Sartoux, PEMF, 2002, 64 p. Un documentaire historique sur la comédie italienne.   Cote : m

PEF. *Mon père, mon théâtre de papier : récit*, coll. Histoires de théâtre, Arles, Actes Sud junior, 2002, 108 p. Une amusante biographie où Pef se rappelle ses vacances familiales teintées de la passion de son père : le théâtre.   Cote : m

ROCARD, Ann. *Déguisements et costumes de théâtre*, Paris, Temps apprivoisé, 2000, 64 p. Des idées pour se bricoler des costumes en classe.   Cote : f

Fiction et poésie

ALBAUT, Corinne. *Un pour dix, dix pour tous ! : 10 saynètes de un à dix personnages*, coll. Les petits répertoires, Arles, Actes Sud junior, 2002, 62 p. Dix spectacles pour les enfants de 6 à 10 ans. Plusieurs autres titres dans la même collection.   Cote : f

ARNAUDY, Anne-Caroline d'. *Arlequin médecin : pièce en un acte*, coll. Théâtre en scène, Paris, Magnard, 2000, 56 p. Une pièce mettant en scène l'un des incontournables pivots de la *commedia dell'arte*.   Cote : d

BROCHU, Yvon. *Galoche chez les Meloche*, coll. Galoche, ill. de David Lemelin, Sainte-Foy, FouLire, 2002, 118 p. Galoche veut protéger sa maîtresse contre les mauvaises intentions de Jérémie, qui feint de l'aimer pour obtenir d'elle un billet de spectacle.   Cote : f

CHANDON, G. *Récits tirés du théâtre grec*, coll. Mythologies, Paris, Pocket, 1999, 236 p. Des extraits choisis qui remontent à l'Antiquité.   Cote : d

CHARPENTREAU Jacques. *Jouer avec les poètes : 200 poèmes-jeux inédits de 65 poètes contemporains*, coll. Fleur d'encre, Paris, Hachette Jeunesse, 2002, 284 p. Une anthologie intéressante.   Cote : m

COLLECTIF. *Les plus beaux poèmes des enfants du Québec*, Montréal, Éditions de l'Hexagone, VLB, 2002, 176 p. Un recueil formé grâce à un concours qui a eu lieu en 2001.   Cote : f

DALY, Niki. *Bravo, Zan Angelo! : un conte de la* commedia dell'arte, Paris, Gautier-Languereau, 1998, 30 p. Une courte fiction comique qui se passe à Venise.   Cote : f

HINGLAIS, Sylvaine. *Le magicien qui aimait les bonbons et autres sketches*, coll. Petits comédiens, ill. d'Alain Sirvent, Paris, Retz, 2001, 32 p. Quelques courtes pièces écrites en fonction d'un public cible de 6 à 8 ans qui pourront inspirer les élèves pour écrire de courtes scènes. Plusieurs autres titres dans la même collection.   Cote : f

MAJOR, Henriette. *En avant la musique!*, coll. Mamie Jo et Papi Chou; Papillon; C'est la vie, ill. de Sampar, Saint-Laurent, Pierre Tisseyre, 2002, 92 p. En participant à un défilé, un garçon se retrouve parmi les membres d'une fanfare, ce qui lui donne l'envie d'apprendre à jouer d'un instrument de musique.   Cote : f

MALINEAU, Jean-Hugues. *Mille ans de poésie*, coll. Mille ans..., ill. d'Isabelle Chatellard, Toulouse, Milan, 1999, 586 p. Une anthologie de poèmes de plusieurs époques.   Cote : d

McCAUGHREAN, Geraldine. *Les plus belles histoires d'amour*, ill. de Jane Ray, Paris, Gautier-Languereau, 2000, 108 p. Parmi d'autres classiques : *Arlequin, Colombine et Pierrot*.   Cote : m

MOLIÈRE. *Molière pour rire : théâtre*, coll. Théâtre en poche, Castor poche Junior, Paris, Flammarion, 2002, 156 p. Une adaptation de délicieux classiques : *Les fourberies de Scapin, L'école des femmes, L'avare, Le bourgeois gentilhomme*. Dans la même collection : *Molière chez les médecins, Tristouillet, roi de Chagrinie, Antoine Chalumeau ne répond plus*, etc.   Cote : m

RACICOT-DROUIN, Hélène. *Attention, ça marche!*, Sherbrooke, Appalaches, 2000, 128 p. Des élèves montent un spectacle en classe. Une belle leçon sur le résultat des efforts pour mener un projet à terme.   Cote : f

TARDIEU, Jean. *Ce que parler veut dire : théâtre*, coll. Folio junior, Théâtre, Paris, Gallimard jeunesse, 2002, 136 p. Une adaptation de pièces de Jean Tardieu avec un petit carnet de mise en scène pour guider les acteurs en herbe. Plusieurs autres titres dans la même collection.   Cote : m

Sites Internet

Théâtre et marionnettes

www.atatheatre.com/Historique.htm

www.polemarionnette.com/

pdt71.free.fr/p%E9dago/m%E9tiers%20du%20th.html

fr.encyclopedia.yahoo.com/articles/ma/ma_2630_p0.html

cnt.pearl-conseil.fr/fr/cnt7.php (métiers)

perso.wanadoo.fr/claude.philip/accueil.htm (théâtres antiques)

Poésie

www.franceweb.fr/poesie/enfant1.htm

membres.lycos.fr/bareiv/tiens/

www.jecris.com/poemes.html

www.clicksouris.com/poesie/bestiaire.htm

www.sarthe.com/donneravoir/

Cézanne

www.atelier-cezanne.com/

Otub308 x 4